L'OFFICIEL DES PRÉNOMS

de A à Z

STÉPHANIE RAPOPORT

FIRST
Editions

© Éditions Générales First, 2004

ISBN 2-87691-946-X
Dépôt légal : 3ᵉ trimestre 2004

Imprimé en France

Conception graphique : KN Conception
Couverture : Natacha Kotlarevsky

Nous nous efforçons de publier des ouvrages qui correspondent à vos attentes et votre satisfaction est pour nous une priorité. Alors, n'hésitez pas à nous faire part de vos commentaires à :

Éditions Générales First
27, rue Cassette
75006 Paris - France
Tél. : 01 45 49 60 00
Fax : 01 45 49 60 01
Internet e-mail : firstinfo@efirst.com

En avant-première, nos prochaines parutions, des résumés de tous les ouvrages du catalogue. Dialoguez en toute liberté avec nos auteurs et nos éditeurs. Tout cela et bien plus sur Internet à : www.efirst.com

Introduction

Le choix de prénom d'un enfant est une des premières grandes responsabilités que doivent assumer les parents. Ceux-ci le font souvent avec enthousiasme, mais non sans mal… Et pour cause ! Jamais le prénom n'a été autant utilisé pour désigner l'individu, qu'il soit à l'école, au travail, ou dans un cadre plus privé. Détaché du nom patronymique, le prénom introduit un contexte plus amical et chaleureux dans lequel la personne se reconnaît et s'identifie socialement. Le choix des parents n'en est que plus décisif. Or, dans le même temps, le stock des prénoms disponibles n'a jamais été aussi vaste et la législation autant en faveur de la liberté de choix. Dans ce contexte, il n'est pas étonnant que de nombreux parents à la recherche d'un prénom trouvent la tâche ardue. En tant que créatrice du site Internet MeilleursPrenoms.com, je reçois régulièrement par mail des témoignages qui vont dans ce sens.

En cinq ans, MeilleursPrenoms.com a considérablement évolué en fonction des demandes et des suggestions des parents. Les commentaires de ces derniers ont permis au site de s'adapter à leurs besoins et de mieux répondre à leurs attentes. C'est donc en toute logique que *L'Officiel des prénoms* a été inspiré des rubriques qui sont les plus consultées en ligne. À l'identique du site, cet ouvrage est fondé sur une approche interactive et statistique. Il s'intéresse non seulement aux prénoms les plus répandus, mais aussi aux prénoms qui émergent actuellement en France. Les rubriques pratiques (zooms prénoms, encadrés thématiques) sont quant à elles destinées à donner aux parents toutes les informations qui peuvent les aider à trouver le « bon » prénom.

1) Ce que ce livre vous propose

Un guide de référence sur plus de 10 000 prénoms du monde (dont 8 000 sont réellement portés en France)

Vous trouverez dans cet ouvrage une sélection de plus de 10 000 prénoms accompagnés de leurs origines et de leurs significations. Dans leur grande majorité, ces prénoms sont d'origine latine, sémitique (hébraïque et arabe), germanique ou grecque. Ils constituent la base de la grande famille des prénoms « français ». Cependant, ces vingt dernières années, le patrimoine des prénoms s'est enrichi de nouvelles sonorités. L'immigration a largement contribué à cet enrichissement. C'est ainsi que l'on trouve en France une

1

nouvelle gamme de prénoms aux accents italiens, slaves, scandinaves ou russes, des consonances d'origines celtes ou irlandaises, et des prénoms arabes ou anglophones. Ce livre se veut le témoin actif de cette diversité.

◀ À LA RECHERCHE DE NOUVELLES SONORITÉS EN FRANCE ET AILLEURS

Le désir d'exotisme de nombreux parents participe également à l'émergence de consonances nouvelles. C'est la raison pour laquelle des prénoms provenant de contrées encore plus lointaines ont été ajoutés à cette sélection. On trouvera donc des prénoms japonais, tahitiens, arméniens, chinois, vietnamiens, hindous, perses et bien d'autres qui ne sont pas forcément usités en France mais qui font déjà parler d'eux ailleurs.

On trouve également une grande diversité d'origines et de sonorités de prénoms en France. Il suffit de se pencher sur les prénoms de nos régions. Grâce à la spécificité de leurs consonances, ceux-ci témoignent de la richesse et de la diversité culturelle de la France. Ces derniers connaissent actuellement une vogue sans précédent (voir l'encadré sur les prénoms régionaux). C'est la raison pour laquelle les prénoms d'origines alsacienne, basque, bretonne, corse, flamande ou occitane sont mis en valeur dans cet ouvrage. Lorsqu'un prénom a une identité régionale spécifique, cette information est indiquée. Au total, près de 1 000 prénoms régionaux sont répertoriés dans *L'Officiel des prénoms*.

2) En quoi cet ouvrage est-il différent des autres ?

L'approche de ce livre est originale : 8 000 des prénoms qui figurent dans cet ouvrage sont réellement portés en France. Les informations sont fondées sur les données statistiques de l'INSEE qui incluent une liste de plus de 13 000 prénoms portés en France (voir sources statistiques p. 6). Afin de constituer la sélection de prénoms, il a d'abord fallu rechercher les étymologies des plus portés d'entre eux. Puis le champ de sélection a été élargi aux prénoms de plus en plus rares (y compris ceux qui sont inconnus du grand public). Cette approche permet à la fois d'inclure des prénoms anciens qui sont devenus rares et des prénoms modernes/nouveaux qui commencent à émerger.

◀ UNE SÉLECTION DE PRÉNOMS QUI CAPTURE L'ÉVOLUTION EN COURS DE MILLIERS DE PRÉNOMS

Les prénoms sont classés par ordre alphabétique et par genre (féminin d'abord, masculin ensuite). Afin de donner au lecteur un maximum d'informations, la fréquence d'attribution des prénoms a été précisée (voir les méthodes de travail p. 8). Une prévision sur la tendance à venir est également indiquée lorsque cette estimation a pu être réalisée.

L'éventail des prénoms est très étendu. Aucune « discrimination » n'a été faite à l'encontre des prénoms rares, que ces derniers soient français ou venus d'ailleurs, qu'ils soient tout nouveaux ou excentriques. Ces derniers apparaissent aux côtés de prénoms plus répandus et sont mis en valeur de la même façon. On obtient ainsi une liste qui reflète les choix actuels des parents sans qu'aucun jugement subjectif ne les en ait écartés.

Certains reprocheront sans doute à cette approche de mettre en valeur des prénoms jugés trop anglophones, de mauvais goût ou encore trop originaux. Cependant, l'idée est précisément d'offrir aux parents (et à ceux qui s'intéressent aux prénoms) des informations permettant de répondre à des questions légitimes. Quels sont les prénoms qui sont choisis par les parents d'aujourd'hui ? Ces prénoms sont-ils rares ou répandus ? Quelles perspectives d'évolution sont à anticiper ? Seule une méthode objective permet de prendre en compte l'ensemble des prénoms attribués et de répondre à ces questions.

Dans cet ouvrage, vous pourrez ainsi découvrir qu'une soixantaine de prénoms vietnamiens sont attribués chaque année en France. Vous pourrez également déterminer quels sont les prénoms les plus exotiques qui percent actuellement. Enfin, les parents qui ont prénommé leurs filles Carla-Marie ou Mahina (prénom hawaïen) pourront vérifier qu'ils ne sont pas les seuls à avoir été séduits par ces prénoms.

◀ LES 2 000 PRÉNOMS QUI NE SONT PAS ASSORTIS D'INFORMATION STATISTIQUE

Les 2 000 prénoms qui ne sont pas accompagnés d'une information concernant leur fréquence ou tendance ne sont pas usités en France. Ils ont été inclus dans cette sélection pour trois raisons principales :
– Ces prénoms sont souvent des prénoms exotiques venus de pays lointains, ou bien des prénoms régionaux très méconnus qui n'attendent qu'à être découverts.
– Leurs sonorités sont plaisantes ou bien proches de celles de « prénoms qui montent ».

3

– Ils ont suscité beaucoup de questions et de commentaires de la part des visiteurs de MeilleursPrenoms.com.

◖ TRAITEMENT DES DÉRIVÉS ET VARIANTES

Lorsqu'un prénom très commun se décline en de multiples orthographes, celles qui sont extrêmement rares ont été référencées sous forme de variantes. Ces dernières ne sont pas assorties d'information statistique spécifique, mais le fait qu'elles aient été classées ainsi est l'indication qu'elles sont très rares. Par exemple, Cateline apparaît en tant que variante de Catheline parce qu'elle est rarissime. Notons que dans leur immense majorité, ces variantes sont des prénoms réellement portés en France. Seule une minorité d'entre elles est portée dans des pays étrangers et ne l'est pas encore dans l'Hexagone.

À noter que les dérivés, variations et formes diminutives qui sont davantage attribués sont traités de la même façon que le prénom dont ils dérivent. Prenons l'exemple de Cathy et Caitlin. Ces formes dérivées de Catherine étant répandues en France, elles ne sont pas classées sous forme de variantes. Au même titre que Catherine, elles sont assorties de leur étymologie, de leur fréquence et de leur tendance. On peut donc aisément reconnaître les prénoms qui appartiennent à la même « famille » : leurs étymologies sont identiques.

À noter également que pour plus de simplicité, les prénoms dérivés et les variantes sont communément dénommés « variantes ». Enfin, le classement de ces dernières a été effectué de manière phonétique. En appliquant ce principe, Alissia et Licia, des variantes rarissimes d'Alice, se trouveront non pas classées avec ce prénom mais plutôt avec Alicia. Cette approche permet au lecteur de réaliser des recherches de manière plus intuitive.

◖ CARACTÉROLOGIE

À l'exception des variantes, les prénoms de l'*Officiel des prénoms* ont fait l'objet d'une étude caractérologique. Basée sur la numérologie, cette étude a permis d'associer à chaque prénom cinq traits principaux de caractères.

3) Informations pratiques

Dans cet ouvrage, une grande place a été réservée aux informations objectives de type statistique. Les statistiques concernant les prénoms les plus attribués en France, celles relatives aux prénoms mixtes et composés, et les analyses concernant les prénoms qui montent ont été incluses parmi d'autres. D'autres thèmes pratiques sont également abordés : qu'il s'agisse de la législation française sur les prénoms, des prénoms BCBG ou de l'harmonie d'un prénom avec son patronyme, les futurs parents trouveront des conseils et des informations qui leur seront utiles pour faire leur choix (voir l'index de toutes les rubriques à la dernière page de cet ouvrage).

◀ LES « ZOOMS » PRÉNOMS

Au total, 65 prénoms font l'objet d'un encadré spécial, appelé « zoom prénom ». Les prénoms qui en font l'objet ont été choisis pour les raisons suivantes :

– Ils sont en train de percer ou sont déjà dans le top 20 français.
– Ils ont été le choix favori des parents pendant des années (même si certains montrent aujourd'hui des signes de déclin).
– Bien que très rares aujourd'hui, ils pourraient être les grands prénoms de demain.

Les zooms abordent l'évolution de chacun de ces prénoms en France, leurs tendances à prévoir dans l'Hexagone et dans bien d'autres pays. Chaque zoom inclut l'histoire, les personnages célèbres et les saints qui ont porté le prénom dont il est question. Au travers d'analyses, on observe la façon dont les courants de mode et la culture (au sens large) peuvent influencer le destin d'un prénom.

Une attention particulière a été dédiée aux régions francophones de la Belgique, du Québec et de la Suisse. On peut par exemple découvrir l'évolution de chacun de ces prénoms dans ces régions.

◀ 1 300 PRÉNOMS EN FÊTE

Les dernières pages de cet ouvrage regroupent 1 300 prénoms classés par ordre alphabétique et accompagnés de la date de leur fête. Cette sélection inclut les prénoms qui montent en France et ceux qui y sont les plus répandus. De plus, les prénoms cités dans les encadrés thématiques (prénoms régionaux, courants de prénoms dans le vent, palmarès des prénoms francophones, etc.) figurent dans ce répertoire.

4) Sources statistiques

Les informations statistiques concernant les prénoms et leurs évolutions pour la France sont fondées sur les données statistiques de l'INSEE.
Les données statistiques d'autres pays ont été réunies pour analyser les tendances des prénoms autour du monde. Certaines d'entre elles ont été utilisées pour réaliser les palmarès des prénoms francophones de la Belgique, du Canada

et de Suisse. Les données se rapportant à l'Angleterre et au Pays de Galles proviennent de l'institut national anglais *National Satistics*. Le CSO, *Central Statistics Office* établit le palmarès des prénoms les plus attribués en Irlande. Le GFDS *Gesellschaf Für Deutsche Sprache* fait de même pour l'Allemagne. Aux États-Unis, c'est la *Social Security Administration* qui recense les naissances et les prénoms les plus plébiscités. Les données relatives à la Finlande émanent du *Våestörekisterikeskus*. Celles se rapportant à la Norvège proviennent du SSB : *Statistik Sentralbyå*. Enfin le palmarès des prénoms suédois est dressé par le SCB : *Statistiska Centralbyrån*.

La carrière des prénoms dans les régions francophones du Canada, de la Belgique et de la Suisse est suivie de près dans cet ouvrage. La Régie des rentes du Québec (www.rrq.gouv.qc.ca) recense les prénoms les plus attribués dans cette région. En Suisse romande, c'est le OFS, *Office fédéral suisse de la statistique* compile les données. Enfin, *l'Institut national de statistique de la Belgique* (www.statbel.fgov.be) établit le palmarès des prénoms selon les régions belges. La région wallonne est la région francophone la plus représentative de la Belgique, c'est donc sur la Wallonie que les études ont été effectuées.

5) Méthodes de travail

◖ LES PROJECTIONS

Les prénoms qui figurent dans les « zooms » ont fait l'objet d'une étude approfondie et de projections statistiques. Ces projections permettent d'estimer le nombre de fois qu'un prénom sera attribué en 2005. Elles permettent également d'anticiper le positionnement du prénom dans le palmarès français.
D'autres analyses thématiques ont fait l'objet de projections statistiques :
– le palmarès des prénoms français ;
– le palmarès des prénoms mixtes, composés et prénoms régionaux ;
– les prénoms qui montent en 2005.

◖ LES FRÉQUENCES D'ATTRIBUTION DES PRÉNOMS : MODE D'EMPLOI

Les prénoms de cet ouvrage sont assortis d'une information détaillée concernant leur fréquence dans l'Hexagone. Celle-ci prend en compte deux éléments :
1) Le degré général de fréquence d'un prénom (combien de personnes vivantes portent ce prénom).
2) Le degré d'attribution actuel de ce prénom (à combien de bébés peut-on estimer que ce prénom sera attribué en 2005).

Cette disposition permet d'offrir une perspective sur l'évolution passée et le profil présent de chaque prénom. Prenons l'exemple de Marie, et afin qu'il soit plus intéressant, prenons-le au masculin. Marie est aujourd'hui presque exclusivement attribué aux filles, mais ceci n'a pas toujours été le cas. C'est la raison pour laquelle ce prénom est encore porté par plus de 7 000 personnes de sexe masculin en France. Il n'est donc pas étonnant que la fréquence qui lui est associée (p. 364) indique : « Ce prénom est assez répandu. Il est très peu attribué aujourd'hui. » En se référant au tableau ci-dessous, on peut vérifier que la mention

« assez répandu » correspond au degré de fréquence mentionné précédemment. Quant à la deuxième phrase, elle concerne le degré d'attribution actuel de ce prénom. Lorsque l'on se réfère au tableau 2 ci-après, on obtient la précision que Marie ne figure pas dans le top 800 masculin français estimé pour 2005. Bien entendu, c'est au féminin qu'il faut conjuguer Marie afin de retrouver ce prénom dans toute sa splendeur actuelle.

1) Degré général de fréquence
Ci-dessous les mentions qui sont associées à chaque prénom et ce qu'elles signifient concrètement :

Mention :	Signification :
Ce prénom est porté par moins de 100 personnes en France.	Prénom porté par moins de 100 personnes (environ) en France.
Ce prénom est très rare.	Prénom porté par 100 à 500 personnes (environ) en France.
Ce prénom est rare.	Prénom porté par 500 à 1 000 personnes (environ) en France.
Ce prénom est assez rare.	Prénom porté par 1 000 à 3 000 personnes (environ) en France.
Ce prénom est assez répandu.	Prénom porté par 3 000 à 10 000 personnes (environ) en France.
Ce prénom est répandu.	Prénom porté par 10 000 à 100 000 personnes (environ) en France.
Ce prénom est très répandu.	Prénom porté par 100 000 à 500 000 personnes (environ) en France.

7

2) Degré d'attribution actuel

Le degré d'attribution actuel est déterminé selon le rang de chaque prénom dans le palmarès français estimé pour 2005. Les prénoms masculins sont classés par rapport au palmarès français masculin, le même procédé ayant été suivi pour les filles. Les prénoms ont été classés par ordre décroissant d'attribution.

Ci-dessous les types de mentions qui sont inclus dans la fréquence de chaque prénom. Leur correspondance, en terme de positionnement dans le palmarès, est indiquée ci-dessous :

De 1er à 50e

... figure dans le top 50 français aujourd'hui.

De 51e à 100e

... figure dans le top 100 français aujourd'hui.

De 101e à 200e

...est plutôt bien attribué aujourd'hui.

De 201e à 520e

...est relativement peu attribué aujourd'hui.

De 521e à 830e

...est peu attribué actuellement.

De 831e à 5 000e

...est très peu attribué aujourd'hui.

Au-delà du 5 000e

...ne devrait pas être attribué à plus de 10 bébés en 2005.

Prenons l'exemple de Loan (voir p. 354). Sa fréquence indique : « Ce prénom breton est assez rare. Il est plutôt bien attribué aujourd'hui. » La première phrase indique que ce prénom est porté par 1 000 à 3 000 personnes en France (voir tableau 1). La seconde phrase signifie que Loan figure dans le top 200 français aujourd'hui (voir les équivalences ci-dessus).

◖ LES TENDANCES DES PRÉNOMS

Les tendances ont été calculées en prenant en compte l'évolution suivie par chaque prénom sur une période de six ans. Les prénoms qui ne montrent pas d'évolution statistiquement significative n'ont pas de tendance indiquée. Les tendances sont indiquées par des flèches dont les significations apparaissent dans le tableau p. 9.

Remarque : Les mentions à propos des tendances et des fréquences des prénoms s'appliquent toujours à la France, sauf dans le cas où un autre pays est spécifié.

Tendance :	Signification :
En forte croissance.	Progression supérieure à 50 %
En croissance modérée.	Progression entre 5 % et 50 %
État stationnaire.	Stable.
En décroissance modérée.	Diminution entre 5 % et 50 %
En forte décroissance.	Diminution supérieure à 50 %

6) Informations complémentaires à propos de www.MeilleursPrenoms.com

MeilleursPrenoms.com est consulté chaque mois par plus 150 000 futurs parents. La plupart d'entre eux sont français, mais on compte également de nombreux visiteurs belges, canadiens ou suisses. Un certain nombre de Français habitant à l'étranger consulte également les pages de ce site.

MeilleursPrenoms.com a été créé en février 2000. Je me suis lancée dans cette aventure avec mon mari, car nous avions beaucoup peiné pour trouver les prénoms de nos enfants. Nous habitions alors à New York et nous souhaitions trouver des prénoms qui s'adaptaient aux cultures française et américaine. Pour compliquer les choses, il fallait également que ces prénoms soient faciles à prononcer en français et en anglais. C'est ainsi que le site a été conçu dans l'objectif d'aider d'autres parents français et francophones. Les nombreuses lettres de remerciements des parents qui ont trouvé le prénom de leur enfant sur le site m'ont encouragé à poursuivre cette démarche. C'est un peu grâce à eux que l'*Officiel des prénoms* existe aujourd'hui. Je les en remercie vivement.

PARTIE 1

Prénoms féminins

Abélia : Souffle, respiration (hébreu). Ce prénom est porté par moins de 100 personnes en France. Variantes : Abela, Abelia, Abelie, Abella, Abelle, Abellia. Caractéro-logie : organisation, enthousiasme, pratique, communication, détermination.

Abeline : Souffle, respiration (hébreu). Ce prénom est porté par moins de 100 personnes en France. Dans l'Hexagone, Abeline est plus traditionnellement usité au Pays Basque. Variantes : Abelina, Abelone. Caractérologie : organisation, résolution, pragmatisme, optimisme, communication.

Abia : Exceptionnelle (arabe). Caractérologie : engagement, méthode, fiabilité, ténacité, sens du devoir.

Abigaël : Source de joie (hébreu). Ce prénom est rare. Tendance : stable. Variantes : Abigaëlle, Abby, Aby, Abygaël, Abygaëlle, Avigaël. Caractérologie : énergie, détermination, innovation, autorité, compassion.

Abigaïl : Source de joie (hébreu). Ce prénom est rare. Tendance : stable. Abigail devrait figurer dans le top 10 américain en 2004. Caractérologie : indépendance, curiosité, dynamisme, courage, organisation.

Acacia : Fleur protectrice du mal (grec). Caractérologie : humanité, rectitude, générosité, rêve, ouverture d'esprit.

Ada : Ornement (hébreu). Ce prénom est rare. Caractérologie : bienveillance, conscience, paix, sagesse, conseil.

Adama : Fait de terre rouge (hébreu). Voir Adam. Ce prénom est très rare. Tendance : stable. Caractérologie : diplomatie, loyauté, réceptivité, sociabilité, bonté.

Adara : Feu (hébreu). Caractérologie : sagacité, philosophie, connaissances, spiritualité, originalité.

Adélaïde : De noble lignée (germanique). Ce prénom est assez répandu. Il est relativement peu attribué aujourd'hui. Tendance : stable. Variantes : Adelaida, Adelaig. Caractérologie : énergie, décision, originalité, audace, découverte.

Adèle : Noble (germanique). Ce prénom répandu est plutôt bien attribué aujourd'hui. Tendance : en croissance modérée. Variantes : Adela, Adélia, Adelise, Adelle. Caractérologie : rêve, humanité, rectitude, ouverture d'esprit, générosité.

Adélie : Noble (germanique). Ce prénom assez rare est très peu attribué aujourd'hui. Tendance : stable. Caractérologie : humanité, rectitude, ouverture d'esprit, rêve, résolution.

Adelina : Noble (germanique). Ce prénom est rare. Tendance : stable. Caractérologie : ambition, innovation, décision, autorité, énergie.

Adeline : Noble (germanique). Ce prénom répandu est plutôt bien attribué aujourd'hui. Tendance : en décroissance modérée. Variantes : Adelyne, Edeline. Caractérologie : dynamisme, curiosité, indépendance, décision, courage.

Adelphine : Noble, loup (germanique). Ce prénom est très rare. Variantes : Adelphia, Adelphina, Adolpha. Caractérologie : réussite, sociabilité, réceptivité, diplomatie, action.

Adena : Noble, parée de bijoux (grec). Variantes : Aderia, Adina. Caractérologie :

originalité, spiritualité, connaissances, philosophie, sagacité.

Adenor : D'un grand courage (grec). Variante : Adenora. Caractérologie : pratique, décision, caractère, communication, enthousiasme.

Adil : Juste (arabe). Ce prénom est très rare. Caractérologie : altruisme, idéalisme, intégrité, dévouement, réflexion.

Adira : Forte (hébreu). Caractérologie : équilibre, sens des responsabilités, influence, famille, exigence.

Le palmarès des prénoms féminins en 2005

Ci-dessous le top 20 des prénoms féminins, estimé pour l'année 2005. Le classement a été effectué par ordre décroissant d'attribution.

1. Léa	8. Inès	15. Julie
2. Chloé	9. Océane	16. Jade
3. Emma	10. Marie	17. Maeva
4. Manon	11. Lisa	18. Eva
5. Camille	12. Lucie	19. Pauline
6. Sarah	13. Mathilde	20. Zoé
7. Clara	14. Laura	

Commentaires et observations :

Léa domine toujours ce palmarès, mais sa croissance s'essouffle. Cette perte de vitesse pourrait lui coûter son trône avant la fin 2006. En attendant, les terminaisons en « a » poursuivent leur offensive. Ainsi, Emma, Clara, Lisa et Eva continuent de progresser avec brio. Seule la courbe de Maeva trahit quelques signes d'hésitation. Tel n'est pas le cas de Laura et de Sarah, qui déclinent assurément depuis quelques années. Il faut dire que ces dernières ont déjà connu leurs années de gloire. Elles ne sont pas les seules à céder leurs places à de nouvelles recrues. D'autres stars de la fin du XXᵉ siècle, comme Marie et Mathilde, perdent également du terrain. Malgré tout, ces dernières ne devraient pas quitter ce palmarès de sitôt. En revanche, Pauline ne peut pas en espérer autant. Sa place pourrait être reprise (pour la première fois depuis plus de soixante ans) par Jeanne. Cette dernière est en effet poussée par la vogue du rétro dont bénéficient Emma, Lisa ou Lucie. Zoé, autre grand prénom rétro, vient justement de s'imposer dans ce palmarès. Enfin Jade, une des révélations de ces dernières années, a confirmé son avènement. Elle enrichit ce palmarès d'une sonorité nouvelle et moderne (ce prénom a moins de vingt-cinq ans). À noter : la percée de Jade et de Zoé s'accompagne du départ d'Anaïs et de Marine.

Pour plus de détails sur chacun des prénoms ci-dessus, voir les encadrés qui leur ont été consacrés.

A

> ### Les prénoms féminins qui montent en France

Penchons-nous sur les sonorités, les rythmes et les parcours surprenants qui sont empruntés par des prénoms dont la gloire est confirmée ou dont l'existence est à découvrir. Du côté des filles, nous remarquons une domination des terminaisons en « a » et en « e » On observe même une recrudescence des prénoms qui commencent par un « I ». En 2005, les prénoms en vogue sont particulièrement courts, composés de deux syllabes et de cinq lettres pour la plupart. Ce phénomène est en partie lié à la vogue des prénoms nouveaux qui sont apparus en France ces vingt dernières années. En effet, ces derniers sont moins longs que leurs aînés qui ont dominé le XXe siècle.

En poursuivant son règne, Léa confirme l'influence des caractéristiques énumérées ci-dessus. L'avènement d'Emma, Clara, Eva, Lisa et Maeva fait particulièrement triompher les terminaisons en « a ». Dans le même registre, nous observons l'essor de : Anna, Carla, Célia, Ilona, Kenza, Lena, Lila, Lina, Lola et Maeva. Nous attendons également celui de Calista, Chaïma, Darina, Eléa, Enéa, Enza, Kiara (ou Chiara), Léana, Luana, Mareva, Maya, Nina, Noa et Rania, sans oublier Alyssa, Luna, Mia, Shania et Timéa. À noter les difficultés rencontrées par Andrea et Anthéa : elles ont du mal à percer malgré des débuts prometteurs. Dans les terminaisons en « e », les sons sont plus contrastés. Si Louane, Luane et Léane se ressemblent, que dire en effet de cet ensemble : Alizée, Ambre, Axelle, Capucine, Éloïse, Inès, Jade, Jeanne, Keliane, Lexane, Maëlle, Rose, Salomé, Yasmine, Ysée et Zoé ?

Les sonorités scandinaves représentées par à Astrid ou Liv sont moins remarquées que celles des espagnoles Inès et Lola, ou même des italiennes Clara et Chiara. Cependant, chacune d'entre elles participe à l'enrichissement du patrimoine des prénoms français. Il en va de même pour Ilona et Sonia, qui soufflent un vent slave dépaysant. Dans les autres prénoms qui montent, Lou se distingue particulièrement. Elle entraîne dans son sillage des prénoms aux sonorités proches : Lili, Lily, Lalie et Lilou. Notons pour terminer l'éclosion de nouveautés qui devraient monter rapidement : Lily-Rose et Noan. Ces prénoms sont apparus pour la première fois en France en 2000. Evaëlle, autre nouveauté à fort potentiel, est née un an plus tôt.

Adolphine : Noble, loup (germanique). Ce prénom est rare. Caractérologie : communication, enthousiasme, réalisation, pratique, raisonnement.

Adonia : Seigneur (hébreu). Ce prénom est porté par moins de 100 personnes en France. Caractérologie : ambition, force, habileté, décision, caractère.

Adriana : Habitant d'Adria, Italie (grec). Ce prénom assez rare est relativement peu attribué aujourd'hui. Tendance : en forte croissance. Adriana est très répandu dans

Le palmarès des prénoms composés en 2005

Ci-dessous le top 20 des prénoms composés féminins, estimé pour l'année 2005. Le classement a été effectué par ordre décroissant d'attribution.

1. Lou-Anne
2. Lou-Ann
3. Lily-Rose
4. Marie-Amélie
5. Lili-Rose
6. Anne-Sophie
7. Marie-Lou
8. Lee-Lou
9. Lou-Anna
10. Anne-Lise
11. Anne-Laure
12. Fatima-Zohra
13. Marie-Christine
14. Anne-Charlotte
15. Marie-Sarah
16. Lisa-Marie
17. Marie-Charlotte
18. Carla-Marie
19. Jeanne-Marie
20. Marie-Laure

Commentaires et observations :

C'est la grande année des prénoms composés en Lou et en Anne. Les combinaisons abondent, mais celles qui sont les plus répandues sont Lou-Anne et Lou-Ann. Ces dernières sont d'ailleurs les formes composées les plus attribuées en France. Elles ont, de surcroît, le privilège de figurer dans l'élite des 200 premiers prénoms français. Lily-Rose, une révélation de ces trois dernières années, s'empare de la 3e place du palmarès des composés. Ce prénom, choisi par Vanessa Paradis pour sa fille, pourrait prochainement égaler la performance de Lou-Ann. Ces nouvelles formes composées sont parvenues à menacer le règne des plus classiques mais déclinantes Marie-Laure, Anne-Laure ou Anne-Claire. Cette dernière vient d'ailleurs de céder sa place à Jeanne-Marie ; c'est peut-être un signe annonciateur du grand retour de Jeanne en France. Il est encore prématuré de se prononcer sur le destin de Carla-Marie, même si les prénoms qui la composent sont en vogue. Quant à Marie-Alix, elle disparaît elle aussi de ce palmarès. Elle n'a pu résister à l'arrivée fracassante de Lou-Ann, la seconde révélation de l'année.

A

15

les pays hispanophones, au Portugal et en Italie. En France, ce prénom est plus traditionnellement usité au Pays Basque. Variantes : Adria, Adriane, Adrianna, Adrianne. Caractérologie : décision, communication, pragmatisme, optimisme, créativité.

Adrienne : Habitant d'Adria, Italie (grec). Ce prénom répandu est très peu attribué aujourd'hui. Tendance : stable. Caractéro-

logie : connaissances, sagacité, originalité, spiritualité, décision.

Aela : Ange, messagère (latin). Ce prénom breton est très rare. Tendance : en forte croissance. Caractérologie : dynamisme, direction, audace, indépendance, assurance.

Aéna : Digne d'éloges (hébreu). Caractérologie : communication, générosité, pratique, adaptation, enthousiasme.

Afaf : Chaste (arabe). Ce prénom est très rare. Tendance : en croissance modérée. Variantes : Affaf, Afef, Afif, Afifa. Caractérologie : découverte, énergie, originalité, audace, séduction.

Agathe : Bonté, gentillesse (grec). Ce prénom répandu figure dans le top 100 français aujourd'hui. Tendance : stable. Variantes : Agata, Agate, Agatha. Caractérologie : paix, conseil, conscience, sensibilité, bienveillance.

Aglaé : Qui est claire (grec). Ce prénom est rare. Tendance : en forte croissance. Variantes : Aglaée, Aglaïa, Aglaïane. Caractérologie : achèvement, ardeur, compassion, stratégie, vitalité.

Agnès : Chaste, pure (grec). Ce prénom répandu est relativement peu attribué aujourd'hui. Tendance : stable. Variantes : Agnela, Anessa, Enès, Neza. Variantes bretonnes : Oana, Oanell, Noan. Caractérologie : autonomie, innovation, énergie, autorité, ambition.

Ahès : Aimée, chérie (hébreu). Caractérologie : famille, équilibre, sens des responsabilités, influence, exigence.

Aï : Amour (japonais, vietnamien). Ce prénom est porté par moins de 100 personnes en France. Caractérologie : ambition, énergie, innovation, autorité, autonomie.

Aïcha : Celle qui vivra, vitalité (arabe). Ce prénom est assez répandu. Il est relativement peu attribué aujourd'hui. Tendance : stable. Variante : Aïsha. Caractérologie : ténacité, méthode, fiabilité, sens du devoir, engagement.

Aïda : Récompense (arabe). Celle qui ornera (hébreu). Ce prénom assez rare est peu attribué actuellement. Tendance : en croissance modérée. Caractérologie : exigence, famille, équilibre, influence, sens des responsabilités.

Aïko : Enfant de l'amour (japonais). Caractérologie : idéalisme, altruisme, réflexion, dévouement, intégrité.

Aimée : Aimée des dieux (latin). Ce prénom répandu est très peu attribué aujourd'hui. Tendance : en décroissance modérée. Variante : Aymée. Caractérologie : conseil, paix, bienveillance, résolution, conscience.

Aimy : Travailleuse (germanique). Ce prénom est très rare. Tendance : en forte croissance. Variante : Aimie. Caractérologie : pratique, communication, réalisation, adaptation, enthousiasme.

Ainara : Hirondelle (basque). Caractérologie : ambition, passion, habileté, décision, force.

Aines : Chaste, pure (grec). Prénom basque. Caractérologie : décision, communication, pragmatisme, créativité, optimisme.

Ainhoa : Prénom basque qui désigne la vierge Marie. Ce prénom est très rare. Tendance : en forte croissance. Variante : Idoia. Caractérologie : communication, optimisme, pragmatisme, créativité, décision.

Aïssa : Dieu sauve (hébreu). Ce prénom est très rare. Tendance : en croissance modérée. Caractérologie : fiabilité, ténacité, sens du devoir, méthode, engagement.

Aitana : Père de tous les Basques (mythologie basque). Ce prénom est porté par moins de

100 personnes en France. Caractérologie : audace, direction, indépendance, décision, dynamisme.

Aki : Automne (japonais). Caractérologie : créativité, sociabilité, communication, optimisme, pragmatisme.

Akiko : L'enfant de l'automne (japonais). Caractérologie : relationnel, intuition, fidélité, adaptabilité, médiation.

Akila : Intelligente (arabe). Ce prénom est rare. Caractérologie : savoir, intelligence, organisation, méditation, indépendance.

Alaia : Vertueuse (arabe). Bonheur, joie (basque). Ce prénom est porté par moins de 100 personnes en France. Tendance : en forte croissance. Caractérologie : bienveillance, sagesse, conseil, paix, conscience.

Alaïs : De noble lignée (germanique). Ce prénom est très rare. Tendance : en forte croissance. Caractérologie : paix, conseil, conscience, sagesse, bienveillance.

Alana : Belle, calme (celte). Ce prénom est très rare. Tendance : en forte croissance. En France, Alana est plus traditionnellement usité en Bretagne. Variante : Alanis. Caractérologie : réceptivité, sociabilité, loyauté, diplomatie, bonté.

Alara : Reine de tous (germanique). En France, Alara est plus traditionnellement usité en Bretagne. Variante : Elara. Caractérologie : conscience, paix, bienveillance, sagesse, conseil.

Alba : Blanc (latin). Ce prénom est rare. Tendance : en croissance modérée. Alba signifie « aube « en espagnol et en italien. Ce prénom est plus particulièrement usité dans les régions du monde où ces langues sont parlées. Variante portugaise : Alva. Caractérologie : sagacité, originalité, connaissances, spiritualité, organisation.

Albane : Blanc (latin). Ce prénom est assez répandu. Il est relativement peu attribué aujourd'hui. Tendance : stable. Variantes : Albana, Albanie, Albanne. Caractérologie : passion, ambition, organisation, force, habileté.

Alberte : Noble, brillante (germanique). Ce prénom est assez répandu. Il est très peu attribué aujourd'hui. Variante : Alberta. Caractérologie : idéalisme, intégrité, altruisme, décision, gestion.

Albertine : Noble, brillante (germanique). Ce prénom répandu est très peu attribué aujourd'hui. Tendance : en décroissance modérée. Variantes : Albéria, Albérie, Albertina, Aubertine. Caractérologie : découverte, énergie, organisation, résolution, audace.

Albina : Blanc (latin). Ce prénom est très rare. Tendance : en forte croissance. En France, Albina est plus traditionnellement usité en Bretagne. Caractérologie : enthousiasme, pratique, communication, gestion, décision.

Albine : Blanc (latin). Ce prénom est rare. Caractérologie : savoir, intelligence, méditation, gestion, décision.

Alda : Noble (germanique). Ce prénom est très rare. Variante : Alderine. Caractérologie : rêve, humanité, ouverture d'esprit, rectitude, générosité.

Aldegonde : Noble, guerre (germanique). Ce prénom est porté par moins de 100 per-

A

17

sonnes en France. Caractérologie : méthode, ténacité, réussite, caractère, fiabilité.

Aldora : Un cadeau (anglais). Caractérologie : bienveillance, conscience, paix, conseil, analyse.

Aléa : Honneur (arabe). Ce prénom est porté par moins de 100 personnes en France. Variante : Aleah. Caractérologie : autorité, autonomie, énergie, innovation, ambition.

Aléria : Comme un aigle (latin). Caractérologie : direction, décision, audace, indépendance, dynamisme.

Alésia : Qui aide (grec). Ce prénom est très rare. Tendance : stable. Caractérologie : intuition, relationnel, médiation, décision, fidélité.

Alessia : Défense de l'humanité (grec). Ce prénom est très rare. Tendance : en croissance modérée. Alessia est très en vogue en Italie. Caractérologie : communication, pratique, enthousiasme, adaptation, décision.

Alethia : La vérité (grec). Caractérologie : médiation, intuition, résolution, relationnel, finesse.

Alex : Défense de l'humanité (grec). Ce prénom est très rare. Tendance : en forte croissance. Alex figure dans le palmarès des prénoms mixtes. Pour en savoir plus, voir cet article. Caractérologie : exigence, influence, famille, équilibre, sens des responsabilités.

Alexa : Défense de l'humanité (grec). Ce prénom assez rare est très peu attribué aujourd'hui. Tendance : en décroissance modérée. Caractérologie : savoir, intelligence, indépendance, méditation, sagesse.

Alexandra : Défense de l'humanité (grec). Ce prénom répandu est plutôt bien attribué aujourd'hui. Tendance : en décroissance modérée. Variantes : Aléandra, Aleksandra, Alessandra, Alexandréa, Alexandria. Variante basque : Xandra. Caractérologie : achèvement, stratégie, caractère, vitalité, logique.

Alexandrine : Défense de l'humanité (grec). Ce prénom est assez répandu. Il est très peu attribué aujourd'hui. Tendance : en décroissance modérée. Caractérologie : habileté, ambition, volonté, analyse, force.

Alexane : Combinaison d'Alex et d'Anne. Ce prénom assez rare est relativement peu attribué aujourd'hui. Tendance : stable. Variantes : Alexana, Alexanna, Alexanne. Caractérologie : habileté, ambition, force, passion, management.

Alexia : Défense de l'humanité (grec). Ce prénom répandu figure dans le top 100 français aujourd'hui. Tendance : en décroissance modérée. Variantes : Alexe, Alexya. Caractérologie : savoir, intelligence, méditation, analyse, résolution.

Alexiane : Défense de l'humanité (grec). Ce prénom assez rare est peu attribué actuellement. Tendance : stable. Caractérologie : détermination, habileté, ambition, force, raisonnement.

Alexie : Défense de l'humanité (grec). Ce prénom est rare. Tendance : en décroissance modérée. Caractérologie : intuition, relationnel, raisonnement, médiation, détermination.

Alexine : Défense de l'humanité (grec). Ce prénom est rare. Tendance : stable.

Variante : Alexina. Caractérologie : intelligence, décision, savoir, logique, méditation.

Aleyna : Éclat du soleil (grec). Ce prénom est rare. Tendance : en forte croissance. Caractérologie : ténacité, méthode, fiabilité, engagement, compassion.

Alfrèda : Sage conseillère (germanique). Ce prénom est assez répandu. Il est très peu attribué aujourd'hui. Variantes : Alfredine, Eldrida. Caractérologie : réceptivité, caractère, sociabilité, diplomatie, logique.

Alia : Sublime (arabe). Qui monte (hébreu). Ce prénom est rare. Tendance : en croissance modérée. Variantes : Aliya, Aliye, Allia. Caractérologie : dynamisme, curiosité, courage, indépendance, charisme.

Alice : De noble lignée (germanique). Ce prénom est très répandu. De plus, il figure dans le top 50 français aujourd'hui. Tendance : stable. Alice est très en vogue en Italie. Caractérologie : communication, pragmatisme, optimisme, résolution, créativité.

Alicia : De noble lignée (germanique). Ce prénom répandu figure dans le top 50 français aujourd'hui. Tendance : stable. Alicia est très répandu dans les pays hispanophones. En France, ce prénom est plus traditionnellement usité en Occitanie. Variantes : Allissia, Licia. Caractérologie : stratégie, ardeur, achèvement, leadership, vitalité.

Alida : Noble (germanique). Ce prénom assez rare est très peu attribué aujourd'hui. Tendance : stable. Caractérologie : rêve, humanité, ouverture d'esprit, rectitude, générosité.

Aliénor : Compassion (grec). Ce prénom assez rare est relativement peu attribué aujourd'hui. Tendance : stable. En France, Aliénor est plus traditionnellement usité au Pays Basque. Caractérologie : logique, diplomatie, sociabilité, décision, réceptivité.

Aliette : De noble lignée (germanique). Ce prénom assez rare est très peu attribué aujourd'hui. Tendance : stable. Caractérologie : organisation, idéalisme, altruisme, détermination, intégrité.

Alima : Sage, raisonnable (arabe). Ce prénom est très rare. Tendance : en forte croissance. Caractérologie : réflexion, intégrité, altruisme, idéalisme, dévouement.

Alina : Noble (germanique). Ce prénom est rare. Tendance : en croissance modérée. Caractérologie : autorité, innovation, énergie, décision, ambition.

Aline : Noble (germanique). Ce prénom répandu est relativement peu attribué aujourd'hui. Tendance : en décroissance modérée. Variante : Alyne. Caractérologie : dynamisme, courage, curiosité, indépendance, détermination.

Alison : De noble lignée (germanique). Ce prénom répandu est relativement peu attribué aujourd'hui. Tendance : en décroissance modérée. Variante : Alisonne. Caractérologie : détermination, intelligence, raisonnement, savoir, méditation.

Alissa : De noble lignée (germanique). Ce prénom est rare. Tendance : en croissance modérée. Variante : Alisa. Caractérologie : sagacité, connaissances, spiritualité, philosophie, originalité.

A

19

Alissia : De noble lignée (germanique). Ce prénom est rare. Tendance : stable. Caractérologie : originalité, connaissances, spiritualité, philosophie, sagacité.

Alisson : De noble lignée (germanique). Ce prénom est assez répandu. Il est peu attribué actuellement. Tendance : en décroissance modérée. Variante : Alissone. Caractérologie : force, ambition, résolution, habileté, analyse.

Alix : De noble lignée (germanique). Ce prénom répandu est plutôt bien attribué aujourd'hui. Tendance : stable. Alix figure dans le palmarès des prénoms mixtes. Pour en savoir plus, voir cet article. Caractérologie : innovation, autorité, énergie, logique, ambition.

Alixe : De noble lignée (germanique). Ce prénom est très rare. Tendance : en forte croissance. Variante : Alixen. Caractérologie : paix, bienveillance, conscience, détermination, raisonnement.

Alixia : De noble lignée (germanique). Ce prénom est très rare. Tendance : en décroissance modérée. Caractérologie : sociabilité, réceptivité, diplomatie, loyauté, analyse.

Alizé : De noble lignée (germanique). Alizé se rapporte également au nom du vent régulier qui souffle sur les îles des Caraïbes. Ce prénom assez rare est relativement peu attribué aujourd'hui. Tendance : stable. Variantes basques : Aliza, Alize. Caractérologie : achèvement, vitalité, stratégie, ardeur, résolution.

Alizéa : De noble lignée (germanique). Voir Alizé. Ce prénom est très rare. Tendance : en forte croissance. Variante : Aliséa.

Caractérologie : idéalisme, détermination, altruisme, intégrité, réflexion.

Alizée : De noble lignée (germanique). Voir Alizé. Ce prénom répandu figure dans le top 50 français aujourd'hui. Tendance : en forte croissance. Voir le zoom dédié à Océane. Variante : Alisée. Caractérologie : persévérance, structure, sécurité, efficacité, détermination.

Aljia : Concubine (arabe). Variante : Allgia. Caractérologie : conseil, bienveillance, conscience, paix, sagesse.

Allaoua : Noble, au grand esprit (arabe). Variantes : Allaoui, Alouia. Caractérologie : rêve, humanité, générosité, rectitude, ouverture d'esprit.

Allie : De noble lignée (germanique). Variantes : Alley, Ally. Caractérologie : enthousiasme, pratique, communication, adaptation, décision.

Allison : De noble lignée (germanique). Ce prénom est assez répandu. Il est très peu attribué aujourd'hui. Tendance : en forte décroissance. Variantes : Allisson, Allyson. Caractérologie : détermination, autorité, innovation, énergie, raisonnement.

Allyn : Belle, calme (celte). Caractérologie : innovation, autorité, énergie, compassion, ambition.

Alma : Nourrissant (latin). Ce prénom est rare. Tendance : stable. Caractérologie : rectitude, rêve, humanité, ouverture d'esprit, générosité.

Almarine : Noble, illustre (gaélique). Caractérologie : audace, dynamisme, direction, résolution, indépendance.

Le palmarès des prénoms mixtes en 2005

Ci-dessous le top 20 des prénoms mixtes estimé pour l'année 2005. Le classement a été effectué par ordre décroissant d'attribution. La seconde colonne indique à quel pourcentage le prénom correspondant est féminin.

Prénom	% féminin	Prénom	% féminin
1. Camille	95,1	11. Sacha	10,4
2. Marie	100	12. Logan	1,3
3. Jade	99,5	13. Sofiane	1,1
4. Maxence	2,8	14. Lilian	0,4
5. Romane	99,8	15. Noa	65,3
6. Lou	96,5	16. Alix	78,3
7. Maël	2,5	17. Amine	2,2
8. Noah	2,3	18. Kelly	99,7
9. Andréa	90,5	19. Nolwenn	96,3
10. Alex	1,9	20. Loan	15,1

Commentaires et observations :

En comparant ce palmarès à celui de l'année précédente, on observe plusieurs changements. Morgan vient de quitter le top 20 au profit du jeune prénom Loan (ce dernier est essentiellement masculin, Loane étant l'équivalent féminin le plus répandu). Il ne serait d'ailleurs pas étonnant de voir Loan progresser davantage ces prochaines années. Sa terminaison en « an » s'inscrit en effet dans la vogue des prénoms à consonances irlandaises ou bretonnes. Nul doute que Logan bénéficie lui aussi de cet engouement. Ce dernier affiche en effet une nette progression. Noah est quant à lui le prénom qui enregistre la plus forte croissance. Il s'empare aisément de la 8e place de ce palmarès. Enfin, on observe que Noa trahit une forte ambition malgré ses quelques années d'existence. Le reste du palmarès demeure sans surprise. Camille et Marie devancent largement les autres prénoms mixtes.

On s'étonnera peut-être de la présence de Romane, Nolwenn et Logan dans ce tableau. En effet, peu de personnes imaginent que Romane ou Nolwenn puissent être attribués à un garçon... Il est aussi difficile de concevoir qu'une fille puisse s'appeler Logan. Il faut reconnaître que ces cas sont rares. Cependant, on peut trouver des cas de mixité encore plus surprenants. Il y a en France moins de cinq femmes prénommées Stéphane, et moins de dix hommes prénommés Cassandre, Audrey ou Zoé. Mais que penser de Rachel et Esther, personnages bibliques féminins, lorsqu'ils sont, par dizaines, conjugués au masculin ? Ces exceptions, fort rares, ne suffisent heureusement pas à semer le doute sur le genre de ces prénoms. Du moins pour le moment. Seul l'avenir nous dira si d'autres prénoms suivront l'exemple de Camille et Marie. Ces dernières ont, rappelons-le, changé de sexe au cours du XXe siècle (pour en savoir plus, lire les zooms dédiés à ces prénoms).

Almas : Diamant (arabe). Caractérologie : énergie, innovation, ambition, autorité, autonomie.

Almeria : Gouverner, travailler (germanique). Caractérologie : dynamisme, indépendance, curiosité, courage, résolution.

Aloïse : Très sage (vieil allemand). Ce prénom est très rare. Tendance : en décroissance modérée. Variantes : Aloïs, Aloyse, Aloysia. Caractérologie : raisonnement, méditation, intelligence, détermination, savoir.

Alpha : Désigne la première lettre de l'alphabet grec. Caractérologie : médiation, intuition, relationnel, fidélité, adaptabilité.

Alphonsine : Noble, vive (germanique). Ce prénom est assez répandu. Il est très peu attribué aujourd'hui. Variante : Alphie. Caractérologie : découverte, énergie, audace, ressort, analyse.

Althéa : Guérisseuse (grec). Ce prénom est très rare. Tendance : en forte croissance. Caractérologie : diplomatie, sensibilité, réceptivité, sociabilité, organisation.

Alvina : Amie de tous (germanique). Ce prénom est très rare. Tendance : en décroissance modérée. Variantes : Alvana, Alvine, Alvira, Alwena. Caractérologie : découverte, énergie, résolution, audace, originalité.

Alya : Sublime (arabe). Qui monte (hébreu). Ce prénom est très rare. Tendance : en forte croissance. Caractérologie : enthousiasme, pratique, adaptation, communication, générosité.

Alycia : De noble lignée (germanique). Ce prénom assez rare est relativement peu attribué aujourd'hui. Tendance : en forte croissance. Caractérologie : équilibre, famille, sens des responsabilités, influence, exigence.

Alyson : De noble lignée (germanique). Ce prénom assez rare est relativement peu attribué aujourd'hui. Tendance : en forte croissance. Variante : Alysone. Caractérologie : curiosité, dynamisme, courage, sympathie, indépendance.

Alyssa : De noble lignée (germanique). Ce prénom est assez répandu. Il figure dans le top 100 français aujourd'hui. Tendance : en forte croissance. Caractérologie : dynamisme, indépendance, curiosité, charisme, courage.

Alyssia : De noble lignée (germanique). Ce prénom assez rare est relativement peu attribué aujourd'hui. Tendance : en forte croissance. Caractérologie : découverte, énergie, séduction, audace, originalité.

Alysson : De noble lignée (germanique). Ce prénom est rare. Tendance : en croissance modérée. Caractérologie : conscience, paix, bienveillance, compassion, conseil.

Alyzée : De noble lignée (germanique). Voir Alizé. Ce prénom est rare. Tendance : en forte croissance. Variantes : Alyséa, Alysée. Caractérologie : intuition, médiation, fidélité, relationnel, cœur.

Ama : Mère (basque). Caractérologie : sens des responsabilités, équilibre, exigence, famille, influence.

Amadia : Amour de Dieu (latin). Caractérologie : fidélité, médiation, intuition, relationnel, adaptabilité.

Amaëlle : Chef, prince (celte). Ce prénom est très rare. Tendance : stable. Caractérologie : efficacité, structure, persévérance, sécurité, honnêteté.

Amaia : Fin (basque). Ce prénom est très rare. Tendance : stable. Caractérologie : connaissances, spiritualité, sagacité, philosophie, originalité.

Amal : Espoir (arabe). Ce prénom assez rare est très peu attribué aujourd'hui. Tendance : stable. Caractérologie : réflexion, idéalisme, intégrité, altruisme, dévouement.

Amale : Espoir (arabe). Ce prénom est rare. Tendance : stable. Caractérologie : découverte, originalité, audace, énergie, séduction.

Amalia : Travailleuse (germanique). Ce prénom assez rare est peu attribué actuellement. Tendance : en forte croissance. Amalia est répandu dans les pays hispanophones. Caractérologie : audace, direction, dynamisme, indépendance, assurance.

Amalie : Travailleuse (germanique). Ce prénom est très rare. Caractérologie : découverte, résolution, énergie, audace, originalité.

Amanda : Qui est aimée (latin). Ce prénom est assez répandu. Il est relativement peu attribué aujourd'hui. Tendance : stable. Amanda devrait figurer dans le top 10 suédois en 2004. Caractérologie : méditation, savoir, indépendance, sagesse, intelligence.

Amandine : Qui est aimée (latin). Ce prénom répandu figure dans le top 50 français aujourd'hui. Tendance : stable. Variantes : Amande, Amandyne. Caractérologie :

méditation, décision, savoir, indépendance, intelligence.

Amane : Maternité (basque). Ce prénom est porté par moins de 100 personnes en France. Caractérologie : savoir, intelligence, méditation, sagesse, indépendance.

Amani : Qui aspire à quelque chose (arabe). Ce prénom est très rare. Tendance : en forte croissance. Variante : Amany. Caractérologie : relationnel, fidélité, intuition, décision, médiation.

Amanza : Qui est aimée (latin). Prénom corse. Caractérologie : bonté, diplomatie, sociabilité, loyauté, réceptivité.

Amara : Bâtisseuse (arabe). Ce prénom est très rare. Variante : Amaria. Caractérologie : savoir, intelligence, méditation, sagesse, indépendance.

Amarande : Fleur éternelle (grec). Ce prénom est porté par moins de 100 personnes en France. Variantes : Amarante, Amaranthe. Caractérologie : pragmatisme, communication, créativité, décision, optimisme.

Amaris : Promise par Dieu (hébreu). Caractérologie : savoir, intelligence, méditation, sagesse, indépendance.

Amaryllis : Resplendir (grec). Ce prénom est très rare. Tendance : stable. Caractérologie : relationnel, intuition, médiation, fidélité, réalisation.

Amaya : Aimée (latin). Ce prénom est très rare. Tendance : en croissance modérée. En France, Amaya est plus traditionnellement usité au Pays Basque. Caractérologie : découverte, énergie, audace, originalité, réalisation.

A

23

AMBRE

Fête : 7 décembre

Étymologie : Plusieurs étymologies sont permises. Ambre peut être considérée comme une forme féminine d'Ambroise, auquel cas son origine provient du grec *ambrosios*, immortel. Mais ce prénom se rapporte également à l'ambre, substance à la fois végétale et minérale. Cette matière a été utilisée par les hommes de tout temps et de toute culture. Dans l'histoire, les latins définissent l'ambre jaune *succinum* alors que les Arabes appellent l'ambre gris *anber*. L'ambre jaune ayant la particularité de pouvoir s'électriser par frottement, les Grecs l'appellent *électron*, ancêtre de notre électricité moderne.

La première Ambre de France est née en 1947, mais la véritable éclosion de ce prénom remonte aux années 1980. Son ascension est assez lente puisque Ambre n'a percé dans le top 50 français qu'en 2004. Quoi qu'il en soit, ce prénom n'a pas fini de faire parler de lui. Ambre s'inscrit en effet dans la vogue des prénoms évoquant des éléments naturels (mer, vent, pierre, etc.). Ces derniers se propagent de manière remarquable depuis une dizaine d'années. On a vu dans les années 1990 Marine et Dylan monter à des sommets. Aujourd'hui, Océane décline lentement, mais elle reste une star. Quant à Jade, la pierre, elle évolue vers le top 10 français. On attend donc beaucoup des dernières venues dans cette lignée. Ambre et Alizée arrivent à point pour confirmer cette tendance. Dans ce contexte, on peut anticiper la naissance de près de 1 500 Ambre dans l'Hexagone en 2005.

Tout près de la France, Ambre monte en flèche en Belgique ; elle pourrait prochainement intégrer le top 40 wallon. Quant à Amber, elle décline aux États-Unis et en Angleterre où elle a percé il y a une dizaine d'années. Il ne reste que l'Australie qui se prépare à l'accueillir dans son peloton de tête.

Saint Ambroise est un des plus grands liturgistes de l'Église. Docteur de l'Église latine, il meurt archevêque de Milan au IVᵉ siècle.

Appelé l'or du nord, l'ambre fut une monnaie d'échange dans la Rome antique. Cette matière fut aussi un précieux objet de marchandise pour les Grecs et les Romains. L'ambre jaune est une résine végétale fossilisée qui est souvent utilisée pour orner des bijoux. L'ambre gris peut être utilisé pour fabriquer de l'encens ou des parfums.

Statistique : Ambre est le 468ᵉ prénom féminin le plus attribué du XXᵉ siècle en France.

Ambre : Ambre gris (latin, arabe). Aussi du grec êlectron, terme qui a ensuite donné le mot français électricité. Ambre peut également être considéré comme une forme féminine d'Ambroise. Ce prénom répandu figure dans le top 50 français aujourd'hui. Voir le zoom dédié à Ambre. Caractérologie : optimisme, pragmatisme, communication, créativité, détermination.

Ambrine : Ambre gris (latin, arabe). Aussi du grec êlectron, terme qui a ensuite donné le mot français électricité. Ambrine peut aussi être considéré comme une forme féminine d'Ambroise. Ce prénom est rare. Tendance : en croissance modérée. Caractérologie : vitalité, ardeur, achèvement, stratégie, décision.

Ambroisine : Immortelle (grec). Ce prénom est rare. Tendance : en forte croissance. Variante : Ambrosine. Caractérologie : conscience, bienveillance, volonté, paix, détermination.

Amédée : Amour de Dieu (latin). Ce prénom est très rare. Variante : Amédéa. Caractérologie : bienveillance, conseil, paix, conscience, sagesse.

Amel : Espoir (arabe). Ce prénom est assez répandu. Il est relativement peu attribué aujourd'hui. Tendance : stable. Caractérologie : structure, efficacité, sécurité, persévérance, honnêteté.

Amele : Espoir (arabe). Ce prénom est très rare. Tendance : en croissance modérée. Caractérologie : altruisme, intégrité, idéalisme, réflexion, dévouement.

Amélia : Travailleuse (germanique). Ce prénom est assez répandu. Il est relativement peu attribué aujourd'hui. Tendance : stable. En France, Amélia est plus traditionnellement usité en Corse et au Pays Basque. Variantes : Amellia, Amélya, Amelys. Caractérologie : dynamisme, courage, indépendance, résolution, curiosité.

Amélie : Travailleuse (germanique). Ce prénom répandu figure dans le top 50 français aujourd'hui. Tendance : stable. Variante : Amely. Caractérologie : réflexion, altruisme, résolution, intégrité, idéalisme.

Ameline : Travailleuse (germanique). Ce prénom assez rare est peu attribué actuellement. Tendance : stable. Variantes : Amelina, Amelyne. Variantes basques et corses : Ameli, Amelia. Caractérologie : originalité, énergie, découverte, résolution, audace.

Amelle : Espoir (arabe). Ce prénom assez rare est peu attribué actuellement. Tendance : stable. Caractérologie : enthousiasme, pratique, adaptation, générosité, communication.

Aménis : Née du Dieu Lune (égyptien). Aménis se rapporte au nom d'Ahmès (ou Ahmônis) Néfertary, reine mère de pharaon et fondatrice de la XVIIIe dynastie d'Égypte. Caractérologie : résolution, connaissances, sagacité, spiritualité, originalité.

Amina : Loyale, digne de confiance (arabe). Ce prénom est assez répandu. Il est plutôt bien attribué aujourd'hui. Tendance : stable. Variante : Amine. Caractérologie : relationnel, intuition, médiation, fidélité, décision.

Aminata : Loyale, digne de confiance (arabe). Ce prénom est assez répandu. Il est relativement peu attribué aujourd'hui. Tendance : stable. Caractérologie : curiosité, courage, résolution, dynamisme, indépendance.

Amira : Discours (hébreu). Ce prénom assez rare est relativement peu attribué aujourd'hui. Tendance : stable. Caractérologie : paix, bienveillance, conscience, conseil, sagesse.

Amy : Aimée des dieux (latin). Ce prénom est rare. Tendance : en croissance modérée. Amy devrait figurer dans le top 10 irlandais en 2004. Caractérologie : optimisme, pragmatisme, créativité, communication, réussite.

Ana : Grâce (hébreu). Ce prénom est assez répandu. Il est relativement peu attribué aujourd'hui. Tendance : en croissance modérée. Ana est très répandu dans les pays hispanophones et en Tchécoslovaquie. En France, ce prénom est plus traditionnellement usité au Pays Basque. Variantes : Ane, Ani. Caractérologie : connaissances, spiritualité, sagacité, originalité, philosophie.

Anabel : Grâce (hébreu). Ce prénom est très rare. Tendance : en croissance modérée. Caractérologie : organisation, force, ambition, habileté, passion.

Anabelle : Grâce (hébreu). Ce prénom assez rare est très peu attribué aujourd'hui. Tendance : stable. Variante : Anabella. Caractérologie : savoir, intelligence, indépendance, méditation, organisation.

Anaé : Grâce (hébreu). Fleur (japonais). Ce prénom est très rare. Tendance : en forte croissance. Caractérologie : adaptation,

communication, pratique, enthousiasme, générosité.

Anaël : Grâce (hébreu). Ce prénom est rare. Tendance : stable. Variante : Annaël. Caractérologie : équilibre, sens des responsabilités, influence, exigence, famille.

Anaëlle : Grâce (hébreu). Ce prénom est assez répandu. Il figure dans le top 100 français aujourd'hui. Tendance : en croissance modérée. Variante : Anaële. Caractérologie : curiosité, dynamisme, indépendance, courage, charisme.

Anahita : Déesse de la mythologie arménienne, Mère des Cieux (arménien). Ce prénom est très rare. Tendance : stable. Caractérologie : décision, humanité, rêve, rectitude, attention.

Anaïa : Dieu a répondu (hébreu). Caractérologie : force, ambition, habileté, résolution, passion.

Anaïg : Forme bretonne d'Anne : grâce (hébreu). En Bretagne, Anaig s'orthographie également sans tréma. Ce prénom est très rare. Tendance : en croissance modérée. Variante : Anaik. Caractérologie : découverte, énergie, audace, originalité, résolution.

Anaïs : Grâce (hébreu). Ce prénom répandu figure dans le top 50 français aujourd'hui. Voir le zoom dédié à Anaïs. Caractérologie : habileté, ambition, force, passion, détermination.

Anastasia : Résurrection (grec). Ce prénom est assez répandu. Il est relativement peu attribué aujourd'hui. Tendance : stable. Anastasia est très répandu en Russie. Variantes : Anastassia, Anasthasia. Carac-

ANAÏS

Fête : 26 juillet

Étymologie : de l'hébreu *hannah* : grâce. Ce dérivé d'Anne n'a guère été usité en France avant les années 1980. Attribué à moins de 300 Françaises par an au début du XXe siècle, ce prénom tombe dans l'oubli vers la fin des années 1920. Ce n'est que cinquante ans après qu'Anaïs retrouve sa notoriété du début de XXe siècle. Puis c'est dans les années 1980 qu'elle s'envole vers des sommets. Nul doute qu'en 1979, la sortie du parfum « Anaïs Anaïs » (de Cacharel), y a été pour quelque chose. Ce prénom a été attribué à 6 415 petites filles en 1993, son année record pour le XXe siècle. Une décennie plus tard, il est logique qu'Anaïs soit en pleine phase de déclin. Elle vient de quitter le palmarès des 20 prénoms les plus attribués en France.

Pareille situation est observée en Wallonie. En revanche, cette tendance déclinante s'inverse au Québec et en Suisse francophone. Aujourd'hui, Anaïs est en effet aux portes du top 30 suisse romand. De plus, elle a enfin rejoint le peloton des 60 premiers prénoms québécois. Quoi qu'il advienne, la relève d'Anaïs est déjà en préparation. Anna, un autre dérivé d'Anne, progresse en effet vers le top 50 français. Ce prénom est très répandu dans de nombreuses régions du monde, notamment en Italie, en Allemagne, dans les pays scandinaves, slaves et hispanophones où Anna (et Ana) figurent parmi les 10 prénoms préférés des parents. Nul besoin d'ajouter qu'Hannah est très en vogue en Angleterre, en Irlande et aux États-Unis. Ceci ne fait que confirmer une dimension internationale qu'on lui connaissait déjà. À l'heure de la globalisation, la vogue mondiale d'Anna accélérera peut-être le déclin d'Anaïs.

A

27

Personnalité célèbre : Anaïs Nin (1903-1977). D'origine cubaine, cette écrivaine américaine a écrit plusieurs nouvelles et romans, dont *Un hiver d'artifice*, *La Cloche de verre*, et *La Séduction du Minotaure*. Cependant, la notoriété d'Anaïs Nin repose particulièrement sur le journal intime qu'elle tint tout au long de sa vie. *Journal* documente les conditions de vie de toute une époque et de la condition féminine. Ce journal détaille également les mœurs des milieux artistiques et littéraires depuis la fin de la guerre 1914-1918.
Statistique : Anaïs est le 127e prénom féminin le plus attribué du XXe siècle en France. Anna est au 103e rang de ce palmarès.

térologie : fiabilité, ténacité, méthode, engagement, décision.

Anastasie : Résurrection (grec). Ce prénom assez rare est très peu attribué aujourd'hui.

Tendance : stable. Variante : Anasthasie. Caractérologie : vitalité, achèvement, stratégie, décision, ardeur.

Anatolie : Aube, soleil levant (grec). Ce prénom est porté par moins de 100 personnes en France. Variante : Anatolia. Caractérologie : audace, énergie, découverte, résolution, analyse.

Anceline : Servante (latin). Caractérologie : ouverture d'esprit, rêve, décision, humanité, rectitude.

Andréa : Courageux, viril (grec). Ce prénom répandu figure dans le top 100 français aujourd'hui. Tendance : stable. Andrea devrait figurer dans le top 10 espagnol en 2004. En France, Andréa est plus traditionnellement usité en Corse et au Pays Basque. Variantes : Andréane, Andréanne, Andreva, Andria. Caractérologie : intelligence, savoir, méditation, indépendance, décision.

Andrée : Courageux, viril (grec). Ce prénom est très répandu. Il est très peu attribué aujourd'hui. Tendance : en décroissance modérée. Caractérologie : intuition, relationnel, médiation, résolution, fidélité.

Andreia : Courageux, viril (grec). Ce prénom est très rare. Tendance : en croissance modérée. Caractérologie : connaissances, spiritualité, originalité, sagacité, détermination.

Anelyse : Combinaison d'Anne et de Lyse. Ce prénom est très rare. Variante : Anelise. Caractérologie : rêve, rectitude, ouverture d'esprit, humanité, sympathie.

Anémone : Nom de fleur (grec). Ce prénom est très rare. Caractérologie : structure, persévérance, sécurité, efficacité, volonté.

Ange : Messagère (grec). Ce prénom est rare. Tendance : en forte croissance. Variantes : Angie, Angy. Caractérologie : humanité, rectitude, rêve, générosité, ouverture d'esprit.

Angel : Messagère (grec). Ce prénom est très rare. Tendance : en forte croissance. Caractérologie : optimisme, communication, sympathie, pragmatisme, créativité.

Angéla : Messagère (grec). Ce prénom est assez répandu. Il est plutôt bien attribué aujourd'hui. Tendance : en forte croissance. Angela est un prénom très répandu en Italie. Variante : Angella. Caractérologie : efficacité, structure, persévérance, compassion, sécurité.

Angèle : Messagère (grec). Ce prénom répandu est plutôt bien attribué aujourd'hui. Tendance : en forte croissance. Variantes : Angélia, Angélie, Angelle. Caractérologie : habileté, ambition, cœur, passion, force.

Angélica : Messagère (grec). Ce prénom assez rare est très peu attribué aujourd'hui. Tendance : en croissance modérée. Caractérologie : sagacité, connaissances, spiritualité, résolution, sympathie.

Angelina : Messagère (grec). Ce prénom répandu est plutôt bien attribué aujourd'hui. Tendance : stable. Caractérologie : rectitude, humanité, détermination, compassion, rêve.

Angeline : Messagère (grec). Ce prénom est assez répandu. Il est relativement peu attribué aujourd'hui. Tendance : stable. Caractérologie : résolution, structure, sécurité, persévérance, sympathie.

Angélique : Messagère (grec). Ce prénom répandu est relativement peu attribué aujourd'hui. Tendance : en décroissance modérée. Caractérologie : autorité, innovation, action, énergie, cœur.

Anh : Reflet, rayon lumineux (vietnamien). Ce prénom est très rare. Caractérologie : découverte, énergie, séduction, originalité, audace.

Ania : Grâce (hébreu). Ce prénom est très rare. Tendance : en forte croissance. Ania est très répandu dans les pays slaves. Variante : Anya. Caractérologie : savoir, intelligence, méditation, indépendance, détermination.

Anick : Grâce (hébreu). Ce prénom assez rare est très peu attribué aujourd'hui. Variante : Anik. Caractérologie : sociabilité, gestion, diplomatie, décision, réceptivité.

Anie : Grâce (hébreu). Ce prénom est rare. Caractérologie : intuition, médiation, relationnel, fidélité, décision.

Aniela : Messagère (grec). Ce prénom est très rare. En France, Aniela est plus traditionnellement usité au Pays Basque. Caractérologie : sens des responsabilités, famille, influence, équilibre, détermination.

Anisa : Sociable, sympathique (arabe). Ce prénom est très rare. Tendance : en forte croissance. Caractérologie : force, ambition, passion, habileté, décision.

Anissa : Sociable, sympathique (arabe). Ce prénom répandu est plutôt bien attribué aujourd'hui. Tendance : stable. Variantes : Anicia, Anise, Annissa, Anissia, Anyse, Anysia, Anyssa, Anyssia. Caractérologie : décision, réflexion, altruisme, idéalisme, intégrité.

Anita : Grâce (hébreu). Ce prénom répandu est peu attribué actuellement. Tendance : en croissance modérée. Caractérologie : humanité, rêve, rectitude, détermination, ouverture d'esprit.

Ann : Grâce (hébreu). Ce prénom est rare. Caractérologie : relationnel, intuition, médiation, fidélité, adaptabilité.

Anna : Grâce (hébreu). Ce prénom répandu figure dans le top 100 français aujourd'hui. Voir le zoom dédié à Anaïs. Caractérologie : adaptation, communication, enthousiasme, pratique, générosité.

Annabel : Grâce (hébreu). Ce prénom assez rare est très peu attribué aujourd'hui. Tendance : stable. Caractérologie : structure, persévérance, sécurité, organisation, efficacité.

Annabella : Grâce (hébreu). Ce prénom est rare. Tendance : en décroissance modérée. Caractérologie : ambition, force, organisation, habileté, passion.

Annabelle : Grâce (hébreu). Ce prénom répandu est relativement peu attribué aujourd'hui. Tendance : stable. Caractérologie : pragmatisme, communication, optimisme, créativité, organisation.

Annaëlle : Grâce (hébreu). Ce prénom assez rare est relativement peu attribué aujourd'hui. Tendance : en croissance modérée. Caractérologie : innovation, autonomie, énergie, autorité, ambition.

Annaïck : Grâce (hébreu). Ce prénom assez rare est très peu attribué aujourd'hui. Tendance : en forte croissance. Caractérologie : habileté, organisation, force, ambition, détermination.

Annaïg : Forme bretonne d'Anne : grâce (hébreu). En Bretagne, Annaig s'orthographie également sans tréma. Ce prénom est rare. Tendance : stable. Caractérologie : décision, audace, direction, dynamisme, indépendance.

Annaïs : Grâce (hébreu). Ce prénom est très rare. Tendance : en forte croissance. Caractérologie : structure, persévérance, sécurité, efficacité, décision.

Anne : Grâce (hébreu). Ce prénom est très répandu. Il est relativement peu attribué aujourd'hui. Tendance : en décroissance modérée. Caractérologie : connaissances, sagacité, spiritualité, philosophie, originalité.

Anne-Cécile : Prénom composé d'Anne et de Cécile. Ce prénom est assez répandu. Il est très peu attribué aujourd'hui. Tendance : en décroissance modérée. Caractérologie : vitalité, achèvement, stratégie, décision, ardeur.

Anne-Charlotte : Prénom composé d'Anne et de Charlotte. Ce prénom est assez répandu. Il est très peu attribué aujourd'hui. Tendance : en décroissance modérée. Caractérologie : innovation, énergie, autorité, attention, logique.

Anne-Claire : Prénom composé d'Anne et de Claire. Ce prénom est assez répandu. Il est très peu attribué aujourd'hui. Tendance : en décroissance modérée. Caractérologie : énergie, innovation, résolution, autorité, ambition.

Anne-Élisabeth : Prénom composé d'Anne et d'Élisabeth. Ce prénom est rare. Caractérologie : connaissances, sagacité, détermination, spiritualité, sensibilité.

Anne-Flore : Prénom composé d'Anne et de Flore. Ce prénom est rare. Tendance : en forte décroissance. Caractérologie : humanité, détermination, rêve, raisonnement, rectitude.

Anne-Gaëlle : Prénom composé d'Anne et de Gaëlle. Ce prénom assez rare est très peu attribué aujourd'hui. Tendance : en décroissance modérée. Caractérologie : ténacité, méthode, fiabilité, engagement, sympathie.

Anne-Laure : Prénom composé d'Anne et de Laure. Ce prénom répandu est peu attribué actuellement. Tendance : en décroissance modérée. Caractérologie : résolution, innovation, autorité, ambition, énergie.

Anneliese : Combinaison d'Anne et d'Élisabeth. Ce prénom est rare. En dehors de la France, Anneliese est très répandu en Allemagne et dans les pays scandinaves. Variantes : Analie, Annalie. Caractérologie : communication, pratique, enthousiasme, adaptation, détermination.

Anne-Lise : Prénom composé d'Anne et de Lise. Ce prénom est assez répandu. Il est peu attribué actuellement. Tendance : en décroissance modérée. Caractérologie : intelligence, savoir, méditation, détermination, indépendance.

Annelyse : Grâce (hébreu). Ce prénom est rare. Tendance : en décroissance modérée. Caractérologie : audace, découverte, énergie, originalité, cœur.

Anne-Lyse : Prénom composé d'Anne et de Lyse. Ce prénom est rare. Tendance : en croissance modérée. Caractérologie : courage, dynamisme, curiosité, indépendance, cœur.

Anne-Marie : Prénom composé d'Anne et de Marie. Ce prénom répandu est très peu attribué aujourd'hui. Tendance : en décroissance modérée. Caractérologie : force, ambition, habileté, passion, détermination.

Anne-Sophie : Prénom composé d'Anne et de Sophie. Ce prénom répandu est relativement peu attribué aujourd'hui. Tendance : en décroissance modérée. Caractérologie : intelligence, résolution, méditation, savoir, ressort.

Annette : Grâce (hébreu). Ce prénom répandu est très peu attribué aujourd'hui. Tendance : stable. Caractérologie : intelligence, méditation, indépendance, savoir, sagesse.

Annick : Grâce (hébreu). Ce prénom est très répandu. Il est très peu attribué aujourd'hui. Tendance : en décroissance modérée. Caractérologie : organisation, résolution, spiritualité, sagacité, connaissances.

Annie : Grâce (hébreu). Ce prénom est très répandu. Il est très peu attribué aujourd'hui. Tendance : stable. Caractérologie : intelligence, indépendance, savoir, méditation, décision.

Annik : Grâce (hébreu). Ce prénom assez rare est très peu attribué aujourd'hui. Caractérologie : structure, sécurité, efficacité, décision, persévérance.

Anny : Grâce (hébreu). Ce prénom est assez répandu. Il est très peu attribué aujourd'hui. Caractérologie : altruisme, idéalisme, réflexion, dévouement, intégrité.

Anouchka : Grâce (hébreu). Ce prénom est rare. Tendance : en décroissance modérée. Caractérologie : sensibilité, sociabilité, réceptivité, diplomatie, organisation.

Anouck : Grâce (hébreu). Ce prénom assez rare est peu attribué actuellement. Tendance : en croissance modérée. Variante : Annouck. Caractérologie : organisation, diplomatie, réceptivité, sociabilité, loyauté.

Anouk : Grâce (hébreu). Ce prénom est assez répandu. Il est relativement peu attribué aujourd'hui. Tendance : en croissance modérée. Variante : Annouk. Caractérologie : achèvement, vitalité, stratégie, organisation, ardeur.

Anthéa : Fleuri (grec). Ce prénom est rare. Tendance : stable. Variante corse : Antea. Caractérologie : sécurité, persévérance, structure, efficacité, attention.

Antinéa : Fleuri (grec). Ce prénom est très rare. Tendance : stable. Variante : Anthinéa. Caractérologie : innovation, énergie, autorité, ambition, détermination.

Antoinette : Inestimable (latin). Fleur (grec). Ce prénom répandu est très peu attribué aujourd'hui. Tendance : en croissance modérée. Caractérologie : équilibre, sens des responsabilités, famille, influence, détermination.

Antonella : Inestimable (latin). Fleur (grec). Ce prénom assez rare est très peu attribué aujourd'hui. Tendance : stable. Caractérologie : méthode, ténacité, engagement, fiabilité, gestion.

Antonia : Inestimable (latin). Fleur (grec). Ce prénom est assez répandu. Il est très peu attribué aujourd'hui. Tendance : stable. En France, Antonia est plus traditionnellement usité au Pays Basque. Variante : Antonie. Caractérologie : résolution, intuition, relationnel, fidélité, médiation.

A

31

Antonina : Inestimable (latin). Fleur (grec). Ce prénom est rare. Caractérologie : méditation, intelligence, savoir, décision, indépendance.

Antonine : Inestimable (latin). Fleur (grec). Ce prénom assez rare est très peu attribué aujourd'hui. Tendance : en décroissance modérée. Caractérologie : intuition, médiation, fidélité, relationnel, résolution.

Any : Grâce (hébreu). Ce prénom est rare. Caractérologie : structure, sécurité, persévérance, honnêteté, efficacité.

Aoife : Très belle (irlandais). Aoife devrait figurer dans le top 10 irlandais en 2004. Caractérologie : altruisme, idéalisme, réflexion, intégrité, décision.

Aphrodite : Dans la mythologie grecque, Aphrodite est la déesse de l'Amour et de la Beauté. Ce prénom est porté par moins de 100 personnes en France. Caractérologie : équilibre, famille, sensibilité, sens des responsabilités, réalisation.

Apolline : Qui vient d'Appolonia (grec). Ce prénom est assez répandu. Il est plutôt bien attribué aujourd'hui. Tendance : stable. Variantes : Apoline, Apollonie, Appolonie, Appolonia, Polonia, Polonie. Caractérologie : pragmatisme, optimisme, communication, sympathie, analyse.

Appoline : Qui vient d'Appolonia (grec). Ce prénom est rare. Tendance : stable. Caractérologie : intelligence, méditation, sympathie, savoir, analyse.

April : Qui bourgeonne (latin). Ce prénom est très rare. Tendance : en croissance modérée. Caractérologie : relationnel, adaptabilité, médiation, intuition, fidélité.

Arabelle : Grâce (hébreu). Ce prénom est très rare. Variante : Arabella. Caractérologie : sociabilité, réceptivité, résolution, diplomatie, organisation.

Araia : Nom de rivière (basque). Caractérologie : communication, pragmatisme, créativité, optimisme, sociabilité.

Arantxa : Épine (basque). Ce prénom est très rare. Caractérologie : spiritualité, détermination, sagacité, connaissances, originalité.

Araxie : De l'araxe, fleuve arménien (arménien). Caractérologie : fiabilité, méthode, engagement, décision, ténacité.

Arcadia : Qui vient d'Arcadie (latin). Variante : Arcadie. Caractérologie : innovation, énergie, autorité, autonomie, ambition.

Arèva : Qui est agréable (hébreu). Caractérologie : réceptivité, loyauté, détermination, diplomatie, sociabilité.

Argane : Argent (breton). Caractérologie : énergie, autorité, ambition, innovation, décision.

Argia : Lumière (basque). Ce prénom est porté par moins de 100 personnes en France. Variante : Argine. Caractérologie : ouverture d'esprit, humanité, rectitude, générosité, rêve.

Argitxu : Petite lumière (basque). Ce prénom est porté par moins de 100 personnes en France. Tendance : stable. Caractérologie : audace, dynamisme, direction, gestion, logique.

Aria : Chanson (hébreu). Caractérologie : intuition, médiation, relationnel, fidélité, adaptabilité.

Ariana : Sacré (grec). Ce prénom est très rare. Tendance : en croissance modérée. Variante : Arianna. Caractérologie : stratégie, achèvement, détermination, ardeur, vitalité.

Ariane : Sacré (grec). Ce prénom est assez répandu. Il est relativement peu attribué aujourd'hui. Tendance : stable. Ariane devrait figurer dans le top 10 québécois en 2004. Variante : Arianna. Caractérologie : communication, enthousiasme, pratique, adaptation, décision.

Aricie : La meilleure (grec). Ce prénom est porté par moins de 100 personnes en France. Caractérologie : humanité, rectitude, rêve, ouverture d'esprit, résolution.

Arielle : Lionne de Dieu (hébreu). Ce prénom assez rare est très peu attribué aujourd'hui. Tendance : stable. Variante : Ariel. Caractérologie : achèvement, vitalité, ardeur, stratégie, décision.

Arife : Juste (arabe). Ce prénom est porté par moins de 100 personnes en France. Caractérologie : communication, optimisme, créativité, pragmatisme, décision.

Arima : L'âme (basque). Caractérologie : conscience, bienveillance, paix, conseil, sagesse.

Aristée : Le meilleur (grec). Caractérologie : indépendance, curiosité, dynamisme, courage, décision.

Arlène : Promesse (irlandais). Ce prénom est très rare. Variantes : Arlèna, Arlina, Arline. Caractérologie : indépendance, audace, direction, dynamisme, résolution.

Arlette : Promesse (irlandais). Ce prénom répandu est très peu attribué aujourd'hui. Variante : Arletty. Caractérologie : détermination, rêve, rectitude, humanité, organisation.

Armance : Forte, armée (germanique). Ce prénom est très rare. Tendance : stable. Caractérologie : direction, audace, indépendance, dynamisme, détermination.

Armande : Forte, armée (germanique). Ce prénom est assez répandu. Il est très peu attribué aujourd'hui. Tendance : en croissance modérée. Variante : Armanda. Caractérologie : sociabilité, décision, diplomatie, loyauté, réceptivité.

Armandine : Forte, armée (germanique). Ce prénom assez rare est très peu attribué aujourd'hui. Variante : Armantine. Caractérologie : sagacité, originalité, connaissances, spiritualité, résolution.

Armelle : Prince, ours (celte). Ce prénom breton est répandu. Il est relativement peu attribué aujourd'hui. Tendance : stable. Variantes : Armel, Armeline. Caractérologie : pragmatisme, créativité, décision, communication, optimisme.

Armonie : Harmonie, unité (latin). Ce prénom est très rare. Tendance : stable. Variante : Armony. Caractérologie : pragmatisme, optimisme, communication, volonté, détermination.

Arnaude : Aigle, gouverneur (germanique). Ce prénom est porté par moins de 100 personnes en France. Variante occitane : Arnauda. Caractérologie : direction, indépendance, dynamisme, audace, détermination.

A

33

Artea : Arbre, verdure (basque). Caractérologie : humanité, rectitude, ouverture d'esprit, rêve, détermination.

Arthémise : Divine (latin). Ce prénom est très rare. Dans la mythologie grecque, Artémis est la fille de Zeus et de Léto. Elle est la déesse de la Chasse correspondant à la déesse romaine Diane. Caractérologie : achèvement, vitalité, stratégie, détermination, sensibilité.

Arthuria : Ours (celte). Ce prénom est porté par moins de 100 personnes en France. Variante : Arthurine. Caractérologie : paix, bienveillance, conscience, organisation, conseil.

Arzu : Ours (celte). Ce prénom breton est très rare. Tendance : stable. Caractérologie : enthousiasme, communication, pratique, générosité, adaptation.

Asa : Matin (japonais). Caractérologie : communication, pratique, enthousiasme, adaptation, générosité.

Aseline : Jeune âne (latin). Ce prénom est porté par moins de 100 personnes en France. Variante : Aselle. Caractérologie : fidélité, relationnel, intuition, médiation, décision.

Asha : Espoir (sanskrit). Caractérologie : médiation, intuition, fidélité, adaptabilité, relationnel.

Ashley : Frênes dans un pré (anglais). Ce prénom assez rare est relativement peu attribué aujourd'hui. Tendance : stable. Ashley devrait figurer dans le top 10 américain en 2004. Caractérologie : intelligence, méditation, savoir, compassion, indépendance.

Asia : Celle qui soigne et réconforte (arabe). À l'Est (grec). Ce prénom est très rare. Tendance : en forte croissance. Ce nouveau prénom affirme son existence dans de nombreuses régions du monde, notamment dans les pays anglophones. À noter : Asie se dit Asia en anglais. Caractérologie : pragmatisme, communication, optimisme, créativité, sociabilité.

Asma : Sublime, de haut rang (arabe). Ce prénom est assez répandu. Il est relativement peu attribué aujourd'hui. Tendance : en croissance modérée. Variante : Smahen. Caractérologie : spiritualité, philosophie, connaissances, sagacité, originalité.

Asmaa : Sublime, de haut rang (arabe). Ce prénom est rare. Tendance : en croissance modérée. Variante : Asmae. Caractérologie : passion, management, force, habileté, ambition.

Asna : Épineux (hébreu). Ce prénom est porté par moins de 100 personnes en France. Tendance : en croissance modérée. Caractérologie : ambition, force, passion, habileté, management.

Assetou : Don de Dieu (arménien). Ce prénom est très rare. Tendance : stable. Caractérologie : gestion, indépendance, audace, direction, dynamisme.

Assia : Celle qui soigne et réconforte (arabe). Ce prénom est assez répandu. Il figure dans le top 100 français aujourd'hui. Tendance : en forte croissance. Caractérologie : ténacité, sens du devoir, méthode, fiabilité, engagement.

Assma : Sublime, de haut rang (arabe). Ce prénom est très rare. Tendance : en forte croissance. Caractérologie : achèvement, straté-gie, ardeur, vitalité, leadership.

Assya : Celle qui soigne et réconforte (arabe). Ce prénom est très rare. Tendance : en forte croissance. Caractérologie : intuition, rela-tionnel, médiation, fidélité, adaptabilité.

Les prénoms régionaux

Aujourd'hui, le top 20 des prénoms régionaux ressemble beaucoup à celui de la France entière. Cela ne signifie pas que les prénoms à forte identité régionale ont disparu. Au contraire, bon nombre d'entre eux sont en vogue dans ces régions et se sont propagés dans le reste de la France. L'engouement des Français pour le prénom breton Mathéo en est sans doute la meilleure illustration. Les palmarès ci-dessous rassemble des prénoms de tradi-tions et d'identités basque, bretonne et occitane. Ces prénoms ont été classés par ordre de popularité, du prénom le plus répandu au plus moyennement répandu actuellement en France.

Les basques :
Garçons : Xavier, Yohan, Yoan, Martin, Yan, Youcef, Julian, Andrea, Armando, Stefan, Alfredo, Arno, Fabrizio, Faustin, Felipe, Goran, Jaime, Javier, Josian, Julio, Otto, Stefano, Yorick, Yael.
Filles : Andréa, Maria, Anaïs, Inès, Antonia, Erika, Maïté, Mercedes, Ana, Ida, Elena, Emilia, Amelia, Adriana, Alienor, Maia, Marika, Pia, Sandrina, Joana, Juliana, Aurora, Dominica, Elisabete, Joan, Juana, Katarina, Maider, Maitena, Xavière, Marta, Mila.

Les bretons :
Garçons : Yves, Yann, Arthur, Mathéo, Yoan, Gaël, Loïc, Morgan, Ronan, Tanguy, Yvon, Alan, Armel, Evan, Gildas, Gwenaël, Gwendal, Josselin, Maël, Brendan, Brieuc, Ewen, Loan, Guénael, Gurvan, Janick, Judicael, Loan, Loïck, Mathéo, Pol, Renan, Yaël, Bastian, Elouan, Ewan, Goulven, Guénolé, Gwenole, Kenan, Loann, Youenn.
Filles : Armelle, Gwenaelle, Jocelyne, Maëlle, Morgane, Tiphaine, Lena, Enora, Gwenola, Josseline, Maëlys, Nolwenn, Rozen, Soizic, Paola, Lara, Guénaelle, Gwennaelle, Josselyne, Katell, Lenaïg, Liza, Maïwenn, Melaine, Morgan, Nolwen, Servane, Soazig, Yaël, Yaëlle, Annaïg, Fanta, Gaël, Gaële, Guénola, Gwenaël, Gwenaele, Herveline, Loane, Maëla, Maëliss, Maïna, Marianna, Morane, Noela, Sterenn.

Les occitans :
Garçons : Arnaud, Jordan, Martin, Julian, Fabian, Guilhem, Joan, Roman, Titouan, Jan, Jordi, Loïs, Ramon, Vital, Vivian.
Filles : Maria, Anaïs, Inès, Alicia, Elena, Emilia, Joana, Juliana, Mila, Bruna, Catarina.

A

35

Astéria : Étoile (grec). Variantes : Astère, Astérie. Caractérologie : dynamisme, décision, direction, indépendance, audace.

Astrid : Force divine (scandinave). Ce prénom répandu est relativement peu attribué aujourd'hui. Tendance : stable. Ingrid est très répandu en Allemagne. Variante : Astrée. Caractérologie : ambition, force, habileté, management, passion.

Asya : À l'Est (grec). Ce prénom est très rare. Tendance : en forte croissance. Voir Asia. Caractérologie : autorité, innovation, énergie, ambition, autonomie.

Athalie : Dieu est exalté (hébreu). Ce prénom est porté par moins de 100 personnes en France. Variante : Athalia. Variante basque : Atalia. Caractérologie : sociabilité, réceptivité, diplomatie, attention, décision.

Athéna : Dans la mythologie grecque, Athéna est la fille de Zeus. Elle est la déesse de la Sagesse, des Sciences et des Arts. Ce prénom est très rare. Tendance : stable. Variantes : Athène, Athénéa, Athina. Caractérologie : finesse, méthode, fiabilité, ténacité, engagement.

Athénaïs : Immortelle (grec). Ce prénom assez rare est relativement peu attribué aujourd'hui. Tendance : en forte croissance. Variantes : Athanasie, Athénaïse. Caractérologie : audace, découverte, décision, attention, énergie.

Atika : Noble, pure, d'une grande beauté (arabe). Ce prénom est rare. Tendance : stable. Caractérologie : paix, bienveillance, conscience, sagesse, conseil.

Aubane : Blanc (latin). Ce prénom est très rare. Tendance : en croissance modérée.

Variantes : Aube, Aubeline. Caractérologie : organisation, achèvement, vitalité, stratégie, ardeur.

Aude : Richesse (germanique). Ce prénom répandu est relativement peu attribué aujourd'hui. Tendance : en décroissance modérée. Variantes : Audélia, Audélie, Audeline, Haude. Variante occitane : Auda. Caractérologie : ténacité, méthode, engagement, fiabilité, sens du devoir.

Audrey : Noble, puissante (anglo-saxon). Ce prénom est très répandu. De plus, il figure dans le top 100 français aujourd'hui. Tendance : en décroissance modérée. Audrey devrait figurer dans le top 10 québécois en 2004. Variantes : Audray, Audréane, Audrée, Audren, Audrena, Audrène, Audrie, Audrina, Audry. Caractérologie : relationnel, intuition, cœur, médiation, réussite.

Augusta : Vénérable, grande (latin). Ce prénom est assez répandu. Il est très peu attribué aujourd'hui. Caractérologie : idéalisme, réflexion, intégrité, altruisme, gestion.

Augustine : Consacré par les augures (latin). Ce prénom répandu est peu attribué actuellement. Tendance : en forte croissance. Variantes : Agustina, Augustina. Caractérologie : altruisme, idéalisme, intégrité, détermination, compassion.

Aurane : En or (latin). Ce prénom est très rare. Tendance : en croissance modérée. Caractérologie : sens des responsabilités, équilibre, influence, décision, famille.

Aure : En or (latin). Ce prénom est très rare. Tendance : en forte croissance. Variante : Aura, Auréa. Caractérologie : intégrité, idéalisme, réflexion, détermination, altruisme.

Auregane : De haute naissance (breton). Ce prénom est porté par moins de 100 personnes en France. Tendance : en forte croissance. Variante : Auregan. Caractérologie : altruisme, idéalisme, intégrité, détermination, compassion.

Aurélia : En or (latin). Ce prénom répandu est relativement peu attribué aujourd'hui. Tendance : en décroissance modérée. Variantes : Aurielle, Orélia, Oriel. Caractérologie : détermination, ténacité, fiabilité, méthode, engagement.

Auréliane : En or (latin). Ce prénom est très rare. Tendance : stable. Variantes : Aurélienne, Aurelne. Caractérologie : curiosité, dynamisme, indépendance, courage, détermination.

Aurélie : En or (latin). Ce prénom est très répandu. Il est plutôt bien attribué aujourd'hui. Tendance : en décroissance modérée. Variantes : Aurèle, Aurelle, Aurely. Variante bretonne : Aourell. Caractérologie : détermination, ardeur, stratégie, vitalité, achèvement.

Auréline : En or (latin). Ce prénom est rare. Tendance : stable. Caractérologie : efficacité, persévérance, structure, sécurité, détermination.

Auria : En or (latin). Ce prénom est très rare. En France, Auria est plus traditionnellement usité au Pays Basque. Caractérologie : découverte, audace, séduction, énergie, originalité.

Auriane : En or (latin). Ce prénom est assez répandu. Il est plutôt bien attribué aujour-d'hui. Tendance : stable. Variantes : Auriana, Aurianna, Aurianne. Caractérologie : sens des responsabilités, famille, influence, détermination, équilibre.

Aurora : En or (latin). Ce prénom est rare. À noter : Aurora est en vogue en Italie. En France, ce prénom est plus traditionnellement usité au Pays Basque. Variante : Aurubita. Caractérologie : intuition, relationnel, raisonnement, fidélité, médiation.

Aurore : En or (latin). Ce prénom répandu est plutôt bien attribué aujourd'hui. Tendance : stable. Caractérologie : équilibre, famille, sens des responsabilités, analyse, résolution.

Auxane : Hospitalier (grec). Ce prénom est très rare. Tendance : stable. Variantes : Auxanne, Euxane. Caractérologie : communication, pratique, enthousiasme, adaptation, générosité.

Ava : Vie, donner la vie (hébreu). Ce prénom est très rare. Tendance : en croissance modérée. Variantes : Avelina, Aveline. Caractérologie : bienveillance, paix, conscience, sagesse, conseil.

Avara : La plus jeune (sanscrit). Caractérologie : connaissances, sagacité, originalité, philosophie, spiritualité.

Avia : Aïeule (latin). Caractérologie : famille, sens des responsabilités, équilibre, influence, exigence.

Avital : Rosée (hébreu). Ce prénom est porté par moins de 100 personnes en France. Caractérologie : relationnel, intuition, fidélité, médiation, organisation.

A

37

Aviva : Printemps (hébreu). Ce prénom est très rare. Caractérologie : direction, audace, dynamisme, indépendance, assurance.

Avril : Qui bourgeonne (latin). Ce prénom est très rare. Tendance : en décroissance modérée. Caractérologie : achèvement, stratégie, ardeur, vitalité, leadership.

Awena : Noble amie (irlandais). Ce prénom est très rare. Tendance : en forte croissance. En France, Awena est plus traditionnellement usité en Bretagne. Caractérologie : force, habileté, passion, ambition, management.

Axelle : Mon père est paix (hébreu). Ce prénom répandu figure dans le top 100 français aujourd'hui. Tendance : en croissance modérée. Variante : Axele. Caractérologie : énergie, audace, découverte, originalité, séduction.

Aya : Oiseau rapace (hébreu). Ce prénom est rare. Tendance : en forte croissance. Caractérologie : altruisme, idéalisme, dévouement, réflexion, intégrité.

Ayako : Motif damassé (japonais). Caractérologie : passion, habileté, ambition, force, management.

Ayala : Gazelle (hébreu). Ce prénom est porté par moins de 100 personnes en France. Variante : Ayalla. Caractérologie : efficacité, structure, sécurité, persévérance, honnêteté.

Ayame : Fleur d'iris (japonais). Caractérologie : intégrité, idéalisme, altruisme, réalisation, réflexion.

Ayla : Gazelle (hébreu). Ce prénom est très rare. Tendance : stable. Caractérologie : pragmatisme, créativité, sociabilité, communication, optimisme.

Aylin : Clair de lune (turc). Ce prénom est rare. Tendance : stable. Variante : Ayline. Caractérologie : compassion, méditation, savoir, détermination, intelligence.

Azélie : Sec (grec). Ce prénom est très rare. Tendance : en croissance modérée. Caractérologie : résolution, sécurité, persévérance, structure, efficacité.

Azeline : Jeune âne (latin). Ce prénom breton est très rare. Tendance : en forte croissance. Caractérologie : humanité, rectitude, détermination, ouverture d'esprit, rêve.

Aziliz : Aveugle (latin). Ce prénom breton est rare. Tendance : en croissance modérée. Variante : Azilis. Caractérologie : fidélité, relationnel, adaptabilité, intuition, médiation.

Aziza : Aimée, précieuse, puissante (arabe). Ce prénom assez rare est très peu attribué aujourd'hui. Tendance : en décroissance modérée. Variante : Azizée. Caractérologie : ouverture d'esprit, rectitude, humanité, rêve, générosité.

Azora : Ciel bleu (perse). Caractérologie : indépendance, intelligence, savoir, méditation, sagesse.

Babette : Dieu est serment (hébreu). Ce prénom est très rare. Variante basque : Babe. Caractérologie : direction, indépendance, dynamisme, audace, assurance.

Bachra : Bonne nouvelle (arabe). Ce prénom est porté par moins de 100 personnes en France. Caractérologie : sens des responsabilités, famille, organisation, influence, équilibre.

Badia : Clair, évident (arabe). Ce prénom est très rare. Caractérologie : ambition, force, habileté, passion, management.

Bahia : Belle (arabe). Ce prénom est très rare. Tendance : en forte croissance. Caractérologie : créativité, pragmatisme, communication, optimisme, sociabilité.

Baïa : Serment (arabe). Ce prénom est porté par moins de 100 personnes en France. Caractérologie : ténacité, méthode, engagement, fiabilité, sens du devoir.

Bao : Protection, précieux (vietnamien). Ce prénom est porté par moins de 100 personnes en France. Caractérologie : rectitude, humanité, générosité, ouverture d'esprit, rêve.

Baptistine : Immerger (grec). Ce prénom assez rare est très peu attribué aujourd'hui. Tendance : stable. Variante : Baptista. Caractérologie : sagacité, spiritualité, connaissances, originalité, détermination.

Barbara : Étrangère (latin). Ce prénom répandu est relativement peu attribué aujourd'hui. Tendance : en décroissance modérée. Barbara est très répandu dans les pays anglophones et en Italie. Variante : Barberine. Caractérologie : intelligence, savoir, indépendance, méditation, sagesse.

Basilia : Reine (grec). Ce prénom est porté par moins de 100 personnes en France. Dans l'Hexagone, Basilia est plus traditionnellement usité au Pays Basque. Caractérologie : stratégie, organisation, ardeur, vitalité, achèvement.

Bathilde : Audacieuse, combattante (germanique). Ce prénom est très rare. Tendance : stable. Variante : Bathilda. Caractérologie :

connaissances, sagacité, sensibilité, spiritualité, détermination.

Baya : Noble, distinguée (arabe, turc). Ce prénom est rare. Tendance : stable. Caractérologie : relationnel, adaptabilité, intuition, médiation, fidélité.

Béatrice : Heureuse, qui rend heureuse (latin). Ce prénom est très répandu. Il est très peu attribué aujourd'hui. Tendance : en décroissance modérée. Variante : Béa. Caractérologie : rectitude, humanité, organisation, rêve, détermination.

Beatrix : Heureuse, qui rend heureuse (latin). Ce prénom assez rare est très peu attribué aujourd'hui. Caractérologie : originalité, connaissances, sagacité, spiritualité, résolution.

Beatriz : Heureuse, qui rend heureuse (latin). Ce prénom breton et occitan est très rare. Tendance : stable. Caractérologie : intégrité, détermination, altruisme, sensibilité, idéalisme.

Bélinda : Belle (espagnol). Ce prénom est assez répandu. Il est peu attribué actuellement. Tendance : stable. Variante : Béline. Caractérologie : intuition, médiation, organisation, détermination, relationnel.

Bella : Dieu est serment (hébreu). Belle (latin). Ce prénom est très rare. Variante : Belle. Variantes basques : Bela, Belen. Caractérologie : audace, découverte, énergie, originalité, gestion.

Bénédicte : Bénie (latin). Ce prénom répandu est peu attribué actuellement. Tendance : en décroissance modérée. Variantes : Benedetta, Benedite, Benita. Variante basque : Benedita. Caractérologie : engage-

B

39

ment, ténacité, méthode, fiabilité, sens du devoir.

Benjamine : Fils du Sud (hébreu). Ce prénom est très rare. Caractérologie : indépendance, direction, détermination, audace, dynamisme.

Benoîte : Bénie (latin). Ce prénom est rare. Caractérologie : intelligence, indépendance, savoir, sagesse, méditation.

Bérangère : Esprit, ours (germanique). Ce prénom est assez répandu. Il est très peu attribué aujourd'hui. Tendance : en décroissance modérée. Caractérologie : pratique, communication, adaptation, enthousiasme, résolution.

Bérengère : Esprit, ours (germanique). Ce prénom est assez répandu. Il est très peu attribué aujourd'hui. Tendance : en décroissance modérée. Caractérologie : savoir, intelligence, méditation, sagesse, indépendance.

Bérénice : Qui apporte la victoire (grec). Ce prénom est assez répandu. Il est relativement peu attribué aujourd'hui. Tendance : stable. Variante : Bernice. Caractérologie : méditation, savoir, intelligence, indépendance, sagesse.

Bernadette : Courage, ours (germanique). Ce prénom est très répandu. Il est très peu attribué aujourd'hui. Tendance : stable. Variante : Bernarde. Variante occitane : Bernadeta. Caractérologie : ténacité, fiabilité, méthode, engagement, décision.

Bernardine : Courage, ours (germanique). Ce prénom est rare. Caractérologie : altruisme, réflexion, idéalisme, intégrité, résolution.

Bertha : Brillante, illustre (germanique). Ce prénom est rare. Variante basque : Berta. Caractérologie : altruisme, résolution, idéalisme, intégrité, finesse.

Berthe : Brillante, illustre (germanique). Ce prénom répandu est très peu attribué aujourd'hui. Caractérologie : persévérance, sécurité, finesse, structure, efficacité.

Bertille : Qui brille au combat (germanique). Ce prénom assez rare est relativement peu attribué aujourd'hui. Tendance : stable. Variantes : Berthilde, Berthille. Caractérologie : médiation, intuition, relationnel, fidélité, adaptabilité.

Bertrande : Brillant, corbeau (germanique). Ce prénom est très rare. Caractérologie : bienveillance, paix, conscience, détermination, conseil.

Béryl : Pierre précieuse vert-pâle (grec). Ce prénom est très rare. Tendance : en décroissance modérée. Caractérologie : stratégie, vitalité, ardeur, achèvement, compassion.

Béthanie : Maison de la pauvreté (araméen). Ce prénom est porté par moins de 100 personnes en France. Caractérologie : direction, résolution, dynamisme, audace, finesse.

Betsy : Dieu est ma demeure (grec). Ce prénom est très rare. Tendance : en forte décroissance. Variantes : Bess, Besse, Bessie, Beth. Caractérologie : ardeur, vitalité, achèvement, stratégie, leadership.

Betty : Dieu est ma demeure (grec). Ce prénom répandu est peu attribué actuellement. Tendance : en décroissance modérée. Variante : Bettie. Caractérologie : ouverture d'esprit, générosité, rectitude, rêve, humanité.

Beverly : À proximité de castors (anglais). Ce prénom est rare. Tendance : en décroissance modérée. Variante : Beverley. Caractérologie : habileté, ambition, passion, force, cœur.

Bianca : Clair (germanique). Ce prénom est rare. Tendance : en croissance modérée. Bianca est très répandu en Italie et dans les pays slaves. Variante : Bianka. Caractérologie : pratique, communication, gestion, décision, enthousiasme.

Bienvenue : Bien arrivée (latin). Ce prénom est porté par moins de 100 personnes en France. Caractérologie : philosophie, sagacité, connaissances, originalité, spiritualité.

Blanca : Clair (germanique). Ce prénom est porté par moins de 100 personnes en France. Blanca est répandu dans les régions hispanophones. Dans l'Hexagone, ce prénom est plus traditionnellement usité en Occitanie et au Pays Basque. Variante : Blanka. Caractérologie : organisation, équilibre, famille, sens des responsabilités, influence.

Blanche : Clair (germanique). Ce prénom répandu est relativement peu attribué aujourd'hui. Tendance : en croissance modérée. Variante : Blanchette. Caractérologie : humanité, rêve, rectitude, organisation, sensibilité.

Blandine : Caressant, flatteur (latin). Ce prénom répandu est relativement peu attribué aujourd'hui. Tendance : stable. Caractérologie : intelligence, méditation, détermination, organisation, savoir.

Bleuenn : Fleur blanche (breton). Ce prénom est rare. Tendance : en forte croissance.

Caractérologie : audace, direction, dynamisme, indépendance, assurance.

Blondine : Caressant, flatteur (latin). Ce prénom est très rare. Caractérologie : caractère, communication, optimisme, pragmatisme, logique.

Bluette : Nom courant du bleuet (latin). Ce prénom est très rare. Caractérologie : ténacité, engagement, méthode, fiabilité, sens du devoir.

Boécia : Qui vient de la Boétie (latin). Caractérologie : logique, achèvement, vitalité, stratégie, décision.

Bonnie : Belle (écossais/anglais). Ce prénom est très rare. Tendance : en décroissance modérée. Variante : Bonny. Caractérologie : originalité, énergie, découverte, séduction, audace.

Bouchra : Bonne nouvelle (arabe). Ce prénom assez rare est très peu attribué aujourd'hui. Tendance : en croissance modérée. Variante : Bosra. Caractérologie : découverte, énergie, audace, organisation, raisonnement.

Brandy : Princesse (celte). Ce prénom est très rare. Tendance : en forte croissance. Caractérologie : innovation, autorité, énergie, détermination, réalisation.

Brenda : Prince (celte). Épée (scandinave). Ce prénom est assez répandu. Il est peu attribué actuellement. Tendance : en décroissance modérée. En France, Brenda est plus traditionnellement usité en Bretagne. Variantes : Branda, Brandana, Brendana. Caractérologie : résolution, achèvement, vitalité, stratégie, ardeur.

B

41

Brianna : Puissance, noblesse, respect (celte). Ce prénom est porté par moins de 100 personnes en France. Tendance : en forte croissance. Variantes : Briana, Brianne. Caractérologie : dynamisme, courage, curiosité, indépendance, décision.

Brigitte : Force (celte). Ce prénom est très répandu. Il est très peu attribué aujourd'hui. Tendance : stable. Variantes : Bridget, Brigit, Brigite, Brigitta. Variante bretonne : Berched. Variantes basques : Brigita, Brita. Caractérologie : humanité, rectitude, rêve, générosité, ouverture d'esprit.

Brina : Protection (slave). Caractérologie : ambition, force, habileté, passion, résolution.

Brine : Puissance, noblesse, respect (celte). Caractérologie : pragmatisme, communication, créativité, optimisme, sociabilité.

Brittany : Qui vient de Grande-Bretagne (latin). Ce prénom est très rare. Tendance : en décroissance modérée. Brittany et ses formes dérivées furent très en vogue dans le monde anglophone au XVIIIᵉ siècle. Aujourd'hui, Britany (avec un seul « t ») est sur le point de devenir aussi courant que Brittany en France. Variantes : Britanie, Britany, Britanny, Brittanie. Caractérologie : innovation, ambition, autorité, énergie, décision.

Brivela : Puissance, respect, prince (celte). Prénom breton. Variante : Brivaela. Caractérologie : organisation, paix, bienveillance, conscience, détermination.

Bruna : Armure, couleur brune (germanique). Ce prénom occitan est assez rare. Il est très peu attribué aujourd'hui. Tendance : en

forte croissance. Variante : Brunaëlle. Caractérologie : relationnel, intuition, médiation, organisation, détermination.

Brune : Armure, couleur brune (germanique). Ce prénom est très rare. Tendance : stable. Variantes : Brunella, Brunelle, Brunette. Caractérologie : équilibre, exigence, famille, sens des responsabilités, influence.

Brunehilde : Armure, couleur brune (germanique). Ce prénom est très rare. Tendance : en décroissance modérée. En France, Brunehilde est plus traditionnellement usité en Alsace. Variante : Brunhilde. Caractérologie : ambition, force, habileté, passion, finesse.

Caitlin : Pure (grec). Ce prénom est très rare. Tendance : en forte croissance. Caitlin est en vogue en Irlande et devrait figurer dans le top 10 gallois en 2004. Variantes : Caitline, Catriona, Kaitlin, Riona. Caractérologie : organisation, détermination, audace, énergie, découverte.

Calandra : Parc, espace vert (grec). Variante : Calantha. Caractérologie : rêve, humanité, rectitude, ouverture d'esprit, détermination.

Caledonia : Se rapporte à un ancien lieu-dit en Grèce. Caractérologie : direction, dynamisme, volonté, audace, analyse.

Calia : Qui a une belle voix (grec). Caractérologie : ambition, habileté, force, passion, management.

Caline : Victoire du peuple (grec). Ce prénom est très rare. Caractérologie : ardeur, achèvement, vitalité, résolution, stratégie.

CAMILLE

Fête : 14 juillet

Étymologie : L'étymologie de Camille est obscure, mais on lui attribue généralement une origine étrusque. À Rome, *camillus* était le nom donné au jeune assistant des prêtres pendant les sacrifices. Ce prénom est très usité en France et dans les régions du monde francophone. Camille se positionne dans le top 10 de la Belgique francophone et de la Suisse romande. Elle devrait également se maintenir dans le top 15 québécois malgré un net fléchissement. En France, Camille devrait se maintenir en 5ᵉ position du palmarès en 2005. Devrions-nous préciser qu'il s'agit du palmarès féminin ? D'aucuns s'en rappellent, ce prénom est mixte. On pardonnera toutefois les parents qui l'ont oublié, tant le genre de Camille s'est radicalement transformé au cours du XXᵉ siècle. Dans les années 1900, Camille était attribué à un petit tiers de filles dans l'Hexagone. Il a fallu attendre le début des années 1960 pour atteindre la parité, puis 1965 pour que la version féminine de Camille soit prédominante. En 1995, sa percée dans le top 20 féminin a entériné son changement de sexe. Résultat, aujourd'hui, ce prénom est associé à la féminité. Malgré un déclin entamé depuis quatre ans, on peut estimer que plus de 6 000 petites Camille verront le jour en 2005 en France. À titre de comparaison, environ 300 garçons sont prénommés ainsi chaque année.

Saint Camille a vécu au XVIᵉ siècle. Il se rend célèbre en créant, lorsqu'il est infirmier, l'ordre des camilliens. Grâce à cette organisation, les conditions de soins prodigués aux malades s'améliorent dans les hôpitaux. Le pape Léon XIII l'a déclaré protecteur des hôpitaux, des infirmes, des infirmiers et des infirmières.

Personnalité célèbre : Camille Desmoulin, journaliste et membre du club des cordeliers. Il appelle le peuple aux armes le 14 juillet 1789, ce qui incite la foule à se rassembler devant les portes de la prison de la Bastille. Cette date charnière de la révolution est aujourd'hui la fête nationale française. Accusé de comploter pour rétablir la royauté, il est guillotiné le même jour que Danton à Paris en 1794.

Dans la littérature, **Camille** est l'héroïne forte et passionnée d'*Horace*, de Corneille. Elle est tantôt une petite fille modèle, tantôt une jeune fille pure et idéalisée dans de nombreux romans de la Comtesse de Ségur.

Statistique : Camille est le 74ᵉ prénom féminin le plus attribué du XXᵉ siècle en France. Son masculin Camille est au 114ᵉ rang du palmarès masculin.

C

43

Callista : La plus belle (grec). Ce prénom est très rare. Tendance : en forte croissance. Variante : Calixte. Caractérologie : découverte, énergie, audace, originalité, organisation.

Calypso : Qui dissimule (grec). Ce prénom est rare. Tendance : en croissance modérée. Dans l'Odyssée d'Homère, la nymphe Calypso est la reine de l'île d'Ogygie. Elle recueille Ulysse lorsqu'il fait naufrage sur son île. Amoureuse de ce dernier, elle tente durant sept années de lui faire oublier Ithaque et Pénélope. Ses efforts resteront infructueux. À noter : Calypso est également le nom du 14e satellite de la planète Saturne. Variante : Calipso. Caractérologie : ambition, autorité, innovation, énergie, autonomie.

Camélia : Jeune assistante de cérémonies (étrusque). Ce prénom assez rare est relativement peu attribué aujourd'hui. Tendance : en croissance modérée. Variantes : Camélie, Camellia. Caractéro-logie : ambition, force, passion, habileté, décision.

Caméo : Enchevêtrement de pierres précieuses (latin). Caractérologie : autorité, innovation, ambition, volonté, énergie.

Cameron : Nez crochu (écossais). Ce prénom est porté par moins de 100 personnes en France. Tendance : en forte croissance. Caractérologie : volonté, raisonnement, équilibre, sens des responsabilités, famille.

Camilia : Jeune assistante de cérémonies (étrusque). Ce prénom est rare. Tendance : stable. Variantes : Camila, Camilla, Kamilia. Caractérologie : générosité, communication, pratique, adaptation, enthousiasme.

Camille : Jeune assistante de cérémonies (étrusque). Ce prénom est très répandu. De plus, il figure dans le top 50 français aujourd'hui. Voir le zoom dédié à Camille. Caractérologie : énergie, innovation, ambition, résolution, autorité.

Camillia : Jeune assistante de cérémonies (étrusque). Ce prénom est très rare. Tendance : en croissance modérée. Caractérologie : paix, bienveillance, conscience, conseil, sagesse.

Candice : D'un blanc éclatant (latin). Ce prénom est assez répandu. Il est plutôt bien attribué aujourd'hui. Tendance : stable. Variante : Candyce. Caractérologie : pragmatisme, communication, créativité, optimisme, détermination.

Candide : D'un blanc éclatant (latin). Ce prénom est rare. Tendance : stable. Variante : Candia. Caractérologie : résolution, efficacité, structure, sécurité, persévérance.

Candie : D'un blanc éclatant (latin). Ce prénom est très rare. Tendance : en croissance modérée. Caractérologie : humanité, ouverture d'esprit, rectitude, rêve, décision.

Candy : D'un blanc éclatant (latin). Ce prénom assez rare est très peu attribué aujourd'hui. Tendance : stable. Caractérologie : médiation, relationnel, sympathie, réalisation, intuition.

Cannelle : Substance aromatique contenue dans l'écorce du cannelier (français). Ce prénom est rare. Tendance : stable. Variante : Canelle. Caractérologie : pratique, adaptation, communication, enthousiasme, générosité.

Cantara : Petit pont (arabe). Caractérologie : fiabilité, méthode, résolution, ténacité, organisation.

Capucine : Cape (latin). Ce prénom est assez répandu. Il figure dans le top 100 français aujourd'hui. Tendance : en forte croissance. Caractérologie : rêve, rectitude, humanité, cœur, décision.

Cara : Chère à quelqu'un (latin). Ce prénom est porté par moins de 100 personnes en France. Tendance : en forte croissance. Variantes : Kara, Karah. Caractérologie : énergie, audace, séduction, découverte, originalité.

Carène : Pure (grec). Ce prénom est très rare. Variantes : Caren, Carenne. Caractérologie : ambition, autorité, innovation, énergie, résolution.

Carina : Pure (grec). Ce prénom est rare. Tendance : stable. En France, Carina est plus traditionnellement usité en Corse. Caractérologie : résolution, direction, audace, dynamisme, indépendance.

Carine : Pure (grec). Ce prénom répandu est très peu attribué aujourd'hui. Tendance : en décroissance modérée. Variante : Carin. Caractérologie : décision, dynamisme, curiosité, indépendance, courage.

Carinne : Pure (grec). Ce prénom assez rare ne devrait pas être attribué à plus de 10 bébés en 2005. Caractérologie : audace, direction, indépendance, dynamisme, décision.

Carla : Fort et viril (germanique). Ce prénom répandu figure dans le top 50 français aujourd'hui. Voir le zoom dédié à Carla. Caractérologie : force, passion, ambition, management, habileté.

Carline : Fort et viril (germanique). Ce prénom est très rare. Tendance : en croissance modérée. Variantes : Carlana, Carlène, Carlia, Carlie. Variante corse : Carlina. Caractérologie : ambition, habileté, force, passion, décision.

Carlotta : Fort et viril (germanique). Ce prénom est très rare. Tendance : stable. En France, Carlotta est plus traditionnellement usité en Corse. Caractérologie : humanité, rêve, organisation, rectitude, raisonnement.

Carlyne : Fort et viril (germanique). Ce prénom est très rare. Tendance : stable. Variantes : Carley, Carly. Caractérologie : bienveillance, paix, conscience, sympathie, résolution.

Carmela : Vigne divine (hébreu). Ce prénom assez rare est très peu attribué aujourd'hui. Variantes : Carmélia, Carmella. Caractérologie : vitalité, achèvement, ardeur, détermination, stratégie.

Carmelle : Vigne divine (hébreu). Ce prénom est très rare. Variantes : Carmel, Carmeline. Caractérologie : conseil, bienveillance, paix, conscience, résolution.

Carmen : Chanson, hymne (latin). Ce prénom répandu est peu attribué actuellement. Tendance : stable. Carmen est très répandu en Espagne. Variante : Carmina. Caractérologie : idéalisme, détermination, altruisme, réflexion, intégrité.

Carol : Fort et viril (germanique). Ce prénom assez rare est très peu attribué aujourd'hui. Variante : Caroll. Caractérologie : fiabilité, ténacité, engagement, méthode, logique.

Carola : Fort et viril (germanique). Ce prénom est très rare. Caractérologie : audace, découverte, énergie, originalité, analyse.

C

45

Carolane : Combinaison de Carole et d'Anne. Ce prénom assez rare est peu attribué actuellement. Tendance : en décroissance modérée. Variantes : Carolann, Carolanne, Karolane. Caractérologie : famille, équilibre, sens des responsabilités, détermination, raisonnement.

Carole : Fort et viril (germanique). Ce prénom est très répandu. Il est peu attribué actuellement. Tendance : en décroissance modérée. Caractérologie : intégrité, détermination, altruisme, idéalisme, raisonnement.

Carole-Anne : Prénom composé de Carole et d'Anne. Ce prénom est rare. Tendance : en

CARLA

Fête : 17 juillet

Étymologie : dérivé de Charlotte, du germain : fort et viril. Inconnue avant les années 1970, Carla met du temps à affirmer son existence dans l'Hexagone. Elle émerge vers 1980 mais demeure très méconnue des Français. Toutefois, son effort continu porte ses fruits puisqu'elle décolle remarquablement dans les années 1990. Sa croissance est telle qu'elle s'impose dès 2001 dans le top 50 français. Carla évolue aujourd'hui au sein du top 40 et n'a sans doute pas encore atteint son apogée. En attendant, ce prénom devrait être attribué à plus de 1 800 Françaises en 2005. Nul doute que ce dérivé de Charlotte a bénéficié du succès de cette dernière à la fin des années 1980. En 1987, Charlotte était en effet le 18e prénom de France. Cette année-là, ce prénom fut attribué à près de 4 600 enfants, un record pour le XXe siècle. Depuis, Charlotte décline aussi lentement que Carla se propage avec constance. Cette forme moderne de Charlotte devrait bientôt supplanter cette dernière dans le top 30 du palmarès français. Ceci d'autant plus que Carla est un choix phonétiquement proche de Clara, une forme de Claire très actuelle. Bien évidemment, l'essor de Carla peut aussi être expliqué par la vogue des prénoms courts qui se terminent en « a ».

En dehors de l'Hexagone, c'est au Portugal, en Italie et surtout en Espagne que ce prénom est le plus coté aujourd'hui. Malgré une certaine identité catalane, Carla monte également en Allemagne. En revanche, elle reste de notoriété très discrète dans les régions francophones de la Belgique, du Canada et de la Suisse.

Personnalité célèbre : Carla Bruni, mannequin vedette des années 1990, et chanteuse française d'origine italienne.
Statistique : Carla est le 365e prénom féminin le plus attribué du XXe siècle en France. Carla-Marie est la forme composée de Carla la plus attribuée aujourd'hui. Ce prénom est encore très rare mais il est en pleine croissance.

forte décroissance. Variante : Carol-Ann. Caractérologie : intelligence, raisonnement, méditation, détermination, savoir.

Carolina : Fort et viril (germanique). Ce prénom est rare. Tendance : stable. Variante : Carolie. Variante basque : Karolina. Caractérologie : résolution, direction, audace, analyse, dynamisme.

Caroline : Fort et viril (germanique). Ce prénom est très répandu. Il est plutôt bien attribué aujourd'hui. Tendance : en décroissance modérée. Caractérologie : courage, curiosité, dynamisme, raisonnement, détermination.

Carolyn : Fort et viril (germanique). Ce prénom est très rare. Tendance : en décroissance modérée. Variante : Carolyne. Caractérologie : spiritualité, sagacité, compassion, connaissances, raisonnement.

Carry : Fort et viril (germanique). Variantes : Carrie, Cary. Caractérologie : diplomatie, sociabilité, loyauté, réceptivité, bonté.

Cassandra : Qui aide les hommes (grec). Ce prénom répandu figure dans le top 100 français aujourd'hui. Tendance : stable. Variantes : Casandra, Cass, Cassendra. Caractérologie : ambition, force, résolution, habileté, passion.

Cassandre : Qui aide les hommes (grec). Ce prénom est assez répandu. Il est plutôt bien attribué aujourd'hui. Tendance : stable. Dans la mythologie grecque, Cassandre est une prophétesse dont les prophéties ne furent pas prises au sérieux. Caractérologie : communication, optimisme, pragmatisme, créativité, résolution.

Cassie : Qui aide les hommes (grec). Ce prénom est très rare. Tendance : en forte croissance. Variantes : Casia, Kasia. Caractérologie : intuition, relationnel, fidélité, médiation, résolution.

Cassiopée : Large constellation d'étoiles dans la voie lactée (grec). Ce prénom est très rare. Tendance : en forte croissance. Caractérologie : réceptivité, sociabilité, sympathie, analyse, diplomatie.

Cassy : Qui aide les hommes (grec). Ce prénom est très rare. Tendance : en forte croissance. Caractérologie : engagement, méthode, ténacité, sens du devoir, fiabilité.

Catalina : Pure (grec). Ce prénom est très rare. Tendance : en croissance modérée. En France, Catalina est plus traditionnellement usité en Occitanie et au Pays Basque. Variante : Catalin. Caractérologie : savoir, intelligence, méditation, organisation, résolution.

Catarina : Pure (grec). Ce prénom est rare. Tendance : stable. En France, Catarina est plus traditionnellement usité en Corse et en Occitanie. Caractérologie : méthode, ténacité, fiabilité, organisation, résolution.

Catharina : Pure (grec). Ce prénom est très rare. Tendance : en croissance modérée. Variantes : Caterina, Catherina, Catrina. Caractérologie : pragmatisme, optimisme, communication, décision, attention.

Catheline : Pure (grec). Ce prénom est très rare. Tendance : en croissance modérée. Variantes : Cateline, Cathel, Cathelle, Cathelyne. Caractérologie : énergie, finesse, audace, découverte, résolution.

C

47

Catherine : Pure (grec). Ce prénom est très répandu. Il est peu attribué actuellement. Tendance : stable. Variantes : Caterine, Catharine. Caractérologie : diplomatie, sociabilité, réceptivité, détermination, sensibilité.

Cathia : Pure (grec). Ce prénom assez rare est très peu attribué aujourd'hui. Tendance : stable. Variantes : Cathya, Catia. Caractérologie : organisation, famille, équilibre, sens des responsabilités, influence.

Cathie : Pure (grec). Ce prénom assez rare est très peu attribué aujourd'hui. Tendance : stable. Caractérologie : audace, direction, attention, dynamisme, décision.

Cathleen : Pure (grec). Ce prénom est très rare. Tendance : en forte croissance. Caractérologie : courage, curiosité, gestion, dynamisme, attention.

Cathy : Pure (grec). Ce prénom répandu est relativement peu attribué aujourd'hui. Tendance : stable. Caractérologie : pratique, communication, enthousiasme, adaptation, organisation.

Caty : Pure (grec). Ce prénom est rare. Variantes : Cati, Catie, Catty. Caractérologie : méthode, organisation, fiabilité, engagement, ténacité.

Causette : Victoire du peuple (grec). Ce prénom est porté par moins de 100 personnes en France. Caractérologie : ténacité, méthode, fiabilité, engagement, organisation.

Cayla : Couronne (hébreu). Variante : Caïla. Caractérologie : équilibre, famille, sens des responsabilités, influence, exigence.

Cécile : Aveugle (latin). Ce prénom est très répandu. Il est plutôt bien attribué aujourd'hui. Tendance : en décroissance modérée. Caractérologie : autorité, innovation, ambition, autonomie, énergie.

Cecilia : Aveugle (latin). Ce prénom répandu est plutôt bien attribué aujourd'hui. Tendance : stable. Variante : Cecillia. Caractérologie : résolution, sens des responsabilités, équilibre, famille, influence.

Céléna : Lune (grec). Ce prénom est très rare. Tendance : stable. Caractérologie : structure, persévérance, sécurité, honnêteté, efficacité.

Céleste : Qui se rapporte au ciel (grec). Ce prénom assez rare est relativement peu attribué aujourd'hui. Tendance : en forte croissance. À noter : Celeste est très en vogue en Italie. Caractérologie : sens des responsabilités, équilibre, influence, gestion, famille.

Célestine : Qui se rapporte au ciel (grec). Ce prénom est assez répandu. Il est peu attribué actuellement. Tendance : en croissance modérée. Caractérologie : résolution, relationnel, intuition, organisation, médiation.

Célia : Aveugle (latin). Ce prénom répandu figure dans le top 50 français aujourd'hui. Tendance : en croissance modérée. Variantes : Celya, Selya. Caractérologie : communication, pratique, adaptation, enthousiasme, décision.

Céliane : Lune (grec). Ce prénom est très rare. Tendance : stable. Variante : Cyliane. Caractérologie : engagement, ténacité, méthode, fiabilité, décision.

Célie : Aveugle (latin). Ce prénom est rare. Tendance : stable. Caractérologie : sagacité, philosophie, originalité, spiritualité, connaissances.

Célina : Lune (grec). Ce prénom est assez répandu. Il est relativement peu attribué aujourd'hui. Tendance : en forte croissance. Variantes : Célanie, Célenie, Célimène, Célinie. Variante basque : Ismene. Caractérologie : habileté, force, ambition, détermination, passion.

Céline : Lune (grec). Ce prénom est très répandu. Il est plutôt bien attribué aujourd'hui. Tendance : en décroissance modérée. Variante : Celyne. Caractérologie : enthousiasme, pratique, communication, générosité, adaptation.

Cellia : Aveugle (latin). Ce prénom est très rare. Tendance : en croissance modérée. Caractérologie : bienveillance, paix, conscience, détermination, conseil.

Cendrine : Défense de l'humanité (grec). Ce prénom assez rare est très peu attribué aujourd'hui. Tendance : en forte décroissance. Caractérologie : rêve, humanité, ouverture d'esprit, rectitude, générosité.

Cerise : Cerisier (latin). Ce prénom est très rare. Tendance : en décroissance modérée. Caractérologie : énergie, découverte, audace, originalité, décision.

Césarine : Tête aux cheveux longs (latin). Ce prénom est rare. Tendance : stable. Variantes : Césarie, Cézarine. Caractérologie : intuition, relationnel, médiation, fidélité, détermination.

Ceylan : Prénom moderne mixte qui désigne le Sri Lanka. Ce prénom est très rare.

Tendance : stable. Caractérologie : conseil, conscience, compassion, bienveillance, paix.

Cézanne : Origine possible : clown (italien). Caractérologie : énergie, découverte, audace, séduction, originalité.

Chadia : Au chant mélodieux (arabe). Ce prénom est rare. Tendance : stable. Caractérologie : force, habileté, passion, management, ambition.

Chafia : Apaisante, réconfortante (arabe). Ce prénom est très rare. Caractérologie : innovation, logique, énergie, autorité, ambition.

Chaïma : D'une grande beauté (arabe). Ce prénom assez rare est plutôt bien attribué aujourd'hui. Tendance : en forte croissance. Variantes : Chama, Shayma, Sheyma. Caractérologie : achèvement, ardeur, vitalité, stratégie, leadership.

Chaïmaa : D'une grande beauté (arabe). Ce prénom est très rare. Tendance : en forte croissance. Variantes : Chaïmae, Chaymae. Caractérologie : humanité, rectitude, rêve, ouverture d'esprit, générosité.

Chandra : Lune (sanscrit). Caractérologie : sécurité, structure, persévérance, résolution, efficacité.

Chanel : Se rapporte au parfum du même nom et à Gabrielle « Coco « Chanel, célèbre fondatrice de la maison de couture. Ce prénom est rare. Tendance : stable. À ce jour, Chanel est plus répandu aux États-Unis qu'en France. Ce ne sera peut-être pas toujours le cas. Depuis une dizaine d'années, ce prénom enregistre en effet une croissance rapide dans l'Hexagone. Variantes : Chanele, Channel, Shanel. Caractérologie :

C

49

sagesse, intelligence, savoir, méditation, indépendance.

Chanelle : Voir Chanel. Ce prénom est très rare. Tendance : en forte croissance. Caractérologie : équilibre, influence, famille, sens des responsabilités, exigence.

Chani : Rouge (hébreu). Ce prénom est porté par moins de 100 personnes en France. Tendance : stable. Variante : Chany. Caractérologie : ambition, habileté, force, passion, résolution.

Chantal : Patronyme de Sainte qui est devenu un prénom. Ce prénom est très répandu. Il est très peu attribué aujourd'hui. Tendance : stable. Caractérologie : organisation, découverte, audace, énergie, sensibilité.

Chantale : Patronyme de Sainte qui est devenu un prénom. Ce prénom est assez répandu. Il est très peu attribué aujourd'hui. Caractérologie : autorité, innovation, énergie, finesse, organisation.

Charleen : Fort et viril (germanique). Ce prénom est très rare. Tendance : en croissance modérée. Caractérologie : pratique, enthousiasme, communication, résolution, adaptation.

Charlène : Fort et viril (germanique). Ce prénom répandu est plutôt bien attribué aujourd'hui. Tendance : en décroissance modérée. Variantes : Charlaine, Charleyne. Caractérologie : communication, pragmatisme, optimisme, décision, créativité.

Charlette : Fort et viril (germanique). Ce prénom assez rare est très peu attribué aujourd'hui. Caractérologie : résolution, intuition, relationnel, médiation, finesse.

Charlie : Fort et viril (germanique). Ce prénom est rare. Tendance : stable. Caractérologie : médiation, relationnel, intuition, fidélité, détermination.

Charline : Fort et viril (germanique). Ce prénom répandu figure dans le top 100 français aujourd'hui. Tendance : stable. Caractérologie : méditation, savoir, indépendance, intelligence, détermination.

Charlotte : Fort et viril (germanique). Ce prénom répandu figure dans le top 50 français aujourd'hui. Tendance : stable. Charlotte devrait figurer dans le top 10 anglais en 2004. Variantes : Charmaine, Lote, Lotte, Lottie. Caractérologie : optimisme, communication, pragmatisme, attention, logique.

Charlyne : Fort et viril (germanique). Ce prénom assez rare est peu attribué actuellement. Tendance : stable. Caractérologie : énergie, audace, cœur, action, découverte.

Chayma : D'une grande beauté (arabe). Ce prénom est rare. Tendance : en forte croissance. Variante : Chaymaa. Caractérologie : sens des responsabilités, famille, réalisation, influence, équilibre.

Chéima : D'une grande beauté (arabe). Ce prénom est très rare. Tendance : en forte croissance. Variante : Cheyma. Caractérologie : pratique, enthousiasme, communication, adaptation, décision.

Chelsea : Port de mer (anglais). Ce prénom est très rare. Tendance : en forte croissance. Chelsea est aussi le nom d'un quartier branché de la ville de New York. Variante : Chelsy. Caractérologie : stratégie, achèvement, vitalité, ardeur, leadership.

Chérazade : Femme de la haute ville (prénom arabe d'origine perse). Ce prénom est très rare. Tendance : stable. Variante : Charazed. Caractérologie : achèvement, stratégie, résolution, vitalité, ardeur.

Chérifa : De haut rang (arabe). Ce prénom assez rare est très peu attribué aujourd'hui. Tendance : stable. Variante : Charifa. Caractérologie : raisonnement, courage, dynamisme, curiosité, détermination.

Cherine : Charmante, agréable (arabe, perse). Ce prénom est rare. Tendance : stable. Caractérologie : leadership, achèvement, vitalité, stratégie, ardeur.

Cheryl : Cerisier (latin). Ce prénom est très rare. Tendance : en décroissance modérée. Caractérologie : force, ambition, sympathie, habileté, ressort.

Cheryne : Charmante, agréable (arabe, perse). Ce prénom est très rare. Tendance : stable. Caractérologie : sens des responsabilités, équilibre, famille, action, cœur.

Chesna : Calme (slave). Caractérologie : dynamisme, indépendance, curiosité, courage, charisme.

Cheyenne : Langage inintelligible (indien des États-Unis). Ce prénom assez rare est peu attribué actuellement. Tendance : en décroissance modérée. Variante : Sheyenne. Caractérologie : originalité, sympathie, spiritualité, connaissances, sagacité.

Chiara : Illustre (latin). Ce prénom assez rare est plutôt bien attribué aujourd'hui. Tendance : en forte croissance. Chiara devrait figurer dans le top 10 italien en 2004. En France, ce prénom est plus traditionnellement usité en Corse. Caractéro-

logie : méthode, ténacité, fiabilité, sens du devoir, engagement.

China : Se rapporte au nom du pays (anglais). Variante francophone : Chine. Caractérologie : vitalité, détermination, stratégie, ardeur, achèvement.

Chirine : Charmante, agréable (arabe, perse). Ce prénom est très rare. Tendance : stable. Caractérologie : pratique, enthousiasme, communication, adaptation, générosité.

Chloé : Jeune pousse (grec). Ce prénom répandu figure dans le top 50 français aujourd'hui. Voir le zoom dédié à Chloé. Variantes : Chloée, Chloélia, Cloélia, Kloé. Caractérologie : savoir, méditation, intelligence, indépendance, sagesse.

Cho : Aube (japonais). Caractérologie : force, ambition, habileté, passion, management.

Chris : Diminutif des prénoms assemblés avec Chris. Ce prénom est très rare. Caractérologie : pratique, communication, enthousiasme, adaptation, générosité.

Christa : Messie (grec). Ce prénom est rare. Tendance : stable. Caractérologie : bienveillance, paix, conscience, conseil, organisation.

Christel : Messie (grec). Ce prénom répandu est très peu attribué aujourd'hui. Tendance : en décroissance modérée. Variante : Christal. Caractérologie : méthode, fiabilité, ténacité, décision, attention.

Christèle : Messie (grec). Ce prénom répandu est très peu attribué aujourd'hui. Caractérologie : décision, idéalisme, altruisme, intégrité, attention.

C

51

CHLOÉ

Fête : 5 octobre (date controversée)

Étymologie : du grec *chloe* : jeune pousse. Après un début de carrière timide dans les années 1980, Chloé rayonne dans le top 5 français depuis 2001. Elle devrait même se maintenir en 2ᵉ position en 2005. Sa bonne fortune est sans doute renforcée par son succès à l'étranger. Chloé était le troisième choix préféré des parents australiens en 2003. Ce prénom vient d'entrer dans le top 20 du Québec et ambitionne de faire de même aux États-Unis. De plus, il culmine dans le top 10 des prénoms belges, suisses, irlandais et anglais, cela malgré un fléchissement entamé il y a deux ans. Rien ne semble arrêter la vogue qui dote Chloé d'une nouvelle dimension internationale.

En France, on peut estimer que plus de 8 000 petites filles seront prénommées Chloé en 2005. Cela sera-t-il suffisant pour détrôner Léa à la première place du podium ? Rien n'est moins sûr, d'autant que cette dernière n'a pas encore entamé son déclin. En attendant, c'est une lutte acharnée qui oppose Chloé et Emma pour la 2ᵉ place du palmarès. La concurrence y est d'autant plus vive qu'Emma semble bien lancée dans la quête d'un trône. Il faudra patienter encore quelques mois avant de connaître l'issue de cette bataille. Notons dores et déjà la progression de la variante Cloé qui vient d'accéder au top 100 français. Il n'est guère étonnant que Cléo, sonorité inversée de Cloé, en emprunte le même chemin. La fête de Chloé est controversée, mais on la voit très souvent fêtée avec Fleur, le 5 octobre.

Dans l'antiquité, **Chloé** est l'autre nom de Déméter, déesse protectrice des Moissons. **Chloé** est également la déesse romaine des Fleurs et des Jardins dans la mythologie grecque. **Littérature** : Chloé est l'héroïne du roman de Boris Vian, *L'Écume des jours*, paru en 1947.
Musique : Maurice Ravel a créé *Daphnis et Chloé* en 1912 pour les ballets russes.
Statistique : Chloé est le 150ᵉ prénom féminin le plus attribué du XXᵉ siècle en France.

C

Christelle : Messie (grec). Ce prénom est très répandu. Il est peu attribué actuellement. Tendance : en décroissance modérée. Caractérologie : pragmatisme, optimisme, communication, détermination, sensibilité.

Christiana : Messie (grec). Ce prénom est très rare. Tendance : en forte croissance. Caractérologie : décision, communication, pratique, attention, enthousiasme.

Christiane : Messie (grec). Ce prénom est très répandu. Il est très peu attribué aujourd'hui. Tendance : en décroissance modérée. Variante : Chrystiane. Caractérologie : méditation, intelligence, savoir, résolution, finesse.

Christianne : Messie (grec). Ce prénom est assez répandu. Il est très peu attribué aujourd'hui. Caractérologie : communication, pragmatisme, optimisme, détermination, sensibilité.

Christie : Messie (grec). Ce prénom est rare. Tendance : stable. Variantes : Chrislaine, Chrislène, Chrissie, Chrissy, Christy, Chryslène. Caractérologie : innovation, autorité, énergie, détermination, sensibilité.

Christina : Messie (grec). Ce prénom est assez répandu. Il est peu attribué actuellement. Tendance : stable. Ce prénom est très répandu en Allemagne. Caractérologie : médiation, intuition, décision, relationnel, attention.

Christine : Messie (grec). Ce prénom est très répandu. Il est peu attribué actuellement. Tendance : stable. Caractérologie : paix, bienveillance, conscience, décision, attention.

Chrystel : Messie (grec). Ce prénom est assez répandu. Il est très peu attribué aujourd'hui. Variante : Chrystal. Caractérologie : relationnel, sensibilité, intuition, action, médiation.

Chrystelle : Messie (grec). Ce prénom est assez répandu. Il est très peu attribué aujourd'hui. Tendance : en forte décroissance. Caractérologie : innovation, autorité, action, énergie, attention.

Ciara : Brune (irlandais). Ce prénom est porté par moins de 100 personnes en France.

Ciara devrait figurer dans le top 10 irlandais en 2004. Caractérologie : dynamisme, charisme, courage, indépendance, curiosité.

Cilia : Aveugle (latin). Ce prénom est très rare. Tendance : en croissance modérée. Caractérologie : sagacité, spiritualité, connaissances, originalité, philosophie.

Cindy : Divine (latin). Ce prénom répandu est relativement peu attribué aujourd'hui. Tendance : en décroissance modérée. Variantes : Cindel, Cinderella, Cindia, Cindie, Cinnie. Caractérologie : dynamisme, audace, indépendance, cœur, direction.

Cinthia : Divine (latin). Ce prénom assez rare est très peu attribué aujourd'hui. Tendance : en décroissance modérée. Variante : Cinthya. Caractérologie : direction, audace, résolution, dynamisme, finesse.

Cladie : Boiteuse (latin). Ce prénom est très rare. Variante : Clady. Caractérologie : savoir, méditation, intelligence, indépendance, résolution.

Claire : Illustre (latin). Ce prénom est très répandu. De plus, il figure dans le top 100 français aujourd'hui. Tendance : en décroissance modérée. Variantes : Claira, Clare, Clarinda. Variante bretonne : Clair. Caractérologie : communication, pragmatisme, créativité, optimisme, résolution.

Claire-Marie : Prénom composé de Claire et de Marie. Ce prénom est rare. Tendance : stable. Caractérologie : engagement, méthode, ténacité, décision, fiabilité.

Clara : Illustre (latin). Ce prénom répandu figure dans le top 50 français aujourd'hui.

C

Voir le zoom dédié à Clara. Variante occitane : Claramonda. Caractérologie : ambition, passion, force, habileté, management.

Clarence : Illustre (latin). Ce prénom est très rare. Tendance : en croissance modérée. Caractérologie : sagacité, connaissances, spiritualité, originalité, résolution.

Clarice : Illustre (latin). Ce prénom est très rare. Tendance : en forte croissance. Variantes : Clarie, Clarine. Caractérologie :

équilibre, influence, famille, décision, sens des responsabilités.

Clarissa : Illustre (latin). Ce prénom est très rare. Tendance : en croissance modérée. Variante : Klarissa. Caractérologie : ambition, autorité, innovation, autonomie, énergie.

Clarisse : Illustre (latin). Ce prénom répandu figure dans le top 100 français aujourd'hui. Tendance : en croissance modérée.

CLARA

Fête : 11 août

Étymologie : du latin *clarus* : illustre. Clara est une forme corse et italienne de Claire. Ce prénom est si répandu en Italie et dans l'île de Beauté qu'on pourrait en oublier sa dimension internationale. Clara est en effet un prénom attribué dans les pays anglophones, hispanophones et en Allemagne. Mais c'est dans les régions francophones que sa progression est la plus remarquable. Elle monte en flèche au Québec qui commence tout juste à la découvrir. Par ailleurs, elle devrait monter dans le top 20 de la Suisse romande et s'envoler vers le top 3 belge francophone en 2005. Clara est le 4e prénom le plus attribué de Genève en 2002 : ce résultat lui réserve de brillantes perspectives en Suisse.

En France, ce prénom cosmopolite a la côte. Clara a pourtant grandi modestement dans les années 1980. Toutefois, sa croissance s'est accélérée dans les années 1990. Puis, en 1992, l'état civil français a enregistré pour la première fois la naissance de 1 000 Clara. Depuis, cette forme dérivée de Claire progresse chaque année davantage. Ce prénom devrait être attribué à plus de 5 000 petites filles en France en 2005 et ainsi accéder à la 7e place du palmarès français. Clara monte dans la vogue des prénoms courts en « a » qui font briller des stars comme Léa, Emma, Sarah, et bien d'autres astres ascendants.

Personnalité célèbre : Clara Wieck Schumann, pianiste virtuose et compositrice (1819-1896). Épouse de Robert Schumann, elle est peut-être la plus grande pianiste femme du XIXe siècle.

Statistique : Clara est le 203e prénom féminin le plus attribué du XXe siècle en France.

Variantes : Clarys, Clarysse. Caractérologie : courage, dynamisme, indépendance, curiosité, décision.

Claude : Boiteuse (latin). Ce prénom répandu est très peu attribué aujourd'hui. Tendance : en décroissance modérée. Caractérologie : audace, direction, indépendance, dynamisme, assurance.

Claudette : Boiteuse (latin). Ce prénom répandu est très peu attribué aujourd'hui. Variante : Clodette. Caractérologie : autorité, innovation, énergie, ambition, organisation.

Claudia : Boiteuse (latin). Ce prénom répandu est relativement peu attribué aujourd'hui. Tendance : en décroissance modérée. Variantes : Claudiane, Clodia, Gladie, Klaudia. Variante occitane : Glaudia. Caractérologie : conscience, paix, sagesse, conseil, bienveillance.

Claudie : Boiteuse (latin). Ce prénom répandu est très peu attribué aujourd'hui. Tendance : en décroissance modérée. Caractérologie : ambition, innovation, énergie, autorité, décision.

Claudine : Boiteuse (latin). Ce prénom est très répandu. Il est très peu attribué aujourd'hui. Tendance : en décroissance modérée. Variantes : Claudelle, Claudina, Clodine. Caractérologie : bienveillance, paix, conscience, conseil, résolution.

Claudy : Boiteuse (latin). Ce prénom est rare. Caractérologie : pratique, communication, adaptation, réalisation, enthousiasme.

Cléa : Clef (latin). Ce prénom assez rare est plutôt bien attribué aujourd'hui. Tendance : en forte croissance. Caractérologie : adaptation, communication, pratique, enthousiasme, générosité.

Clélia : Clef (latin). Ce prénom est assez répandu. Il est relativement peu attribué aujourd'hui. Tendance : stable. Caractérologie : bienveillance, paix, conscience, conseil, résolution.

Clélie : Clef (latin). Ce prénom est très rare. Tendance : stable. Caractérologie : direction, dynamisme, audace, assurance, indépendance.

Clémence : Douceur, bonté (latin). Ce prénom répandu figure dans le top 50 français aujourd'hui. Tendance : stable. Caractérologie : paix, conscience, bienveillance, conseil, sagesse.

Clémentine : Douceur, bonté (latin). Ce prénom répandu figure dans le top 100 français aujourd'hui. Tendance : stable. Variantes : Clémente, Clemmie. Caractérologie : audace, direction, indépendance, assurance, dynamisme.

Cléo : Gloire, célébrité (grec). Ce prénom assez rare est plutôt bien attribué aujourd'hui. Tendance : en forte croissance. Caractérologie : achèvement, leadership, vitalité, stratégie, ardeur.

Cléophée : Célébrer (grec). Ce prénom est très rare. Tendance : en forte croissance. Caractérologie : compassion, bienveillance, paix, conseil, conscience.

Clervie : Pierre précieuse, bijou (celte). Ce prénom est très rare. Tendance : stable. En France, Clervie est plus traditionnellement usité en Bretagne. Caractérologie : sociabilité, réceptivité, loyauté, diplomatie, bonté.

C

Clio : Dans la mythologie grecque, Clio est la muse de l'histoire. Ce prénom est très rare. Caractérologie : optimisme, communication, créativité, logique, pragmatisme.

Cliona : Dans la légende irlandaise, Cliona est une déesse d'une grande beauté qui s'éprend d'une mortelle, Ciabhan, et quitte pour lui la terre promise (irlandais). Caractérologie : rectitude, humanité, rêve, logique, décision.

Cloé : Jeune pousse (grec). Ce prénom est assez répandu. Il figure dans le top 100 français aujourd'hui. Tendance : en croissance modérée. Variante : Cloée. Caractérologie : achèvement, vitalité, ardeur, stratégie, leadership.

Clorinde : Verdure (grec). Ce prénom est très rare. Variantes : Chlora, Chloris, Clorinda, Cloris. Caractérologie : habileté, ambition, force, volonté, raisonnement.

Clothilde : Célèbre, combattante (germanique). Ce prénom est assez répandu. Il est relativement peu attribué aujourd'hui. Tendance : stable. Caractérologie : finesse, connaissances, sagacité, spiritualité, analyse.

Clotilde : Célèbre, combattante (germanique). Ce prénom répandu est relativement peu attribué aujourd'hui. Tendance : stable. En France, Clotilde est plus traditionnellement usité dans les Flandres. Variante : Clotilda. Caractérologie : force, volonté, ambition, analyse, habileté.

Colette : Victoire du peuple (grec). Ce prénom est très répandu. Il est très peu attribué aujourd'hui. Tendance : stable. En France, Colette est plus traditionnellement usité dans les Flandres. Caractérologie : achèvement, stratégie, ardeur, vitalité, leadership.

Coline : Victoire du peuple (grec). Ce prénom répandu est plutôt bien attribué aujourd'hui. Tendance : stable. Variantes : Colline, Collyne, Colyne. Caractérologie : méthode, engagement, fiabilité, ténacité, raisonnement.

Colleen : Victoire du peuple (grec). Ce prénom est rare. Tendance : stable. Variante : Coleen. Caractérologie : pragmatisme, communication, créativité, optimisme, sociabilité.

Colombe : La colombe (latin). Ce prénom assez rare est très peu attribué aujourd'hui. Tendance : stable. Caractérologie : relationnel, intuition, médiation, volonté, fidélité.

Colombine : La colombe (latin). Ce prénom est très rare. Tendance : stable. Variante corse et occitane : Colomba. Caractérologie : intelligence, méditation, savoir, volonté, raisonnement.

Constance : Constante (latin). Ce prénom répandu est plutôt bien attribué aujourd'hui. Tendance : stable. Variante : Connie. Variante occitane : Constancia. Caractérologie : méthode, engagement, ténacité, fiabilité, gestion.

Constantine : Constante (latin). Ce prénom est très rare. Variante : Constantina. Caractérologie : ambition, force, habileté, décision, logique.

Cora : Jeune fille (grec). Ce prénom est très rare. Tendance : en croissance modérée. Caractérologie : direction, audace, dynamisme, analyse, indépendance.

C

Coralie : Jeune fille (grec). Ce prénom répandu figure dans le top 100 français aujourd'hui. Tendance : en décroissance modérée. Variantes : Coralia, Corélia, Corélie, Koralie. Caractérologie : altruisme, idéalisme, intégrité, décision, logique.

Coraline : Jeune fille (grec). Ce prénom est assez répandu. Il est relativement peu attribué aujourd'hui. Tendance : en décroissance modérée. Variante : Coralyne. Caractérologie : courage, curiosité, détermination, dynamisme, raisonnement.

Coraly : Jeune fille (grec). Ce prénom est rare. Tendance : stable. Caractérologie : sociabilité, réceptivité, diplomatie, loyauté, logique.

Corantine : Amie (celte). Ce prénom est porté par moins de 100 personnes en France. Caractérologie : rectitude, humanité, rêve, raisonnement, détermination.

Cordélia : Cœur (latin). Ce prénom est très rare. Tendance : en forte croissance. Caractérologie : persévérance, sécurité, analyse, volonté, structure.

Corentine : Amie (celte). Ce prénom est rare. Tendance : en décroissance modérée. Caractérologie : engagement, méthode, ténacité, fiabilité, raisonnement.

Corina : Jeune fille (grec). Ce prénom est très rare. Caractérologie : famille, décision, logique, équilibre, sens des responsabilités.

Corine : Jeune fille (grec). Ce prénom répandu est très peu attribué aujourd'hui. Tendance : en décroissance modérée. Caractérologie : innovation, énergie, autorité, ambition, logique.

Corinne : Jeune fille (grec). Ce prénom est très répandu. Il est très peu attribué aujourd'hui. Tendance : stable. Variantes : Coria, Corie, Corianne, Corinna, Corrinne, Cory. Caractérologie : bienveillance, paix, conseil, conscience, logique.

Cornélia : Cornue, corneille (latin). Ce prénom est très rare. Tendance : stable. Variante : Cornélie. Caractérologie : curiosité, analyse, dynamisme, résolution, courage.

Corrine : Jeune fille (grec). Ce prénom est rare. Caractérologie : autorité, énergie, innovation, logique, ambition.

Cosette : Victoire du peuple (grec). Ce prénom assez rare est très peu attribué aujourd'hui. Caractérologie : conscience, conseil, bienveillance, paix, organisation.

Cosima : Ordre, harmonie, univers (grec). Ce prénom est très rare. Tendance : en décroissance modérée. Variante : Cosma. Caractérologie : famille, raisonnement, influence, équilibre, sens des responsabilités.

Courtney : De la cour (vieil anglais). Ce prénom est porté par moins de 100 personnes en France. Tendance : en forte croissance. Caractérologie : fiabilité, sympathie, méthode, ténacité, analyse.

Cristal : Messie (grec). Ce prénom est très rare. Tendance : en croissance modérée. Variante : Crystal. Caractérologie : audace, direction, organisation, dynamisme, indépendance.

Cristel : Messie (grec). Ce prénom est rare. Variante : Crystel. Caractérologie : audace, découverte, énergie, détermination, organisation.

C

57

Cristelle : Messie (grec). Ce prénom assez rare est très peu attribué aujourd'hui. Caractérologie : structure, sécurité, persévérance, organisation, détermination.

Cristina : Messie (grec). Ce prénom assez rare est très peu attribué aujourd'hui. Tendance : stable. Cristina devrait figurer dans le top 10 italien en 2004. Par ailleurs, ce prénom est répandu dans les pays hispanophones. Caractérologie : pratique, communication, gestion, enthousiasme, décision.

Cylia : Aveugle (latin). Ce prénom est très rare. Tendance : stable. Caractérologie : énergie, originalité, séduction, audace, découverte.

Cyndel : Divine (latin). Ce prénom est très rare. Tendance : stable. Variante : Cyndelle. Caractérologie : ouverture d'esprit, rectitude, humanité, rêve, compassion.

Cyndie : Divine (latin). Ce prénom assez rare est très peu attribué aujourd'hui. Tendance : en décroissance modérée. Variantes : Cyndia, Cyndy. Caractérologie : sens des responsabilités, cœur, équilibre, famille, influence.

Cynthia : Divine (latin). Ce prénom répandu est relativement peu attribué aujourd'hui. Tendance : en décroissance modérée. Variantes : Cyntia, Synthia. Caractérologie : achèvement, vitalité, stratégie, attention, action.

Cyprienne : Qui vient de Chypre (grec). Ce prénom est très rare. Variantes : Cypriane, Cyprielle, Cyprine. Caractérologie : dynamisme, audace, indépendance, direction, sympathie.

Cyra : Soleil (perse). Variantes : Kira, Kyra. Caractérologie : relationnel, médiation, fidélité, adaptabilité, intuition.

Cyriane : Seigneur (grec). Ce prénom est très rare. Tendance : stable. Variantes : Cyrianne, Cyrine, Cyrinne. Caractérologie : communication, enthousiasme, pratique, résolution, sympathie.

Cyrielle : Seigneur (grec). Ce prénom est assez répandu. Il est relativement peu attribué aujourd'hui. Tendance : en décroissance modérée. Variantes : Cyriel, Cyrièle. Caractérologie : cœur, achèvement, stratégie, ardeur, vitalité.

Cyrille : Seigneur (grec). Ce prénom assez rare est très peu attribué aujourd'hui. Tendance : stable. Variantes : Cirila, Cyrilla. Caractérologie : communication, pragmatisme, optimisme, cœur, créativité.

Dagmar : Servante de jour (scandinave). Ce prénom est porté par moins de 100 personnes en France. Caractérologie : force, ambition, passion, habileté, réalisation.

Dahlia : Rameau en fleurs (hébreu). Ce prénom est très rare. Tendance : stable. Caractérologie : passion, force, management, ambition, habileté.

Dai : Puissante (japonais). Caractérologie : charisme, curiosité, dynamisme, courage, indépendance.

Daïna : Sagesse, jugement (hébreu). Ce prénom est porté par moins de 100 personnes en France. Tendance : stable. Variante : Daïana. Caractérologie : fidélité, relationnel, médiation, détermination, intuition.

Daisy : Fleur (anglais). Ce prénom est assez répandu. Il est très peu attribué aujourd'hui. Tendance : stable. Caractérologie : méthode, fiabilité, engagement, réussite, ténacité.

Dalia : Fleur, vigne (arabe). Rameau en fleurs (hébreu). Ce prénom est rare. Tendance : en forte croissance. Variantes : Dalhia, Daly, Dalya. Caractérologie : humanité, rectitude, rêve, générosité, ouverture d'esprit.

Dalila : Guide (arabe). Coquette (hébreu). Ce prénom répandu est très peu attribué aujourd'hui. Tendance : stable. Variante : Dalilah. Caractérologie : adaptation, pratique, enthousiasme, générosité, communication.

Dalla : Rameau en fleurs (hébreu). Ce prénom est très rare. Tendance : en décroissance modérée. Caractérologie : communication, pragmatisme, optimisme, créativité, sociabilité.

Damaris : Le mollet (grec). Ce prénom est très rare. Tendance : en forte croissance. Caractérologie : relationnel, fidélité, médiation, intuition, adaptabilité.

Damia : Dompter (grec). Ce prénom est très rare. Dans la mythologie grecque, Damia est la déesse de la Terre et de la Fertilité. Caractérologie : dynamisme, audace, direction, indépendance, assurance.

Damienne : Dompter (grec). Ce prénom est rare. Variante : Damiane. Caractérologie : intuition, médiation, relationnel, fidélité, résolution.

Dana : Dieu est mon juge (hébreu). Ce prénom est rare. Tendance : en forte croissance. Variantes : Danaëlle, Danna.

Caractérologie : réceptivité, loyauté, sociabilité, diplomatie, bonté.

Danaé : Dans la mythologie grecque, Danaé est la mère de Persée. Ce prénom est rare. Tendance : en croissance modérée. Caractérologie : connaissances, spiritualité, originalité, sagacité, philosophie.

Dania : Dieu est mon juge (hébreu). Ce prénom est très rare. Tendance : en forte croissance. Variante basque : Dani. Caractérologie : sociabilité, loyauté, diplomatie, décision, réceptivité.

Danica : L'étoile du matin (slave). Ce prénom est porté par moins de 100 personnes en France. Caractérologie : découverte, originalité, résolution, audace, énergie.

Danie : Dieu est mon juge (hébreu). Ce prénom est très rare. Variante : Dannie. Caractérologie : paix, conscience, conseil, bienveillance, détermination.

Daniela : Dieu est mon juge (hébreu). Ce prénom assez rare est très peu attribué aujourd'hui. Tendance : en croissance modérée. Caractérologie : direction, audace, indépendance, dynamisme, détermination.

Danièle : Dieu est mon juge (hébreu). Ce prénom répandu est très peu attribué aujourd'hui. Tendance : stable. Caractérologie : courage, dynamisme, curiosité, indépendance, détermination.

Daniella : Dieu est mon juge (hébreu). Ce prénom est rare. Tendance : stable. Caractérologie : persévérance, efficacité, sécurité, structure, décision.

Danielle : Dieu est mon juge (hébreu). Ce prénom est très répandu. Il est très peu attri-

D

bué aujourd'hui. Tendance : stable. Caractérologie : achèvement, vitalité, ardeur, stratégie, résolution.

Danny : Dieu est mon juge (hébreu). Ce prénom est rare. Caractérologie : persévérance, structure, sécurité, efficacité, réalisation.

Dany : Dieu est mon juge (hébreu). Ce prénom est assez répandu. Il est très peu attribué aujourd'hui. Tendance : stable. Caractérologie : achèvement, vitalité, réussite, stratégie, ardeur.

Daphné : Laurier (grec). Ce prénom est assez répandu. Il est relativement peu attribué aujourd'hui. Tendance : en croissance modérée. Variantes : Dafné, Daphney. Caractérologie : adaptation, communication, pratique, enthousiasme, réussite.

Daphnée : Laurier (grec). Ce prénom assez rare est très peu attribué aujourd'hui. Tendance : stable. Caractérologie : passion, ambition, force, réussite, habileté.

Dara : Perle de sagesse (hébreu). Ce prénom est porté par moins de 100 personnes en France. Caractérologie : bienveillance, conscience, paix, conseil, sagesse.

Daria : Instruite, cultivée (arabe). Détentrice du bien (grec). Ce prénom est très rare. Tendance : en croissance modérée. En France, Daria est plus traditionnellement usité en Corse. Variante : Dari. Caractérologie : bienveillance, conscience, paix, conseil, sagesse.

Darina : Détentrice du bien (grec). Ce prénom est très rare. Tendance : en forte croissance. Variantes : Dariane, Darie, Darine. Caractérologie : sociabilité, réceptivité, loyauté, détermination, diplomatie.

Darlène : Tendrement aimée (anglais). Ce prénom est très rare. Tendance : stable. Variante : Darline. Caractérologie : décision, curiosité, dynamisme, courage, indépendance.

Davina : Aimée, chérie (hébreu). Ce prénom assez rare est très peu attribué aujourd'hui. Tendance : en forte croissance. Variante : Davia. Caractérologie : famille, sens des responsabilités, équilibre, influence, décision.

Dawn : Aube (anglais). Ce prénom est porté par moins de 100 personnes en France. Caractérologie : influence, équilibre, famille, sens des responsabilités, exigence.

Day : Une journée (anglais). Caractérologie : optimisme, pragmatisme, créativité, réalisation, communication.

Daya : Oiseau (hébreu). Caractérologie : méthode, ténacité, engagement, réalisation, fiabilité.

Dayana : Lumière éclatante (arabe). Ce prénom est très rare. Tendance : en décroissance modérée. Caractérologie : énergie, innovation, autorité, réalisation, ambition.

Déa : Une opinion (hébreu). Ce prénom est très rare. Caractérologie : autorité, autonomie, énergie, innovation, ambition.

Déanna : Divin (latin). Qui aime l'océan (anglais). Ce prénom est porté par moins de 100 personnes en France. Variantes : Déana, Déanne. Caractérologie : communication, pragmatisme, sociabilité, créativité, optimisme.

Débora : Abeille (hébreu). Ce prénom assez rare est très peu attribué aujourd'hui.

Tendance : stable. Caractérologie : altruisme, détermination, volonté, idéalisme, intégrité.

Déborah : Abeille (hébreu). Ce prénom répandu est plutôt bien attribué aujourd'hui. Tendance : en décroissance modérée. Variantes : Debbie, Devora. Caractérologie : stratégie, vitalité, achèvement, caractère, attention.

Debra : Abeille (hébreu). Ce prénom est très rare. Caractérologie : communication, pratique, adaptation, enthousiasme, résolution.

Delia : Fleur, vigne (arabe). Ce prénom est rare. Tendance : en croissance modérée. Variantes : Delhia, Dhelia, Delya. Caractérologie : persévérance, structure, sécurité, décision, efficacité.

Deloula : Choyer (arabe). Caractérologie : savoir, méditation, intelligence, indépendance, volonté.

Delphine : Dauphin (latin). Ce prénom est très répandu. Il est relativement peu attribué aujourd'hui. Tendance : en décroissance modérée. Variantes : Dauphine, Delfine, Delphe, Delphie, Delphina, Delphy. Variante bretonne et corse : Delfina. Caractérologie : innovation, énergie, action, autorité, cœur.

Delta : Nom de la quatrième lettre de l'alphabet grec. Caractérologie : équilibre, sens des responsabilités, famille, influence, organisation.

Denise : Fille de Dieu (grec). Ce prénom est très répandu. Il est très peu attribué aujourd'hui. Tendance : stable. Variantes : Denia, Deniz, Denize, Dionne. Variante occitane :

Danisa. Caractérologie : intuition, relationnel, médiation, fidélité, détermination.

Denyse : Fille de Dieu (grec). Ce prénom assez rare ne devrait pas être attribué à plus de 10 bébés en 2005. Caractérologie : rectitude, humanité, ouverture d'esprit, rêve, réussite.

Désirée : Désirée (latin). Ce prénom assez rare est très peu attribué aujourd'hui. Tendance : en décroissance modérée. Caractérologie : intuition, relationnel, fidélité, résolution, médiation.

Diana : Divine (latin). Ce prénom est assez répandu. Il est relativement peu attribué aujourd'hui. Tendance : stable. Diana est très répandu dans les pays anglophones. Variante : Dianna. Caractérologie : fidélité, intuition, relationnel, médiation, résolution.

Diandra : Fleur de Dieu (grec). Ce prénom est porté par moins de 100 personnes en France. Tendance : en croissance modérée. Caractérologie : bienveillance, conscience, conseil, résolution, paix.

Diane : Divine (latin). Ce prénom répandu est plutôt bien attribué aujourd'hui. Tendance : stable. Dans la mythologie romaine, Diane est la déesse de la Chasse correspondant à la déesse grecque Artémis. Variante : Dianne. Caractérologie : sens des responsabilités, famille, influence, résolution, équilibre.

Dianthe : Fleur de Dieu (grec). Caractérologie : spiritualité, connaissances, résolution, finesse, sagacité.

Dilan : Mer (gallois). Ce prénom est très rare. Tendance : stable. Variante : Dylane. Caractérologie : méthode, fiabilité, ténacité, engagement, résolution.

Dima : Pluie fine (arabe). Ce prénom est porté par moins de 100 personnes en France. Caractérologie : humanité, rêve, rectitude, générosité, ouverture d'esprit.

Dina : Celle pour laquelle justice a été faite (hébreu). Ce prénom assez rare est relativement peu attribué aujourd'hui. Tendance : en croissance modérée. Variantes : Dinah, Dinna, Dyna. Caractérologie : direction, indépendance, audace, résolution, dynamisme.

Divine : Chanteuse à voix exceptionnelle (italien). Ce prénom est très rare. Tendance : en forte croissance. Variante : Diva. Caractérologie : ouverture d'esprit, rêve, générosité, humanité, rectitude.

Djamila : D'une grande beauté physique et d'esprit (arabe). Ce prénom est assez répandu. Il est très peu attribué aujourd'hui. Tendance : stable. Variantes : Djamela, Djamella, Djamilla. Caractérologie : curiosité, charisme, dynamisme, courage, indépendance.

Djemila : D'une grande beauté physique et d'esprit (arabe). Ce prénom est rare. Variante : Djemilla. Caractérologie : résolution, intégrité, altruisme, idéalisme, réflexion.

Dolly : Douleur (espagnol). Ce prénom est rare. Caractérologie : découverte, énergie, audace, originalité, séduction.

Dolorès : Douleur (espagnol). Ce prénom est assez répandu. Il est très peu attribué aujourd'hui. Tendance : stable. Dolorès est très répandu en Espagne. Caractérologie : caractère, intelligence, savoir, méditation, logique.

Domenica : Qui appartient au seigneur (latin). Ce prénom est très rare. Caractérologie : dynamisme, volonté, audace, direction, analyse.

Dominica : Qui appartient au seigneur (latin). Ce prénom est rare. En France, Dominica est plus traditionnellement usité au Pays Basque. Caractérologie : audace, énergie, découverte, volonté, raisonnement.

Dominique : Qui appartient au seigneur (latin). Ce prénom est très répandu. Il est très peu attribué aujourd'hui. Tendance : en forte décroissance. Variantes : Doma, Domitilde. Variante occitane : Domenga. Variantes basques : Dominixa, Dominixe. Caractérologie : caractère, force, ambition, habileté, logique.

Domitille : Celle qui a soumis (latin). Ce prénom assez rare est peu attribué actuellement. Tendance : stable. Variante : Domitienne. Caractérologie : rectitude, humanité, volonté, raisonnement, rêve.

Dona : Présent de Dieu (latin). Ce prénom est très rare. Tendance : stable. Variantes : Donata, Donatella. Caractérologie : originalité, spiritualité, connaissances, sagacité, caractère.

Donatienne : Présent de Dieu (latin). Ce prénom est rare. Caractérologie : intuition, volonté, médiation, résolution, relationnel.

Donia : Source de vie, richesse (arabe). Qui appartient au seigneur (latin). Ce prénom assez rare est peu attribué actuellement. Tendance : stable. Caractérologie : savoir, méditation, volonté, intelligence, résolution.

D

Donna : Présent de Dieu (latin). Ce prénom est rare. Tendance : stable. Caractérologie : communication, enthousiasme, adaptation, pratique, caractère.

Donya : Source de vie, richesse (arabe). Qui appartient au seigneur (latin). Ce prénom est très rare. Tendance : stable. Caractérologie : curiosité, volonté, dynamisme, réalisation, courage.

Dora : Don de Dieu (grec). Ce prénom assez rare est très peu attribué aujourd'hui. Tendance : en forte croissance. Caractérologie : relationnel, médiation, intuition, fidélité, adaptabilité.

Dorcas : Gazelle (hébreu). Ce prénom est très rare. Tendance : en croissance modérée. Caractérologie : paix, bienveillance, conseil, raisonnement, conscience.

Doria : Grecque (latin). Ce prénom est rare. Tendance : stable. Caractérologie : sociabilité, diplomatie, réceptivité, loyauté, bonté.

Doriana : Grecque (latin). Ce prénom est très rare. Tendance : en forte croissance. Caractérologie : achèvement, volonté, vitalité, résolution, stratégie.

Doriane : Grecque (latin). Ce prénom est assez répandu. Il est plutôt bien attribué aujourd'hui. Tendance : stable. Variante : Doryane. Caractérologie : pragmatisme, communication, décision, optimisme, caractère.

Dorianne : Grecque (latin). Ce prénom est rare. Tendance : stable. Variantes : Dorielle, Dorienne. Caractérologie : habileté, résolution, ambition, volonté, force.

Dorina : Don de Dieu (grec). Ce prénom est très rare. Variante : Dorinda. Caractérologie : connaissances, sagacité, spiritualité, décision, caractère.

Dorine : Don de Dieu (grec). Ce prénom est assez répandu. Il est relativement peu attribué aujourd'hui. Tendance : stable. Variantes : Doreen, Dorie, Dorinne, Doryne. Caractérologie : sociabilité, réceptivité, loyauté, diplomatie, volonté.

Doris : Grecque (latin). Ce prénom est assez répandu. Il est très peu attribué aujourd'hui. Tendance : stable. Variantes : Dorice, Dorys. Caractérologie : relationnel, médiation, intuition, fidélité, adaptabilité.

Dorothée : Don de Dieu (grec). Ce prénom répandu est très peu attribué aujourd'hui. Tendance : stable. Variantes : Dorothé, Dot. Variantes basques : Dorote, Dorothea. Caractérologie : idéalisme, altruisme, intégrité, volonté, finesse.

Dorothy : Don de Dieu (grec). Ce prénom est très rare. Caractérologie : conscience, paix, bienveillance, conseil, ressort.

Dorra : Don de Dieu (grec). Ce prénom est très rare. Tendance : en forte croissance. Caractérologie : intuition, relationnel, médiation, fidélité, adaptabilité.

Dounia : Source de vie, richesse (arabe). Ce prénom est assez répandu. Il est relativement peu attribué aujourd'hui. Tendance : stable. Variante : Dounya. Caractérologie : volonté, analyse, innovation, autorité, énergie.

Dova : Colombe (anglais). Caractérologie : exigence, équilibre, famille, sens des responsabilités, influence.

D

63

Dulce : Douce (latin). Ce prénom est très rare. Variantes : Dulcie, Dulcina. Caractérologie : rectitude, humanité, ouverture d'esprit, générosité, rêve.

Dune : Prénom attribué à Frank Herbert, auteur du livre Dune. Ce prénom est très rare. Tendance : en croissance modérée. Caractérologie : stratégie, achèvement, vitalité, ardeur, leadership.

Eda : Prospère, combat (germanique). Ce prénom est rare. Tendance : en croissance modérée. Caractérologie : audace, direction, indépendance, dynamisme, assurance.

Edda : Nom de deux manuscrits rassemblant les récits des combats et prouesses des héros de la mythologie nordique. Ces manuscrits (l'Ancien Edda et le Nouvel Edda) sont apparus vers l'an 1300. Ce prénom est très rare. Variante : Eda. Caractérologie : audace, originalité, énergie, découverte, séduction.

Eden : Paradis (hébreu). Ce prénom assez rare est relativement peu attribué aujourd'hui. Tendance : en forte croissance. Variante : Edena. Caractérologie : énergie, innovation, autonomie, ambition, autorité.

Edia : Riche amie (germanique). Caractérologie : direction, audace, dynamisme, détermination, indépendance.

Édina : Prospère, plaisante (germanique). Ce prénom est porté par moins de 100 personnes en France. Variante : Édine Caractérologie : sens des responsabilités, famille, influence, équilibre, détermination.

Édith : Prospère, combat (germanique). Ce prénom répandu est très peu attribué aujourd'hui. Tendance : stable. Variantes : Edita, Edite. Caractérologie : direction, audace, dynamisme, indépendance, finesse.

Edmée : Riche protectrice (germanique). Ce prénom assez rare est très peu attribué aujourd'hui. Tendance : en croissance modérée. Variante : Edma. Caractérologie : dynamisme, courage, indépendance, curiosité, charisme.

Edmonde : Riche protectrice (germanique). Ce prénom est assez répandu. Il est très peu attribué aujourd'hui. Variantes : Edmonda, Edmondine. Caractérologie : équilibre, sens des responsabilités, volonté, influence, famille.

Edna : Amande (irlandais). Rajeunissement (hébreu). Ce prénom est très rare. Variante : Etna. Caractérologie : équilibre, sens des responsabilités, famille, influence, exigence.

Edréa : Prospère, puissante (anglo-saxon). Caractérologie : équilibre, famille, détermination, influence, sens des responsabilités.

Edwige : Richesse, combat (germanique). Ce prénom répandu est très peu attribué aujourd'hui. Tendance : stable. Variantes : Edvige, Edwig. Caractérologie : habileté, ambition, force, management, passion.

Edwina : Riche amie (anglais). Ce prénom est très rare. Tendance : stable. Caractérologie : réceptivité, loyauté, sociabilité, résolution, diplomatie.

Églantine : Nom de fleur à épines (latin). Ce prénom est assez répandu. Il est relativement peu attribué aujourd'hui. Tendance : en forte croissance. Variantes : Egléa, Eglée.

Caractérologie : paix, détermination, compassion, conscience, bienveillance.

Eileen : Eclat de soleil (grec). Ce prénom est très rare. Tendance : en croissance modérée. Caractérologie : courage, curiosité, dynamisme, indépendance, charisme.

Elaia : Hirondelle (basque). Caractérologie : innovation, énergie, autorité, ambition, détermination.

Élaine : Éclat du soleil (grec). Ce prénom est très rare. Tendance : stable. Variante : Elauna. Caractérologie : direction, audace, indépendance, dynamisme, décision.

Elaura : Signification possible : lumière (grec). Ce prénom est très rare. Tendance : en croissance modérée. En France, Elaura est plus traditionnellement usité au Pays Basque. Caractérologie : persévérance, structure, efficacité, résolution, sécurité.

Eléa : Dieu (hébreu). Ce prénom est assez répandu. Il est plutôt bien attribué aujourd'hui. Tendance : en forte croissance. Variante : Elléa. Caractérologie : curiosité, indépendance, courage, dynamisme, charisme.

Eléana : Éclat du soleil (grec). Ce prénom est très rare. Tendance : en forte croissance. Caractérologie : médiation, intuition, relationnel, adaptabilité, fidélité.

Eleanor : Compassion (grec). Ce prénom est très rare. Tendance : stable. Variante : Eleanore. Caractérologie : analyse, sagacité, connaissances, spiritualité, résolution.

Electra : Étoile brillante (grec). Dans la mythologie grecque, Electra est la fille d'Agamemnon. Caractérologie : dyna-

misme, organisation, direction, résolution, audace.

Elen : Éclat du soleil (grec). Ce prénom est très rare. Tendance : en forte croissance. Caractérologie : humanité, ouverture d'esprit, rectitude, rêve, générosité.

Elena : Éclat du soleil (grec). Ce prénom est assez répandu. Il est plutôt bien attribué aujourd'hui. Tendance : en forte croissance. Elena est très répandu dans les pays hispanophones et en Italie. En France, ce prénom est plus traditionnellement usité en Occitanie et au Pays Basque. Variantes : Elene, Ellena. Caractérologie : autorité, innovation, ambition, autonomie, énergie.

Eléonora : Compassion (grec). Ce prénom est très rare. Variantes : Eléona, Elna, Elnora. Caractérologie : structure, décision, sécurité, persévérance, logique.

Eléonore : Compassion (grec). Ce prénom répandu est plutôt bien attribué aujourd'hui. Tendance : stable. Variantes : Elénore, Eléonor, Héléonore. Caractérologie : ardeur, vitalité, stratégie, achèvement, logique.

Elfie : Sage conseillère (germanique). Ce prénom est très rare. Tendance : stable. Variantes : Elfi, Elphie. Caractérologie : innovation, analyse, autorité, énergie, ambition.

Elfrida : En paix (germanique). Ce prénom est porté par moins de 100 personnes en France. Variante : Elfrieda. Caractérologie : audace, volonté, direction, analyse, dynamisme.

Elga : Heureuse (germanique). Ce prénom est porté par moins de 100 personnes en

E

65

France. Caractérologie : méditation, indépendance, intelligence, savoir, compassion.

Élia : Le seigneur est mon Dieu (hébreu). Ce prénom assez rare est relativement peu attribué aujourd'hui. Tendance : en forte croissance. En France, Élia est plus traditionnellement usité en Corse. Malgré sa mixité, Élia est très largement un prénom féminin. Caractérologie : idéalisme, réflexion, altruisme, détermination, intégrité.

Éliana : Voir Éliane. Ce prénom est très rare. Tendance : en forte croissance. Caractérologie : paix, bienveillance, conseil, conscience, résolution.

Éliane : L'étymologie de ce prénom est controversée. Il se pourrait qu'il soit une forme d'Elia, de l'hébreu : Seigneur Dieu, ou Élisabeth, de l'hébreu : Dieu est ma demeure. Ce prénom répandu est très peu attribué aujourd'hui. Tendance : stable. Caractérologie : ambition, innovation, résolution, autorité, énergie.

Élianne : Voir Éliane. Ce prénom assez rare est très peu attribué aujourd'hui. Caractérologie : paix, bienveillance, conseil, conscience, décision.

Élina : Divine (hébreu). Ce prénom assez rare est relativement peu attribué aujourd'hui. Tendance : en croissance modérée. Caractérologie : découverte, originalité, détermination, audace, énergie.

Éline : Éclat du soleil (grec). Ce prénom assez rare est relativement peu attribué aujourd'hui. Tendance : en croissance modérée. Caractérologie : humanité, rêve, rectitude, ouverture d'esprit, générosité.

Élinoa : Mouvement divin (hébreu). Caractérologie : intuition, médiation, relationnel, résolution, analyse.

Éliora : Dieu est ma lumière (hébreu). Variante : Éléora. Caractérologie : sens des responsabilités, équilibre, famille, détermination, raisonnement.

Élisa : Dieu est serment (hébreu). Ce prénom répandu figure dans le top 50 français aujourd'hui. Tendance : stable. Élisa devrait figurer dans le top 10 suisse romand en 2004. Ce prénom est très en vogue en Italie. Variante : Eliza. Caractérologie : énergie, ambition, autorité, innovation, décision.

Elisabete : Dieu est serment (hébreu). Ce prénom est rare. En France, Elisabete est plus traditionnellement usité au Pays Basque. Variantes : Elixane, Elixanne, Helixane, Helixanne. Caractérologie : bienveillance, paix, conscience, détermination, organisation.

Élisabeth : Dieu est serment (hébreu). Ce prénom est très répandu. Il est relativement peu attribué aujourd'hui. Tendance : en décroissance modérée. Variante : Élisheva. Caractérologie : détermination, altruisme, idéalisme, intégrité, sensibilité.

Élise : Dieu est serment (hébreu). Ce prénom répandu figure dans le top 50 français aujourd'hui. Tendance : stable. Caractérologie : découverte, audace, énergie, résolution, originalité.

Élisée : Dieu a aidé (hébreu). Ce prénom est très rare. Tendance : en forte croissance. Caractérologie : audace, direction, dynamisme, indépendance, détermination.

Élissa : Dieu est serment (hébreu). Ce prénom est très rare. Tendance : en croissance modérée. Caractérologie : sociabilité, réceptivité, diplomatie, détermination, loyauté.

Elizabeth : Dieu est serment (hébreu). Ce prénom est assez répandu. Il est très peu attribué aujourd'hui. Tendance : stable. Variante : Liese. Caractérologie : méditation, intelligence, décision, savoir, attention.

Elke : Noble (germanique). Ce prénom est très rare. Variante : Elka. Caractérologie : influence, équilibre, exigence, famille, sens des responsabilités.

Ella : Éclat du soleil (grec). Ce prénom assez rare est peu attribué actuellement. Tendance : stable. Caractérologie : enthousiasme, communication, pratique, adaptation, générosité.

Ellen : Éclat du soleil (grec). Ce prénom est rare. Tendance : stable. Caractérologie : communication, pratique, enthousiasme, générosité, adaptation.

Ellie : Éclat du soleil (grec). Ce prénom est très rare. Tendance : en forte croissance. Ellie devrait figurer dans le top 10 du Pays de Galles en 2004. Variantes : Ellia, Elly. Caractérologie : intelligence, méditation, sagesse, savoir, indépendance.

Ellyn : Éclat du soleil (grec). Ce prénom est très rare. Tendance : en forte croissance. Variante : Ellynn. Caractérologie : dynamisme, curiosité, courage, indépendance, compassion.

Elma : Protection, casque (germanique). Ce prénom est très rare. Tendance : en forte croissance. En France, Elma est plus tradi-tionnellement usité au Pays Basque. Variante : Helma. Caractérologie : persévérance, structure, efficacité, sécurité, honnêteté.

Elmas : Diamant (perse). Ce prénom est très rare. Caractérologie : curiosité, dynamisme, indépendance, courage, charisme.

Elmire : Princesse exaltée (arabe). Qui vient d'Almeria, ville et région de l'Andalousie (espagnol). Ce prénom est très rare. Variantes : Almira, Almyre, Elmira, Elmyre. Caractérologie : vitalité, achèvement, stratégie, ardeur, leadership.

Éloane : Lumière (celte). En France, Éloane est plus traditionnellement usité en Bretagne. Caractérologie : sagacité, connaissances, originalité, spiritualité, philosophie.

Élodie : Propriété (latin). Ce prénom est très répandu. De plus, il figure dans le top 100 français aujourd'hui. Tendance : en décroissance modérée. Variantes : Alodia, Elodia, Lodie. Variante basque : Elodi. Caractérologie : énergie, audace, caractère, découverte, logique.

Élody : Propriété (latin). Ce prénom est rare. Tendance : stable. Caractérologie : sagacité, connaissances, volonté, sympathie, spiritualité.

Éloïse : Illustre au combat (germanique). Ce prénom répandu figure dans le top 100 français aujourd'hui. Tendance : stable. Variante : Éloïsa. Caractérologie : réceptivité, sociabilité, diplomatie, détermination, raisonnement.

Élona : Chêne (hébreu). Ce prénom est très rare. Tendance : en forte croissance.

E

67

Caractérologie : intuition, relationnel, adaptabilité, fidélité, médiation.

Elora : Signification possible : lumière (grec). Ce prénom assez rare est relativement peu attribué aujourd'hui. Tendance : stable. Caractérologie : conscience, paix, résolution, bienveillance, analyse.

Elorri : Épine (basque). Ce prénom est très rare. Tendance : en croissance modérée. Variante : Elorie. Caractérologie : courage, curiosité, dynamisme, indépendance, raisonnement.

Elorria : Épine (basque). Caractérologie : décision, logique, paix, bienveillance, conscience.

Elsa : Dieu est serment (hébreu). Ce prénom répandu figure dans le top 100 français aujourd'hui. Tendance : en croissance modérée. Caractérologie : direction, indépendance, dynamisme, assurance, audace.

Elsie : Dieu est serment (hébreu). Ce prénom est très rare. Tendance : en forte croissance. Caractérologie : curiosité, courage, indépendance, dynamisme, résolution.

Elvan : Lumière (celte). Ce prénom est très rare. Tendance : en forte croissance. En France, Elvan est plus traditionnellement usité en Bretagne. Variantes : Elva, Elvie. Caractérologie : rectitude, humanité, rêve, ouverture d'esprit, générosité.

Elvina : Amie de tous (germanique). Ce prénom est rare. Tendance : stable. Variante : Elvine. Caractérologie : altruisme, idéalisme, détermination, intégrité, réflexion.

Elvira : Amie de tous (germanique). Ce prénom est rare. Tendance : stable. Variantes :

Elbira, Elvia. Caractérologie : structure, persévérance, sécurité, efficacité, décision.

Elvire : Amie de tous (germanique). Ce prénom est assez répandu. Il est très peu attribué aujourd'hui. Tendance : stable. Variante : Elwire. Caractérologie : passion, force, ambition, management, habileté.

Élyne : Éclat du soleil (grec). Ce prénom est très rare. Tendance : en forte croissance. Caractérologie : connaissances, sagacité, spiritualité, compassion, originalité.

Élysa : Dieu est serment (hébreu). Ce prénom est très rare. Tendance : en croissance modérée. Caractérologie : vitalité, sympathie, ardeur, stratégie, achèvement.

Élyse : Dieu est serment (hébreu). Ce prénom est rare. Tendance : en forte croissance. Caractérologie : pragmatisme, créativité, communication, optimisme, sympathie.

Elza : Dieu est serment (hébreu). Ce prénom est très rare. Tendance : en forte croissance. Caractérologie : achèvement, vitalité, leadership, stratégie, ardeur.

Ema : Universelle (germanique). Ce prénom assez rare est relativement peu attribué aujourd'hui. Tendance : en forte croissance. Caractérologie : autorité, ambition, innovation, énergie, autonomie.

Émelie : Travailleuse (germanique). Ce prénom assez rare est très peu attribué aujourd'hui. Tendance : stable. Variantes : Émel, Émelia. Caractérologie : méthode, ténacité, fiabilité, engagement, sens du devoir.

Émeline : Travailleuse (germanique). Ce prénom répandu figure dans le top 100 français aujourd'hui. Tendance : stable. Variantes :

Aimeline, Emelina, Emelyn, Émelyne. Variante alsacienne : Himeline. Caractérologie : intégrité, altruisme, idéalisme, dévouement, réflexion.

Émerance : Qui mérite (latin). Ce prénom est très rare. Tendance : en décroissance modérée. Caractérologie : audace, dynamisme, direction, indépendance, résolution.

Émeraude : Émeraude, pierre précieuse (espagnol). Ce prénom est très rare. Tendance : stable. Variante : Emeralda. Caractérologie : humanité, rectitude, ouverture d'esprit, détermination, rêve.

Émerence : Qui mérite (latin). Ce prénom est porté par moins de 100 personnes en France. Variantes : Émerentienne, Émerentine. Caractérologie : énergie, découverte, audace, séduction, originalité.

Émie : Travailleuse (germanique). Ce prénom est rare. Tendance : en forte croissance. Caractérologie : curiosité, indépendance, courage, charisme, dynamisme.

Émilia : Travailleuse (germanique). Ce prénom est assez répandu. Il est peu attribué actuellement. Tendance : en forte croissance. Emilia devrait figurer dans le top 10 finlandais en 2004. En France, ce prénom est plus traditionnellement usité en Occitanie et au Pays Basque. Variante : Emili. Caractérologie : fiabilité, méthode, engagement, ténacité, détermination.

Émilie : Travailleuse (germanique). Ce prénom est très répandu. De plus, il figure dans le top 50 français aujourd'hui. Tendance : stable. Émilie devrait figurer dans le top 10 belge et norvégien en 2004. Caractérologie : stratégie, achèvement, vitalité, ardeur, leadership.

Émilienne : Travailleuse (germanique). Ce prénom répandu est très peu attribué aujourd'hui. Tendance : en décroissance modérée. Variantes : Analie, Émiliana, Émiliane, Émilianne, Emmilienne. Caractérologie : énergie, découverte, audace, séduction, originalité.

Émiline : Travailleuse (germanique). Ce prénom est très rare. Tendance : stable. Variante : Émilyne. Caractérologie : efficacité, persévérance, sécurité, honnêteté, structure.

Émily : Travailleuse (germanique). Ce prénom est assez répandu. Il est relativement peu attribué aujourd'hui. Tendance : stable. Emily devrait figurer dans le top 10 anglais et américain en 2004. Caractérologie : énergie, innovation, autorité, ambition, compassion.

Emine : Loyale, digne de confiance (arabe). Ce prénom assez rare est très peu attribué aujourd'hui. Tendance : stable. Variante : Emina. Caractérologie : ambition, autorité, énergie, innovation, autonomie.

Emma : Universelle (germanique). Ce prénom répandu figure dans le top 50 français aujourd'hui. Voir le zoom dédié à Emma. Caractérologie : découverte, énergie, originalité, séduction, audace.

Emmanuela : Dieu est avec nous (hébreu). Ce prénom est très rare. Variante : Emanuela. Caractérologie : efficacité, persévérance, sécurité, honnêteté, structure.

Emmanuella : Dieu est avec nous (hébreu). Ce prénom est rare. Tendance : stable. Caractérologie : sagacité, spiritualité, connaissances, originalité, philosophie.

E

69

EMMA

Fête : 19 avril

Étymologie : du germain *ermen* : universelle. Ce prénom corse, germanique et slave est en passe de devenir l'un des premiers prénoms d'Europe et des pays anglophones. On le retrouve en effet dans le top 10 irlandais, finlandais et autrichien, sans oublier celui de l'Australie. Emma décline légèrement en Norvège, mais elle règne dans le palmarès suédois. Aux États-Unis, Emma surprend particulièrement : sa progression est telle qu'elle pourrait devenir l'un des 3 prénoms préférés des parents américains. Enfin, Emma monte rapidement en Italie et en Espagne.

Dans les régions francophones, Emma poursuit une ascension impressionnante. Gageons qu'elle entrera dans le top 20 québécois et le top 10 wallon en 2005. Et puisque rien ne semble arrêter sa progression en Suisse romande, il ne serait pas étonnant de la voir s'emparer de la seconde place du podium dès l'an prochain.

Ne nous étonnons pas de la popularité de ce prénom en Grande-Bretagne puisque *Emma*, le roman de Jane Austen publié en 1815, en est originaire. La France n'est d'ailleurs pas en reste : l'héroïne de l'œuvre classique de Gustave Flaubert, *Madame Bovary*, avait participé à la notoriété de ce prénom au XIXe siècle. Au tout début du XXe siècle, un peu plus de 2 000 petites Emma naissaient chaque année en France. Ce prénom fut ensuite délaissé pendant des décennies. Il a fallu attendre 1997 pour que sa notoriété retrouve son niveau des années 1900. Emma ne s'est pas arrêtée en si bon chemin : à la 3e place du palmarès français, elle est devenue le premier prénom féminin rétro de France. Elle devance d'autres choix rétro comme Jeanne, Lucie, Rose ou Zoé qui reviennent sur les devants de la scène aujourd'hui.

Sainte Emma vit au XIe siècle en Allemagne. Devenue veuve prématurément, elle décide de se consacrer aux plus déshérités. Elle fonde plusieurs églises et un monastère en Westphalie.

Statistique : Emma est le 152e prénom féminin le plus attribué du XXe siècle en France.

Emmanuelle : Dieu est avec nous (hébreu). Ce prénom répandu est relativement peu attribué aujourd'hui. Tendance : en décroissance modérée. Variante : Emanuele.

Caractérologie : intuition, adaptabilité, fidélité, relationnel, médiation.

Emmeline : Travailleuse (germanique). Ce prénom assez rare est très peu attribué aujourd'hui. Tendance : en décroissance modérée. Variantes : Emmelie, Emmelyne. Caractérologie : fiabilité, ténacité, sens du devoir, engagement, méthode.

Emmie : Travailleuse (germanique). Ce prénom est rare. Tendance : en forte croissance. Variantes : Emme, Emmi. Caractérologie : dévouement, idéalisme, altruisme, intégrité, réflexion.

Emmy : Travailleuse (germanique). Ce prénom assez rare est plutôt bien attribué aujourd'hui. Tendance : en forte croissance. Caractérologie : réceptivité, diplomatie, sociabilité, loyauté, bonté.

Emna : Emna est le prénom de la mère du Prophète (arabe). Ce prénom est très rare. Tendance : en forte croissance. Caractérologie : famille, équilibre, sens des responsabilités, influence, exigence.

Emrys : Immortelle (celte). Caractérologie : force, habileté, ambition, détermination, réalisation.

Emy : Travailleuse (germanique). Ce prénom assez rare est relativement peu attribué aujourd'hui. Tendance : en forte croissance. Caractérologie : savoir, intelligence, méditation, indépendance, sagesse.

Enara : Hirondelle (basque). Caractérologie : communication, pragmatisme, créativité, résolution, optimisme.

Enea : À moi (basque). Ce prénom est très rare. Tendance : en forte croissance. Caractérologie : connaissances, sagacité, philosophie, spiritualité, originalité.

Enid : Pureté (celte). Caractérologie : dynamisme, indépendance, curiosité, charisme, courage.

Énola : Celle qui est noble (vieux français). Ce prénom assez rare est plutôt bien attribué aujourd'hui. Tendance : en forte croissance. À noter : Enola Gay est le nom de l'avion américain qui a lâché la bombe atomique au-dessus de Hiroshima durant la Seconde Guerre mondiale. Caractérologie : adaptabilité, intuition, relationnel, médiation, fidélité.

Enora : Honorée (latin). Ce prénom est assez répandu. Il figure dans le top 100 français aujourd'hui. Tendance : en forte croissance. En France, Enora est plus traditionnellement usité en Bretagne. Variantes : Azenor, Enor, Enorig, Norig. Caractérologie : vitalité, stratégie, ardeur, achèvement, détermination.

Enya : Amande (irlandais). Ce prénom est porté par moins de 100 personnes en France. Tendance : stable. Variante : Ena. Caractérologie : rectitude, humanité, générosité, rêve, ouverture d'esprit.

Enza : Maîtresse de maison (germanique). Ce prénom est rare. Tendance : en forte croissance. Caractérologie : innovation, autorité, autonomie, ambition, énergie.

Éolia : Le souffle du vent (grec). Ce prénom est très rare. Tendance : stable. Caractérologie : détermination, raisonnement, équilibre, famille, sens des responsabilités.

Éponime : Déesse du foyer (gaulois). Variante : Épona. Ce prénom est très rare. Tendance : en forte croissance. Caractérologie : famille, sens des responsabilités, équilibre, influence, exigence.

Erell : Pointe, extrémité (breton). Ce prénom est rare. Tendance : en forte croissance.

Caractérologie : intelligence, savoir, sagesse, méditation, indépendance.

Érica : Noble souveraine (germanique). Ce prénom assez rare est très peu attribué aujourd'hui. Tendance : stable. Caractérologie : idéalisme, résolution, altruisme, intégrité, réflexion.

Éricka : Noble souveraine (germanique). Ce prénom est rare. Tendance : en décroissance modérée. Caractérologie : diplomatie, réceptivité, sociabilité, organisation, résolution.

Erika : Noble souveraine (germanique). Ce prénom est assez répandu. Il est peu attribué actuellement. Tendance : en décroissance modérée. Erika est très répandu en Allemagne. En France, ce prénom est plus traditionnellement usité au Pays Basque. Caractérologie : achèvement, décision, stratégie, ardeur, vitalité.

Erin : Paisible (irlandais). Ce prénom est rare. Tendance : en forte croissance. Erin se rapporte également à une expression poétique celte désignant l'Irlande. Caractérologie : innovation, autorité, énergie, ambition, autonomie.

Erina : Paisible (irlandais). Ce prénom est très rare. Tendance : en forte croissance. Caractérologie : sociabilité, réceptivité, loyauté, diplomatie, résolution.

Érine : Paisible (irlandais). Ce prénom est rare. Tendance : en forte croissance. Variante : Eryne. Caractérologie : bienveillance, paix, conscience, conseil, sagesse.

Ermeline : Honneur, doux (germanique). Ce prénom est porté par moins de 100 personnes en France. Caractérologie :

réflexion, altruisme, idéalisme, intégrité, dévouement.

Ermine : Se rapporte à Irmin, dieu païen (germanique). Ce prénom est très rare. Variantes : Ermina, Erminie. Variante basque : Irmina. Caractérologie : dynamisme, indépendance, audace, direction, assurance.

Erna : Qui a de grandes capacités (scandinave). Ce prénom assez rare est très peu attribué aujourd'hui. Caractérologie : intuition, relationnel, médiation, fidélité, détermination.

Ernestine : Qui mérite (germanique). Ce prénom est assez répandu. Il est très peu attribué aujourd'hui. Tendance : en forte croissance. Variante : Ernesta. Caractérologie : décision, audace, dynamisme, direction, indépendance.

Esma : Émeraude, pierre précieuse (espagnol). Ce prénom est rare. Tendance : stable. Caractérologie : sociabilité, loyauté, réceptivité, diplomatie, bonté.

Esmeralda : Émeraude, pierre précieuse (espagnol). Ce prénom assez rare est très peu attribué aujourd'hui. Tendance : en forte croissance. Caractérologie : sens des responsabilités, famille, équilibre, détermination, influence.

Espérance : S'attendre à (latin). Ce prénom est rare. Tendance : en croissance modérée. Variantes : Esperanza, Sperenza. Caractérologie : audace, décision, découverte, énergie, cœur.

Esra : Qui aide (hébreu). Ce prénom assez rare est relativement peu attribué aujourd'hui. Tendance : stable. Caractérologie :

E

72

Le palmarès des prénoms de la Wallonie

Ce palmarès a été effectué par l'Institut national de statistique de la Belgique. Les prénoms sont classés par ordre décroissant d'attribution.

1. Léa	8. Chloé	15. Louise
2. Manon	9. Émilie	16. Lisa
3. Laura	10. Pauline	17. Julie
4. Clara	11. Océane	18. Marine
5. Camille	12. Emma	19. Zoé
6. Marie	13. Charlotte	20. Juliette
7. Sarah	14. Lucie	

Ce palmarès présente des similitudes et des différences par rapport à celui de la France. Léa devance les stars Chloé, Camille, Emma ou Sarah aussi bien qu'elle le fait dans le hit-parade français. Les classiques mais déclinantes Marie et Mathilde sont elles aussi au rendez-vous, tout comme Océane. Quant à Eva, elle est entrée dans le top 20 wallon en même temps qu'elle l'a fait en France. Cependant, c'est ici que s'arrêtent les similarités. La présence ou l'absence notoire de certains prénoms donnent à ce palmarès un caractère unique. Élisa, Émilie, Mélissa et Jessica sont autant de consonances en « a » qui sont spécifiquement wallonnes. De plus, Zoé est une des révélations de l'année 2002. Elle a percé dans le top 20 wallon alors que son avènement en France est en cours.

On peut anticiper quelques changements pour 2005. Emma poursuit une telle ascension qu'elle pourrait détrôner Léa dès le début de cette année. Camille et Eva devraient également poursuivre une croissance solide et gagner des places dans ce palmarès. Tel ne sera pas le cas de Julie, Marie, Lisa et Manon qui devraient continuer leur déclin entamé en 2001. Notons toutefois que ces dernières se maintiendront encore quelque temps dans ce tableau. Celles qui ne pourront pas éviter d'en sortir sont Jessica et Lisa. Gageons que Clara et Maeva saisiront cette chance pour les y remplacer.

E

73

---

connaissances, sagacité, spiritualité, originalité, résolution.

Essia : Étoile (latin). Ce prénom est très rare. Tendance : en croissance modérée. Variantes : Essie, Essy. Caractérologie : achèvement, stratégie, vitalité, résolution, ardeur.

Estella : Étoile (latin). Ce prénom est très rare. Tendance : en forte croissance. Variante : Estèla. Caractérologie : sociabilité, réceptivité, loyauté, diplomatie, gestion.

Estelle : Étoile (latin). Ce prénom répandu figure dans le top 100 français aujourd'hui. Tendance : en décroissance modérée. Variantes : Estée, Estel, Estèle. Caractérologie : influence, équilibre, famille, gestion, sens des responsabilités.

Esther : Étoile (hébreu). Ce prénom répandu est relativement peu attribué aujourd'hui. Tendance : stable. Variantes : Ester, Esthère. Caractérologie : enthousiasme, pratique, communication, sensibilité, détermination.

Estrella : Étoile (latin). Ce prénom est très rare. Tendance : en forte croissance. Caractérologie : intuition, médiation, organisation, détermination, relationnel.

Éthel : Noble (anglais). Ce prénom est très rare. Tendance : en croissance modérée. En France, Éthel est plus traditionnellement usité en Alsace. Variante : Étheline. Caractérologie : énergie, audace, originalité, attention, découverte.

Éther : Composant atmosphérique (grec). Variante : Éthère. Caractérologie : diplomatie, réceptivité, loyauté, sociabilité, attention.

Étiennette : Couronnée (grec). Ce prénom est assez répandu. Il est très peu attribué aujourd'hui. Variante occitane : Esteva. Caractérologie : rêve, ouverture d'esprit, générosité, rectitude, humanité.

Etzi : Miel (basque). Caractérologie : conscience, bienveillance, paix, finesse, conseil.

Eudeline : Noble, fortunée (latin). Ce prénom est porté par moins de 100 personnes en France. Variantes : Eudia, Eudine. Caractérologie : enthousiasme, communication, adaptation, pratique, générosité.

Eudora : Beau présent (grec). Caractérologie : audace, volonté, direction, dynamisme, analyse.

Eudoxie : Qui est estimée (grec). Ce prénom est très rare. Tendance : en forte croissance. Variantes : Eudocie, Eudoxia. Variante occitane : Eudoxi. Caractérologie : médiation, intuition, relationnel, volonté, analyse.

Eugénie : Bien née (grec). Ce prénom répandu est plutôt bien attribué aujourd'hui. Tendance : stable. Variante : Eugénia. Caractérologie : enthousiasme, communication, pratique, adaptation, compassion.

Eulalia : Belle parole (latin). Beau langage (grec). Ce prénom basque et occitan est très rare. Caractérologie : savoir, intelligence, méditation, indépendance, décision.

Eulalie : Belle parole (latin). Beau langage (grec). Ce prénom assez rare est peu attribué actuellement. Tendance : stable. Variante basque : Eulali. Caractérologie : réceptivité, diplomatie, sociabilité, détermination, loyauté.

Eunice : Qui apporte la victoire (grec). Ce prénom est très rare. Tendance : en forte croissance. Caractérologie : pratique, communication, enthousiasme, adaptation, générosité.

Euphémie : Qui parle avec justesse (grec). Ce prénom est très rare. Variantes : Eufemia, Euphémia, Fimia. Caractérologie : innovation, énergie, autorité, compassion, action.

Euphrasie : Qui construit bien ses phrases (grec). Ce prénom est rare. Variantes : Euphrasine, Euphroisine, Euphrosine. Caractérologie : communication, cœur, action, optimisme, pragmatisme.

Eurielle : Dieu est ma lumière (hébreu). Ce prénom breton est très rare. Variantes :

Le palmarès des prénoms de la Suisse romande

Ce palmarès a été effectué par l'Office fédéral suisse de la statistique (OFS). Les prénoms sont classés par ordre décroissant d'attribution.

1. Léa	8. Zoé	15. Sara
2. Laura	9. Océane	16. Jessica
3. Emma	10. Élisa	17. Eva
4. Camille	11. Émilie	18. Mathilde
5. Chloé	12. Marie	19. Lisa
6. Sarah	13. Manon	20. Morgane
7. Julie	14. Mélissa	

Ce palmarès suisse romand inclut les plus grandes stars françaises et quelques spécificités suisses romandes. Léa est en tête de file. Tout comme dans l'Hexagone, elle devance largement ses rivales Emma, Camille, Chloé et Sarah. Cependant, la présence de certains prénoms donne à ce hit-parade un caractère spécifiquement suisse. En effet, Morgane, Sara, Mélissa et Jessica ne figurent pas dans d'autres top 20 francophones. De plus, on observe un élément précurseur dans ce palmarès : Zoé a confirmé son succès en Suisse romande bien plus tôt qu'en France où elle ne perce qu'aujourd'hui.

Quelques bouleversements sont à anticiper pour 2005. De grands noms poursuivent un déclin lent et progressif. Tel est le cas de Sarah, Julie, Océane, Marie et Manon. D'autres montent en flèche, comme Zoé, Eva, Camille et Emma (cette dernière devrait s'emparer de la 2ᵉ position dès 2004). Les courbes de croissance de Jessica et Lisa étant en chute libre, elles sont pratiquement assurées de quitter ce palmarès. Clara, qui monte en force depuis deux ans, devrait prendre l'une des deux places laissées vacantes. Alicia et Maeva ambitionnent la place restante, mais la lutte sera féroce et le nom de la gagnante encore incertain.

E

75

Euria, Euriel, Euriell. Caractérologie : sens des responsabilités, équilibre, famille, influence, exigence.

Europa : Dans la mythologie grecque, Europa est la mère de Minos. Variante : Europe. Caractérologie : fiabilité, méthode, cœur, logique, ténacité.

Eurydice : Justice étendue (grec). Ce prénom féminin révolutionnaire est très rare. Tendance : en croissance modérée. Variante : Euridice. Caractérologie : altruisme, idéalisme, intégrité, réflexion, cœur.

Eusèbie : Pieuse (grec). Ce prénom est porté par moins de 100 personnes en France. Variante : Eusèbia. Caractérologie : pragmatisme, communication, optimisme, organisation, résolution.

Eva : Vie, donner la vie (hébreu). Ce prénom répandu figure dans le top 50 français aujourd'hui. Voir le zoom dédié à Eva.

EVA

Fête : 6 septembre

Étymologie : de l'hébreu *h'ava* : vie, donner la vie. Ce dérivé d'Ève poursuit une ascension spectaculaire depuis cinq ans. Cette évolution est d'autant plus remarquable qu'Eva n'a jamais connu une telle vogue en France. Au début du XXᵉ siècle, ce prénom n'était guère plus attribué qu'à 400 bébés par an. Or ce dernier s'est tellement raréfié à partir des années 1930 que l'on s'attendait à ce qu'il disparaisse. Heureusement, Eva est persévérante. Elle renaît dans les années 1980 et retrouve son niveau de notoriété des années 1900. Cette étape, bien vite dépassée, marque le début d'une grande aventure. En 2005, Eva devrait s'imposer à la 18ᵉ place du palmarès français. Gageons que son ambition la portera encore plus haut.

Cette tendance est similaire dans d'autres pays francophones, à l'exception du Québec où Ève devance Eva. En Wallonie, cette dernière enregistre une croissance remarquable. À ce rythme, elle devrait se rapprocher du top 20 wallon prochainement. Sa présence remarquée dans le peloton des 20 prénoms suisses romands est le fruit d'une poussée comparable. En 2002, Eva était le 6ᵉ prénom le plus donné à Genève.

Force est de constater qu'Eva bénéficie du succès de Maeva, récente recrue du top 20 français. Ces dernières sont phonétiquement proches même si l'origine de Maeva est tahitienne. La vogue des prénoms courts en « a » les fera certainement monter davantage. Par ailleurs, Eva est un prénom répandu en Allemagne, en Italie et dans les pays slaves et hispanophones. Notons qu'à l'exception des Irlandais, les parents anglophones délaissent ce prénom au profit d'Evie et d'Eve.

Dans le livre de la Genèse, **Ève** est la première femme créée par Dieu et l'épouse d'Adam. Elle goûte au fruit défendu et le propose à Adam qui n'y résiste pas. Dieu les chasse du paradis terrestre et les punit pour leur désobéissance.

Personnalité célèbre : Eva Perón, femme politique argentine (1919-1952) et épouse du président argentin Juan Perón. Eva Perón prend la défense des plus défavorisés. Son action à la tête du ministère du Travail est à l'origine de nombreux progrès sociaux en Argentine.

Statistique : Eva est le 195ᵉ prénom féminin le plus attribué du XXᵉ siècle en France. Aujourd'hui, le prénom Eva est attribué six fois plus souvent qu'Ève dans l'Hexagone.

Caractérologie : ambition, énergie, autonomie, autorité, innovation.

Evaëlle : Combinaison de Eva et de Maëlle. Ce prénom est très rare. Tendance : en forte croissance. Notons que ce nouveau prénom a été enregistré en France pour la première fois en 1998. Caractérologie : force, management, ambition, habileté, passion.

Evane : If (celte). Ce prénom est très rare. Tendance : stable. Variantes : Evana, Evanne. Caractérologie : sociabilité, réceptivité, diplomatie, bonté, loyauté.

Ève : Vie, donner la vie (hébreu). Ce prénom répandu est plutôt bien attribué aujourd'hui. Voir le zoom dédié à Ève. Variantes : Évodie, Évodia. Caractérologie : rectitude, rêve, générosité, ouverture d'esprit, humanité.

Evelina : Vie, donner la vie (hébreu). Ce prénom est très rare. Caractérologie : courage, dynamisme, curiosité, résolution, indépendance.

Éveline : Vie, donner la vie (hébreu). Ce prénom répandu est très peu attribué aujourd'hui. Caractérologie : rectitude, humanité, générosité, rêve, ouverture d'esprit.

Évelyne : Vie, donner la vie (hébreu). Ce prénom est très répandu. Il est très peu attribué aujourd'hui. Tendance : stable. Variantes : Éveline, Evelyn. Caractérologie : intelligence, méditation, savoir, indépendance, sympathie.

Evie : Vie, donner la vie (hébreu). Ce prénom est très rare. Tendance : en forte croissance. Variantes : Evi, Evita, Evy. Caractérologie : indépendance, curiosité, courage, dynamisme, charisme.

Evin : Se rapporte à un nom de dieu gaulois. Ce prénom est porté par moins de 100 personnes en France. Tendance : en croissance modérée. Caractérologie : courage, indépendance, dynamisme, curiosité, charisme.

Ewa : Se rapporte à un nom de dieu gaulois. Ce prénom est très rare. Tendance : stable. Caractérologie : réceptivité, sociabilité, diplomatie, loyauté, bonté.

Fabienne : Fève (latin). Ce prénom répandu est très peu attribué aujourd'hui. Tendance : en décroissance modérée. Variante basque : Fabiana. Caractérologie : sociabilité, diplomatie, réceptivité, résolution, loyauté.

Fabiola : Fève (latin). Ce prénom assez rare est très peu attribué aujourd'hui. Tendance : stable. Caractérologie : dynamisme, audace, direction, gestion, logique.

Fabricia : Fabricatrice (latin). Ce prénom est porté par moins de 100 personnes en France. Dans l'Hexagone, Fabricia est plus traditionnellement usité en Occitanie. Caractérologie : fiabilité, méthode, ténacité, raisonnement, organisation.

Fadèla : Vertueuse (arabe). Ce prénom est rare. Tendance : stable. Variantes : Fadella, Fadhila. Caractérologie : fidélité, relationnel, médiation, caractère, intuition.

Fadia : Celle qui porte secours (arabe). Ce prénom est très rare. Tendance : en forte croissance. Caractérologie : enthousiasme, pratique, communication, adaptation, générosité.

F

77

Fadila : Vertueuse (arabe). Ce prénom assez rare est très peu attribué aujourd'hui. Tendance : stable. Variantes : Fadilah, Fadilha. Caractérologie : famille, équilibre, sens des responsabilités, influence, analyse.

Fadoua : Celle qui porte secours (arabe). Ce prénom est rare. Tendance : en croissance modérée. Variante : Fadwa. Caractérologie : pratique, enthousiasme, adaptation, communication, générosité.

Faïrouz : Turquoise (arabe). Ce prénom est très rare. Tendance : stable. Variantes : Faïrouza, Faïrouze, Fayrouz, Fayrouza, Férouz, Férouze. Caractérologie : influence, équilibre, famille, raisonnement, sens des responsabilités.

Faïza : Victorieuse (arabe). Ce prénom assez rare est très peu attribué aujourd'hui. Tendance : stable. Variantes : Fahiza, Fasia, Fassia, Faysa, Fazia, Fazzia, Feïza. Caractérologie : intelligence, savoir, méditation, indépendance, sagesse.

Fallone : La petite fille du chef (irlandais). Ce prénom est très rare. Tendance : stable. Variantes : Fallon, Falone. Caractérologie : bonté, sociabilité, diplomatie, réceptivité, loyauté.

Fanchon : Libre (latin). Ce prénom breton est très rare. Tendance : en forte croissance. Caractérologie : spiritualité, sagacité, originalité, connaissances, philosophie.

Fanette : Libre (latin). Ce prénom est rare. Tendance : en croissance modérée. Variante : Phanette. Caractérologie : achèvement, vitalité, stratégie, leadership, ardeur.

Fannie : Libre (latin). Ce prénom est rare. Tendance : stable. Variantes : Fania, Fanie, Phanie. Caractérologie : ténacité, méthode, fiabilité, résolution, engagement.

Fanny : Libre (latin). Ce prénom répandu figure dans le top 100 français aujourd'hui. Tendance : stable. Caractérologie : famille, sens des responsabilités, équilibre, exigence, influence.

Fanta : Libre (latin). Ce prénom breton est assez rare. Il est peu attribué actuellement. Tendance : en croissance modérée. Caractérologie : bienveillance, conscience, conseil, sagesse, paix.

Fantine : Enfant (latin). Ce prénom est rare. Tendance : en forte croissance. Caractérologie : équilibre, sens des responsabilités, influence, décision, famille.

Fany : Libre (latin). Ce prénom assez rare est très peu attribué aujourd'hui. Tendance : stable. Variante : Fanya. Caractérologie : audace, direction, dynamisme, assurance, indépendance.

Farah : Bonheur, satisfaction (arabe). Ce prénom est assez répandu. Il est relativement peu attribué aujourd'hui. Tendance : stable. À noter : ce prénom mixte est essentiellement féminin. Variantes : Fara, Farha, Farra, Farrah. Caractérologie : savoir, intelligence, méditation, sagesse, indépendance.

Farida : Unique (arabe). Ce prénom est assez répandu. Il est très peu attribué aujourd'hui. Tendance : en décroissance modérée. Caractérologie : enthousiasme, communication, adaptation, pratique, générosité.

Fathia : Victorieuse (arabe). Ce prénom est rare. Tendance : en décroissance modérée.

Variantes : Fati, Faty. Caractérologie : ouverture d'esprit, humanité, rêve, rectitude, générosité.

Fatia : Jeune fille (arabe). Ce prénom est très rare. Caractérologie : audace, dynamisme, direction, indépendance, assurance.

Fatiha : Victorieuse (arabe). Ce prénom est assez répandu. Il est très peu attribué aujourd'hui. Tendance : stable. Variantes : Fatéha, Fétiha. Caractérologie : rectitude, ouverture d'esprit, humanité, rêve, générosité.

Fatima : Petite chamelle qui vient d'être sevrée (arabe). Ce prénom répandu est relativement peu attribué aujourd'hui. Tendance : stable. Variantes : Fatim, Fatime. Caractérologie : découverte, énergie, originalité, audace, séduction.

Fatimata : Petite chamelle qui vient d'être sevrée (arabe). Ce prénom est rare. Tendance : stable. Variante : Fatimatou. Caractérologie : leadership, ardeur, vitalité, achèvement, stratégie.

Fatine : Belle, charmante (arabe). Ce prénom est très rare. Tendance : en forte croissance. Variantes : Fatin, Fatina. Caractérologie : indépendance, direction, audace, dynamisme, détermination.

Fatma : Petite chamelle qui vient d'être sevrée (arabe). Ce prénom est assez répandu. Il est peu attribué actuellement. Tendance : stable. Variante : Fathma. Caractérologie : curiosité, indépendance, courage, charisme, dynamisme.

Fatna : Belle, charmante (arabe). Ce prénom est rare. Tendance : en croissance modérée. Caractérologie : exigence, famille, équilibre, sens des responsabilités, influence.

Fatou : Petite chamelle qui vient d'être sevrée (arabe). Ce prénom assez rare est peu attribué actuellement. Tendance : en forte croissance. Caractérologie : altruisme, réflexion, intégrité, idéalisme, gestion.

Fatouma : Petite chamelle qui vient d'être sevrée (arabe). Ce prénom est rare. Tendance : stable. Caractérologie : audace, découverte, énergie, organisation, originalité.

Fatoumata : Petite chamelle qui vient d'être sevrée (arabe). Ce prénom est assez répandu. Il est relativement peu attribué aujourd'hui. Tendance : en croissance modérée. Caractérologie : organisation, vitalité, achèvement, ardeur, stratégie.

Faustine : Heureuse, fortunée (latin). Ce prénom est assez répandu. Il est plutôt bien attribué aujourd'hui. Tendance : stable. Variantes : Fausta, Fauste, Faustina. Caractérologie : résolution, courage, dynamisme, curiosité, analyse.

Faye : Fidèle, digne de confiance (anglais). Variantes : Faith, Fay. Caractérologie : ambition, autorité, autonomie, innovation, énergie.

Fedora : Présent de Dieu (grec). Ce prénom est très rare. Caractérologie : ténacité, méthode, résolution, fiabilité, volonté.

Félicia : Heureuse (latin). Ce prénom assez rare est peu attribué actuellement. Tendance : stable. Variantes : Féliciana, Féliciane, Felicidad. Caractérologie : idéalisme, altruisme, intégrité, détermination, raisonnement.

Félicie : Heureuse (latin). Ce prénom est assez répandu. Il est relativement peu attribué

F

79

aujourd'hui. Tendance : en croissance modérée. Variante : Félice. Caractérologie : persévérance, sécurité, structure, analyse, efficacité.

Félicienne : Heureuse (latin). Ce prénom est rare. Caractérologie : innovation, autorité, énergie, analyse, ambition.

Félicité : Heureuse (latin). Ce prénom assez rare est très peu attribué aujourd'hui. Tendance : stable. Caractérologie : sens des responsabilités, famille, influence, équilibre, raisonnement.

Felisa : Heureuse (latin). Ce prénom est très rare. Variante basque : Felixia. Caractérologie : savoir, méditation, intelligence, résolution, analyse.

Ferdinande : Courageuse, aventurière (germanique). Ce prénom est très rare. Caractérologie : achèvement, vitalité, stratégie, volonté, détermination.

Ferial : Vérité, justice (perse). Ce prénom est très rare. Tendance : stable. Variantes : Feriale, Feriel, Ferielle. Caractérologie : paix, résolution, bienveillance, conscience, analyse.

Fernanda : Courageuse, aventurière (germanique). Ce prénom est rare. Caractérologie : rêve, volonté, humanité, rectitude, résolution.

Fernande : Courageuse, aventurière (germanique). Ce prénom répandu est très peu attribué aujourd'hui. Variantes : Fernandine, Ferrera. Caractérologie : persévérance, structure, sécurité, décision, caractère.

Feryal : Vérité, justice (perse). Ce prénom est porté par moins de 100 personnes en France. Caractérologie : fiabilité, méthode, ténacité, compassion, raisonnement.

Fideline : La foi (latin). Ce prénom est très rare. Variante : Fidélia. Caractérologie : dynamisme, audace, direction, caractère, logique.

Fidji : Nom géographique qui désigne les îles Fidji. Ce prénom est très rare. Tendance : en décroissance modérée. Caractérologie : sociabilité, réceptivité, diplomatie, loyauté, bonté.

Fiona : Fille à la peau claire (celte). Ce prénom est assez répandu. Il est plutôt bien attribué aujourd'hui. Tendance : stable. Variante : Fyona. Caractérologie : rectitude, humanité, rêve, détermination, ouverture d'esprit.

Fiorella : Floraison (latin). Ce prénom est très rare. Tendance : en décroissance modérée. Variantes : Fiora, Fiorina. Caractérologie : équilibre, décision, sens des responsabilités, famille, logique.

Firma : Fermeté, rigueur (latin). Ce prénom est porté par moins de 100 personnes en France. Variantes : Firmina, Firmine. Caractérologie : intuition, relationnel, fidélité, adaptabilité, médiation.

Flavia : Couleur jaune, blonde (latin). Ce prénom est rare. Tendance : en forte croissance. Caractérologie : équilibre, famille, sens des responsabilités, influence, analyse.

Flavie : Couleur jaune, blonde (latin). Ce prénom répandu figure dans le top 100 français aujourd'hui. Tendance : en forte croissance. Variantes : Flavienne, Flavy. Caractérologie : énergie, innovation, volonté, autorité, raisonnement.

Fleur : Fleur (latin). Ce prénom assez rare est relativement peu attribué aujourd'hui. Tendance : en croissance modérée. Caractérologie : ambition, force, habileté, analyse, passion.

Fleurine : Floraison (latin). Ce prénom est très rare. Tendance : stable. Variantes : Fleurentine, Fleurestine, Fleuriane, Floréale, Florella, Florenzia, Flori, Florrie. Caractérologie : rêve, rectitude, ouverture d'esprit, logique, humanité.

Flora : Fleur (latin). Ce prénom répandu est plutôt bien attribué aujourd'hui. Tendance : en croissance modérée. Caractérologie : intelligence, savoir, logique, méditation, indépendance.

Florane : Floraison (latin). Ce prénom est très rare. Tendance : stable. Caractérologie : ambition, décision, habileté, logique, force.

Flore : Fleur (latin). Ce prénom est assez répandu. Il est relativement peu attribué aujourd'hui. Tendance : stable. Variantes : Flor, Florette. Caractérologie : diplomatie, réceptivité, sociabilité, loyauté, raisonnement.

Florence : Floraison (latin). Ce prénom est très répandu. Il est relativement peu attribué aujourd'hui. Tendance : en décroissance modérée. Variante : Florencia. Caractérologie : sens des responsabilités, équilibre, influence, famille, raisonnement.

Florentine : Parc fleuri (latin). Ce prénom assez rare est très peu attribué aujourd'hui. Tendance : en décroissance modérée. Variante : Florestine. Caractérologie : dynamisme, logique, direction, indépendance, audace.

Floriana : Floraison (latin). Ce prénom est très rare. Tendance : stable. Variantes : Florelle, Floria, Florielle. Caractérologie : méthode, ténacité, analyse, résolution, fiabilité.

Floriane : Floraison (latin). Ce prénom répandu est relativement peu attribué aujourd'hui. Tendance : en décroissance modérée. Variante : Floryane. Caractérologie : force, habileté, analyse, ambition, résolution.

Florianne : Floraison (latin). Ce prénom est rare. Tendance : en décroissance modérée. Caractérologie : ténacité, méthode, fiabilité, logique, décision.

Florida : Floraison (latin). Florida est également le nom d'un des États des États-Unis. Ce prénom est très rare. Variantes : Floride, Florinda. Caractérologie : intuition, médiation, relationnel, analyse, fidélité.

Florie : Floraison (latin). Ce prénom assez rare est très peu attribué aujourd'hui. Tendance : stable. Caractérologie : diplomatie, réceptivité, sociabilité, loyauté, raisonnement.

Florine : Floraison (latin). Ce prénom est assez répandu. Il est plutôt bien attribué aujourd'hui. Tendance : stable. Variante : Floryne. Caractérologie : méditation, intelligence, savoir, indépendance, logique.

Fortuna : Chanceuse (latin). Ce prénom est porté par moins de 100 personnes en France. Variante : Fortune. Caractérologie : curiosité, dynamisme, détermination, courage, raisonnement.

Fouzia : Qui aura du succès (arabe). Ce prénom assez rare est très peu attribué aujourd'hui. Tendance : en forte décroissance.

F

81

Variante : Fawsia. Caractérologie : conscience, paix, bienveillance, conseil, logique.

Franca : Libre (latin). Ce prénom est rare. En dehors de l'Hexagone, Franca est particulièrement répandu en Italie. Caractérologie : savoir, intelligence, résolution, méditation, analyse.

France : Libre (latin). Ce prénom répandu est très peu attribué aujourd'hui. Tendance : en décroissance modérée. Caractérologie : sociabilité, diplomatie, réceptivité, décision, logique.

Franceline : Libre (latin). Ce prénom est rare. Caractérologie : équilibre, famille, analyse, sens des responsabilités, résolution.

Francesca : Libre (latin). Ce prénom assez rare est peu attribué actuellement. Tendance : en croissance modérée. Francesca devrait figurer dans le top 10 italien en 2004. En France, ce prénom est plus traditionnellement usité en Corse. Variante : Francès. Caractérologie : sagacité, raisonnement, connaissances, spiritualité, détermination.

Francette : Libre (latin). Ce prénom est assez répandu. Il est très peu attribué aujourd'hui. Caractérologie : intuition, médiation, analyse, relationnel, résolution.

Franciane : Libre (latin). Ce prénom est rare. Caractérologie : raisonnement, force, habileté, ambition, détermination.

Francine : Libre (latin). Ce prénom répandu est très peu attribué aujourd'hui. Tendance : en décroissance modérée. Caractérologie : résolution, intelligence, savoir, méditation, analyse.

Françoise : Libre (latin). Ce prénom est très répandu. Il est très peu attribué aujourd'hui. Tendance : en décroissance modérée. Variantes : Franckie, Frankie. Caractérologie : altruisme, idéalisme, logique, intégrité, décision.

Frederica : Pouvoir de la paix (germanique). Ce prénom est très rare. Variantes : Federica, Frederika. Caractérologie : caractère, famille, logique, sens des responsabilités, équilibre.

Frédérique : Pouvoir de la paix (germanique). Ce prénom répandu est très peu attribué aujourd'hui. Tendance : en décroissance modérée. Caractérologie : raisonnement, rêve, humanité, volonté, rectitude.

Frida : Pouvoir de la paix (germanique). Ce prénom est rare. En France, Frida est plus traditionnellement usité en Alsace. Variantes : Freda, Freddie. Caractérologie : intuition, médiation, relationnel, adaptabilité, fidélité.

Frieda : Sage conseillère (germanique). Ce prénom assez rare est très peu attribué aujourd'hui. Caractérologie : savoir, intelligence, méditation, détermination, volonté.

Fubuki : Tempête de neige (japonais). Caractérologie : connaissances, spiritualité, sagacité, logique, originalité.

Fulgence : Fulgurant (latin). Ce prénom est porté par moins de 100 personnes en France. Caractérologie : direction, dynamisme, audace, cœur, indépendance.

Fulvia : Couleur jaune, blonde (latin). Ce prénom est porté par moins de 100 personnes en France. Caractérologie : habileté, logique, force, passion, ambition.

Gabriella : Force de Dieu (hébreu). Ce prénom est rare. Tendance : stable. Variante : Gabriela. Caractérologie : ténacité, méthode, compassion, fiabilité, détermination.

Gabrielle : Force de Dieu (hébreu). Ce prénom répandu est plutôt bien attribué aujourd'hui. Tendance : stable. Gabrielle devrait figurer dans le top 10 québécois en 2004. Variante : Gabriele. Caractérologie : vitalité, sympathie, achèvement, résolution, stratégie.

Gaby : Force de Dieu (hébreu). Ce prénom assez rare est très peu attribué aujourd'hui. Tendance : en croissance modérée. Caractérologie : force, ambition, habileté, passion, management.

Gaël : Étymologie possible : seigneur généreux (breton). Voir Gaëlle. Ce prénom est rare. Tendance : en décroissance modérée. Caractérologie : méditation, savoir, intelligence, cœur, indépendance.

Gaëla : Étymologie possible : seigneur généreux (breton). Voir Gaëlle. Ce prénom est très rare. Variantes : Gaélane, Gaëlla. Caractérologie : vitalité, achèvement, stratégie, sympathie, ardeur.

Gaële : Étymologie possible : seigneur généreux (breton). Voir Gaëlle. Ce prénom est rare. Caractérologie : communication, optimisme, pragmatisme, sympathie, créativité.

Gaëlle : Étymologie possible : seigneur généreux (breton). Ce prénom répandu est plutôt bien attribué aujourd'hui. Tendance : stable. En Bretagne, ce prénom s'orthographie le plus souvent sans tréma. Caractérologie : bienveillance, conseil, paix, conscience, compassion.

Gaétane : De Gaète, ville d'Italie (latin). Ce prénom est assez répandu. Il est très peu attribué aujourd'hui. Tendance : stable. Caractérologie : leadership, vitalité, achèvement, stratégie, ardeur.

Gaïa : Dans la mythologie grecque, Gaia est la déesse grecque qui symbolise la terre nourricière, celle d'où provient la vie. Ce prénom est très rare. Tendance : en forte croissance. Gaïa est très en vogue en Italie. En France, ce prénom est plus traditionnellement usité en Occitanie. Variante : Algaïa. Caractérologie : rectitude, humanité, générosité, ouverture d'esprit, rêve.

Gaïane : Voir Gaïa. Ce prénom est très rare. Tendance : en croissance modérée. Caractérologie : autorité, innovation, énergie, ambition, décision.

Gala : Chant, fête (scandinave). Ce prénom est très rare. Tendance : en décroissance modérée. Caractérologie : pragmatisme, communication, créativité, optimisme, sociabilité.

Galatée : Couleur du lait (grec). Ce prénom est très rare. Tendance : stable. Caractérologie : conscience, paix, gestion, bienveillance, cœur.

Galia : Dieu est clément (hébreu). Ce prénom est porté par moins de 100 personnes en France. Variantes : Gallia, Galya. Caractérologie : générosité, communication, enthousiasme, adaptation, pratique.

Garance : Nom d'une plante herbacée des régions chaudes et tempérées dont la racine est rouge. Ce prénom est assez répandu. Il est plutôt bien attribué aujourd'hui. Tendance : en croissance modérée. Caractérologie : sécurité, résolution, structure, persévérance, sympathie.

G

83

Gatienne : Accueillante (germanique). Ce prénom est très rare. Caractérologie : résolution, communication, enthousiasme, adaptation, pratique.

Gayane : Voir Gaïa. Aussi le nom d'une martyre chrétienne (arménien). Ce prénom est porté par moins de 100 personnes en France. Caractérologie : leadership, vitalité, stratégie, achèvement, ardeur.

Gemma : Pierre précieuse (basque). Ce prénom est très rare. Tendance : en croissance modérée. Variante : Gemme. Caractérologie : créativité, optimisme, communication, pragmatisme, réalisation.

Gen : Source (japonais). Caractérologie : passion, ambition, management, habileté, force.

Geneviève : Claire, douce (celte). Ce prénom est très répandu. Il est très peu attribué aujourd'hui. Tendance : en décroissance modérée. Caractérologie : honnêteté, sécurité, structure, persévérance, efficacité.

Genia : Claire, douce (celte). Ce prénom est très rare. Variantes : Gena, Génie, Genny, Ginia. Caractérologie : humanité, ouverture d'esprit, rêve, rectitude, résolution.

Genna : Petit oiseau (arabe). Claire, douce (celte). Ce prénom est porté par moins de 100 personnes en France. Tendance : en croissance modérée. Caractérologie : audace, originalité, séduction, découverte, énergie.

Genovefa : Claire, douce (celte). Ce prénom breton est très rare. Variantes : Genoveva, Jénovéfa. Caractérologie : réussite, communication, pratique, enthousiasme, caractère.

Gentiane : Plante des prés (latin). Ce prénom est très rare. Caractérologie : pratique, communication, enthousiasme, adaptation, résolution.

Georgette : Labourer le sol (grec). Ce prénom répandu est très peu attribué aujourd'hui. Caractérologie : pratique, enthousiasme, communication, adaptation, générosité.

Georgia : Labourer le sol (grec). Ce prénom est rare. Tendance : en croissance modérée. Variantes : Georgiane, Georgie, Giorgia. Variante bretonne : Jorane. Caractérologie : habileté, ambition, force, détermination, passion.

Georgina : Labourer le sol (grec). Ce prénom assez rare est très peu attribué aujourd'hui. Tendance : en décroissance modérée. Caractérologie : persévérance, structure, sécurité, efficacité, résolution.

Géraldine : Lance, gouverner (germanique). Ce prénom répandu est très peu attribué aujourd'hui. Tendance : en décroissance modérée. Variante : Géralde. Caractérologie : optimisme, pragmatisme, réalisation, sympathie, communication.

Gérardine : Lance puissante (germanique). Ce prénom est très rare. Variantes : Gérarda, Gérarde. Caractérologie : altruisme, intégrité, détermination, idéalisme, réalisation.

Gerda : La protégée (scandinave). Ce prénom est très rare. Caractérologie : ambition, force, habileté, résolution, réalisation.

Germaine : De même sang (latin). Ce prénom répandu est très peu attribué aujourd'hui. En France, Germaine est plus traditionnellement usité en Alsace. Variantes : Germanie, Hermana. Variante basque et occitane : Germana. Caractérologie : rectitude, rêve, humanité, décision, réussite.

Gersende : Lance victorieuse (germanique). Ce prénom est rare. Tendance : stable. Caractérologie : énergie, décision, découverte, audace, réussite.

Gertrude : Lance loyale (germanique). Ce prénom est assez répandu. Il est très peu attribué aujourd'hui. Variantes : Trude, Trudie, Trudy. Caractérologie : ambition, force, habileté, passion, compassion.

Gervaise : Prête au combat (germanique). Ce prénom est rare. Caractérologie : énergie, détermination, découverte, réalisation, audace.

Ghalia : Parfumée (arabe). Ce prénom est très rare. Caractérologie : intuition, relationnel, médiation, action, fidélité.

Ghania : Jardin de Dieu (hébreu). Ce prénom est très rare. Caractérologie : ténacité, action, méthode, fiabilité, décision.

Ghislaine : Douce (germanique). Ce prénom répandu est très peu attribué aujourd'hui. Tendance : stable. Caractérologie : pratique, communication, enthousiasme, cœur, action.

Ghita : Pluie après de longues années de sécheresse (africain). Ce prénom est porté par moins de 100 personnes en France. Caractérologie : rectitude, rêve, humanité, ouverture d'esprit, ressort.

Ghizlane : Douce (germanique). Ce prénom est rare. Tendance : stable. Caractérologie : sympathie, dynamisme, direction, audace, ressort.

Gianna : Dieu fait grâce (hébreu). Ce prénom est très rare. En dehors de la France, Gianna est particulièrement répandu en Italie. Variante : Giacomina. Caractérologie : audace, direction, indépendance, dynamisme, résolution.

Gilberte : Digne de confiance (germanique). Ce prénom répandu est très peu attribué aujourd'hui. Caractérologie : cœur, famille, équilibre, sens des responsabilités, influence.

Gilda : Chevelure (celte). Ce prénom assez rare est très peu attribué aujourd'hui. Caractérologie : sens des responsabilités, famille, équilibre, influence, réalisation.

Gillian : De la famille romaine d'Iule (latin). Ce prénom est très rare. Tendance : en décroissance modérée. Variantes : Gilian, Giliane, Gill, Gilliane. Caractérologie : énergie, innovation, autorité, résolution, sympathie.

Gin : Argent (japonais). Caractérologie : communication, pragmatisme, sociabilité, optimisme, créativité.

Gina : Claire, douce (celte). Ce prénom est assez répandu. Il est très peu attribué aujourd'hui. Tendance : stable. Gina est très répandu en Italie. Variante : Jina. Caractérologie : structure, sécurité, persévérance, efficacité, résolution.

Ginette : Pure, vierge (latin). Ce prénom est très répandu. Il est très peu attribué aujourd'hui. Caractérologie : force, ambition, habileté, management, passion.

Ginger : Pure, vierge (latin). Ce prénom est très rare. Tendance : en décroissance modérée. Caractérologie : conscience, paix, bienveillance, conseil, sagesse.

G

Giovanna : Dieu fait grâce (hébreu). Ce prénom assez rare est très peu attribué aujourd'hui. Tendance : stable. Giovanna est très répandu en Italie. Variantes : Jovana, Jovanna. Caractérologie : réceptivité, sociabilité, diplomatie, caractère, réussite.

Gisèle : Épée (germanique). Ce prénom est très répandu. Il est très peu attribué aujourd'hui. Tendance : stable. Variantes : Giselda, Gisella, Gigi, Gizèle. Variante basque : Gisela. Caractérologie : communication, pragmatisme, résolution, sympathie, optimisme.

Giselle : Épée (germanique). Ce prénom est assez répandu. Il est très peu attribué aujourd'hui. Caractérologie : équilibre, sens des responsabilités, famille, compassion, détermination.

Gislaine : Douce (germanique). Ce prénom est assez répandu. Il est très peu attribué aujourd'hui. Variante : Gyslène. Caractérologie : méthode, fiabilité, ténacité, détermination, compassion.

Giulia : De la famille romaine d'Iule (latin). Ce prénom est rare. Tendance : en croissance modérée. Giulia devrait figurer dans le top 10 italien en 2004. Caractérologie : dynamisme, charisme, curiosité, courage, indépendance.

Giuliana : De la famille romaine d'Iule (latin). Ce prénom est très rare. Tendance : en forte croissance. Caractérologie : sympathie, diplomatie, sociabilité, résolution, réceptivité.

Gladys : Richesse (celte). Ce prénom est assez répandu. Il est relativement peu attribué aujourd'hui. Tendance : stable. Variantes :

Gladez, Gladis, Glady. Caractérologie : énergie, découverte, audace, réussite, originalité.

Glannon : Pure, neuvième (latin). En France, Glannon est plus traditionnellement usité en Bretagne. Caractérologie : courage, curiosité, dynamisme, indépendance, cœur.

Glenda : Vallée boisée (irlandais). Ce prénom est porté par moins de 100 personnes en France. Caractérologie : sagacité, réussite, cœur, connaissances, spiritualité.

Gloria : Gloire (latin). Ce prénom assez rare est peu attribué actuellement. Tendance : en croissance modérée. Caractérologie : logique, achèvement, stratégie, ardeur, vitalité.

Glwadys : Richesse (celte). Ce prénom est très rare. Tendance : en croissance modérée. Variante : Glawdys. Caractérologie : audace, dynamisme, direction, compassion, réalisation.

Glynis : Petite vallée (gallois). Ce prénom est porté par moins de 100 personnes en France. Caractérologie : découverte, énergie, audace, détermination, compassion.

Godelaine : Descendant de Dieu (germanique). Ce prénom est porté par moins de 100 personnes en France. Variante : Godeline. Caractérologie : raisonnement, rêve, humanité, rectitude, réalisation.

Golda : Dorée (anglais). Ce prénom est porté par moins de 100 personnes en France. Caractérologie : enthousiasme, pratique, communication, réalisation, adaptation.

Gordana : Colline triangulaire (anglais). Ce prénom est très rare. Caractérologie : sens des responsabilités, famille, réalisation, équilibre, volonté.

Grace : Grâce (latin). Ce prénom assez rare est peu attribué actuellement. Tendance : en croissance modérée. Caractérologie : spiritualité, connaissances, sagacité, cœur, décision.

Gracianne : Grâce (latin). Ce prénom est très rare. Variantes : Gracia, Graciane, Gracie, Gracienne. Caractérologie : rectitude, humanité, rêve, résolution, sympathie.

Grazia : Grâce (latin). Ce prénom est très rare. En France, Grazia est plus traditionnellement usité au Pays Basque. Variantes : Graze, Grazi. Caractérologie : achèvement, vitalité, ardeur, stratégie, action.

Graziella : Grâce (latin). Ce prénom est assez répandu. Il est très peu attribué aujourd'hui. Tendance : stable. Caractérologie : ressort, sympathie, direction, audace, dynamisme.

Gregoria : Veilleur, vigilant (latin). Ce prénom est très rare. En France, Gregoria est plus traditionnellement usité au Pays Basque. Caractérologie : ambition, habileté, passion, décision, force.

Greta : Perle (grec). Ce prénom est très rare. En France, Greta est plus traditionnellement usité en Alsace. Variantes : Gretchen, Gretel, Grethel. Caractérologie : conscience, paix, bienveillance, conseil, résolution.

Guénaelle : Blanc, heureux, prince (breton). Ce prénom assez rare est très peu attribué aujourd'hui. Tendance : stable. Variantes : Guénael, Guénaele. Caractérologie : dynamisme, direction, audace, indépendance, cœur.

Guénola : Blanc, heureux, valeur (breton). Ce prénom est rare. Tendance : en croissance modérée. Caractérologie : créativité, pragmatisme, optimisme, communication, sympathie.

Guila : Joie (hébreu). Ce prénom est très rare. Tendance : en croissance modérée. Caractérologie : énergie, découverte, originalité, séduction, audace.

Guilaine : Douce (germanique). Ce prénom assez rare est très peu attribué aujourd'hui. Variante : Guilène. Caractérologie : paix, détermination, bienveillance, conscience, compassion.

Guilath : Joie (hébreu). Caractérologie : bienveillance, paix, organisation, conscience, ressort.

Guillemette : Protectrice résolue (germanique). Ce prénom est assez répandu. Il est très peu attribué aujourd'hui. Tendance : stable. Variantes : Guillaumette, Guillemine. Caractérologie : pragmatisme, communication, créativité, optimisme, cœur.

Guislaine : Douce (germanique). Ce prénom assez rare ne devrait pas être attribué à plus de 10 bébés en 2005. Caractérologie : intelligence, cœur, méditation, savoir, décision.

Gustavie : Combattante (germanique). Ce prénom est porté par moins de 100 personnes en France. Variante flamande : Gusta. Caractérologie : énergie, audace, découverte, réalisation, sympathie.

Guylaine : Douce (germanique). Ce prénom est assez répandu. Il est très peu attribué aujourd'hui. Tendance : en croissance modérée. Variante : Gilaine. Caractérologie : sécurité, structure, persévérance, résolution, sympathie.

G

Guylène : Douce (germanique). Ce prénom assez rare est très peu attribué aujourd'hui. Caractérologie : achèvement, vitalité, ardeur, stratégie, cœur.

Guyonne : Forêt (germanique). Ce prénom est très rare. Caractérologie : relationnel, intuition, médiation, compassion, fidélité.

Le palmarès des prénoms du Québec

Ce palmarès a été effectué par la Régie des Rentes du Québec. Les prénoms sont classés par ordre décroissant d'attribution.

1. Noémie	8. Jade	15. Mégane
2. Gabrielle	9. Laurie	16. Maude
3. Megan	10. Audrey	17. Amélie
4. Ariane	11. Camille	18. Chloé
5. Laurence	12. Rosalie	19. Coralie
6. Léa	13. Florence	20. Marianne
7. Sarah	14. Émilie	

Malgré son identité résolument francophone, ce palmarès est différent des hit-parades wallon, suisse ou français. Camille, Chloé, Jade, Léa et Sarah sont en effet les seuls éléments communs à ce palmarès et à celui des pays cités ci-dessus. Voyons comment évoluent les autres prénoms de ce tableau québécois. Coralie est la nouveauté de l'année 2003, elle s'impose dans le top 20 aux dépens de Sabrina. Marianne revient elle aussi dans ce club d'élite après deux années d'absence. Elle y remplace Catherine qui vient de le quitter. D'autres bouleversements ont chamboulé les premières places de ce peloton. En 2003, Noémie a détrôné Laurie en 1re place du podium. Elle devance largement Gabrielle, Megan, Laurence et Ariane, un ex-prénom phare qui résiste à un déclin inéluctable. Notons que ces prénoms sont peu répandus et rarement attribués en France aujourd'hui.

Megan a particulièrement le vent en poupe, elle devient numéro un si l'on inclut le nombre de petites Mégane qui sont nées au Québec en 2003. L'autre grand prénom qui monte est Léa. Sa croissance solide pourrait même la propulser dans le top 3 québécois dès 2005. En revanche, certains prénoms déclinent plus ou moins rapidement. Si Maude et Audrey perdent du terrain, Laurie, Camille et Émilie sont en chute libre. Émilie et Maude sont d'ailleurs pratiquement assurées de quitter ce palmarès. Si ce scénario se confirme, Emma et Emy seront les mieux positionnées pour leur succéder.

Il est intéressant de noter l'absence de certains prénoms de ce hit-parade québécois. Eva, Océane et Inès ont séduit bien des parents français ou francophones, mais elles peinent à percer au Québec. Seule Océane semble bien partie pour se rapprocher du top 20 québécois en 2005.

Gwen : Blanc, heureux (breton). Ce prénom est très rare. Tendance : en croissance modérée. Caractérologie : fiabilité, ténacité, engagement, méthode, sens du devoir.

Gwenaël : Blanc, heureux, prince (breton). Ce prénom est rare. Tendance : en forte décroissance. Caractérologie : sécurité, efficacité, persévérance, structure, compassion.

Gwenaele : Blanc, heureux, prince (breton). Ce prénom est rare. Variantes : Gwenaela, Gwanaelle. Caractérologie : rêve, rectitude, ouverture d'esprit, sympathie, humanité.

Gwenaelle : Blanc, heureux, prince (breton). Ce prénom répandu est relativement peu attribué aujourd'hui. Tendance : stable. Caractérologie : adaptation, pratique, enthousiasme, communication, compassion.

Gwendoline : Cercle blanc (celte). Ce prénom répandu est plutôt bien attribué aujourd'hui. Tendance : en décroissance modérée. Variantes : Gwendaline, Gwendeline. Caractérologie : humanité, rectitude, rêve, analyse, volonté.

Gwendolyne : Cercle blanc (celte). Ce prénom est rare. Tendance : en décroissance modérée. Variantes : Gwendolina, Gwendolyn. Caractérologie : intelligence, savoir, méditation, caractère, cœur.

Gwenhaël : Blanc, heureux, généreux (breton). Ce prénom est très rare. Variante : Guénhaëlle. Caractérologie : enthousiasme, communication, adaptation, compassion, pratique.

Gwenn : Blanc, heureux (breton). Ce prénom est rare. Tendance : en croissance modérée. Variante : Gwennaïg. Caractérologie : réflexion, dévouement, altruisme, intégrité, idéalisme.

Gwennaelle : Blanc, heureux, prince (breton). Ce prénom assez rare est très peu attribué aujourd'hui. Tendance : en décroissance modérée. Variante : Gwennael. Caractérologie : ardeur, vitalité, achèvement, stratégie, cœur.

Gwenola : Blanc, heureux, valeur (breton). Ce prénom est assez répandu. Il est très peu attribué aujourd'hui. Tendance : stable. Variantes : Gwennola, Gwennoline. Caractérologie : audace, énergie, découverte, originalité, sympathie.

Gwladys : Richesse (celte). Ce prénom est assez répandu. Il est relativement peu attribué aujourd'hui. Tendance : stable. Variantes : Gwaldys, Gwladis. Caractérologie : audace, direction, dynamisme, compassion, réalisation.

Gypsie : Bohémienne (anglais). Ce prénom est porté par moins de 100 personnes en France. Variante : Gypsy. Caractérologie : altruisme, intégrité, idéalisme, réflexion, résolution.

Gysèle : Épée (germanique). Ce prénom est très rare. Caractérologie : audace, dynamisme, compassion, direction, indépendance.

H 89

Habiba : Aimée, généreuse (arabe). Ce prénom assez rare est très peu attribué aujourd'hui. Tendance : en croissance modérée. Variantes : Habibata, Habibatou, Habibe. Caractérologie : curiosité, indépendance, courage, dynamisme, charisme.

Haby : Aimée, généreuse (arabe). Ce prénom est très rare. Tendance : en croissance modérée. Caractérologie : rectitude, rêve, humanité, ouverture d'esprit, générosité.

Hadara : Splendeur (hébreu). Caractérologie : conscience, bienveillance, paix, conseil, sagesse.

Hadassa : Myrte (hébreu). Ce prénom est porté par moins de 100 personnes en France. Tendance : stable. Variante : Hadassah. Caractérologie : ambition, force, habileté, management, passion.

Hadia : Qui guide au droit chemin (arabe). Ce prénom est très rare. Tendance : en forte croissance. Variante : Hadaya. Caractérologie : énergie, découverte, séduction, originalité, audace.

Hafida : Celle qui protège (arabe). Ce prénom assez rare est très peu attribué aujourd'hui. Tendance : stable. Caractérologie : relationnel, intuition, adaptabilité, médiation, fidélité.

Hagar : L'étrangère (hébreu). Dans la bible, Hagar est la concubine du patriarche Abraham et la mère d'Ismaïl. Ce prénom est porté par moins de 100 personnes en France. Caractérologie : stratégie, achèvement, ardeur, ressort, vitalité.

Hager : Variante arabe de Hagar. Ce prénom est très rare. Tendance : en forte croissance. Variantes : Hadjer, Hajer. Caractérologie : pratique, action, communication, enthousiasme, détermination.

Haïa : Vie (hébreu). Caractérologie : direction, dynamisme, audace, indépendance, assurance.

Haïfa : Gracieuse (arabe). Ce prénom est très rare. Tendance : en forte croissance. Variante : Hayfa. Caractérologie : savoir, indépendance, intelligence, méditation, sagesse.

Hajar : Variante arabe de Hagar. Ce prénom assez rare est relativement peu attribué aujourd'hui. Tendance : en croissance modérée. Variante : Hadjar. Caractérologie : réceptivité, sociabilité, loyauté, diplomatie, bonté.

Hakima : Qui est juste et sage (arabe). Ce prénom assez rare est très peu attribué aujourd'hui. Tendance : stable. Caractérologie : spiritualité, connaissances, sagacité, originalité, philosophie.

Hala : Lumière (arabe). Ce prénom est très rare. Tendance : en décroissance modérée. Variante : Hela. Caractérologie : sécurité, persévérance, structure, efficacité, honnêteté.

Haley : Héros (scandinave). Variantes : Halie, Hallie, Hally. Caractérologie : conseil, bienveillance, paix, conscience, cœur.

Halima : Indulgente (arabe). Ce prénom est assez répandu. Il est peu attribué actuellement. Tendance : stable. Variantes : Halimata, Halimatou, Halime. Caractérologie : force, ambition, habileté, passion, management.

Hama : Bord de plage (japonais). Caractérologie : curiosité, dynamisme, courage, indépendance, charisme.

Hamako : L'enfant du bord de plage (japonais). Caractérologie : fiabilité, ténacité, méthode, engagement, sens du devoir.

Hana : Grâce (hébreu). Réjouissances (arabe). Fleur (japonais). Ce prénom assez rare est relativement peu attribué aujourd'hui. Tendance : en croissance modérée. Caractérologie : influence, équilibre, sens des responsabilités, famille, exigence.

Hanaé : Fleur (japonais). Ce prénom est rare. Tendance : en forte croissance. Hanaé peut être écrit de trois façons différentes selon les kanjis utilisés. Les trois significations les plus courantes sont : fleur majestueuse, à l'image de la fleur et branche fleurie. C'est le « é « final qui différencie Hanaé de Hana, la fleur. Variantes : Annaé, Hanaa, Hannaé. Caractérologie : adaptabilité, médiation, relationnel, fidélité, intuition.

Hanako : L'enfant fleur (japonais). Caractérologie : indépendance, curiosité, dynamisme, courage, sensibilité.

Hanan : Mansuétude (arabe). Ce prénom assez rare est très peu attribué aujourd'hui. Tendance : en croissance modérée. Caractérologie : adaptabilité, relationnel, intuition, médiation, fidélité.

Hania : Heureuse, affectueuse (arabe). Ce prénom est très rare. Tendance : en forte croissance. Caractérologie : famille, équilibre, sens des responsabilités, détermination, influence.

Hanna : Grâce (hébreu). Ce prénom assez rare est relativement peu attribué aujourd'hui. Tendance : en croissance modérée. Hanna devrait figurer dans le top 10 suédois en 2004. Ce prénom se rapporte également à Hannaé (voir ci-dessous). Caractérologie : intuition, adaptabilité, fidélité, médiation, relationnel.

Hannah : Grâce (hébreu). Ce prénom assez rare est relativement peu attribué aujourd'hui. Tendance : en croissance modérée. Hannah devrait figurer dans le top 10 anglais et américain en 2004. Variante : Annah. Caractérologie : énergie, autorité, innovation, autonomie, ambition.

Harmonie : Harmonie, unité (latin). Ce prénom assez rare est très peu attribué aujourd'hui. Tendance : stable. Caractérologie : médiation, intuition, décision, caractère, relationnel.

Harmony : Harmonie, unité (latin). Ce prénom assez rare est très peu attribué aujourd'hui. Tendance : stable. Caractérologie : persévérance, structure, sécurité, caractère, réussite.

Harriet : Maîtresse de foyer (germanique). Ce prénom est porté par moins de 100 personnes en France. Variante : Harriette. Caractérologie : spiritualité, décision, sagacité, connaissances, attention.

Hasna : Belle (arabe). Ce prénom assez rare est très peu attribué aujourd'hui. Tendance : stable. Variante : Hasnaa. Caractérologie : sagacité, connaissances, spiritualité, philosophie, originalité.

Hassiba : Noble (arabe). Ce prénom est très rare. Tendance : en forte décroissance. Caractérologie : découverte, énergie, audace, originalité, séduction.

Hassina : Vertueuse (arabe). Ce prénom est rare. Tendance : en décroissance modérée. Caractérologie : ardeur, achèvement, vitalité, décision, stratégie.

Hassna : Belle (arabe). Ce prénom est très rare. Tendance : en croissance modérée.

Variantes : Hassana, Hassania. Caractérologie : achèvement, vitalité, stratégie, ardeur, leadership.

Hatsu : La première née (japonais). Caractérologie : bienveillance, paix, conseil, conscience, organisation.

Hawa : Attente (africain). Équivalent arabe d'Ève. Ce prénom assez rare est relativement peu attribué aujourd'hui. Tendance : stable. Variante : Awa. Caractérologie : conseil, bienveillance, paix, conscience, sagesse.

Haya : Intelligente (japonais). Ce prénom est très rare. Tendance : en croissance modérée. Caractérologie : vitalité, achèvement, leadership, stratégie, ardeur.

Hayate : Vie (arabe). Ce prénom est rare. Tendance : en décroissance modérée. Variante : Hayatte. Caractérologie : influence, famille, sens des responsabilités, équilibre, attention.

Hazal : Noisetier (anglais). Ce prénom est très rare. Tendance : en forte croissance. Variante : Hazel. Caractérologie : optimisme, pragmatisme, sociabilité, créativité, communication.

Heather : Bruyère (anglo-saxon). Ce prénom est très rare. Tendance : en forte croissance. Caractérologie : relationnel, résolution, intuition, médiation, finesse.

Hedia : Voix, écho de Dieu (hébreu). Ce prénom est très rare. Variante : Hediah. Caractérologie : décision, rêve, rectitude, ouverture d'esprit, humanité.

Hedwige : Richesse, combat (germanique). Ce prénom assez rare est très peu attribué aujourd'hui. Variantes : Hedvige, Hedwig.

Caractérologie : connaissances, spiritualité, ressort, originalité, sagacité.

Heidi : Richesse, combat (germanique). Ce prénom assez rare est très peu attribué aujourd'hui. Tendance : stable. Heidi est très répandu en Allemagne. Variantes : Heidie, Heidy. Caractérologie : force, management, passion, ambition, habileté.

Helen : Éclat du soleil (grec). Ce prénom est rare. Tendance : en forte croissance. Variante : Hellen. Caractérologie : leadership, vitalité, achèvement, stratégie, ardeur.

Helena : Éclat du soleil (grec). Ce prénom répandu est plutôt bien attribué aujourd'hui. Tendance : stable. Caractérologie : humanité, ouverture d'esprit, générosité, rêve, rectitude.

Hélène : Éclat du soleil (grec). Ce prénom est très répandu. Il est plutôt bien attribué aujourd'hui. Tendance : en décroissance modérée. Variantes : Aliona, Eliona, Galina, Heleine, Helina, Heline, Lénora. Caractérologie : persévérance, structure, sécurité, honnêteté, efficacité.

Helga : Pieuse (germanique). Ce prénom est rare. En dehors de la France, Helga est particulièrement répandu en Allemagne. Caractérologie : conscience, paix, bienveillance, conseil, cœur.

Hélia : Éclat du soleil (grec). Ce prénom est très rare. Tendance : stable. Caractérologie : ardeur, résolution, achèvement, vitalité, stratégie.

Hella : Lumière (arabe). Ce prénom est très rare. Tendance : stable. Variante : Hela. Caractérologie : relationnel, intuition, médiation, fidélité, adaptabilité.

Héloïse : Illustre au combat (germanique). Ce prénom répandu figure dans le top 100 français aujourd'hui. Tendance : stable. Caractérologie : innovation, autorité, détermination, raisonnement, énergie.

Hena : Gracieuse (hébreu). Ce prénom est porté par moins de 100 personnes en France. Variante : Henna. Caractérologie : autorité, innovation, ambition, énergie, autonomie.

Henria : Maîtresse de maison (germanique). Ce prénom est très rare. Caractérologie : dynamisme, résolution, direction, audace, indépendance.

Henriette : Maîtresse de maison (germanique). Ce prénom répandu est très peu attribué aujourd'hui. Tendance : stable. Variantes : Ariette, Hariette, Henrika. Caractérologie : indépendance, curiosité, courage, dynamisme, sensibilité.

Hermance : Soldat (germanique). Ce prénom est rare. Tendance : en forte croissance. Variante : Hermence. Caractérologie : structure, efficacité, persévérance, sécurité, décision.

Hermine : Soldat (germanique). Ce prénom assez rare est peu attribué actuellement. Tendance : en croissance modérée. Variantes : Hermeline, Hermina, Hermione. Caractérologie : altruisme, réflexion, intégrité, idéalisme, dévouement.

Herveline : Forte, combattante (celte). Ce prénom breton est rare. Tendance : en décroissance modérée. Variantes : Hervea, Hervée. Caractérologie : stratégie, vitalité, achèvement, ardeur, leadership.

Hiba : Cadeau (arabe). Ce prénom est très

rare. Tendance : en forte croissance. Caractérologie : sociabilité, diplomatie, réceptivité, bonté, loyauté.

Hila : Louanges (hébreu). Caractérologie : communication, pragmatisme, optimisme, créativité, sociabilité.

Hilal : Croissant de lune somptueux (arabe). Ce prénom est rare. Tendance : stable. Caractérologie : équilibre, famille, sens des responsabilités, influence, exigence.

Hilda : Bataille (germanique). Ce prénom est rare. En France, Hilda est plus traditionnellement usité en Alsace. Variantes : Hida, Hide, Hilde. Caractérologie : savoir, indépendance, intelligence, méditation, sagesse.

Hildegarde : Bataille (germanique). Ce prénom assez rare ne devrait pas être attribué à plus de 10 bébés en 2005. Variante flamande : Hildegonde. Caractérologie : ressort, innovation, réalisation, énergie, autorité.

Hillary : Joyeuse (latin). Ce prénom est très rare. Tendance : stable. Variantes : Hilarie, Hilary. Caractérologie : ressort, structure, sécurité, persévérance, efficacité.

Hina : Déesse tahitienne de la Lune (tahitien). Gracieuse (hébreu). Ce prénom est porté par moins de 100 personnes en France. Tendance : en forte croissance. Caractérologie : découverte, énergie, audace, originalité, décision.

Hinano : Fleur de pandanus (tahitien). Caractérologie : décision, sagacité, connaissances, originalité, spiritualité.

Hiroko : Enfant magnanime, généreuse (japonais). Caractérologie : ténacité, fiabilité, méthode, sens du devoir, engagement.

H

93

Hisae : Qui vivra longtemps (japonais). Caractérologie : équilibre, famille, sens des responsabilités, influence, décision.

Hodei : Nuage (basque). Caractérologie : énergie, découverte, audace, volonté, originalité.

Hoela : Noble, au-dessus (celte). En France, Hoela est plus traditionnellement usité en Bretagne. Caractérologie : audace, énergie, découverte, originalité, séduction.

Holly : Houx (anglo-saxon). Variante : Hollie. Caractérologie : humanité, générosité, ouverture d'esprit, rêve.

Hong : Royal, couleur jaune ou terre natale, parfum, beauté (vietnamien). Ce prénom est porté par moins de 100 personnes en France. Caractérologie : ambition, force, management, habileté, passion.

Honorine : Honorée (latin). Ce prénom est assez répandu. Il est relativement peu attribué aujourd'hui. Tendance : stable. Variantes : Honora, Honorée. Caractérologie : stratégie, vitalité, achèvement, ardeur, leadership.

Horia : Feu (perse). D'une grande beauté (arabe). Ce prénom est très rare. Variantes : Horya, Houriya. Caractérologie : bienveillance, conscience, conseil, paix, sagesse.

Hortense : Jardin (latin). Ce prénom est assez répandu. Il est relativement peu attribué aujourd'hui. Tendance : stable. Variantes : Hortence, Hortensia, Orthense. Caractérologie : décision, curiosité, attention, dynamisme, courage.

Hoshi : Étoile (japonais). Caractérologie : découverte, originalité, énergie, audace, séduction.

Houmana : Soleil (tahitien). Caractérologie : dynamisme, audace, direction, indépendance, volonté.

Houria : Feu (perse). D'une grande beauté (arabe). Ce prénom assez rare est très peu attribué aujourd'hui. Tendance : stable. Houria est très répandu en Armenie. Variante : Hourya. Caractérologie : intégrité, idéalisme, altruisme, réflexion, logique.

Huberte : Esprit brillant (germanique). Ce prénom est rare. Caractérologie : sagacité, spiritualité, attention, originalité, connaissances.

Huguette : Esprit, intelligence (germanique). Ce prénom répandu est très peu attribué aujourd'hui. Variante occitane : Huga. Caractérologie : compassion, habileté, ambition, force, sensibilité.

Huu : Huu est généralement utilisé au Viêt Nam en tant que second prénom afin d'amplifier le sens du premier prénom donné (vietnamien). Caractérologie : curiosité, dynamisme, courage, charisme, indépendance.

Hyacinthe : Pierre (grec). Ce prénom est très rare. Variantes : Giacinto, Yacinthe. Caractérologie : enthousiasme, communication, pratique, ressort, finesse.

Ida : Travailleuse (germanique). Ce prénom est assez répandu. Il est très peu attribué aujourd'hui. Tendance : en forte croissance. Ida devrait figurer dans le top 10 norvégien et suédois en 2004. En France, ce prénom est plus traditionnellement usité en Corse et au Pays Basque. Variantes : Idaia, Idalia, Idaline, Idda, Idy. Caractérologie :

audace, énergie, découverte, originalité, séduction.

Ide : Soif (irlandais). Ce prénom est porté par moins de 100 personnes en France. Caractérologie : altruisme, dévouement, idéalisme, réflexion, intégrité.

Idra : Figuier (araméen). Caractérologie : indépendance, dynamisme, curiosité, courage, charisme.

Ielena : Éclat du soleil (grec). Caractérologie : audace, direction, dynamisme, indépendance, décision.

Ihsane : Bienveillante, humble (arabe). Ce prénom est très rare. Tendance : en croissance modérée. Variante : Ihssane. Caractérologie : diplomatie, réceptivité, sociabilité, décision, loyauté.

Ikram : Respectueuse (arabe). Ce prénom assez rare est peu attribué actuellement. Tendance : stable. Caractérologie : connaissances, sagacité, originalité, spiritualité, philosophie.

Ikrame : Respectueuse (arabe). Ce prénom est rare. Tendance : en croissance modérée. Caractérologie : communication, optimisme, pragmatisme, créativité, détermination.

Ilana : Arbre (hébreu). Ce prénom assez rare est relativement peu attribué aujourd'hui. Tendance : en croissance modérée. Variante : Elana. Caractérologie : direction, audace, indépendance, décision, dynamisme.

Ilanit : Rainette (hébreu). Ce prénom est porté par moins de 100 personnes en France. Caractérologie : médiation, relationnel, intuition, gestion, décision.

Ilda : Bataille (germanique). Ce prénom est rare. Caractérologie : habileté, passion, force, ambition, management.

Ileana : Éclat du soleil (grec). Ce prénom est très rare. Tendance : en forte croissance. Caractérologie : conscience, conseil, résolution, bienveillance, paix.

Ilena : Éclat du soleil (grec). Ce prénom est très rare. Tendance : en croissance modérée. Caractérologie : énergie, décision, découverte, audace, originalité.

Ilham : Inspiration (arabe). Ce prénom assez rare est peu attribué actuellement. Tendance : en croissance modérée. Caractérologie : connaissances, spiritualité, sagacité, philosophie, originalité.

Ilhame : Inspiration (arabe). Ce prénom est rare. Tendance : en décroissance modérée. Variante : Ilheme. Caractérologie : pratique, enthousiasme, communication, adaptation, décision.

Ilhem : Inspiration (arabe). Ce prénom est rare. Tendance : stable. Caractérologie : relationnel, intuition, médiation, adaptabilité, fidélité.

Ilia : Dans la mythologie romaine, Ilia est la mère de Romulus et Rémus. Elle est également connue sous le nom de Rhéa. Ce prénom est porté par moins de 100 personnes en France. Caractérologie : sécurité, persévérance, honnêteté, structure, efficacité.

Iliana : Arbre (hébreu). Grande, spirituelle (arabe). Ce prénom est rare. Tendance : en forte croissance. Variantes : Iliona, Ilyana. Caractérologie : autorité, détermination, innovation, ambition, énergie.

I

95

Iliane : Arbre (hébreu). Grande, spirituelle (arabe). Ce prénom est très rare. Variante : Ilyane. Caractérologie : découverte, énergie, originalité, audace, décision.

Illana : Arbre (hébreu). Ce prénom est très rare. Tendance : en croissance modérée. Caractérologie : méthode, ténacité, engagement, fiabilité, détermination.

Illona : Éclat du soleil (grec). Ce prénom est rare. Tendance : en forte croissance. Caractérologie : raisonnement, idéalisme, altruisme, détermination, intégrité.

Ilona : Éclat du soleil (grec). Ce prénom est assez répandu. Il figure dans le top 100 français aujourd'hui. Ilona est très répandu en Hongrie. Voir le zoom dédié à Lena. Variantes : Illoa, Iloa, Llona. Caractérologie : famille, équilibre, sens des responsabilités, détermination, raisonnement.

Ilse : Noble (germanique). Ce prénom est très rare. Caractérologie : humanité, rectitude, ouverture d'esprit, rêve, résolution.

Imae : Au présent (japonais). Variante : Ima. Caractérologie : énergie, innovation, autorité, ambition, décision.

Imako : L'enfant du présent (japonais). Caractérologie : ténacité, engagement, sens du devoir, fiabilité, méthode.

Iman : Croyance, foi (arabe). Ce prénom assez rare est relativement peu attribué aujourd'hui. Tendance : en croissance modérée. Caractérologie : innovation, énergie, autorité, ambition, décision.

Imane : Croyance, foi (arabe). Ce prénom est assez répandu. Il est plutôt bien attribué aujourd'hui. Tendance : en croissance modérée. Variantes : Imanne, Ymane. Caractérologie : décision, bienveillance, paix, conscience, conseil.

Imelda : Soldat (germanique). Ce prénom est très rare. Variante : Ymelda. Caractérologie : habileté, ambition, force, résolution, passion.

Imen : Croyance, foi (arabe). Ce prénom assez rare est relativement peu attribué aujourd'hui. Tendance : en croissance modérée. Caractérologie : curiosité, dynamisme, charisme, courage, indépendance.

Imene : Croyance, foi (arabe). Ce prénom assez rare est relativement peu attribué aujourd'hui. Tendance : en croissance modérée. Caractérologie : autorité, autonomie, innovation, énergie, ambition.

Imma : Dieu est avec nous (hébreu). Caractérologie : réflexion, altruisme, intégrité, idéalisme, dévouement.

Ina : Mère (latin). Ce prénom est porté par moins de 100 personnes en France. Caractérologie : sens des responsabilités, famille, influence, équilibre, décision.

Inas : Sympathique, généreuse (arabe). Ce prénom est très rare. Tendance : en forte croissance. Variantes : Inass, Inasse. Caractérologie : intelligence, méditation, détermination, indépendance, savoir.

Inaya : Sollicitude (origine possible : arabe). Ce prénom est porté par moins de 100 personnes en France. Tendance : en forte croissance. Inaya est assez connu dans les pays arabes, mais on retrouve également ce prénom en Afrique et en Amérique latine. Caractérologie : dynamisme, curiosité, courage, indépendance, résolution.

India : India est un nom anglophone qui désigne l'Inde. Ce prénom est très rare. Tendance : en forte croissance. Caractérologie : innovation, énergie, résolution, autorité, ambition.

Indiana : Divin (latin). Indiana est également le nom d'un État des États-Unis. Ce prénom est très rare. Tendance : stable. Caractérologie : spiritualité, connaissances, originalité, sagacité, résolution.

Indira : Beauté, splendeur (sanscrit). Dans la mythologie hindoue, Indra est le dieu de la Pluie et du Tonnerre. Ce prénom est très rare. Tendance : en croissance modérée. Variante : Indra. Caractérologie : direction, résolution, dynamisme, indépendance, audace.

Iné : Riz (japonais). Caractérologie : dynamisme, audace, direction, assurance, indépendance.

Inès : Chaste, pure (grec). Ce prénom répandu figure dans le top 50 français aujourd'hui. Voir le zoom dédié à Inès. Caractérologie : relationnel, intuition, fidélité, détermination, médiation.

Iness : Sympathique, généreuse (arabe). Ce prénom est rare. Tendance : en forte croissance. Variante : Yness. Caractérologie : enthousiasme, communication, pratique, résolution, adaptation.

Inesse : Sympathique, généreuse (arabe). Ce prénom est très rare. Tendance : en croissance modérée. Caractérologie : achèvement, vitalité, ardeur, stratégie, détermination.

Ingrid : Fille de héros (scandinave). Ce prénom répandu est peu attribué actuellement. Tendance : en décroissance modérée. Ingrid est très répandu en Allemagne et dans les pays scandinaves. Ingrid devrait figurer dans le top 10 norvégien en 2004. Variantes : Inga, Inge. Caractérologie : connaissances, spiritualité, sagacité, originalité, philosophie.

Insaf : Equité, justice (arabe). Ce prénom est très rare. Tendance : en croissance modérée. Variante : Inssaf. Caractérologie : persévérance, détermination, structure, efficacité, sécurité.

Intissar : Triomphante (arabe). Ce prénom est très rare. Tendance : en croissance modérée. Caractérologie : direction, dynamisme, indépendance, audace, détermination.

Iona : Couleur pourpre, aube (grec). Ce prénom est très rare. Tendance : en forte croissance. Variantes : Iola, Ione, Ionia, Ionna. Caractérologie : pratique, détermination, communication, enthousiasme, adaptation.

Iora : En or (latin). Caractérologie : méditation, savoir, indépendance, intelligence, sagesse.

Iphigénie : Courageuse (latin). Ce prénom est porté par moins de 100 personnes en France. Caractérologie : autorité, innovation, énergie, ambition, action.

Iréna : Paix (grec). Ce prénom assez rare est très peu attribué aujourd'hui. Tendance : en décroissance modérée. Iréna est répandu dans les pays slaves. Variantes : Irenca, Irénéa, Iriana. Caractérologie : réceptivité, sociabilité, diplomatie, loyauté, résolution.

Irène : Paix (grec). Ce prénom répandu est très peu attribué aujourd'hui. Tendance : stable. Variantes : Irenne, Yrène. Caractérologie :

paix, sagesse, conseil, conscience, bienveillance.

Irénée : Paix (grec). Ce prénom est rare. Caractérologie : adaptabilité, intuition, médiation, fidélité, relationnel.

INÈS

Fête : 10 septembre

Étymologie : forme hispanique d'Agnès, du grec *agnos* : chaste, pure. Solidement ancrée en Espagne et au Portugal, Inès a surgi en France dans les années 1980 et suit depuis un parcours ascendant sans faute. La notoriété d'Inès de la Fressange a sans doute joué en la faveur de ce prénom. C'est en effet dans les années 1980 que l'on découvre ce mannequin qui incarne avec tant de succès l'élégance parisienne. Cet achèvement s'est fait aux dépens d'Agnès qui emprunte le chemin inverse et décline inexorablement depuis vingt ans. Inès devrait consolider son avancée dans le top 10 français en 2005. À en juger par sa solide courbe de croissance, ce prénom n'a pas encore atteint son apogée. On peut estimer qu'il sera attribué à environ 5 000 enfants en 2005.
En dehors de l'Hexagone, Inès fait particulièrement parler d'elle en Suisse romande. Elle est entrée avec fracas dans le top 30 en 2002, gagnant ainsi 20 places au classement en 1 an. De plus, si ce prénom est encore peu usité au Québec, il devrait friser le top 40 du palmarès wallon en 2005.

Ce tour d'horizon serait incomplet s'il ne s'attardait pas sur le prénom Ines. Celui-ci se distingue d'Inès par son absence d'accent. Et pour cause, ces fausses sœurs jumelles ont des origines distinctes. Ines est en effet un prénom arabe ancien qui signifie « sympathique, généreuse ». Néanmoins, la frontière entre ces prénoms étant très mince, bien des parents qui souhaitent attribuer cette version arabe l'orthographient avec l'accent. Ceci explique la raison pour laquelle ce prénom (et Inès) sont très en vogue dans la communauté musulmane francophone. Celle de Bruxelles a notamment permis l'ascension d'Ines au 2e rang du palmarès bruxellois en 2002. En France, son succès a favorisé l'apparition de deux variantes rares en forte croissance : Ynes et Yness.

Sainte Inès Takeya vit au Japon au XVIIe siècle. Elle est exécutée en 1622 parce qu'elle est chrétienne.
Personnalité célèbre : Inès de la Fressange, ancienne mannequin, aujourd'hui businesswoman et créatrice de mode.
Statistique : Inès est le 218e prénom féminin le plus attribué du XXe siècle en France.

Irina : Paix (grec). Ce prénom est rare. Tendance : en forte croissance. Irina est répandu dans les pays slaves. Caractérologie : famille, équilibre, sens des responsabilités, influence, décision.

Iris : Arc-en-ciel (grec). Ce prénom est assez répandu. Il est relativement peu attribué aujourd'hui. Tendance : stable. Variantes : Iréa, Irès. Caractérologie : direction, assurance, audace, indépendance, dynamisme.

Irma : Se rapporte à Irmin, dieu païen (germanique). Ce prénom est assez répandu. Il est très peu attribué aujourd'hui. Tendance : en décroissance modérée. Variante : Irmine. Caractérologie : indépendance, curiosité, dynamisme, charisme, courage.

Irvine : Belle (celte). Caractérologie : dynamisme, courage, indépendance, curiosité, charisme.

Isa : Dieu est serment (hébreu). Ce prénom est très rare. Tendance : en croissance modérée. Caractérologie : sociabilité, réceptivité, loyauté, diplomatie, bonté.

Isabeau : Dieu est serment (hébreu). Ce prénom est très rare. Tendance : en décroissance modérée. Caractérologie : structure, persévérance, gestion, sécurité, décision.

Isabella : Dieu est serment (hébreu). Ce prénom est rare. Tendance : stable. Isabella est très répandu en Italie. En France, ce prénom est plus traditionnellement usité en Corse. Variantes : Isabela, Isobel, Izabel, Ysabel. Caractérologie : méditation, savoir, organisation, résolution, intelligence.

Isabelle : Dieu est serment (hébreu). Ce prénom est très répandu. Il est peu attribué actuellement. Tendance : en décroissance modérée. Caractérologie : sociabilité, diplomatie, décision, gestion, réceptivité.

Isadora : Don d'Isis (grec). Ce prénom est très rare. Tendance : stable. Caractérologie : engagement, méthode, fiabilité, sens du devoir, ténacité.

Isaline : Dieu est serment (hébreu). Ce prénom assez rare est peu attribué actuellement. Tendance : stable. Variante : Izaline. Variante occitane : Isolina. Caractérologie : paix, conseil, conscience, bienveillance, décision.

Isalyne : Dieu est serment (hébreu). Ce prénom est très rare. Tendance : en forte croissance. Caractérologie : fiabilité, méthode, décision, cœur, ténacité.

Isaura : Habitante d'Isaurie (grec). Ce prénom est très rare. Tendance : stable. Isaura est répandu en Espagne et au Portugal. Caractérologie : famille, influence, sens des responsabilités, équilibre, exigence.

Isaure : Habitante d'Isaurie (grec). Ce prénom assez rare est peu attribué actuellement. Tendance : en croissance modérée. Variante : Isaurie. Caractérologie : autorité, innovation, énergie, ambition, décision.

Isciane : La souveraine (grec). Ce prénom est porté par moins de 100 personnes en France. Tendance : en forte décroissance. Variante : Iscia. Caractérologie : équilibre, influence, détermination, famille, sens des responsabilités.

Isée : Ce prénom se rapporte au nom d'un orateur athénien du IVᵉ siècle. Isée fut l'élève d'Isocrate. Il fut particulièrement connu pour ses plaidoieries. Professionnel de l'éloquence judicaire, Isée exerçait en quelque sorte le métier moderne d'avocat. Ce prénom est porté par moins de 100 personnes en France. Tendance : en forte croissance. Variante : Ysée. Caractérologie : fidélité, relationnel, intuition, médiation, résolution.

Iseline : Dieu est serment (hébreu). Ce prénom est très rare. Tendance : stable. Caractérologie : dynamisme, audace, direction, indépendance, décision.

Iseult : Belle (celte). Ce prénom est très rare. Tendance : stable. Caractérologie : décision, énergie, découverte, audace, gestion.

Isia : La souveraine (grec). Ce prénom est porté par moins de 100 personnes en France. Tendance : en croissance modérée. Variante : Isïa. Caractérologie : sociabilité, réceptivité, diplomatie, bonté, loyauté.

Isidora : Don d'Isis (grec). Ce prénom est très rare. Variante : Isidorine. Caractérologie : communication, pratique, enthousiasme, générosité, adaptation.

Isis : La souveraine (grec). Ce prénom est rare. Tendance : en croissance modérée. Caractérologie : réceptivité, sociabilité, diplomatie, loyauté, bonté.

Islem : Salut et paix dans la soumission à Dieu (arabe). Ce prénom est très rare. Tendance : en forte croissance. Variante : Islam. Caractérologie : méthode, engagement, fiabilité, ténacité, résolution.

Isma : Protection (arabe). Ce prénom est très rare. Tendance : en forte croissance. Caractérologie : équilibre, famille, exigence, sens des responsabilités, influence.

Ismelda : Dieu est serment (hébreu). Caractérologie : rêve, résolution, humanité, ouverture d'esprit, rectitude.

Isolde : Belle (celte). Ce prénom est très rare. Variante : Isold. Variantes bretonnes : Izold, Izolda. Caractérologie : innovation, autorité, analyse, volonté, énergie.

Isoline : Dieu est serment (hébreu). Ce prénom est très rare. Tendance : stable. Caractérologie : sociabilité, réceptivité, diplomatie, résolution, analyse.

Ivana : Dieu fait grâce (hébreu). Ce prénom est rare. Tendance : en croissance modérée. Variantes : Iva, Ivanie, Ivanka, Ivanna, Ivanne, Ivannie, Ivanny. Caractérologie : détermination, intuition, fidélité, relationnel, médiation.

Ivonne : If (celte). Ce prénom est très rare. Variantes : Iveline, Ivelyne, Ivone. Variantes bretonnes : Ivona, Ivonig. Caractérologie : intelligence, savoir, méditation, indépendance, volonté.

Ivria : De la terre d'Abraham (hébreu). Caractérologie : dynamisme, courage, curiosité, indépendance, charisme.

Ivy : Lierre (anglais). Ce prénom est porté par moins de 100 personnes en France. Variante : Ivie. Caractérologie : médiation, relationnel, intuition, fidélité, adaptabilité.

Iwa : Solide comme un roc (japonais). Caractérologie : bienveillance, conscience, paix, conseil, décision.

Ixia : Nom de fleur (grec). Caractérologie : indépendance, intelligence, savoir, sagesse, méditation.

Izia : La souveraine (grec). Ce prénom est très rare. Tendance : en forte croissance. Caractérologie : intégrité, altruisme, idéalisme, réflexion, dévouement.

Jacinthe : Pierre (grec). Ce prénom est très rare. Tendance : en forte croissance. Variante : Jacinte. Caractérologie : sensibilité, savoir, intelligence, méditation, détermination.

Jackie : Supplanter, protéger (hébreu). Ce prénom assez rare est très peu attribué aujourd'hui. Tendance : en décroissance modérée. Variante : Jacquie. Caractérologie : communication, optimisme, pragmatisme, détermination, organisation.

Jacqueline : Supplanter, protéger (hébreu). Ce prénom est très répandu. Il est très peu attribué aujourd'hui. Tendance : stable. Variantes : Jacquelène, Jacquelyne, Jacquemine, Jacquine, Jaqueline. Caractérologie : spiritualité, connaissances, originalité, sagacité, décision.

Jade : Désigne une pierre fine de couleur verte. Ce prénom répandu figure dans le top 50 français aujourd'hui. Voir le zoom dédié à Jade. Variante : Giada. Caractérologie : réceptivité, diplomatie, sociabilité, bonté, loyauté.

Jaël : Qui monte (hébreu). Ce prénom est très rare. Caractérologie : dynamisme, audace, direction, assurance, indépendance.

Jaïda : Celle qui a un cou long et fin (arabe). Ce prénom est porté par moins de 100 personnes en France. Variante : Jayda. Caractérologie : indépendance, méditation, intelligence, savoir, sagesse.

Jalila : Qui est grande (arabe). Ce prénom est très rare. Tendance : en forte croissance. Caractérologie : altruisme, intégrité, idéalisme, réflexion, dévouement.

Jamie : Supplanter, protéger (hébreu). Ce prénom est porté par moins de 100 personnes en France. Variante : Jaimie. Caractérologie : fidélité, relationnel, intuition, décision, médiation.

Jamila : D'une grande beauté physique et d'esprit (arabe). Ce prénom est assez répandu. Il est très peu attribué aujourd'hui. Tendance : en décroissance modérée. Variantes : Jamela, Jamella, Jamilah, Jamilla, Jémila. Caractérologie : audace, indépendance, dynamisme, assurance, direction.

Jana : Dieu fait grâce (hébreu). Ce prénom est très rare. Tendance : en forte croissance. En France, Jana est plus traditionnellement usité en Occitanie et au Pays Basque. Variante : Janna. Caractérologie : ambition, force, habileté, passion, management.

Jane : Dieu fait grâce (hébreu). Ce prénom est assez répandu. Il est peu attribué actuellement. Tendance : en croissance modérée. Caractérologie : pratique, adaptation, communication, générosité, enthousiasme.

Janelle : Dieu fait grâce (hébreu). Ce prénom est rare. Tendance : en forte croissance. Caractérologie : séduction, audace, énergie, découverte, originalité.

Janice : Dieu fait grâce (hébreu). Ce prénom est très rare. Tendance : en croissance modérée. Variante : Jannice. Caractérologie : paix, bienveillance, conscience, conseil, détermination.

J

101

JADE

Fête : Pas de fête connue

Étymologie : ce prénom désigne une pierre fine du même nom dont la composition (silicate naturel, aluminium et calcium) lui donne une coloration verte. Les Espagnols l'appelaient *piedra de hijada* (pierre contre les douleurs rénales). Ce terme devint « ejade » puis « jade » en français. Jade est un prénom mixte mais il se conjugue avant tout au féminin. En effet, ce prénom est attribué, dans 98 % des naissances, aux petites filles. La première Jade de France est née au début des années 1950, mais ce prénom n'est sorti de l'anonymat que dans les années 1970. Depuis, Jade a grandi. Elle a même enregistré une croissance fulgurante cette dernière décennie. Résultat, Jade est aujourd'hui dans le peloton des 20 prénoms français les plus attribués. Il va sans dire que sa notoriété auprès du grand public est largement acquise. On peut même estimer que ce prénom sera attribué à plus de 3 500 petites filles en France en 2005.

En dehors de l'Hexagone, les perspectives d'évolution de Jade sont, dans l'ensemble, prometteuses. Son entrée dans le top 10 québécois est le fruit d'une ascension remarquable. Sa progression est tout aussi spectaculaire en Australie et aux États-Unis. Enfin, en Italie, Giada est l'un des prénoms préférés des parents italiens. En revanche, on peut s'étonner que Jada ne soit pas plus populaire en Espagne. De plus, ce prénom enregistre une chute phénoménale en Angleterre (dans le top 80). Enfin, en Wallonie, Jade évolue dans le top 70. Elle peine à y accroître une notoriété encore modeste et récente.

Dans l'histoire, et au travers des civilisations, le jade a été utilisé de multiples manières. Tantôt bijoux, tantôt talisman protecteur, le jade a aussi été broyé pour faire des décoctions magiques. Il y a 5 000 ans, le jade était une pierre royale en Chine. Il était un symbole d'amour, de vertu et de statut. Parce que ce minéral était censé préserver les corps après leur mort, on le trouve encore dans les tombeaux d'empereurs chinois. En Amérique centrale, le jade a été utilisé pour faire des sculptures et des masques, notamment chez les Aztèques. En Europe, l'usage du jade en joaillerie remonte sans doute au XVIe siècle. **Statistique** : Jade est le 338e prénom féminin le plus attribué du XXe siècle en France. Son masculin Jade est au 2 645e rang du palmarès masculins.

Janick : Dieu fait grâce (hébreu). Ce prénom assez rare est très peu attribué aujourd'hui. Variantes : Janik, Janis, Jeanick. Caractérologie : détermination, communication, pratique, enthousiasme, organisation.

Janie : Dieu fait grâce (hébreu). Ce prénom est rare. Variante bretonne : Janig. Caractérologie : optimisme, créativité, communication, détermination, pragmatisme.

Janine : Dieu fait grâce (hébreu). Ce prénom répandu est très peu attribué aujourd'hui. Variante : Janinne. Caractérologie : ardeur, achèvement, vitalité, stratégie, résolution.

Jannick : Dieu fait grâce (hébreu). Ce prénom assez rare ne devrait pas être attribué à plus de 10 bébés en 2005. Caractérologie : vitalité, achèvement, gestion, stratégie, décision.

Jannine : Dieu fait grâce (hébreu). Ce prénom est rare. Variantes : Janina, Janinna, Janyne. Caractérologie : fiabilité, méthode, ténacité, engagement, détermination.

Janny : Dieu fait grâce (hébreu). Ce prénom est rare. Variantes : Jannie, Jeanie. Caractérologie : autorité, ambition, autonomie, innovation, énergie.

Jany : Dieu fait grâce (hébreu). Ce prénom assez rare est très peu attribué aujourd'hui. Caractérologie : découverte, audace, énergie, séduction, originalité.

Jasmine : Fleur de jasmin (perse). Ce prénom est assez répandu. Il est relativement peu attribué aujourd'hui. Tendance : en croissance modérée. Variantes : Jasmée, Jasmina. Caractérologie : ardeur, vitalité, achèvement, stratégie, détermination.

Jasone : Qui guéri (grec). Caractérologie : dynamisme, direction, audace, assurance, indépendance.

Jaya : Victorieuse (sanscrit). Caractérologie : dynamisme, direction, audace, indépendance, assurance.

Jeanine : Dieu fait grâce (hébreu). Ce prénom répandu est très peu attribué aujourd'hui. Caractérologie : ténacité, méthode, fiabilité, engagement, résolution.

Jeanne : Dieu fait grâce (hébreu). Ce prénom est très répandu. De plus, il figure dans le top 50 français aujourd'hui. Voir le zoom dédié à Jeanne. Variantes : Ioanna, Ioena, Ioenna, Janka, Janne, Jeanna. Variante basque : Xana. Caractérologie : méthode, fiabilité, ténacité, engagement, sens du devoir.

Jeanne-Marie : Prénom composé de Jeanne et de Marie. Ce prénom assez rare est très peu attribué aujourd'hui. Tendance : en croissance modérée. Caractérologie : découverte, décision, audace, énergie, originalité.

Jeannette : Dieu fait grâce (hébreu). Ce prénom répandu est très peu attribué aujourd'hui. Tendance : en forte croissance. Variantes : Janet, Jeanette. Caractérologie : méthode, ténacité, fiabilité, engagement, sens du devoir.

Jeannie : Dieu fait grâce (hébreu). Ce prénom assez rare est très peu attribué aujourd'hui. Tendance : en croissance modérée. Caractérologie : ténacité, méthode, fiabilité, engagement, résolution.

Jeannine : Dieu fait grâce (hébreu). Ce prénom est très répandu. Il est très peu attribué aujourd'hui. Caractérologie : humanité, ouverture d'esprit, rêve, rectitude, décision.

Jehanne : Dieu fait grâce (hébreu). Ce prénom est rare. Tendance : stable. Variante : Jehane. Caractérologie : communication, créativité, pragmatisme, sociabilité, optimisme.

J

103

JEANNE

Fête : 30 mai

Étymologie : forme féminine de Jean, de l'hébreu *Yohanân* : Dieu fait grâce. Le 30 mai célèbre la fête de sainte Jeanne d'Arc, la bergère la plus célèbre de France. Ce prénom fut très attribué en France au cours des siècles passés, notamment entre 1850 et 1950. Au début du XXe siècle, près de 25 000 Jeanne naissaient chaque année en France. Seule Marie, premier prénom français du XXe siècle, la devançait. Lorsque son déclin s'amorce dans les années 1930, on ne peut imaginer que la vogue de Jeanne s'arrête soudainement. C'est pourtant ce qui se produit. Le début des années 1950 marque le commencement de quarante années de disgrâce. Pendant cette période, ce prénom ne disparaît pas complètement (en 1975, sa plus mauvaise année, 147 petites Jeanne voient le jour en France). Néanmoins, son retrait est d'autant plus impressionnant que Jeanne était un prénom phare en France. C'est bien la preuve qu'aucun prénom, si grand soit-il, ne déroge à la loi qui en régit les cycles. Après ce passage obligé de quarante années, les conditions sont plus favorables à la renaissance de Jeanne. De fait, cette dernière est redécouverte dans les années 1990. Sa croissance est alors modeste mais constante. Aujourd'hui, on peut dire que cette persévérance a porté ses fruits puisque Jeanne est arrivée aux portes du top 20 français. Sauf accident, elle devrait s'imposer d'ici quelques mois dans ce palmarès. Cette renaissance s'inscrit dans la vogue qui fait revenir les prénoms rétro. Cette tendance a déjà remis au goût du jour des prénoms comme Lucie et Zoé. D'autres, comme Louise et Rose, devraient emprunter le même chemin ascendant.

Par ailleurs, notons qu'au Québec, où l'on croyait son déclin inéluctable, Jeanne est revenue par surprise dans le top 90. Elle monte davantage en Wallonie, même si sa progression dans le top 60 est encore modeste.

Sainte Jeanne d'Arc entend des voix divines alors qu'elle n'a que 13 ans. Elle part en bataille contre les Anglais et facilite ainsi le sacre de Charles VII à Reims. Elle sera malgré tout brûlée à Rouen, sur la place du marché, en 1431. Jeanne d'Arc est canonisée en 1920.
De nombreuses reines portèrent ce prénom. **Jeanne de France**, épouse de Louis XII, est devenue célèbre pour avoir fondé l'ordre des sœurs de l'Annonciation à Bourges après sa répudiation. Elle est canonisée en 1949.
Personnalité célèbre : Jeanne Moreau, actrice française.
Statistique : Jeanne est le 2e prénom féminin le plus attribué du XXe siècle en France. Marie-Jeanne est la forme composée de Jeanne la plus portée dans l'Hexagone.

Jelena : Lumière (russe). Ce prénom est très rare. Tendance : en croissance modérée. Caractérologie : réceptivité, sociabilité, loyauté, diplomatie, bonté.

Jemma : Colombe (hébreu). Ce prénom est porté par moins de 100 personnes en France. Variantes : Jema, Jemima. Caractérologie : conscience, paix, bienveillance, conseil, sagesse.

Jenna : Dieu fait grâce (hébreu). Ce prénom assez rare est relativement peu attribué aujourd'hui. Tendance : en croissance modérée. Jenna devrait figurer dans le top 10 finlandais en 2004. Variante : Jena. Caractérologie : habileté, management, force, passion, ambition.

Jennifer : Claire, douce (celte). Ce prénom répandu est relativement peu attribué aujourd'hui. Tendance : en décroissance modérée. Variante : Jenifer. Caractérologie : ouverture d'esprit, humanité, rectitude, rêve, résolution.

Jenny : Claire, douce (celte). Ce prénom est assez répandu. Il est relativement peu attribué aujourd'hui. Tendance : stable. Variante : Jennie. Caractérologie : dynamisme, curiosité, courage, indépendance, charisme.

Jennyfer : Claire, douce (celte). Ce prénom assez rare est relativement peu attribué aujourd'hui. Tendance : en croissance modérée. Variante : Jenyfer. Caractérologie : sagacité, connaissances, spiritualité, originalité, résolution.

Jéromine : Nom sacré (grec). Ce prénom est rare. Tendance : en décroissance modérée. Caractérologie : achèvement, vitalité, stratégie, volonté, résolution.

Jessica : Un présent (hébreu). Ce prénom répandu est plutôt bien attribué aujourd'hui. Tendance : en décroissance modérée. Jessica devrait figurer dans le top 10 anglais en 2004. Ce prénom est aussi un des choix préférés des parents italiens. Variante : Jessyca. Caractérologie : créativité, communication, optimisme, décision, pragmatisme.

Jessie : Un présent (hébreu). Ce prénom est assez répandu. Il est peu attribué actuellement. Tendance : stable. Caractérologie : sécurité, persévérance, structure, efficacité, décision.

Jessika : Un présent (hébreu). Ce prénom est rare. Tendance : en décroissance modérée. Caractérologie : sociabilité, résolution, réceptivité, diplomatie, loyauté.

Jessy : Un présent (hébreu). Ce prénom assez rare est peu attribué actuellement. Tendance : stable. Caractérologie : équilibre, sens des responsabilités, famille, influence, exigence.

Jezabel : Impassible (hébreu). Ce prénom est très rare. Variantes : Jésabel, Jésabelle. Caractérologie : intelligence, méditation, organisation, savoir, finesse.

Jihane : La vie sur terre (prénom arabe d'origine perse). Ce prénom assez rare est relativement peu attribué aujourd'hui. Tendance : stable. Variantes : Jihan, Jihanne. Caractérologie : sociabilité, diplomatie, réceptivité, décision, loyauté.

Jihène : La vie sur terre (prénom arabe d'origine perse). Ce prénom est très rare. Tendance : stable. Variantes : Jihen, Jihenne. Caractérologie : conscience, paix, bienveillance, décision, conseil.

J

105

Jill : Diminutif des prénoms assemblés avec Jill. Ce prénom est très rare. Tendance : en décroissance modérée. Variante : Jil. Caractérologie : savoir, intelligence, indépendance, méditation, sagesse.

Jin : Tendre, affectueuse (japonais). Caractérologie : conscience, bienveillance, conseil, paix, résolution.

Jo : Diminutif des prénoms assemblés avec Jo. Ce prénom est porté par moins de 100 personnes en France. Variante : Joe. Caractérologie : sagacité, spiritualité, connaissances, philosophie, originalité.

Joachime : Dieu a établi (hébreu). Ce prénom est porté par moins de 100 personnes en France. Variante : Joachine. Caractérologie : innovation, énergie, autorité, caractère, logique.

Joan : Dieu fait grâce (hébreu). Ce prénom est rare. Tendance : en décroissance modérée. En France, Joan est plus traditionnellement usité au Pays Basque. Variante : Joane. Caractérologie : sens du devoir, engagement, méthode, ténacité, fiabilité.

Joana : Dieu fait grâce (hébreu). Ce prénom assez rare est relativement peu attribué aujourd'hui. Tendance : stable. En France, Joana est plus traditionnellement usité en Occitanie et au Pays Basque. Caractérologie : audace, découverte, originalité, énergie, séduction.

Joanie : Dieu fait grâce (hébreu). Ce prénom est très rare. Tendance : stable. Variantes : Joannie, Joanny. Variante basque : Johanie. Caractérologie : rêve, rectitude, humanité, ouverture d'esprit, détermination.

Joanna : Dieu fait grâce (hébreu). Ce prénom est assez répandu. Il est relativement peu attribué aujourd'hui. Tendance : en décroissance modérée. Caractérologie : audace, indépendance, direction, dynamisme, assurance.

Joanne : Dieu fait grâce (hébreu). Ce prénom assez rare est très peu attribué aujourd'hui. Tendance : stable. Caractérologie : dynamisme, curiosité, courage, indépendance, charisme.

Joceline : Étymologie possible : douce princesse (germanique). Ce prénom breton est assez rare. Il ne devrait pas être attribué à plus de 10 bébés en 2005. Caractérologie : énergie, innovation, autorité, raisonnement, détermination.

Jocelyne : Étymologie possible : douce princesse (germanique). Ce prénom breton est répandu. Il est très peu attribué aujourd'hui. Tendance : en forte décroissance. Caractérologie : achèvement, vitalité, sympathie, stratégie, ardeur.

Jocya : Étymologie possible : douce princesse (germanique). Ce prénom est très rare. Variantes : Jocia, Jocie. Caractérologie : altruisme, idéalisme, intégrité, réflexion, dévouement.

Jodie : Louée, félicitée (hébreu). Ce prénom assez rare est très peu attribué aujourd'hui. Tendance : en décroissance modérée. Variante : Jody. Caractérologie : savoir, intelligence, méditation, résolution, volonté.

Joële : Dieu est Dieu (hébreu). Ce prénom assez rare ne devrait pas être attribué à plus de 10 bébés en 2005. Variantes : Joèla, Joële, Joélie, Joëlina, Joéline. Caractérologie : bonté, sociabilité, loyauté, réceptivité, diplomatie.

Joëlle : Dieu est Dieu (hébreu). Ce prénom répandu est très peu attribué aujourd'hui. Tendance : en décroissance modérée. Caractérologie : énergie, audace, originalité, découverte, séduction.

Joéva : Jupiter, jeune (latin). Ce prénom est porté par moins de 100 personnes en France. Dans l'Hexagone, Joéva est plus traditionnellement usité en Bretagne. Caractérologie : ambition, force, habileté, passion, volonté.

Johana : Dieu fait grâce (hébreu). Ce prénom assez rare est peu attribué actuellement. Tendance : en décroissance modérée. Caractérologie : fiabilité, méthode, ténacité, engagement, sens du devoir.

Johanna : Dieu fait grâce (hébreu). Ce prénom répandu est plutôt bien attribué aujourd'hui. Tendance : en décroissance modérée. Caractérologie : rectitude, humanité, ouverture d'esprit, rêve, générosité.

Johanne : Dieu fait grâce (hébreu). Ce prénom est assez répandu. Il est peu attribué actuellement. Tendance : stable. Variantes : Johane, Johannie, Johanny. Caractérologie : persévérance, sécurité, structure, honnêteté, efficacité.

Jorah : Pluie d'automne (hébreu). Variante : Jora. Caractérologie : méditation, intelligence, savoir, indépendance, sagesse.

Jordane : Descendre (hébreu). Ce prénom assez rare est très peu attribué aujourd'hui. Tendance : stable. Variantes : Jordana, Jordaine, Jordanne. Caractérologie : persévérance, structure, sécurité, décision, caractère.

José : Dieu ajoutera (hébreu). Ce prénom assez rare est très peu attribué aujourd'hui.

Caractérologie : méthode, fiabilité, sens du devoir, ténacité, engagement.

Josée : Dieu ajoutera (hébreu). Ce prénom assez rare est très peu attribué aujourd'hui. Caractérologie : humanité, rêve, ouverture d'esprit, rectitude, générosité.

Joseline : Dieu ajoutera (hébreu). Ce prénom assez rare est très peu attribué aujourd'hui. Caractérologie : achèvement, vitalité, stratégie, logique, décision.

Joselyne : Dieu ajoutera (hébreu). Ce prénom est assez répandu. Il est très peu attribué aujourd'hui. Caractérologie : paix, conscience, bienveillance, conseil, compassion.

Josépha : Dieu ajoutera (hébreu). Ce prénom assez rare est très peu attribué aujourd'hui. Tendance : stable. Variante : Joséfa. Caractérologie : intuition, médiation, adaptabilité, relationnel, fidélité.

Joséphine : Dieu ajoutera (hébreu). Ce prénom répandu est plutôt bien attribué aujourd'hui. Tendance : stable. Variantes : Fifi, Joséfine, Joséphina. Caractérologie : médiation, résolution, ressort, intuition, relationnel.

Josette : Dieu ajoutera (hébreu). Ce prénom est très répandu. Il est très peu attribué aujourd'hui. Caractérologie : structure, honnêteté, persévérance, sécurité, efficacité.

Josiane : Dieu ajoutera (hébreu). Ce prénom est très répandu. Il est très peu attribué aujourd'hui. Tendance : en décroissance modérée. Variantes : Josane, Josanne, Josine. Caractérologie : indépendance, audace, direction, dynamisme, décision.

J

107

Josianne : Dieu ajoutera (hébreu). Ce prénom est assez répandu. Il est très peu attribué aujourd'hui. Caractérologie : sens des responsabilités, équilibre, famille, détermination, influence.

Josie : Dieu ajoutera (hébreu). Ce prénom est très rare. Variantes : Josia, Jossie, Josy. Caractérologie : engagement, fiabilité, ténacité, méthode, résolution.

Josseline : Étymologie possible : douce princesse (germanique). Ce prénom breton est assez répandu. Il est très peu attribué aujourd'hui. Variante : Josce. Caractérologie : humanité, rêve, raisonnement, rectitude, détermination.

Josselyne : Étymologie possible : douce princesse (germanique). Ce prénom breton est assez rare. Il est très peu attribué aujourd'hui. Caractérologie : sympathie, sagacité, connaissances, originalité, spiritualité.

Josune : Dieu sauve (hébreu). Caractérologie : pragmatisme, communication, sociabilité, créativité, optimisme.

Josyane : Dieu ajoutera (hébreu). Ce prénom assez rare est très peu attribué aujourd'hui. Caractérologie : force, ambition, habileté, management, passion.

Joy : Allégresse (latin). Ce prénom assez rare est très peu attribué aujourd'hui. Tendance : en décroissance modérée. Caractérologie : audace, découverte, énergie, séduction, originalité.

Joyce : Allégresse (latin). Ce prénom assez rare est très peu attribué aujourd'hui. Tendance : stable. Variante : Joye. Caractérologie : ténacité, méthode, engagement, fiabilité, compassion.

Juana : Dieu fait grâce (hébreu). Ce prénom est rare. Juana est très répandu en Espagne. En France, ce prénom est plus traditionnellement usité au Pays Basque. Caractérologie : relationnel, médiation, fidélité, intuition, adaptabilité.

Judicaëlle : Seigneur généreux (breton). Ce prénom est très rare. Tendance : en décroissance modérée. Variante : Jezekela. Caractérologie : audace, indépendance, direction, décision, dynamisme.

Judith : Louée, félicitée (hébreu). Ce prénom est assez répandu. Il est relativement peu attribué aujourd'hui. Tendance : stable. Variante : Judite. Caractérologie : idéalisme, réflexion, altruisme, intégrité, organisation.

Judy : Louée, félicitée (hébreu). Ce prénom est très rare. Variante : Judie. Caractérologie : paix, conscience, bienveillance, réalisation, conseil.

Julia : De la famille romaine d'Iule (latin). Ce prénom répandu figure dans le top 100 français aujourd'hui. Tendance : stable. Julia devrait figurer dans le top 10 allemand, finlandais et suédois en 2004. Ce prénom est très répandu dans les pays hispanophones, anglophones et scandinaves. Variante occitane : Juli. Caractérologie : achèvement, stratégie, vitalité, leadership, ardeur.

Juliana : De la famille romaine d'Iule (latin). Ce prénom assez rare est relativement peu attribué aujourd'hui. Tendance : en croissance modérée. Juliana est très répandu dans les pays hispanophones. En France, ce prénom est plus traditionnellement usité en Occitanie et au Pays Basque. Variante :

Julianna. Caractérologie : indépendance, courage, dynamisme, curiosité, détermination.

Juliane : De la famille romaine d'Iule (latin). Ce prénom assez rare est peu attribué actuellement. Tendance : stable. Caractérologie : humanité, détermination, ouverture d'esprit, rectitude, rêve.

Julianne : De la famille romaine d'Iule (latin). Ce prénom est rare. Tendance : en croissance modérée. Variante : Jolianne. Caractérologie : curiosité, dynamisme, indépendance, détermination, courage.

Julie : De la famille romaine d'Iule (latin). Ce prénom est très répandu. De plus, il figure dans le top 50 français aujourd'hui. Tendance : stable. Julie devrait figurer dans le top 10 norvégien et suisse en 2004. Caractérologie : optimisme, communication, créativité, pragmatisme, décision.

Julie-Anne : Prénom composé de Julie et d'Anne. Ce prénom est très rare. Tendance : stable. Caractérologie : innovation, énergie, autorité, ambition, résolution.

Julienne : De la famille romaine d'Iule (latin). Ce prénom répandu est très peu attribué aujourd'hui. Tendance : stable. Caractérologie : rêve, ouverture d'esprit, humanité, rectitude, détermination.

Juliette : De la famille romaine d'Iule (latin). Ce prénom répandu figure dans le top 50 français aujourd'hui. Tendance : stable. Variantes : Juliet, Julietta. Caractérologie : enthousiasme, pratique, communication, organisation, détermination.

Juline : De la famille romaine d'Iule (latin). Ce prénom assez rare est relativement peu attribué aujourd'hui. Tendance : en forte croissance. Variante : Julina. Caractérologie : achèvement, vitalité, ardeur, stratégie, décision.

July : De la famille romaine d'Iule (latin). Ce prénom est rare. Tendance : stable. Caractérologie : indépendance, curiosité, dynamisme, courage, charisme.

Jun : Qui dit la vérité (chinois). Caractérologie : rectitude, humanité, générosité, ouverture d'esprit, rêve.

Juna : Jeune (breton). Caractérologie : direction, audace, dynamisme, indépendance, assurance.

June : Mois de juin (latin). Ce prénom est très rare. Tendance : en forte croissance. Variante : Junie. Caractérologie : charisme, curiosité, dynamisme, courage, indépendance.

Justine : Raisonnable (latin). Ce prénom répandu figure dans le top 50 français aujourd'hui. Tendance : stable. Variantes : Justa, Justina, Justyne. Caractérologie : force, habileté, ambition, organisation, résolution.

K
109

Kacie : Courageuse (irlandais). Variante : Kacy. Caractérologie : diplomatie, décision, sociabilité, réceptivité, gestion.

Kadia : Une cruche (hébreu). Également une variante de Khadija. Ce prénom est très rare. Tendance : stable. Variantes : Kadi, Kadiah, Khadia. Caractérologie : ambition, passion, habileté, management, force.

Kadidia : Voir Khadija. Ce prénom est très rare. Tendance : en croissance modérée. Variantes : Kady, Khady. Caractérologie : pragmatisme, créativité, optimisme, sociabilité, communication.

Kaëla : Aimée (hébreu, arabe). Caractérologie : enthousiasme, pratique, organisation, communication, adaptation.

Kahéna : Prêtresse (arabe). Voir également Kahina. Ce prénom est porté par moins de 100 personnes en France. Tendance : en décroissance modérée. Caractérologie : ténacité, engagement, fiabilité, attention, méthode.

Kahina : Prêtresse (kabyle, hébreu). À noter : l'orthographe « Kahina « est celle qui est privilégiée par les Kabyles francophones. Pour des raisons de phonétique, les Kabyles anglophones l'écrivent également « Kahena ». Ce prénom assez rare est peu attribué actuellement. Tendance : stable. Caractérologie : sensibilité, force, ambition, détermination, habileté.

Kai : Qui pardonne (japonais). Caractérologie : adaptation, pratique, enthousiasme, communication, générosité.

Kaï : Mer (hawaïen). Caractérologie : adaptation, pratique, enthousiasme, communication, générosité.

Kaïa : Pure (grec). Kaïa est une forme norvégienne de Catherine. Caractérologie : ténacité, méthode, fiabilité, engagement, sens du devoir.

Kaiko : L'enfant du pardon (japonais). Caractérologie : médiation, relationnel, fidélité, adaptabilité, intuition.

Kaïla : Couronne (hébreu). Ce prénom est porté par moins de 100 personnes en France. Tendance : stable. Caractérologie : spiritualité, sagacité, connaissances, originalité, gestion.

Kaïna : Rebelle (hébreu). Ce prénom est rare. Tendance : en croissance modérée. Caractérologie : décision, rectitude, humanité, ouverture d'esprit, rêve.

Kaira : Complète (grec). Ce prénom est porté par moins de 100 personnes en France. Caractérologie : engagement, méthode, sens du devoir, fiabilité, ténacité.

Kaléa : Clair, brillant (hawaïen). Caractérologie : pratique, gestion, adaptation, communication, enthousiasme.

Kali : Énergie (sanscrit). Dans la mythologie hindoue, Kali est l'épouse de Shiva. C'est aussi une déesse symbolisant la force vitale universelle. Ce prénom est porté par moins de 100 personnes en France. Variante : Kalie. Caractérologie : équilibre, famille, influence, gestion, sens des responsabilités.

Kalinda : Une lunette (sanscrit). Caractérologie : spiritualité, connaissances, sagacité, gestion, décision.

Kama : En or (sanscrit). Qui arrive à maturité (hébreu). Ce prénom est porté par moins de 100 personnes en France. Caractérologie : force, ambition, management, habileté, passion.

Kamara : Lune (arabe). Variantes : Kamar, Kamaria, Kamra. Caractérologie : rectitude, ouverture d'esprit, rêve, humanité, générosité.

Kameko : L'enfant tortue (japonais). À noter : la tortue est un symbole de longévité au Japon. Caractérologie : diplomatie, réceptivité, caractère, sociabilité, loyauté.

Kamelia : Jeune assistante de cérémonies (étrusque). Ce prénom est rare. Tendance : stable. Variante : Kamelya. Caractérologie : sagacité, connaissances, spiritualité, organisation, détermination.

Kamila : Parfaite, achevée (arabe). Ce prénom est très rare. Tendance : en forte croissance. Caractérologie : médiation, intuition, organisation, relationnel, fidélité.

Kana : Belle (hawaïen, japonais). Plante (hébreu). Caractérologie : idéalisme, altruisme, réflexion, dévouement, intégrité.

Kanani : Belle (hawaïen). Caractérologie : dynamisme, décision, indépendance, curiosité, courage.

Kane : D'une grande expérience (japonais). Belle (hawaïen). Caractérologie : efficacité, persévérance, structure, sécurité, honnêteté.

Kanika : Molécule (sanscrit). Se rapporte également au nom d'une fleur jaune au parfum agréable. Caractérologie : intuition, relationnel, décision, médiation, fidélité.

Kanna : D'un blanc éclatant (latin). Caractérologie : courage, dynamisme, curiosité, charisme, indépendance.

Kanoa : Liberté (hawaïen). Caractérologie : exigence, équilibre, famille, sens des responsabilités, influence.

Kany : Un son (hawaïen). Ce prénom est porté par moins de 100 personnes en France. Variante : Kani. Caractérologie : paix, bienveillance, conscience, conseil, sagesse.

Kanza : Trésor (arabe). Ce prénom est très rare. Tendance : en forte croissance. Caractérologie : stratégie, achèvement, finesse, vitalité, ardeur.

Kaoru : Parfum (japonais). Caractérologie : communication, enthousiasme, organisation, analyse, pratique.

Karelle : Pure (grec). Ce prénom est rare. Tendance : en croissance modérée. Variantes : Carelle, Karel, Karèle, Karell, Karyl. Caractérologie : innovation, énergie, autorité, gestion, décision.

Karen : Pure (grec). Ce prénom répandu est relativement peu attribué aujourd'hui. Tendance : en décroissance modérée. Karen est également un prénom arménien masculin d'origine iranienne. Caractérologie : structure, persévérance, décision, sécurité, efficacité.

Karène : Pure (grec). Ce prénom est rare. Tendance : en forte décroissance. Variantes : Kariane, Karianne. Caractérologie : rectitude, ouverture d'esprit, rêve, humanité, décision.

Karima : Bien née, généreuse (arabe). Ce prénom répandu est peu attribué actuellement. Tendance : stable. Variantes : Karama, Karem, Karema. Caractérologie : achèvement, vitalité, stratégie, ardeur, leadership.

Karin : Pure (grec). Ce prénom assez rare est très peu attribué aujourd'hui. Caractérologie : vitalité, ardeur, achèvement, décision, stratégie.

Karina : Pure (grec). Ce prénom assez rare est très peu attribué aujourd'hui. Tendance : en décroissance modérée. Caractérologie : ouverture d'esprit, rectitude, humanité, décision, rêve.

K

111

Karine : Pure (grec). Ce prénom est très répandu. Il est très peu attribué aujourd'hui. Tendance : en forte décroissance. Variante : Kareen. Caractérologie : méthode, engagement, décision, fiabilité, ténacité.

Karla : Fort et viril (germanique). Ce prénom est très rare. Tendance : en croissance modérée. En France, Karla est plus traditionnellement usité au Pays Basque. Caractérologie : originalité, sagacité, connaissances, spiritualité, gestion.

Karline : Fort et viril (germanique). Ce prénom est très rare. Tendance : en forte croissance. Caractérologie : décision, intelligence, méditation, gestion, savoir.

Kassandra : Qui aide les hommes (grec). Ce prénom assez rare est relativement peu attribué aujourd'hui. Tendance : en croissance modérée. Variantes : Kasandra, Kassandre. Caractérologie : intelligence, méditation, indépendance, décision, savoir.

Katarina : Pure (grec). Ce prénom est rare. Tendance : en croissance modérée. En France, Katarina est plus traditionnellement usité au Pays Basque. Variante : Katharina. Caractérologie : communication, enthousiasme, pratique, adaptation, décision.

Kateline : Pure (grec). Ce prénom est très rare. Tendance : stable. Variantes : Katalina, Katelina, Katerina, Kati, Katja, Kattalin, Kataline, Katelyne, Katheline, Kathelyne, Katline, Katlyne. Caractérologie : gestion, dynamisme, décision, curiosité, courage.

Katell : Pure (grec). Ce prénom assez rare est peu attribué actuellement. Tendance : en croissance modérée. En France, Katell est plus traditionnellement usité en Bretagne. Variantes : Kate, Katel. Caractérologie : méditation, indépendance, gestion, intelligence, savoir.

Katherine : Pure (grec). Ce prénom assez rare est très peu attribué aujourd'hui. Tendance : stable. En France, Katherine est plus traditionnellement usité en Alsace. Caractérologie : audace, dynamisme, direction, sensibilité, détermination.

Kathia : Pure (grec). Ce prénom assez rare est très peu attribué aujourd'hui. Tendance : stable. Caractérologie : dynamisme, courage, indépendance, charisme, curiosité.

Kathleen : Pure (grec). Ce prénom est assez répandu. Il est peu attribué actuellement. Tendance : stable. Variantes : Katheleen, Kathelyne, Kathlène, Kathline, Kathlyn, Kathlyne, Katleen. Caractérologie : méthode, fiabilité, ténacité, organisation, finesse.

Kathy : Pure (grec). Ce prénom est assez répandu. Il est très peu attribué aujourd'hui. Tendance : en décroissance modérée. Caractérologie : relationnel, intuition, fidélité, adaptabilité, médiation.

Katia : Pure (grec). Ce prénom répandu est relativement peu attribué aujourd'hui. Tendance : en décroissance modérée. Katia est très répandu dans les pays slaves. Variante : Katya. Caractérologie : famille, équilibre, influence, sens des responsabilités, exigence.

Katty : Pure (grec). Ce prénom est rare. Tendance : en forte décroissance. Variante : Kitty. Caractérologie : énergie, audace, découverte, originalité, séduction.

Katy : Pure (grec). Ce prénom est assez répandu. Il est très peu attribué aujourd'hui. Tendance : stable. Caractérologie : générosité, pratique, enthousiasme, communication, adaptation.

Kavanez : Combat (breton). Variante : Kavanin. Caractérologie : force, habileté, passion, ambition, attention.

Kay : Pure (grec). Caractérologie : audace, dynamisme, indépendance, direction, assurance.

Kaya : Heureuse, réjouie (latin, grec). En Asie, Kaya se conjugue au masculin et signifie « rocher, roc ». Variante : Kaye. Caractérologie : médiation, relationnel, fidélité, intuition, adaptabilité.

Kayna : Rebelle (hébreu). Ce prénom est très rare. Tendance : en forte croissance. Caractérologie : originalité, spiritualité, philosophie, sagacité, connaissances.

Keara : Brune (irlandais). Caractérologie : humanité, rêve, ouverture d'esprit, décision, rectitude.

Keiko : L'enfant qui respecte (japonais). Caractérologie : sens des responsabilités, famille, équilibre, exigence, influence.

Keira : Brune (irlandais). Ce prénom est très rare. Variante : Kerry. Caractérologie : force, habileté, ambition, passion, décision.

Kelila : Brune aux yeux sombres (arabe). Variante : Kalila. Caractérologie : audace, énergie, détermination, organisation, découverte.

Kellie : Contestation ou église (irlandais). Ce prénom est très rare. Tendance : en croissance modérée. Caractérologie : idéalisme, altruisme, intégrité, réflexion, dévouement.

Kelly : Contestation ou église (irlandais). Ce prénom répandu est plutôt bien attribué aujourd'hui. Tendance : en décroissance modérée. Variantes : Kaley, Kélia, Keliane, Kellia, Kelliane, Kiliane, Killiane. Caractérologie : loyauté, diplomatie, réceptivité, sociabilité, cœur.

Kendra : Celle qui est juste (anglais). Ce prénom est très rare. Tendance : en forte croissance. Variante : Kendria. Caractérologie : ardeur, achèvement, stratégie, vitalité, détermination.

Kenny : Très belle (irlandais). Ce prénom est porté par moins de 100 personnes en France. Tendance : stable. Variantes : Kena, Kenya. Caractérologie : conscience, conseil, bienveillance, sagesse, paix.

Kenza : Trésor (arabe). Ce prénom est assez répandu. Il figure dans le top 50 français aujourd'hui. Voir le zoom dédié à Kenza. Caractérologie : communication, enthousiasme, pratique, adaptation, finesse.

Kenzy : Légère (écossais). Ce prénom est porté par moins de 100 personnes en France. Variante : Kenzie. Caractérologie : idéalisme, altruisme, intégrité, réflexion, finesse.

Keren : Rayon de soleil (hébreu). Ce prénom est très rare. Tendance : stable. Caractérologie : force, habileté, passion, management, ambition.

Kerima : La fille (turc). Ce prénom est porté par moins de 100 personnes en France. Caractérologie : optimisme, pragmatisme, communication, créativité, résolution.

K

113

KENZA

Fête : Pas de fête connue

Étymologie : de l'arabe : trésor. Ce prénom est apparu pour la première fois en France en 1951. Il a pour le moins tardé à se faire connaître. Il faut en effet attendre les années 1990 pour que Kenza émerge véritablement. Cependant, aujourd'hui, on peut dire que cette étape a été franchie avec succès. Kenza est en effet l'une des nouveautés qui se fait remarquer dans l'Hexagone. Elle grandissait déjà en 2001 lorsque le premier Loft Story rendit célèbre ce prénom, porté par une des participantes. Ce couronnement médiatique a ajouté un plus à la carrière déjà florissante de Kenza. Il a aussi accéléré sa notoriété auprès du grand public. Kenza évolue maintenant dans le top 40 français. De plus, on peut s'attendre à ce que ce prénom soit attribué à plus de 1 300 enfants en 2005.

Kenza est un prénom en vogue dans la communauté musulmane de France. Cependant, c'est aussi un prénom qui plaît aux parents de tous horizons. Il faut dire que sa terminaison en « a » correspond à la mode actuelle des sonorités montantes. On peut d'ailleurs s'étonner de son absence des palmarès européens. En effet, la prononciation aisée de ce prénom devrait faciliter son intégration dans de nombreux pays. Ceci n'est sans doute qu'une question de temps. À noter : Kenzo, le masculin de Kenza, est encore peu répandu en France.

Kenza est la mère du Moulay Idris II (791-828). Ce dernier est notamment connu pour avoir fondé l'État marocain.

Statistique : Kenza est le 471ᵉ prénom féminin le plus attribué du XXᵉ siècle en France.

Keshia : Arbuste dont l'écorce produit des épices (hébreu). Ce prénom est porté par moins de 100 personnes en France. Dans certains pays d'Afrique, Keshia signifie « celle qui est favorite ». Caractérologie : ambition, décision, attention, force, habileté.

Kessy : Pure (grec). Ce prénom est très rare. Tendance : en forte croissance. Caractérologie : connaissances, spiritualité, originalité, sagacité, philosophie.

Ketsia : Arbuste dont l'écorce produit des épices (hébreu). Ce prénom est très rare. Tendance : en forte croissance. Caractérologie : sociabilité, réceptivité, détermination, loyauté, diplomatie.

Ketty : Pure (grec). Ce prénom assez rare est très peu attribué aujourd'hui. Tendance : stable. Variantes : Keti, Ketti. Caractérologie : altruisme, intégrité, idéalisme, dévouement, réflexion.

Keturah : Encens (hébreu). Variante : Ketura. Caractérologie : pratique, communication, détermination, enthousiasme, sensibilité.

Keva : Fleur de lotus (sanscrit). Caractérologie : pratique, adaptation, enthousiasme, communication, générosité.

Kevine : Belle fille (irlandais). Ce prénom est porté par moins de 100 personnes en France. Variante : Kelvine. Caractérologie : communication, pragmatisme, optimisme, créativité, sociabilité.

Keya : Fleur (sanscrit). Caractérologie : équilibre, sens des responsabilités, exigence, influence, famille.

Kezia : Arbuste dont l'écorce produit des épices (hébreu). Ce prénom est très rare. Tendance : en forte croissance. Variantes : Kesia, Keshia, Keziah. Caractérologie : connaissances, sagacité, attention, spiritualité, décision.

Khadidja : Voir Khadija. Ce prénom est rare. Tendance : stable. Variantes : Kadidja, Kadija, Khedidja. Caractérologie : générosité, adaptation, pratique, enthousiasme, communication.

Khadija : Prénom arabe. Khadija fut la première épouse du prophète et la première femme à embrasser l'islam. Ce prénom est assez répandu. Il est peu attribué actuellement. Tendance : stable. Caractérologie : ambition, force, habileté, passion, management.

Khadra : Rayonnante (arabe). Ce prénom est très rare. Caractérologie : savoir, intelligence, méditation, indépendance, sagesse.

Khalida : Éternelle (arabe). Ce prénom est très rare. Variante : Kalida. Caractérologie : innovation, énergie, autorité, gestion, ambition.

Khéira : Celle qui excelle (arabe). Ce prénom assez rare est peu attribué actuellement. Tendance : en forte croissance. Variante : Khaïra. Caractérologie : sensibilité, intelligence, savoir, méditation, détermination.

Kia : Par la grâce de Dieu (hébreu). Ce prénom est porté par moins de 100 personnes en France. Variante : Kiah. Caractérologie : optimisme, communication, créativité, sociabilité, pragmatisme.

Kiana : Prénom perse se rapportant aux quatre éléments de la vie : l'eau, la terre, le feu et l'air. Caractérologie : altruisme, intégrité, idéalisme, détermination, réflexion.

Kiara : Brune (irlandais). Ce prénom est très rare. Tendance : en forte croissance. Variantes : Kiera, Kiria, Kiriah, Kyara. Caractérologie : persévérance, structure, sécurité, efficacité, honnêteté.

Kim : Plaine royale (afrikaans). De l'or (vietnamien). Ce prénom assez rare est peu attribué actuellement. Tendance : stable. Variante : Kym. Caractérologie : influence, famille, équilibre, sens des responsabilités, exigence.

Kimberley : Plaine royale (afrikaans). Ce prénom est assez répandu. Il est relativement peu attribué aujourd'hui. Tendance : en décroissance modérée. Variante : Kimberlay. Caractérologie : dynamisme, audace, direction, indépendance, cœur.

Kimberly : Plaine royale (afrikaans). Ce prénom est rare. Tendance : en décroissance

K

115

modérée. Kimberly est le nom d'une ville d'Afrique du Sud connue pour sa richesse en kimberlites (une roche contenant des diamants). Kimberly est aussi le nom d'une mine de diamants dans laquelle furent trouvés les plus gros diamants du monde. Caractérologie : dynamisme, curiosité, courage, indépendance, sympathie.

Kimiko : L'enfant est juste (japonais). Variante : Kimi. Caractérologie : découverte, séduction, originalité, audace, énergie.

Kimy : Plaine royale (afrikaans). Ce prénom est très rare. Tendance : en forte croissance. Variante : Kimmy. Caractérologie : structure, persévérance, sécurité, honnêteté, efficacité.

Kindra : Celle qui est juste (anglais). Caractérologie : communication, décision, optimisme, créativité, pragmatisme.

Kinsey : De la même famille (anglais). Caractérologie : réceptivité, sociabilité, diplomatie, résolution, loyauté.

Kiona : Coline dorée (amérindien). Caractérologie : sociabilité, réceptivité, volonté, diplomatie, loyauté.

Kira : Soleil (perse). Kira est répandu en Russie. Variante : Kyra. Caractérologie : communication, pratique, générosité, enthousiasme, adaptation.

Kitra : Couronne (araméen). Caractérologie : curiosité, dynamisme, courage, indépendance, charisme.

Kiwa : Née sur la frontière (japonais). Caractérologie : force, ambition, habileté, passion, détermination.

Kiyo : Heureuse génération (japonais). Caractérologie : conseil, bienveillance, paix, conscience, sagesse.

Klara : Illustre (latin). Ce prénom est rare. Tendance : en forte croissance. Klara est très répandu en Allemagne. Caractérologie : indépendance, intelligence, savoir, méditation, organisation.

Klervi : Pierre précieuse, bijou (celte). Ce prénom breton est rare. Tendance : en forte croissance. Variantes : Kler, Klervia, Klervie. Caractérologie : énergie, audace, découverte, originalité, séduction.

Kohana : Petite fleur (japonais). Caractérologie : courage, dynamisme, curiosité, indépendance, sensibilité.

Koko : Cigogne (japonais). Caractérologie : intelligence, indépendance, méditation, savoir, sagesse.

Komé : Riz (japonais). Caractérologie : achèvement, vitalité, ardeur, stratégie, caractère.

Koto : Harpe (japonais). Caractérologie : sagacité, connaissances, spiritualité, originalité, philosophie.

Koulm : Un oiseau (latin). En France, Koulm est plus traditionnellement usité en Bretagne. Caractérologie : humanité, rectitude, rêve, ouverture d'esprit, générosité.

Kristel : Messie (grec). Ce prénom assez rare est très peu attribué aujourd'hui. Tendance : en forte décroissance. Variantes : Kristal, Kristèle. Caractérologie : méthode, fiabilité, ténacité, organisation, résolution.

Kristell : Messie (grec). Ce prénom assez rare est très peu attribué aujourd'hui. Tendance : en décroissance modérée.

Variante : Kristelle. Caractérologie : connaissances, résolution, spiritualité, organisation, sagacité.

Kristina : Messie (grec). Ce prénom est rare. Tendance : stable. Kristina est très répandu en Allemagne. Variantes : Kristen, Kristie, Kristiana, Kristiane, Kristine, Kristy. Caractérologie : relationnel, intuition, fidélité, résolution, médiation.

Krystal : Messie (grec). Ce prénom est très rare. Tendance : en forte croissance. Caractérologie : sagacité, connaissances, originalité, spiritualité, organisation.

Krystel : Messie (grec). Ce prénom est rare. Tendance : en forte décroissance. Variante : Krystèle. Caractérologie : réceptivité, sociabilité, décision, cœur, diplomatie.

Kuma : Ours (japonais). Caractérologie : audace, dynamisme, direction, indépendance, organisation.

Kumiko : L'enfant avec des tresses (japonais). Caractérologie : vitalité, logique, achèvement, stratégie, ardeur.

Kyla : Prairie (irlandais). Caractérologie : organisation, méthode, engagement, fiabilité, ténacité.

Kylie : Couronne (hébreu). Ce prénom est porté par moins de 100 personnes en France. Variante : Kylia. Caractérologie : force, passion, sympathie, ambition, habileté.

Kyoko : Enfant du centre, enfant de Tokyo (japonais). Caractérologie : curiosité, dynamisme, indépendance, courage, charisme.

Kyria : Une cité (hébreu). Ce prénom est porté par moins de 100 personnes en France.

Variantes : Kiria, Kiriah. Caractérologie : audace, indépendance, direction, assurance, dynamisme.

Laela : Lys (latin). Ce prénom est très rare. Variantes : Laelia, Laeliana. Caractérologie : fiabilité, méthode, sens du devoir, engagement, ténacité.

Laeticia : Allégresse (latin). Ce prénom assez rare est très peu attribué aujourd'hui. Tendance : en décroissance modérée. Caractérologie : organisation, équilibre, famille, sens des responsabilités, résolution.

Laetitia : Allégresse (latin). Ce prénom est très répandu. Il est plutôt bien attribué aujourd'hui. Tendance : en décroissance modérée. Variantes : Liesse, Tish, Tisha. Caractérologie : énergie, gestion, découverte, décision, audace.

Laïdo : De noble lignée (germanique). Caractérologie : énergie, découverte, audace, originalité, analyse.

Laïla : Née pendant la nuit (arabe). Ce prénom est assez répandu. Il est très peu attribué aujourd'hui. Tendance : stable. Caractérologie : vitalité, achèvement, stratégie, ardeur, leadership.

Lala : Allégresse (latin). Ce prénom est très rare. Tendance : en forte croissance. Variante : Lalla. Caractérologie : leadership, achèvement, stratégie, ardeur, vitalité.

Lalia : Belle parole (latin). Beau langage (grec). Ce prénom est très rare. Tendance : en croissance modérée. Caractérologie : achèvement, ardeur, stratégie, vitalité, leadership.

L

117

Lalie : Belle parole (latin). Beau langage (grec). Ce prénom est rare. Tendance : en forte croissance. Variantes : Lali, Lallie. Caractérologie : communication, résolution, pratique, enthousiasme, adaptation.

Laly : Belle parole (latin). Beau langage (grec). Ce prénom est rare. Tendance : en forte croissance. Caractérologie : audace, séduction, découverte, originalité, énergie.

Lamia : Celle qui a des lèvres sombres (arabe). Ce prénom assez rare est relativement peu attribué aujourd'hui. Tendance : en forte croissance. Variantes : Lama, Lamiae, Lamya. Caractérologie : altruisme, réflexion, intégrité, idéalisme, dévouement.

Lana : Éclat du soleil (grec). Ce prénom est rare. Tendance : en forte croissance. Variante : Laina. Caractérologie : ambition, autorité, innovation, énergie, autonomie.

Laora : Couronnée de laurier (latin). Ce prénom breton est très rare. Tendance : stable. Caractérologie : réceptivité, diplomatie, sociabilité, logique, loyauté.

Lara : Mouette (grec). Ce prénom est assez répandu. Il est relativement peu attribué aujourd'hui. Tendance : stable. Lara est très répandu en Russie. En France, ce prénom est plus traditionnellement usité en Corse et en Bretagne. Caractérologie : audace, énergie, découverte, séduction, originalité.

Larissa : Mouette (grec). Ce prénom est très rare. Tendance : stable. Larisa est un prénom est très répandu en Russie. Caractérologie : sagacité, originalité, spiritualité, philosophie, connaissances.

Laura : Couronnée de laurier (latin). Ce prénom est très répandu. De plus, il figure dans le top 50 français aujourd'hui. Voir le zoom dédié à Laura. Caractérologie : achèvement, vitalité, ardeur, leadership, stratégie.

Laurane : Couronnée de laurier (latin). Ce prénom assez rare est peu attribué actuellement. Tendance : en décroissance modérée. Variantes : Laurana, Lauriana, Laurina, Laurinda. Caractérologie : rêve, ouverture d'esprit, rectitude, humanité, décision.

Lauranne : Couronnée de laurier (latin). Ce prénom assez rare est très peu attribué aujourd'hui. Tendance : en décroissance modérée. Caractérologie : détermination, audace, découverte, originalité, énergie.

Laure : Couronnée de laurier (latin). Ce prénom répandu figure dans le top 100 français aujourd'hui. Tendance : stable. Caractérologie : adaptation, pratique, décision, communication, enthousiasme.

Laure-Anne : Prénom composé de Laure et d'Anne. Ce prénom est rare. Tendance : en décroissance modérée. Caractérologie : innovation, autorité, énergie, ambition, détermination.

Laureen : Couronnée de laurier (latin). Ce prénom est assez répandu. Il est relativement peu attribué aujourd'hui. Tendance : en croissance modérée. Caractérologie : sécurité, efficacité, persévérance, structure, résolution.

Laureline : Couronnée de laurier (latin). Ce prénom assez rare est peu attribué actuellement. Tendance : stable. Variantes : Lauralee, Lauralie, Lauraline, Laureleen, Laurelène, Laurelenn, Laurélia, Laurélie, Laurelyne, Loraline. Caractérologie : sagacité, spiritualité, connaissances, originalité, détermination.

Lauren : Couronnée de laurier (latin). Ce prénom est assez répandu. Il est peu attribué actuellement. Tendance : en décroissance

LAURA

Fête : 10 août

Étymologie : du latin *laurus* : laurier, symbole de la couronne des vainqueurs, d'où le sens : « couronnée de lauriers ». Laura est particulièrement en vogue actuellement. Sa popularité est d'autant plus remarquable qu'elle se manifeste dans de nombreux pays du monde. Laura devrait en effet évoluer dans les top 5 allemand, autrichien et finlandais, ainsi qu'en Wallonie et en Suisse romande. En plus de s'être imposée dans le top 20 italien, elle monte vite dans les pays baltes. Ce prénom figure notamment dans le top 3 de la Lettonie et de l'Estonie. Il n'y a qu'au Québec que Laura soit délaissée au profit de Laurie. Dans ce contexte, on s'étonne de constater la chute spectaculaire de ce prénom en Angleterre et au Pays de Galles, où Laura a chuté en 70ᵉ position. Il faut dire que sa sœur Lauren séduit davantage les parents anglophones. (Cette dernière se positionne dans les top 10 irlandais et américains).

Dans l'Hexagone, Laura décline depuis quelque temps. Son apogée date en effet de 1988, année de naissance de plus de 9 000 Laura. On peut donc s'étonner qu'en 2005, ce prénom se maintienne toujours dans le top 20 français, avec une place honorable de 14ᵉ. Un élément peut partiellement expliquer le succès, puis l'aura durable de ce prénom. La chanson *Laura*, interprétée dès 1986 par Johnny Hallyday influença sans nul doute le destin de cette dernière. Cette chanson rencontra en effet un succès immédiat auprès du public français. Conséquence logique, près du double de petites Laura naissaient l'année suivante en France. L'avènement de ce prénom était certes déjà en cours. Néanmoins, l'histoire retiendra que *Laura* en aura accéléré l'évolution.

Personnalité célèbre : Laura Ashley, créatrice de mode anglaise (1925-1985). Au milieu du XXᵉ siècle, elle crée avec son mari des objets de décoration et des tissus pour la maison. Ses premières lignes de papiers peints empruntent un design typique du XIXᵉ siècle. Lorsqu'elle a des enfants, elle étend sa gamme de produits aux vêtements. Elle a donné son nom aux boutiques Laura Ashley qui sont aujourd'hui implantées dans de nombreux pays.

Statistique : Laura est le 97ᵉ prénom féminin le plus attribué du XXᵉ siècle en France.

L

modérée. Lauren devrait figurer dans le top 10 anglais en 2004. Variantes : Lauraine, Laurenn, Laurenne. Caractérologie : passion, ambition, force, décision, habileté.

Laurena : Couronnée de laurier (latin). Ce prénom est rare. Tendance : en croissance modérée. Caractérologie : humanité, rêve, rectitude, résolution, ouverture d'esprit.

Laurence : Couronnée de laurier (latin). Ce prénom est très répandu. Il est très peu attribué aujourd'hui. Tendance : en décroissance modérée. Laurence devrait figurer dans le top 10 québécois en 2004. Variantes : Laurencia, Laurentia, Laurentine, Laurenza, Loredana. Caractérologie : originalité, sagacité, connaissances, décision, spiritualité.

Laurène : Couronnée de laurier (latin). Ce prénom est assez répandu. Il est relativement peu attribué aujourd'hui. Tendance : en décroissance modérée. Caractérologie : ténacité, méthode, engagement, décision, fiabilité.

Laurette : Couronnée de laurier (latin). Ce prénom est assez répandu. Il est très peu attribué aujourd'hui. Tendance : stable. Caractérologie : pratique, enthousiasme, communication, détermination, organisation.

Lauriane : Couronnée de laurier (latin). Ce prénom répandu est plutôt bien attribué aujourd'hui. Tendance : stable. Variantes : Lauriana, Lauryane. Caractérologie : réflexion, altruisme, intégrité, détermination, idéalisme.

Laurianne : Couronnée de laurier (latin). Ce prénom est assez répandu. Il est peu attribué actuellement. Tendance : stable.

Variante : Lauryanne. Caractérologie : découverte, énergie, originalité, audace, décision.

Laurie : Couronnée de laurier (latin). Ce prénom répandu figure dans le top 100 français aujourd'hui. Tendance : stable. Laurie devrait figurer dans le top 10 québécois en 2004. Caractérologie : adaptation, communication, enthousiasme, pratique, résolution.

Laurine : Couronnée de laurier (latin). Ce prénom répandu figure dans le top 100 français aujourd'hui. Tendance : en croissance modérée. Variante : Laurinne. Caractérologie : ardeur, vitalité, stratégie, achèvement, décision.

Laury : Couronnée de laurier (latin). Ce prénom est assez répandu. Il est relativement peu attribué aujourd'hui. Tendance : stable. Caractérologie : découverte, originalité, séduction, énergie, audace.

Lauryn : Couronnée de laurier (latin). Ce prénom assez rare est relativement peu attribué aujourd'hui. Tendance : en forte croissance. Caractérologie : énergie, innovation, cœur, autorité, décision.

Lauryne : Couronnée de laurier (latin). Ce prénom assez rare est relativement peu attribué aujourd'hui. Tendance : en forte croissance. Caractérologie : famille, équilibre, sens des responsabilités, décision, cœur.

Lavinia : Laver (latin). Ce prénom corse est porté par moins de 100 personnes en France. Caractérologie : audace, énergie, originalité, découverte, détermination.

Layla : Née pendant la nuit (arabe). Ce prénom est rare. Tendance : stable. Caractérologie : paix, conscience, conseil, sagesse, bienveillance.

Léa : Gazelle, vache sauvage, ou fatiguée (hébreu). Ce prénom est très répandu. De plus, il figure dans le top 50 français aujourd'hui. Voir le zoom dédié à Léa. Caractérologie : générosité, rectitude, rêve, humanité, ouverture d'esprit.

Leah : Gazelle, vache sauvage, ou fatiguée (hébreu). Ce prénom est rare. Tendance : stable. Variante : Lhéa. Caractérologie : force, habileté, management, ambition, passion.

Léa-Marie : Prénom composé de Léa et de Marie. Ce prénom est très rare. Tendance : en forte croissance. Caractérologie : détermination, dynamisme, audace, direction, indépendance.

Léana : Lion (latin). Ce prénom est assez répandu. Il figure dans le top 100 français aujourd'hui. Tendance : en forte croissance. Voir le zoom dédié à Léa. Caractérologie : paix, sagesse, bienveillance, conscience, conseil.

Léandra : Homme, lion (grec). Ce prénom est très rare. Tendance : en forte croissance. Variante : Léandre. Caractérologie : innovation, énergie, autorité, ambition, résolution.

Léane : Lion (latin). Ce prénom assez rare est plutôt bien attribué aujourd'hui. Tendance : en forte croissance. Caractérologie : indépendance, direction, assurance, audace, dynamisme.

Léanne : Lion (latin). Ce prénom est rare. Tendance : en forte croissance. Variante : Léanna. Caractérologie : sens des responsa-

bilités, famille, influence, équilibre, exigence.

Lee : Clairière (anglais). Poétique (irlandais). Beauté, jasmin (chinois). Voir Li. Ce prénom est porté par moins de 100 personnes en France. Caractérologie : sens du devoir, méthode, fiabilité, engagement, ténacité.

Leelou : Voir Lilou. Ce prénom est très rare. Tendance : en forte croissance. Variantes : Lee-Lou, Leeloo. Caractérologie : connaissances, originalité, sagacité, philosophie, spiritualité.

Leia : Lien (corse). Ce prénom est très rare. Tendance : en forte croissance. Caractérologie : rêve, humanité, détermination, rectitude, ouverture d'esprit.

Leïla : Née pendant la nuit (arabe). Ce prénom répandu est plutôt bien attribué aujourd'hui. Tendance : stable. Variante : Leïlah. Caractérologie : communication, résolution, pragmatisme, optimisme, créativité.

Leilani : Fleur du paradis (hawaïen). Variante : Lei. Caractérologie : passion, force, ambition, habileté, détermination.

Leïna : Qui s'adapte (arabe). Ce prénom est très rare. Tendance : en forte croissance. Variante : Leyna. Caractérologie : curiosité, courage, indépendance, décision, dynamisme.

Lélia : Lys (latin). Qui témoigne (grec). Ce prénom est rare. Tendance : en forte croissance. Variante : Léliane. Caractérologie : adaptation, communication, enthousiasme, pratique, décision.

Lena : Éclat du soleil (grec). Ce prénom répandu figure dans le top 50 français

L

121

aujourd'hui. Voir le zoom dédié à Lena. Variantes : Aenor, Lenna. Caractérologie : dynamisme, courage, curiosité, indépendance, charisme.

LÉA

Fête : 22 mars

Étymologie : l'origine est hébraïque, mais la signification est controversée : gazelle, vache sauvage, ou fatiguée. Ce prénom est très ancien puisque Léa fut la première femme de Jacob dans l'Ancien Testament. Bien connu en France dans les années 1900, ce prénom était alors attribué à environ 1 500 filles chaque année. Puis Léa est tombée dans l'oubli, l'année 1967 marquant son point le plus bas du XXe siècle avec seulement 29 naissances. Elle s'est bien ressaisie ces vingt dernières années en progressant de manière fulgurante. Léa culmine en tête du palmarès français depuis 1997 et se maintiendra sans doute en 1re position jusqu'en 2006. On peut également estimer que plus de 10 000 petites filles seront prénommées ainsi en France en 2005.

Ce prénom se propage également en dehors de l'Hexagone. Ainsi, Léa s'affirme chaque année davantage en Italie. Il paraît inéluctable que sa course la propulse prochainement dans le top 15 québécois. Léa vient aussi d'accéder à la première place des palmarès suisse et belge francophones. Elle devrait en outre maintenir sa position dans le top 5 allemand et le top 30 anglais. Enfin, on remarque que Leah est une variante en pleine ascension en Irlande et dans les pays scandinaves. Bien d'autres prénoms aimeraient égaler une telle renommée internationale !

Un mot enfin à propos de Léana. Ce prénom est phonétiquement proche de Léa. C'est une chance, car son ascension bénéficie de l'aura de la numéro 1 française. Si Léana poursuit sa croissance actuelle, elle évoluera vers le top 60 français avant 2006. Précisons toutefois que l'origine de ce prénom n'a rien à voir avec celle de Léa. C'est du latin que vient Léana, la lionne.

Épouse de Jacob dans la Bible, **Léa** devient mère de six garçons. Ces derniers sont les futurs ancêtres des tribus d'Israël.

Sainte Léa vit au IVe siècle à Rome. Veuve, elle distribue toute sa fortune aux pauvres avant d'entrer dans un monastère dans lequel elle termine ses jours.

Dans la littérature, **Léa** est l'héroïne du roman de Régine Deforges *La Bicyclette bleue*. Le succès de ce livre publié en 1983 a accéléré dès 1984 la croissance de Léa.

Statistique : Léa est le 92e prénom féminin le plus attribué du XXe siècle en France.

LENA

Fête : 18 août

Étymologie : du grec *hêlê* : éclat du soleil. La Lena que les Bretons connaissent est une forme abrégée d'Elena, elle-même une forme bretonne d'Hélène. Cependant, Lena est connue depuis longtemps dans les pays scandinaves, en Russie et en Allemagne comme une forme internationale d'Hélène. Aujourd'hui, Lena est de nouveau en vogue dans ces pays. En France, ce prénom a été oublié une grande partie du XXe siècle puisqu'il fut très peu attribué avant les années 1990. Toutefois, en quinze ans, Lena a largement rattrapé le temps perdu. Dès 1999, Lena dépasse la barre fatidique des 1 000 naissances répertoriées en France. Cette performance est d'autant plus importante que cette dernière établit un premier record pour le XXe siècle. Lena poursuit néanmoins sa progression. Elle le fait si bien que ce prénom pourrait être attribué à 2 000 enfants en 2005. Il faut dire que l'ascension de ce prénom coïncide avec celle des prénoms courts se terminant en « a ». De plus, son identité bretonne est une cause d'engouement supplémentaire. Gageons que Lena n'a pas fini de grandir et qu'elle rejoindra le top 40 français avant 2006.

Lena est donc bien partie pour conquérir la France. Reste à savoir combien de temps cette dernière restera méconnue au Québec. Elle commence tout juste à émerger en Wallonie (Lena est apparue dans le top 100 wallon en 2002) et elle perce en Suisse allemande. Ce parcours contraste avec celui d'Helena. Bien que la sonorité de cette dernière soit en vogue, elle perd du terrain chaque année. Il est vrai qu'en face d'une nouveauté comme Lena, la compétition est inégale. Reste Ilona, la plus grande rivale de Lena. Ce dérivé hongrois d'Hélène présente beaucoup de potentiel. D'une part, il est nouveau en France. D'autre part, sa consonance est à la fois exotique (venue de Hongrie), et dans l'air du temps (terminaison en « a »). Dans ce contexte, Ilona pourrait être attribué à plus de 1 000 filles en France en 2005. Il n'y a aucune raison que ce prénom ne perce pas dans d'autres régions francophones. D'ailleurs, sa notoriété augmente déjà en Belgique.
À noter : si Lena s'orthographie généralement sans accent, on trouve également des Léna en France.

Statistique : Lena est le 382e prénom féminin le plus attribué du XXe siècle en France. Aujourd'hui, Helena est attribué sept fois moins que Lena, trois fois moins qu'Ilona, et deux fois moins qu'Elena.

L

123

Lenaïg : Éclat du soleil (grec). Ce prénom breton est assez rare. Il est peu attribué actuellement. Tendance : en croissance modérée. Caractérologie : communication, résolution, sympathie, enthousiasme, pratique.

Lenka : Lumineux (tchèque). Ce prénom est porté par moins de 100 personnes en France. Caractérologie : organisation, connaissances, sagacité, originalité, spiritualité.

Lennie : Éclat du soleil (grec). Ce prénom est très rare. Tendance : en forte croissance. Variante : Léni. Caractérologie : charisme, dynamisme, curiosité, indépendance, courage.

Léocadie : Se rapporte au nom d'une île grecque (grec). Ce prénom assez rare est très peu attribué aujourd'hui. Tendance : en forte croissance. Caractérologie : rêve, rectitude, raisonnement, volonté, humanité.

Léoda : Peuple courageux (germanique). Ce prénom est porté par moins de 100 personnes en France. Variante : Léodie. Caractérologie : ambition, énergie, autorité, caractère, innovation.

Leokadia : Se rapporte au nom d'une île grecque (grec). Ce prénom basque est porté par moins de 100 personnes en France. Caractérologie : caractère, logique, persévérance, structure, sécurité.

Léona : Lion (latin). Ce prénom assez rare est relativement peu attribué aujourd'hui. Tendance : en forte croissance. Variante : Léola. Caractérologie : sociabilité, réceptivité, loyauté, diplomatie, bonté.

Léonarde : Forte comme un lion (latin). Ce prénom est porté par moins de 100 personnes en France. Variante : Lonnie. Caractérologie : réceptivité, diplomatie, volonté, sociabilité, analyse.

Léonce : Lion (latin). Ce prénom assez rare est très peu attribué aujourd'hui. Variante : Léoncia. Caractérologie : altruisme, idéalisme, intégrité, réflexion, dévouement.

Léone : Lion (latin). Ce prénom répandu est très peu attribué aujourd'hui. Tendance : stable. Variante : Léonia. Caractérologie : bienveillance, conscience, conseil, sagesse, paix.

Léonie : Lion (latin). Ce prénom répandu figure dans le top 100 français aujourd'hui. Tendance : en forte croissance. Variante : Léonnie. Caractérologie : influence, logique, famille, sens des responsabilités, équilibre.

Léonne : Lion (latin). Ce prénom assez rare est très peu attribué aujourd'hui. Caractérologie : médiation, fidélité, relationnel, intuition, adaptabilité.

Léonor : Compassion (grec). Ce prénom est rare. Tendance : stable. Caractérologie : spiritualité, sagacité, originalité, analyse, connaissances.

Léonore : Compassion (grec). Ce prénom assez rare est peu attribué actuellement. Tendance : stable. Variante : Léonora. Caractérologie : pragmatisme, optimisme, créativité, communication, raisonnement.

Léontine : Lion (latin). Ce prénom est assez répandu. Il est très peu attribué aujourd'hui. Tendance : en forte croissance. Variante : Léondine. Caractérologie : structure, efficacité, persévérance, sécurité, logique.

L

124

Léopoldine : Peuple courageux (germanique). Ce prénom est rare. Tendance : stable. Caractérologie : volonté, ambition, force, habileté, raisonnement.

Léora : La lumière est à moi (hébreu). Caractérologie : famille, équilibre, analyse, sens des responsabilités, résolution.

Léria : Se rapporte au nom de la cité antique Aléria (corse). Ce prénom est porté par moins de 100 personnes en France. Aléria a un passé tumultueux puisque cette cité fut conquise par les Grecs puis les Romains. C'est aujourd'hui une ville historique corse très visitée pour ses vestiges romains. Caractérologie : idéalisme, réflexion, résolution, altruisme, intégrité.

Leslie : Forteresse grise (écossais). Ce prénom répandu est plutôt bien attribué aujourd'hui. Tendance : stable. Caractérologie : habileté, passion, ambition, décision, force.

Lesly : Forteresse grise (écossais). Ce prénom assez rare est peu attribué actuellement. Tendance : en croissance modérée. Variantes : Lesley, Leslye. Caractérologie : énergie, innovation, autorité, ambition, compassion.

Léticia : Allégresse (latin). Ce prénom est rare. Tendance : stable. Caractérologie : audace, découverte, énergie, gestion, décision.

Létitia : Allégresse (latin). Ce prénom est rare. Variante : Letizia. Caractérologie : persévérance, structure, sécurité, organisation, détermination.

Lévana : La lune (hébreu). Ce prénom est très rare. Tendance : stable. Variante : Lévanah. Caractérologie : audace, dynamisme, assurance, direction, indépendance.

Lexane : Défense de l'humanité (grec). Ce prénom est très rare. Tendance : en croissance modérée. Variantes : Lexa, Lexi, Lexia, Lexie, Lexina, Lexy. Caractérologie : sagacité, spiritualité, connaissances, originalité, philosophie.

Leyla : Née pendant la nuit (arabe). Ce prénom assez rare est relativement peu attribué aujourd'hui. Tendance : en croissance modérée. Caractérologie : indépendance, audace, dynamisme, direction, cœur.

Li : Beauté, jasmin (chinois). Ce prénom est porté par moins de 100 personnes en France. À noter : Li ou Lee peut également être employé comme nom de famille (ex. : Bruce Lee, Jet Li). Dans ce cas, la signification de Li et Lee est : « prune ». Caractérologie : communication, pragmatisme, créativité, optimisme, sociabilité.

Lia : Jour de la naissance (latin). Ce prénom est rare. Tendance : en forte croissance. Caractérologie : méthode, ténacité, fiabilité, engagement, sens du devoir.

Liana : Lys (latin). Ce prénom est très rare. Tendance : en forte croissance. Caractérologie : innovation, autorité, détermination, ambition, énergie.

Liane : Lys (latin). Ce prénom est rare. Variantes : Lianne, Lyane. Caractérologie : énergie, découverte, décision, audace, originalité.

Libbie : Dieu est serment (hébreu). Variante : Libby. Caractérologie : enthousiasme, pratique, communication, générosité, adaptation.

Liberty : Liberté (anglais). Liberty est apparu en France pour la première fois en 1976. Ce prénom est porté par moins de 100 per-

L

125

sonnes en France. Variante : Liberté. Caractérologie : innovation, énergie, ambition, autorité, sympathie.

Lida : Dame (grec). Ce prénom est très rare. Lida devrait figurer dans le top 10 finlandais en 2004. Variante : Leda. Caractérologie : achèvement, stratégie, ardeur, leadership, vitalité.

Lidia : Qui vient de Lydie (Grec). Ce prénom assez rare est très peu attribué aujourd'hui. Tendance : stable. En France, Lidia est plus traditionnellement usité en Corse. Caractérologie : stratégie, vitalité, ardeur, achèvement, leadership.

Lidwine : Peuple accueillant (germanique). Ce prénom est rare. Tendance : stable. Variante : Lydwine. Caractérologie : engagement, méthode, sens du devoir, fiabilité, ténacité.

Lidy : Qui vient de Lydie (Grec). Ce prénom est très rare. En France, Lidy est plus traditionnellement usité en Alsace. Variante : Lidie. Caractérologie : courage, curiosité, dynamisme, indépendance, charisme.

Lila : Lys (latin). Ce qui m'appartient est à elle (hébreu). Lila est également une variante de Leïla. Ce prénom est assez répandu. Il est plutôt bien attribué aujourd'hui. Tendance : en forte croissance. Voir le zoom dédié à Lola. Variante : Lyla. Caractérologie : connaissances, sagacité, originalité, philosophie, spiritualité.

Lilas : Lys (latin). Ce prénom assez rare est relativement peu attribué aujourd'hui. Tendance : en forte croissance. Variante : Lilac. Caractérologie : vitalité, stratégie, achèvement, ardeur, leadership.

Lili : Lys (latin). Ce prénom assez rare est plutôt bien attribué aujourd'hui. Tendance : en forte croissance. Caractérologie : sens des responsabilités, équilibre, influence, famille, exigence.

Lilia : Lys (latin). Ce qui m'appartient est à Dieu (hébreu). Lilia est également une variante de Leïla. Ce prénom est assez répandu. Il est relativement peu attribué aujourd'hui. Tendance : en croissance modérée. Variantes : Lilias, Lilla, Lilya. Caractérologie : connaissances, spiritualité, philosophie, originalité, sagacité.

Liliana : Lys (latin). Ce prénom est rare. Tendance : stable. Caractérologie : résolution, fiabilité, méthode, ténacité, engagement.

Liliane : Lys (latin). Ce prénom répandu est très peu attribué aujourd'hui. Tendance : stable. Variantes : Lilian, Lillia, Lillian, Lilliane. Caractérologie : achèvement, stratégie, vitalité, détermination, ardeur.

Lilianne : Lys (latin). Ce prénom assez rare est très peu attribué aujourd'hui. Caractérologie : engagement, méthode, ténacité, résolution, fiabilité.

Lilly : Lys (latin). Ce prénom est rare. Tendance : en forte croissance. Variante : Lilie. Caractérologie : connaissances, sagacité, philosophie, originalité, spiritualité.

Lilou : Prénom apparu en France en 1994 et dont l'essor en 1997 coïncide avec la sortie du film de Luc Besson, Le Cinquième Élément. Ce prénom est assez répandu. Il figure dans le top 100 français aujourd'hui. Voir le zoom dédié à Lilou. Variante : Lylou. Caractérologie : famille, influence, équilibre, analyse, sens des responsabilités.

Lily : Lys (latin). Ce prénom assez rare est plutôt bien attribué aujourd'hui. Tendance : en forte croissance. Caractérologie : persévé- rance, structure, sécurité, honnêteté, efficacité.

LILOU

Fête : Pas de fête connue

Étymologie : La première Lilou est née en France en 1994. Ce prénom a donc existé avant la date de la sortie du *Cinquième Élément* de Luc Besson, en 1997. Cependant, il est évident que ce dernier a grandement contribué à l'essor de Lilou et de ses formes dérivées (Leeloo, Leelou, Lylou et Lee-lou). Les origines de Lilou ne sont pas claires. De nombreux parents qui ont choisi ou utilisent ce prénom ont envoyé leurs témoignages à MeilleursPrenoms.com. Pour certains d'entre eux, Lilou est une forme familière qui a été inventée. Elle est dans ce cas utilisée depuis longtemps pour surnommer les Amélie, Ellie, Alice, Liliane et Juliette, ainsi que d'autres prénoms comprenant le son « li ». Pour d'autres, ce prénom est le fruit de la combinaison de Lili et de Lou. Certains parents ont aussi choisi ce prénom parce qu'ils aimaient la combinaison des sons qui le composent. Enfin, une minorité de parents admet qu'ils ont été influencés par le film de Luc Besson. Il n'en demeure pas moins que Lilou présente plusieurs étymologies possibles. L'une est d'origine chinoise. « Li » est en effet une composante courante de nombreux prénoms chinois qui signifie au féminin : « belle » ou « jasmin ». Une autre étymologie possible puise ses origines dans les pays anglophones. En effet, la composante « li » correspond également à celle du prénom anglophone « Lee ». Ce dernier pourrait venir de l'anglais et signifier : « clairière », ou bien avoir des racines irlandaises avec le sens : « poétique ». Enfin, le « Lou » de Lilou devrait signifier « illustre au combat » puisque Lou est une forme dérivée de Louise. Mais des origines celtiques moins connues lui donnent le sens plus symbolique de « lumière ». C'est précisément cette image symbolique qui est incarnée par Lilou dans *Le Cinquième Élément*. On peut estimer que ce prénom sera attribué à plus de 1 000 petites filles en France en 2005. Ceci pourrait permettre à Lilou de figurer parmi les 60 prénoms les plus choisis par les parents français.
Notons qu'en dehors de l'Hexagone, la notoriété de Lilou est d'ordre confidentiel. C'est avec la plus grande discrétion que Lilou commence à apparaître en Wallonie et au Québec.

Statistique : Lilou est le 1 016ᵉ prénom féminin le plus attribué du XXᵉ siècle en France.

L

127

Lily-Rose : Combinaison des prénoms Lily et de Rose. Ce prénom assez rare est relativement peu attribué aujourd'hui. Voir le zoom dédié à Rose. Variante : Lili-Rose. Caractérologie : compassion, intelligence, savoir, méditation, raisonnement.

Lina : Messagère (grec). Cascade (anglais). Souple (arabe). Ce prénom répandu figure dans le top 100 français aujourd'hui. Tendance : en forte croissance. Caractérologie : humanité, rêve, ouverture d'esprit, décision, rectitude.

Linda : Belle (espagnol). Ce prénom répandu est relativement peu attribué aujourd'hui. Tendance : stable. Caractérologie : fiabilité, méthode, résolution, ténacité, engagement.

Lindsay : Terres de Lincoln (vieil anglais). Ce prénom est assez répandu. Il est relativement peu attribué aujourd'hui. Tendance : stable. Variantes : Linsay, Linsey. Caractérologie : pratique, sympathie, communication, enthousiasme, réalisation.

Lindsey : Terres de Lincoln (vieil anglais). Ce prénom est rare. Tendance : en croissance modérée. Traditionnellement masculin en Écosse, ce prénom y est toujours attribué aux garçons. En revanche, en dehors des fontières écossaises, Lindsey est devenu exclusivement féminin. Caractérologie : intelligence, savoir, méditation, réussite, cœur.

Lindy : Belle (espagnol). Ce prénom est très rare. Tendance : stable. Caractérologie : énergie, compassion, ambition, innovation, autorité.

Line : Messagère (grec). Cascade (anglais). Ce prénom est assez répandu. Il est relative-

ment peu attribué aujourd'hui. Tendance : en forte croissance. Caractérologie : sécurité, persévérance, efficacité, structure, honnêteté.

Lio : Jour de la naissance (latin). Ce prénom est porté par moins de 100 personnes en France. Caractérologie : intégrité, réflexion, idéalisme, raisonnement, altruisme.

Lior : La lumière est à moi (hébreu). Ce prénom est porté par moins de 100 personnes en France. Variantes : Liora, Liorah. Caractérologie : analyse, humanité, rectitude, rêve, ouverture d'esprit.

Lisa : Dieu est serment (hébreu). Ce prénom répandu figure dans le top 50 français aujourd'hui. Voir le zoom dédié à Lisa. Variantes : Liesel, Lis, Lisanne, Lisenn. Caractérologie : curiosité, dynamisme, courage, indépendance, charisme.

Lisa-Marie : Prénom composé de Lisa et de Marie. Ce prénom est rare. Tendance : stable. Caractérologie : famille, sens des responsabilités, équilibre, influence, résolution.

Lisandra : Dieu est serment (hébreu). Ce prénom est porté par moins de 100 personnes en France. Tendance : stable. Variantes : Lisandre, Lissandra, Lissandre, Lysandra. Caractérologie : décision, bienveillance, paix, conseil, conscience.

Lisbeth : Dieu est serment (hébreu). Ce prénom est très rare. En dehors de la France, Lisbeth est particulièrement répandu en Allemagne. Variantes : Lizbeth, Lysbeth. Caractérologie : résolution, finesse, communication, pratique, enthousiasme.

LISA

Fête : 17 novembre

Étymologie : Diminutif d'Elizabeth, de l'hébreu *elisheba* : Dieu est ma demeure. Ce diminutif d'Élisabeth est assez présent dans la plupart des pays européens et anglophones. Il monte notamment en Suède, et devrait se maintenir dans le top 10 allemand et le top 5 autrichien. Ce prénom est couramment attribué en Italie mais il progresse aussi dans le top 20 wallon. Tel n'est pas son cas en Suisse romande : Lisa s'apprête à quitter le top 20 de ce palmarès. On note qu'en dehors des frontières européennes, sa notoriété est très discrète au Québec et dans les pays anglophones.

Dans l'Hexagone, ce prénom a été peu attribué sur l'ensemble du XXe siècle. Il a fallu attendre les années 1970 pour que Lisa s'affirme. Cette dernière a depuis confirmé ses ambitions ; sa croissance est telle qu'elle est sur le point d'entrer dans le top 10 français. On peut même estimer que ce prénom sera attribué à plus de 4 000 bébés en France en 2005. Comment expliquer une telle évolution ? Le succès d'Élisa et la montée récente de Louise contribuent à la bonne fortune de Lisa qui leur est phonétiquement proche. De plus, Lisa est un prénom court qui se termine en « a », ce qui l'inscrit dans la lignée des sonorités de prénoms les plus recherchés actuellement. Enfin, la percée de Lisa s'inscrit dans la vogue des prénoms anciens ou rétro dont Emma est la porte-parole. Lisa devrait poursuivre son ascension avec d'autres prénoms de la période rétro comme Jeanne, Lucie, Rose et Zoé.

Personnalités célèbres : Lisa Minelli, chanteuse et actrice américaine. Lisa Kudrow, actrice américaine (alias Phoebe dans *Friends*).
Art : le tableau de *Mona Lisa*, de Léonard de Vinci, est sans doute le portrait le plus célèbre au monde.
Statistique : Lisa est le 219e prénom féminin le plus attribué du XXe siècle en France.

L

Lise : Dieu est serment (hébreu). Ce prénom répandu figure dans le top 100 français aujourd'hui. Tendance : en croissance modérée. Caractérologie : réflexion, intégrité, idéalisme, décision, altruisme.

Lise-Marie : Prénom composé de Lise et de Marie. Ce prénom est rare. Tendance : en décroissance modérée. Caractérologie : direction, dynamisme, audace, indépendance, résolution.

Lison : Dieu est serment (hébreu). Ce prénom assez rare est relativement peu attribué aujourd'hui. Tendance : en croissance modérée. Caractérologie : paix, conscience, détermination, bienveillance, raisonnement.

Liv : Vie (norvégien, scandinave). Ce prénom est porté par moins de 100 personnes en France. Tendance : stable. Caractérologie : indépendance, intelligence, sagesse, savoir, méditation.

Livia : Se rapporte aux olives (latin). Ce prénom assez rare est très peu attribué aujourd'hui. Tendance : stable. Variante : Livie. Caractérologie : leadership, vitalité, ardeur, achèvement, stratégie.

Liza : Dieu est serment (hébreu). Ce prénom assez rare est relativement peu attribué aujourd'hui. Tendance : en croissance modérée. En France, Liza est plus traditionnellement usité en Bretagne. Caractérologie : pragmatisme, communication, créativité, sociabilité, optimisme.

Lizzie : Dieu est serment (hébreu). Ce prénom est très rare. Tendance : en forte croissance. Variante : Liz. Caractérologie : paix, bienveillance, conscience, conseil, sagesse.

Loan : Lumière (celte). Voir Loane. Ce prénom est très rare. Tendance : en forte croissance. Variante : Loann. Caractérologie : influence, équilibre, famille, sens des responsabilités, exigence.

Loana : Lumière (celte). Voir Loane. Ce prénom est rare. Tendance : en forte croissance. Variantes : Loanna, Lohana. Caractérologie : savoir, sagesse, intelligence, méditation, indépendance.

Loane : Lumière (celte). Ce prénom assez rare est relativement peu attribué aujourd'hui. Tendance : en forte croissance. En France, Loane est plus traditionnellement usité en

Bretagne. Variante : Lohane. Caractérologie : fidélité, médiation, relationnel, adaptabilité, intuition.

Loanne : Lumière (celte). Voir Loane. Ce prénom est rare. Tendance : en forte croissance. Caractérologie : intelligence, sagesse, savoir, indépendance, méditation.

Lobna : Arbuste (arabe). Ce prénom est très rare. Tendance : en décroissance modérée. Caractérologie : force, organisation, passion, ambition, habileté.

Loeiza : Illustre au combat (germanique). Ce prénom breton est très rare. Tendance : en forte croissance. Variante : Lizig. Caractérologie : énergie, résolution, analyse, découverte, audace.

Loélia : Clef (latin). Ce prénom est très rare. Tendance : en forte croissance. Caractérologie : rêve, rectitude, humanité, analyse, résolution.

Loéva : Ce prénom inventé est apparu en France dans les années 1970. Ce prénom est très rare. Tendance : en forte croissance. Caractérologie : énergie, ambition, autorité, innovation, volonté.

Logane : Prairie (irlandais). Ce prénom est très rare. Tendance : en forte croissance. Variante : Logan. Caractérologie : sympathie, rectitude, humanité, ouverture d'esprit, rêve.

Loïcia : Illustre au combat (germanique). Ce prénom breton est très rare. Tendance : en forte croissance. Variante : Loïca. Caractérologie : structure, persévérance, sécurité, logique, efficacité.

Loïs : Illustre au combat (germanique). Ce prénom assez rare est peu attribué actuellement. Tendance : en croissance modérée. Caractérologie : innovation, autorité, analyse, ambition, énergie.

Loïse : Illustre au combat (germanique). Ce prénom est rare. Tendance : en croissance modérée. Variante occitane : Loïsa. Caractérologie : équilibre, famille, sens des responsabilités, logique, décision.

Lola : Douleur (espagnol). Ce prénom répandu figure dans le top 50 français aujourd'hui. Voir le zoom dédié à Lola. Variantes : Loli, Lolie, Loly. Caractérologie : structure, sécurité, persévérance, honnêteté, efficacité.

Lolita : Douleur (espagnol). Ce prénom est assez répandu. Il est plutôt bien attribué aujourd'hui. Tendance : en croissance modérée. Caractérologie : paix, bienveillance, conscience, organisation, raisonnement.

Lona : Solitude (anglais). Ce prénom est très rare. Tendance : en forte croissance. Caractérologie : sens des responsabilités, équilibre, exigence, famille, influence.

Loona : Amour (germanique). Ce prénom est très rare. Tendance : en forte croissance. Caractérologie : enthousiasme, pratique, générosité, communication, adaptation.

Lora : Couronnée de laurier (latin). Ce prénom est rare. Tendance : en forte croissance. Caractérologie : énergie, autorité, ambition, analyse, innovation.

Lorea : Fleur (basque). Ce prénom est très rare. Tendance : en croissance modérée. Variante : Lore. Caractérologie : décision, paix, logique, conscience, bienveillance.

Lorelei : Attirante (germanique). Dans la mythologie germanique, Lorelei est une sirène qui enchante les marins naviguant sur le Rhin. Ce prénom assez rare est peu attribué actuellement. Tendance : stable. Variantes : Loreley, Lorelie. Caractérologie : persévérance, structure, logique, efficacité, sécurité.

Loren : Couronnée de laurier (latin). Ce prénom est rare. Tendance : stable. Caractérologie : innovation, autorité, ambition, énergie, logique.

Lorena : Couronnée de laurier (latin). Ce prénom assez rare est relativement peu attribué aujourd'hui. Tendance : en croissance modérée. Caractérologie : relationnel, intuition, médiation, logique, décision.

Lorène : Couronnée de laurier (latin). Ce prénom est assez répandu. Il est peu attribué actuellement. Tendance : en décroissance modérée. Variantes : Loraine, Loreen, Lorenne. Caractérologie : bienveillance, paix, raisonnement, conseil, conscience.

Lorenza : Couronnée de laurier (latin). Ce prénom est très rare. Tendance : en forte croissance. En France, Lorenzo est plus traditionnellement usité au Pays Basque. Caractérologie : détermination, énergie, raisonnement, autorité, innovation.

Lorette : Couronnée de laurier (latin). Ce prénom assez rare est peu attribué actuellement. Tendance : en croissance modérée. Caractérologie : dynamisme, curiosité, courage, analyse, indépendance.

Loriana : Couronnée de laurier (latin). Ce prénom est très rare. Tendance : en forte croissance. Variante : Lauriana. Caractérologie : détermination, savoir, intelligence, raisonnement, méditation.

L

131

LOLA

Fête : 15 septembre

Étymologie : forme dérivée de Dolorès, du latin *dolor* : douleur. Originaire d'Espagne, le prénom Dolorès a été peu attribué en France au cours du XXᵉ siècle. Même lors de son apogée, dans les années 1960, ce prénom n'était guère plus attribué que 300 fois par an. Il n'est donc pas étonnant que Dolorès sombre dans l'oubli aujourd'hui. Tel n'est pas le cas de Lola, son dérivé, qui grimpe en flèche vers la célébrité depuis cinq ans. À ce rythme, Lola devrait vite s'imposer dans le top 30 français, loin devant Lili(y) et Lilou. En terme de naissances, ce succès devrait se traduire par la naissance de quelque 2 000 Lola en 2005. Quel est donc le secret de Lola ? D'une part, l'essor de ce prénom peut s'expliquer par la vogue des sonorités plutôt courtes qui se terminent par un « a ». D'autre part, les nouveaux prénoms ont la cote en ce moment. Or Lola est une nouveauté puisqu'elle a été réellement découverte il y a moins de vingt ans. Enfin, le succès de ce prénom est sans doute lié à sa popularité en Espagne. Lola ne serait d'ailleurs pas le premier prénom espagnol qui perce aujourd'hui en France. Le triomphe d'Inès et de Mateo en est la preuve irréfutable.

En dehors des frontières hexagonales ou espagnoles, ce prénom reste de notoriété plutôt discrète. Dans les régions francophones, Lola est très rare au Québec, mais elle progresse en Belgique. Elle vient en effet d'entrer dans le top 30 wallon où elle devrait poursuivre sa croissance solide.

Pour terminer, mentionnons Lila, un prénom phonétiquement proche de Lola et qui grandit très vite en France. Malgré une notoriété encore discrète, soulignons que plus de 4 000 personnes se prénomment Lila en France. En 2005, ce prénom pourrait être attribué à environ 500 petites Françaises.

Lola Montès est une courtisane célèbre de la fin du XIXᵉ siècle. Elle fait chavirer bien des cœurs à la cour de Louis Iᵉʳ de Bavière. Malheureusement, son idylle avec Louis Iᵉʳ fait scandale et elle est chassée du royaume. Recueillie par un cirque de la Nouvelle-Orléans, elle devra se contenter d'une vie d'artiste dont le rôle sera peu valorisant. Elle a inspiré Cecil de Saint Laurent à écrire un livre sur sa vie, *Lola Montès*. De plus, le réalisateur allemand Max Ophuls lui dédie le film *Lola Montès* en 1955.

Statistique : Lola est le 370ᵉ prénom féminin le plus attribué du XXᵉ siècle en France.

Loriane : Couronnée de laurier (latin). Ce prénom assez rare est relativement peu attribué aujourd'hui. Tendance : stable. Variantes : Lorane, Lorianne, Loryane. Caractérologie : réceptivité, sociabilité, analyse, diplomatie, résolution.

Lorie : Couronnée de laurier (latin). Ce prénom assez rare est relativement peu attribué aujourd'hui. Tendance : en forte croissance. Variantes : Lori, Lorrie. Caractérologie : dynamisme, courage, raisonnement, indépendance, curiosité.

Lorine : Couronnée de laurier (latin). Ce prénom assez rare est relativement peu attribué aujourd'hui. Tendance : en croissance modérée. Variantes : Lorina, Lorinda, Lorinne, Loryne. Caractérologie : dynamisme, direction, indépendance, audace, raisonnement.

Lorna : Couronnée de laurier (latin). Ce prénom est rare. Tendance : en forte croissance. Caractérologie : sens des responsabilités, décision, équilibre, famille, logique.

Lorraine : Couronnée de laurier (latin). Ce prénom est assez répandu. Il est très peu attribué aujourd'hui. Tendance : en décroissance modérée. Variante : Loraine. Caractérologie : médiation, résolution, intuition, analyse, relationnel.

Lory : Couronnée de laurier (latin). Ce prénom est rare. Tendance : en forte croissance. Caractérologie : sagacité, connaissances, originalité, spiritualité, raisonnement.

Lotus : Désigne les nénuphars d'Afrique et d'Asie (grec). Caractérologie : conseil, conscience, organisation, bienveillance, paix.

Lou : Illustre au combat (germanique). Lumière (celte). Ce prénom est assez répandu. Il figure dans le top 100 français aujourd'hui. Tendance : en forte croissance. Lou figure dans le palmarès des prénoms mixtes. Pour en savoir plus, voir cet article. Caractérologie : créativité, optimisme, sociabilité, communication, pragmatisme.

Louana : Forme contractée de Lou-Anna, ou lumière (celte). Ce prénom est rare. Tendance : en forte croissance. Caractérologie : énergie, innovation, autonomie, autorité, ambition.

Louane : Forme contractée de Lou-Anne, ou lumière (celte). Ce prénom assez rare est plutôt bien attribué aujourd'hui. Tendance : en forte croissance. Variante : Louann. Caractérologie : dynamisme, curiosité, charisme, courage, indépendance.

Lou-Ann : Prénom composé de Lou et d'Ann. Ce prénom assez rare est plutôt bien attribué aujourd'hui. Tendance : en forte croissance. Variante : Lou-Anna. Caractérologie : découverte, énergie, originalité, séduction, audace.

Louanne : Forme contractée de Lou-Anne, ou lumière (celte). Ce prénom assez rare est relativement peu attribué aujourd'hui. Tendance : en forte croissance. Caractérologie : innovation, énergie, autorité, autonomie, ambition.

Lou-Anne : Prénom composé de Lou et d'Anne. Ce prénom assez rare est plutôt bien attribué aujourd'hui. Tendance : en forte croissance. Caractérologie : indépendance, direction, audace, assurance, dynamisme.

L

133

Loubna : Arbuste (arabe). Ce prénom assez rare est relativement peu attribué aujourd'hui. Tendance : stable. Caractérologie : fidélité, relationnel, intuition, organisation, médiation.

Louisa : Illustre au combat (germanique). Ce prénom est assez répandu. Il est relativement peu attribué aujourd'hui. Tendance : en croissance modérée. Caractérologie : audace, découverte, énergie, raisonnement, originalité.

Louise : Illustre au combat (germanique). Ce prénom est très répandu. De plus, il figure dans le top 50 français aujourd'hui. Tendance : en croissance modérée. Caractérologie : rêve, humanité, rectitude, analyse, résolution.

Louise-Anne : Prénom composé de Louise et d'Anne. Ce prénom est très rare. Tendance : en forte croissance. Caractérologie : connaissances, sagacité, spiritualité, détermination, raisonnement.

Louisette : Illustre au combat (germanique). Ce prénom répandu est très peu attribué aujourd'hui. Caractérologie : idéalisme, altruisme, intégrité, analyse, résolution.

Louisiane : Illustre au combat (germanique). Ce prénom est rare. Tendance : stable. Variantes : Louisane, Louisianne. Caractérologie : décision, paix, bienveillance, conscience, logique.

Louison : Illustre au combat (germanique). Ce prénom est rare. Tendance : en forte croissance. Caractérologie : décision, bienveillance, paix, conscience, logique.

Louiza : Illustre au combat (germanique). Ce prénom est rare. Tendance : en forte crois-sance. Caractérologie : créativité, optimisme, pragmatisme, communication, raisonnement.

Louka : Lumière (latin). Ce prénom est porté par moins de 100 personnes en France. Tendance : en forte croissance. Caractérologie : famille, équilibre, influence, sens des responsabilités, gestion.

Loula : Combinaison de Lou et de Lola. Ce prénom est très rare. Tendance : stable. Caractérologie : savoir, intelligence, indépendance, méditation, sagesse.

Louna : Heureuse, exaltée (hawaïen). Ce prénom est assez répandu. Il figure dans le top 100 français aujourd'hui. Tendance : en forte croissance. À noter : Louna est aussi en vogue dans les communautés musulmanes de France. Ce prénom est en effet souvent rapporté à Lounja, héroïne populaire d'un conte arabe ancien. Caractérologie : intégrité, altruisme, dévouement, idéalisme, réflexion.

Lourdes : Nom de la célèbre ville située au sud-ouest de la France. Lourdes est une grande destination de pèlerinages. Ce prénom est très rare. Pour l'anecdote, notons que Madonna a prénommé sa fille ainsi. Variante basque : Lurdes. Caractérologie : caractère, ténacité, logique, méthode, fiabilité.

Lovely : Charmante, jolie (anglais). Ce prénom est très rare. Tendance : stable. Caractérologie : innovation, autorité, compassion, énergie, volonté.

Lovita : Joie (latin). Caractérologie : intelligence, savoir, organisation, analyse, méditation.

Luan : Intelligente (vietnamien). Lumière (celte). Ce prénom est porté par moins de 100 personnes en France. Tendance : en forte croissance. Caractérologie : enthousiasme, pratique, communication, adaptation, générosité.

Luana : Heureuse, exaltée (hawaïen). Luana est également une variante de Louana. Ce prénom assez rare est relativement peu attribué aujourd'hui. Tendance : en forte croissance. Variantes : Luane, Luann, Luanna, Luanne. Caractérologie : fiabilité, méthode, sens du devoir, ténacité, engagement.

Luba : Amour (tchèque, russe). Ce prénom est porté par moins de 100 personnes en France. Caractérologie : intégrité, gestion, altruisme, réflexion, idéalisme.

Luce : Lumière (latin). Ce prénom est assez répandu. Il est très peu attribué aujourd'hui. Tendance : en croissance modérée. Caractérologie : audace, découverte, énergie, séduction, originalité.

Lucia : Lumière (latin). Ce prénom est assez répandu. Il est très peu attribué aujourd'hui. Tendance : stable. Lucia est très répandu en Italie. En France, ce prénom est plus traditionnellement usité en Corse. Caractérologie : autorité, énergie, ambition, innovation, autonomie.

Luciana : Lumière (latin). Ce prénom est très rare. Tendance : en forte croissance. Variantes : Luciane, Lucianne, Lucine. Caractérologie : intelligence, savoir, décision, indépendance, méditation.

Lucie : Lumière (latin). Ce prénom est très répandu. De plus, il figure dans le top 50

français aujourd'hui. Voir le zoom dédié à Lucie. Caractérologie : énergie, découverte, séduction, audace, originalité.

Lucienne : Lumière (latin). Ce prénom est très répandu. Il est très peu attribué aujourd'hui. Caractérologie : réceptivité, diplomatie, loyauté, bonté, sociabilité.

Lucile : Lumière (latin). Ce prénom répandu est plutôt bien attribué aujourd'hui. Tendance : stable. Variantes : Lucilia, Lucylle. Caractérologie : stratégie, vitalité, achèvement, leadership, ardeur.

Lucille : Lumière (latin). Ce prénom est assez répandu. Il est relativement peu attribué aujourd'hui. Tendance : stable. Caractérologie : relationnel, intuition, adaptabilité, médiation, fidélité.

Lucinda : Lumière (latin). Ce prénom est rare. Tendance : en forte croissance. Variantes : Lucinde, Lucynda. Caractérologie : autorité, innovation, résolution, ambition, énergie.

Lucrèce : Étymologie controversée. Vierge martyre à Mérida, Espagne au IVe siècle. Ce prénom est rare. Tendance : stable. Caractérologie : structure, efficacité, sécurité, honnêteté, persévérance.

Lucy : Lumière (latin). Ce prénom est assez répandu. Il est plutôt bien attribué aujourd'hui. Tendance : en croissance modérée. Lucy devrait figurer dans le top 10 anglais en 2004. Caractérologie : sagacité, spiritualité, connaissances, philosophie, originalité.

Ludivine : Peuple accueillant (germanique). Ce prénom répandu est plutôt bien attribué aujourd'hui. Tendance : en décroissance modérée. Variante : Ludyvine. Caractéro-

L

135

LUCIE

Fête : 13 décembre

Étymologie : forme féminine dérivée de Luc, du latin : lumière. Ce prénom porté par nos grand-mères a été très en vogue à la fin du XIXᵉ siècle et dans les années 1900. Or aujourd'hui il fait de nouveau parler de lui. On peut en effet estimer que l'état civil français enregistrera la naissance de plus de 4 000 Lucie en 2005. Il est encore trop tôt pour prédire que Lucie dépassera son niveau de popularité atteint en 1901. Cette année-là, ce prénom a été donné à 5 437 petites filles, un record jamais égalé jusqu'en ce début de XXIᵉ siècle. Quoi qu'il en soit, Lucie est revenue sur les devants de la scène et sa croissance solide indique qu'elle n'a pas encore atteint son apogée. En attendant mieux, Lucie devrait pouvoir s'imposer dans le top 10 français dès 2005. Ce prénom s'inscrit dans la grande vogue des prénoms rétro qui fait la gloire d'Emma et le bonheur de Jeanne, Rose et Zoé.

Dans la zone francophone, Lucie suit un parcours contrasté. Très rare au Québec, ce prénom décline du top 20 suisse romand. En revanche, il monte en Belgique vers le top 10 wallon. Par ailleurs, c'est en Tchécoslovaquie que Lucie se fait le plus remarquer en évoluant parmi les 5 prénoms qui y sont les plus attribués. Quoique modestement attribué aujourd'hui, Lucia est un prénom très répandu en Italie et en Espagne. Notons enfin que la forme Lucy grimpe elle aussi en Australie et dans le top 10 anglais. Elle se propage lentement en France.

Sainte Lucie est née en 286 à Syracuse, en Sicile. Chrétienne, elle meurt martyre en 304. Ses reliques se trouvent à Venise, dans l'église de Sainte Lucie. Elle est la patronne des électriciens. Elle est également invoquée pour la santé des yeux.
Santa Lucia. Tous les 13 décembre de l'année, lors de la nuit la plus longue de l'hiver, les Suédois célèbrent la sainte Lucie, fête de la lumière.
Personnalité célèbre : Lucie Aubrac, héroïne de la résistance. Pendant l'occupation allemande, elle devient la spécialiste des évasions de résistants (elle fait notamment libérer son mari Raymond Aubrac). Elle est l'auteur de plusieurs ouvrages sur ce sujet, dont *Ils partiront dans l'ivresse*. Ce livre a inspiré Claude Berri pour son film *Lucie Aubrac*, sorti sur les écrans en 1997.
Statistique : Lucie est le 54ᵉ prénom féminin le plus attribué du XXᵉ siècle en France.

logie : famille, exigence, sens des responsabilités, équilibre, influence.

Ludmila : Aimée du peuple (slave). Ce prénom est rare. Tendance : stable. Caractérologie :

intégrité, dévouement, réflexion, idéalisme, altruisme.

Ludmilla : Aimée du peuple (tchèque, russe). Ce prénom est rare. Tendance : en croissance modérée. Caractérologie : optimisme, communication, pragmatisme, sociabilité, créativité.

Ludovica : Illustre au combat (germanique). Ce prénom est porté par moins de 100 personnes en France. Dans l'Hexagone, Ludovica est plus traditionnellement usité dans les Flandres. Caractérologie : sens des responsabilités, équilibre, raisonnement, influence, famille.

Luigia : Illustre au combat (germanique). Ce prénom est très rare. Variante : Luigie. Caractérologie : indépendance, dynamisme, courage, curiosité, charisme.

Luisa : Illustre au combat (germanique). Ce prénom assez rare est très peu attribué aujourd'hui. Tendance : en croissance modérée. Luisa est très répandu dans les pays hispanophones. En France, ce prénom est plus traditionnellement usité en Alsace et au Pays Basque. Variante : Luiza. Caractérologie : ambition, force, passion, habileté, management.

Luna : Qui se rapporte à la lune (latin). Ce prénom est assez répandu. Il figure dans le top 100 français aujourd'hui. Tendance : en forte croissance. Variante : Lune. Caractérologie : adaptation, enthousiasme, communication, générosité, pratique.

Ly : Nom de famille répandu au Viêt Nam. La famille des Ly a également été à la tête de la dynastie du même nom (vietnamien). Ce prénom est très rare. Caractérologie : auto-nomie, ambition, autorité, énergie, innovation.

Lya : Jour de la naissance (latin). Ce prénom est très rare. Tendance : en forte croissance. Caractérologie : diplomatie, sociabilité, réceptivité, loyauté, bonté.

Lycia : De noble lignée (germanique). Ce prénom est très rare. Tendance : en forte croissance. Variante : Licia. Caractérologie : courage, charisme, indépendance, dynamisme, curiosité.

Lydia : Qui vient de Lydie (grec). Ce prénom répandu est relativement peu attribué aujourd'hui. Tendance : stable. Caractérologie : famille, réalisation, équilibre, sens des responsabilités, influence.

Lydiane : Qui vient de Lydie (grec). Ce prénom est rare. Tendance : stable. Variante : Lydianne. Caractérologie : sagacité, sympathie, connaissances, spiritualité, réalisation.

Lydie : Qui vient de Lydie (grec). Ce prénom répandu est relativement peu attribué aujourd'hui. Tendance : stable. Caractérologie : innovation, ambition, autorité, énergie, compassion.

Lygie : Désigne une ancienne région de Pologne (polonais). Ce prénom est porté par moins de 100 personnes en France. Caractérologie : fiabilité, méthode, ténacité, cœur, engagement.

Lylia : Lys (latin). Ce prénom est rare. Tendance : en forte croissance. Caractérologie : dynamisme, indépendance, curiosité, charisme, courage.

Lyliane : Lys (latin). Ce prénom assez rare est très peu attribué aujourd'hui. Variantes :

L

137

Lylian, Lylianne. Caractérologie : équilibre, sens des responsabilités, famille, compassion, détermination.

Lyna : Cascade (anglais). Ce prénom assez rare est relativement peu attribué aujourd'hui. Tendance : en forte croissance. Caractérologie : sagacité, connaissances, originalité, spiritualité, sympathie.

Lynda : Belle (espagnol). Ce prénom est assez répandu. Il est peu attribué actuellement. Tendance : stable. Variante : Lyndia. Caractérologie : relationnel, intuition, médiation, réussite, cœur.

Lyne : Cascade (anglais). Ce prénom est rare. Tendance : en forte croissance. Variantes : Lynn, Lynne. Caractérologie : fidélité, intuition, relationnel, médiation, compassion.

Lys : Dieu est serment (hébreu). Ce prénom est très rare. Tendance : en forte croissance. Caractérologie : médiation, relationnel, intuition, fidélité, adaptabilité.

Lysa : Dieu est serment (hébreu). Ce prénom assez rare est relativement peu attribué aujourd'hui. Tendance : en forte croissance. Caractérologie : enthousiasme, générosité, pratique, adaptation, communication.

Lyse : Dieu est serment (hébreu). Ce prénom est rare. Tendance : en forte croissance. Variante : Lyza. Caractérologie : savoir, intelligence, méditation, compassion, indépendance.

Lysiane : Dieu est serment (hébreu). Ce prénom est assez répandu. Il est très peu attribué aujourd'hui. Tendance : stable. Caractérologie : détermination, structure, sécurité, compassion, persévérance.

Lyuba : Amour (tchèque, russe). Caractérologie : sagacité, spiritualité, connaissances, originalité, organisation.

M : Ceci surprendra plus d'un lecteur. M n'est pas seulement une lettre ; c'est aussi un prénom mixte, aussi méconnu soit-il. Ce prénom est porté par moins de 100 personnes en France. M a été enregistré sur les registres de l'état civil français pour la première fois en 1927. À noter : M et N sont les deux seules lettres de l'alphabet qui aient été utilisées en tant que prénoms en France.

Mabel : Aimée des dieux (latin). Ce prénom est porté par moins de 100 personnes en France. Variante : Mabelia. Caractérologie : famille, équilibre, influence, organisation, sens des responsabilités.

Macha : Celle qui élève (hébreu). Ce prénom est très rare. Tendance : stable. Macha est très répandu dans les pays slaves. Caractérologie : vitalité, stratégie, ardeur, achèvement, leadership.

Maddy : Haute tour (grec). Ce prénom est rare. Tendance : en croissance modérée. Variantes : Maddi, Maddie. Caractérologie : sociabilité, loyauté, réceptivité, réalisation, diplomatie.

Madeleine : Haute tour (grec). Ce prénom est très répandu. Il est relativement peu attribué aujourd'hui. Tendance : en croissance modérée. Variantes : Madelaine, Mado. Caractérologie : découverte, audace, énergie, originalité, résolution.

Madeline : Haute tour (grec). Ce prénom assez rare est relativement peu attribué aujourd'hui. Tendance : stable. Variantes : Madline, Madly, Mady. Caractérologie : humanité, rêve, rectitude, ouverture d'esprit, résolution.

Madelyne : Haute tour (grec). Ce prénom est très rare. Tendance : en forte croissance. Caractérologie : connaissances, spiritualité, sympathie, sagacité, réalisation.

Madiana : Se rapporte à un nom de ville (arabe). Ce prénom est très rare. Tendance : en forte croissance. Caractérologie : connaissances, sagacité, spiritualité, originalité, résolution.

Madiha : Louée, félicitée pour sa droiture (arabe). Ce prénom est très rare. Caractérologie : altruisme, intégrité, idéalisme, dévouement, réflexion.

Madina : Bon (breton). Voir également Madiana. Ce prénom est très rare. Tendance : en décroissance modérée. Variante : Madenn. Caractérologie : influence, équilibre, résolution, sens des responsabilités, famille.

Madison : Fils de Maude (anglais). Ce prénom assez rare est relativement peu attribué aujourd'hui. Tendance : en décroissance modérée. Ce prénom mixte est essentiellement féminin dans les pays où il est usité. Dans l'Hexagone, Madison est attribué aux filles dans 98 % des naissances. Ce jeune prénom est aujourd'hui l'un des plus choisis par les parents américains. Variantes : Madisone, Madissone, Madyson. Caractérologie : communication, pratique, enthousiasme, détermination, volonté.

Madisson : Fils de Maude (anglais). Ce prénom est rare. Tendance : en décroissance modérée. Caractérologie : résolution, persévérance, structure, sécurité, volonté.

Madonna : Madame (latin). Ce prénom est porté par moins de 100 personnes en France. Caractérologie : stratégie, achèvement, vitalité, volonté, ardeur.

Maé : Chef, prince (celte). Ce prénom breton est rare. Tendance : en forte croissance. Caractérologie : autorité, innovation, ambition, énergie, autonomie.

Maeko : L'enfant honnête (japonais). Caractérologie : humanité, rectitude, rêve, ouverture d'esprit, caractère.

Maëla : Chef, prince (celte). Ce prénom breton est assez rare. Il est relativement peu attribué aujourd'hui. Tendance : en forte croissance. Variantes : Maëlane, Maëlla. Caractérologie : dynamisme, curiosité, charisme, indépendance, courage.

Maëlie : Chef, prince (celte). Ce prénom breton est très rare. Tendance : en forte croissance. Variantes : Maël, Maële, Maëli, Maëlia, Maëlig, Maëlly. Caractérologie : altruisme, intégrité, réflexion, résolution, idéalisme.

Maëline : Chef, prince (celte). Ce prénom breton est très rare. Tendance : en forte croissance. Variantes : Maëlenn, Maëlyne, Maïline. Caractérologie : dynamisme, indépendance, détermination, curiosité, courage.

Maëliss : Chef, prince (celte). Ce prénom breton est rare. Tendance : stable. Variantes : Maëlice, Maëlis, Maëlise, Maëlisse, Maëllis, Maëllys, Maëly, Maëlyse, Maëlyss, Maëlysse. Caractérologie : influence, famille, détermination, équilibre, sens des responsabilités.

M

139

Maëlle : Chef, prince (celte). Ce prénom breton est répandu. Il figure dans le top 50 français aujourd'hui. Tendance : en forte croissance. Maëlle et tous ses prénoms dérivés peuvent s'orthographier sans accent. C'est bien entendu en Bretagne que cette orthographe est la plus répandue. Caractérologie : optimisme, créativité, pragmatisme, communication, sociabilité.

Maëlwenn : Chef, prince (celte). Ce prénom breton est très rare. Maëlwenn est un nouveau prénom : il a été enregistré sur les registres d'état civil français pour la première fois en 1999. Caractérologie : sens des responsabilités, équilibre, famille, exigence, influence.

Maëlys : Chef, prince (celte). Ce prénom breton est assez répandu. Il figure dans le top 100 français aujourd'hui. Tendance : en forte croissance. Variante : Maïlyss. Caractérologie : optimisme, réalisation, communication, pragmatisme, sympathie.

Maena : Lune (grec). Ce prénom est très rare. Tendance : en forte croissance. Caractérologie : connaissances, philosophie, originalité, sagacité, spiritualité.

Maeva : Bienvenue (tahitien). Ce prénom répandu figure dans le top 50 français aujourd'hui. Voir le zoom dédié à Maeva. Variantes : Maheva, Maïva. Caractérologie : famille, exigence, sens des responsabilités, équilibre, influence.

Maevane : Bienvenue (tahitien). Maevane est également le résultat d'une combinaison de Maëlle et Evane. Ce prénom est très rare. Tendance : stable. Caractérologie : philosophie, connaissances, sagacité, originalité, spiritualité.

Maève : Bienvenue (tahitien). Maève est également le résultat d'une combinaison de Maëlle et d'Ève. Ce prénom est très rare. Tendance : en forte croissance. Caractérologie : autorité, innovation, autonomie, ambition, énergie.

Maewenn : Chef, prince (celte). Ce prénom breton est très rare. Tendance : en forte croissance. Caractérologie : générosité, pratique, communication, adaptation, enthousiasme.

Mafalda : Puissance, combat (germanique). Ce prénom est très rare. Caractérologie : relationnel, médiation, intuition, fidélité, adaptabilité.

Magali : Perle (grec). Ce prénom répandu est peu attribué actuellement. Tendance : en décroissance modérée. Caractérologie : sagacité, connaissances, originalité, spiritualité, réussite.

Magalie : Perle (grec). Ce prénom répandu est très peu attribué aujourd'hui. Tendance : en décroissance modérée. Caractérologie : communication, pratique, enthousiasme, réalisation, compassion.

Magaly : Perle (grec). Ce prénom assez rare est très peu attribué aujourd'hui. Tendance : en décroissance modérée. Caractérologie : audace, énergie, découverte, réussite, originalité.

Magda : Haute tour (grec). Ce prénom est rare. Tendance : stable. Caractérologie : habileté, force, ambition, réalisation, passion.

Magdalena : Haute tour (grec). Ce prénom assez rare est très peu attribué aujourd'hui. Tendance : en décroissance modérée. En

France, Magdalena est plus traditionnellement usité en Alsace. Variantes : Madalen, Madalena, Magdalene, Magdelaine, Magdeleine, Magdelena. Caractérologie : compassion, ténacité, méthode, réalisation, fiabilité.

Maggy : Perle (grec). Ce prénom assez rare est très peu attribué aujourd'hui. Variantes : Maggie, Magguy. Caractérologie : vitalité, stratégie, ardeur, achèvement, réalisation.

Magnolia : Arbre florissant (latin). Ce prénom est très rare. Tendance : stable. Caractérologie : humanité, rectitude, rêve, analyse, réalisation.

Maguelonne : Perle (grec). Ce prénom est très rare. Tendance : stable. En France, Maguelonne est plus traditionnellement usité en Occitanie. Variante : Maguelone. Caractérologie : vitalité, achèvement, volonté, réalisation, stratégie.

Maguy : Perle (grec). Ce prénom assez rare est très peu attribué aujourd'hui. Tendance : en forte croissance. Variantes : Madge, Magui. Caractérologie : persévérance, efficacité, structure, sécurité, réussite.

Maha : Celle qui élève (hébreu). Vache sauvage (arabe). Ce prénom est très rare. Tendance : stable. Caractérologie : dynamisme, charisme, indépendance, curiosité, courage.

MAEVA

Fête : 30 octobre

Étymologie : Ce prénom au parfum exotique est d'origine tahitienne. Il est connu depuis longtemps à Tahiti puisque c'est aussi un mot du langage qui signifie la bienvenue. Ce prénom est d'ailleurs très usité dans les îles françaises des Antilles et de la Polynésie. En revanche, il a été totalement inconnu en France pendant la première moitié du XXe siècle. C'est seulement depuis la fin des années 1980 que la notoriété de Maeva commence à grandir. En 1989, ce prénom a été attribué pour la première fois du XXe siècle à plus de 1 000 petites filles en France. Mais Maeva ne s'est pas arrêtée en si bon chemin. Elle figure maintenant dans le top 20 français.

Tout comme bien d'autres prénoms qui montent (Carla, Lena, Lola), Maeva est engagée dans un cycle de croissance constante. Il faut dire que les prénoms courts se terminant en « a » ont la cote actuellement en France. Gageons que Maeva poursuivra son ascension dans les années à venir et qu'elle se répandra en Belgique et au Canada francophones où elle commence à se faire remarquer. C'est déjà chose faite en Suisse. Sa forte poussée en Suisse romande devrait en effet lui faciliter l'accès au top 20 dès 2005.

Statistique : Maeva est le 226e prénom féminin le plus attribué du XXe siècle en France.
À noter : Maeva peut aussi s'écrire Maëva. Sa variante Maïva est extrêmement rare pour le moment en France.

Mahalia : Gras, moelle, cerveau (araméen). Ce prénom est porté par moins de 100 personnes en France. Variante : Mahala. Caractérologie : idéalisme, altruisme, réflexion, intégrité, dévouement.

Mahault : Puissance, combat (germanique). Ce prénom est très rare. Tendance : en forte croissance. Variante : Mahaut. Caractérologie : sécurité, structure, efficacité, organisation, persévérance.

Mahé : Don de Dieu (hébreu). Ce prénom est très rare. Tendance : en croissance modérée. À noter : ce prénom peut également s'écrire sans accent. Caractérologie : humanité, rectitude, rêve, générosité, ouverture d'esprit.

Mahina : La lune (hawaïen). Ce prénom est porté par moins de 100 personnes en France. Tendance : en forte croissance. Caractérologie : résolution, énergie, autorité, innovation, ambition.

Mai : Lumineuse (japonais). Prunier (vietnamien). Ce prénom est très rare. Tendance : stable. Caractérologie : séduction, énergie, audace, originalité, découverte.

Maï : Celle qui élève (hébreu). Ce prénom est très rare. Tendance : stable. Ce prénom est plus particulièrement usité en Bretagne où il s'orthographie également sans accent. Caractérologie : séduction, énergie, audace, originalité, découverte.

Maïa : Mère, nourrice (grec). Ce prénom assez rare est relativement peu attribué aujourd'hui. Tendance : en forte croissance. Dans la mythologie greco-romaine, Maïa est l'aînée des pléiades, la fille d'Atlas et de Pléioné. Zeus aime Maïa, et Hermès est le fruit de leur amour. En France, ce prénom

est usité depuis longtemps au Pays Basque où il s'orthographie principalement sans tréma. Caractérologie : conscience, paix, sagesse, conseil, bienveillance.

Maïalen : Haute tour (grec). Ce prénom est très rare. Tendance : stable. En France, ce prénom est usité depuis longtemps au Pays Basque. Il s'y orthographie principalement sans tréma. Caractérologie : indépendance, direction, dynamisme, détermination, audace.

Maïana : Combinaison de Marie et d'Anna. Ce prénom est originaire du Pays Basque, où il s'orthographie principalement sans tréma. Ce prénom est très rare. Tendance : en forte croissance. En France, Maïana est plus traditionnellement usité au Pays Basque. Caractérologie : pragmatisme, communication, optimisme, créativité, décision.

Maider : Combinaison de Maria et d'Eder (basque). Ce prénom est rare. Tendance : en décroissance modérée. Caractérologie : énergie, découverte, audace, originalité, résolution.

Maika : Celle qui élève (hébreu). Ce prénom est très rare. Tendance : en croissance modérée. En France, Maika est plus traditionnellement usité au Pays Basque. Caractérologie : ardeur, stratégie, leadership, vitalité, achèvement.

Maïlis : Celle qui élève (hébreu). Ce prénom est rare. Tendance : en forte croissance. Caractérologie : rêve, humanité, ouverture d'esprit, rectitude, générosité.

Maïly : Celle qui élève (hébreu). Ce prénom est très rare. Tendance : en forte croissance.

Variantes : Maïli, Maïlie. Caractérologie : équilibre, famille, influence, sens des responsabilités, réalisation.

Maïlys : Celle qui élève (hébreu). Ce prénom est assez répandu. Il est plutôt bien attribué aujourd'hui. Tendance : stable. Caractérologie : connaissances, sagacité, originalité, spiritualité, réalisation.

Maïmouna : Heureuse, sous la protection divine (arabe). Ce prénom assez rare est peu attribué actuellement. Tendance : en croissance modérée. Variante : Maïma. Caractérologie : raisonnement, famille, volonté, sens des responsabilités, équilibre.

Maïna : Celle qui élève (hébreu). Ce prénom est rare. Tendance : en forte croissance. Ce prénom est plus particulièrement usité en Bretagne où il s'orthographie également sans accent. Caractérologie : sociabilité, réceptivité, diplomatie, loyauté, résolution.

Maiora : Plus grand (latin). Caractérologie : sociabilité, pragmatisme, communication, créativité, optimisme.

Maïssa : Celle dont la démarche est gracieuse (arabe). Ce prénom assez rare est relativement peu attribué aujourd'hui. Tendance : en forte croissance. Variantes : Maïssam, Maïssoun, Maysoon, Méissoun. Caractérologie : achèvement, ardeur, vitalité, leadership, stratégie.

Maïssane : Grâce, scintillement d'une étoile (arabe). Ce prénom est rare. Tendance : en croissance modérée. Variante : Méissane. Caractérologie : intégrité, détermination, altruisme, idéalisme, réflexion.

Maïté : Celle qui élève (hébreu). Écrit sans tréma, Maite est également un prénom basque qui signifie « aimée ». Ce prénom est assez répandu. Il est très peu attribué aujourd'hui. Tendance : en forte décroissance. Maïté est répandu en Espagne. En France, ce prénom est plus traditionnellement usité au Pays Basque. Variante : Mayté. Caractérologie : détermination, enthousiasme, adaptation, pratique, communication.

Maïtena : Celle qui élève (hébreu). Ce prénom est rare. Tendance : stable. Écrit sans tréma, Maitena est également un prénom basque qui signifie « aimée «. Caractérologie : réflexion, idéalisme, altruisme, intégrité, détermination.

Maïwenn : Celle qui élève (hébreu). Ce prénom assez rare est relativement peu attribué aujourd'hui. Tendance : en croissance modérée. Ce prénom est plus particulièrement usité en Bretagne où il s'orthographie également sans accent. Variante : Maïwen. Caractérologie : originalité, spiritualité, sagacité, connaissances, décision.

Majda : Noble, glorieuse (arabe). Ce prénom est rare. Tendance : en décroissance modérée. Variante : Maja. Caractérologie : médiation, intuition, relationnel, fidélité, adaptabilité.

Majdouline : Noble, glorieuse (arabe). Ce prénom est très rare. Tendance : en décroissance modérée. Variante : Majdeline. Caractérologie : dynamisme, curiosité, courage, logique, caractère.

Makana : Cadeau (hawaïen). Caractérologie : énergie, audace, originalité, découverte, séduction.

M

143

MANON

Fête : 15 août

Étymologie : dérivé de Marie, d'origine hébraïque : celle qui élève. Ce prénom ancien a pendant longtemps été inusité. Ce n'est que dans les années 1970 qu'il commence timidement à se faire connaître, sans toutefois nommer plus de 100 bébés par an. Dans les années 1980, Manon grandit avec assurance et atteint son apogée en 1995, année de naissance de 8 201 petites Manon. Depuis, ce prénom décline doucement même s'il reste solidement implanté en haut du palmarès. Ainsi, Manon devrait se maintenir parmi les 5 prénoms préférés des parents français jusqu'en 2006. De même, on peut estimer qu'un peu plus de 7 000 enfants seront prénommés ainsi dans l'Hexagone en 2005. Dans la littérature, Manon est l'héroïne de *L'Eau des collines*, de Marcel Pagnol, roman publié en 1963. La parution de ce livre ne s'est pas traduite par l'engouement immédiat des parents pour ce prénom. En effet, il a fallu attendre vingt ans pour que ce dernier décolle véritablement. Cependant, en 1986, le succès des films tirés de ce roman accélère l'avènement de Manon. En effet, *Jean de Florette* et *Manon des sources* (de Claude Berri) sont acclamés par le public français.

En dehors de l'Hexagone, la tendance est à la baisse. Manon peine à percer au Québec et fléchit en Suisse romande où elle a quitté le top 10 du palmarès. En Wallonie, son règne en 2001 aura été de courte durée. Manon est en effet détrônée par Léa depuis 2002. Elle devrait toutefois se maintenir dans le top 5 wallon en 2005.

Dans le roman *Manon Lescaut*, de l'abbé Prévost, **Manon** est une héroïne à deux visages. Belle et charmante, elle est tantôt douce et aimante, tantôt libertine et perverse. Pas moins de trois opéras lui sont dédiés : *Manon*, de Daniel-François-Esprit Auber, *Manon Lescaut*, de Puccini, et *Manon*, de Jules Massenet.

Statistique : Manon est le 132ᵉ prénom féminin le plus attribué du XXᵉ siècle en France.

Malaurie : Prince sage (celte). Ce prénom assez rare est peu attribué actuellement. Tendance : stable. Caractérologie : stratégie, vitalité, achèvement, ardeur, décision.

Malaury : Prince sage (celte). Ce prénom assez rare est relativement peu attribué aujourd'hui. Tendance : stable. Caractérologie : audace, dynamisme, direction, indépendance, réussite.

Malena : Haute tour (grec). Ce prénom est très rare. Tendance : en croissance modérée. Caractérologie : innovation, énergie, autorité, ambition, autonomie.

Malia : Reine (hébreu). Amer (indien d'Amérique). Ce prénom est très rare. Tendance : stable. Variantes : Malha, Maliah. Caractérologie : humanité, rêve, rectitude, ouverture d'esprit, générosité.

Malika : Douée, reine (arabe). Ce prénom répandu est peu attribué actuellement. Tendance : stable. Caractérologie : sociabilité, réceptivité, organisation, diplomatie, loyauté.

Mallaury : Prince sage (celte). Ce prénom assez rare est relativement peu attribué aujourd'hui. Tendance : en décroissance modérée. Variante : Mallaurie. Caractérologie : sécurité, structure, persévérance, réalisation, efficacité.

Mallorie : Prince sage (celte). Ce prénom est rare. Tendance : en forte croissance. Caractérologie : méthode, fiabilité, ténacité, caractère, logique.

Mallory : Prince sage (celte). Ce prénom assez rare est relativement peu attribué aujourd'hui. Tendance : en croissance modérée. Caractérologie : paix, réussite, conscience, bienveillance, logique.

Malorie : Prince sage (celte). Ce prénom assez rare est peu attribué actuellement. Tendance : stable. Caractérologie : audace, dynamisme, caractère, direction, logique.

Malory : Prince sage (celte). Ce prénom assez rare est peu attribué actuellement. Tendance : stable. Caractérologie : pratique, communication, réalisation, enthousiasme, analyse.

Malvina : Fleur mauve (latin). Ce prénom assez rare est relativement peu attribué aujourd'hui. Tendance : stable. Caractéro-logie : idéalisme, intégrité, altruisme, réflexion, décision.

Mama : Petite chamelle qui vient d'être sevrée (arabe). Ce prénom est rare. Tendance : en croissance modérée. Variantes : Mame, Mamou. Caractérologie : autorité, innovation, énergie, autonomie, ambition.

Mana : Sensible (hawaïen). Caractérologie : sociabilité, diplomatie, réceptivité, bonté, loyauté.

Manal : Celle qui achève ses objectifs (arabe). Ce prénom est rare. Tendance : en forte croissance. Caractérologie : découverte, audace, énergie, originalité, séduction.

Mandy : Qui est aimée (latin). Ce prénom est assez répandu. Il est relativement peu attribué aujourd'hui. Tendance : en décroissance modérée. Variantes : Mandie, Mandine. Caractérologie : communication, adaptation, réalisation, enthousiasme, pratique.

Manel : Dieu est avec nous (hébreu). Ce prénom assez rare est relativement peu attribué aujourd'hui. Tendance : en forte croissance. Caractérologie : rectitude, rêve, humanité, générosité, ouverture d'esprit.

Manele : Dieu est avec nous (hébreu). Celle qui achève ses objectifs (arabe). Ce prénom est très rare. Tendance : en forte croissance. Variantes : Manelle, Manola, Manoline. Caractérologie : curiosité, charisme, dynamisme, indépendance, courage.

Manolya : Arbre florissant (latin). Ce prénom est porté par moins de 100 personnes en France. Tendance : en décroissance modérée. Variante : Manolia. Caractérologie : intégrité, caractère, idéalisme, altruisme, réussite.

M

145

Manon : Celle qui élève (hébreu). Ce prénom répandu figure dans le top 50 français aujourd'hui. Voir le zoom dédié à Manon. Variante : Mannon. Caractérologie : pragmatisme, optimisme, communication, créativité, volonté.

Mansoura : Victorieuse (arabe). Variante : Mansouria. Caractérologie : communication, volonté, pragmatisme, optimisme, raisonnement.

Manuela : Dieu est avec nous (hébreu). Ce prénom est assez répandu. Il est peu attribué actuellement. Tendance : en décroissance modérée. Manuela est répandu en Espagne. Caractérologie : fiabilité, méthode, ténacité, engagement, sens du devoir.

Manuella : Dieu est avec nous (hébreu). Ce prénom est assez répandu. Il est relativement peu attribué aujourd'hui. Tendance : stable. Caractérologie : savoir, intelligence, indépendance, sagesse, méditation.

Manuelle : Dieu est avec nous (hébreu). Ce prénom assez rare ne devrait pas être attribué à plus de 10 bébés en 2005. Caractérologie : sociabilité, réceptivité, loyauté, diplomatie, bonté.

Mara : Celle qui élève (hébreu). Ce prénom est très rare. Tendance : en forte croissance. Caractérologie : paix, conscience, bienveillance, conseil, sagesse.

Marceline : Dédiée à Mars, dieu romain de la Guerre. Ce prénom est assez répandu. Il est très peu attribué aujourd'hui. Tendance : stable. Variante : Marcela. Caractérologie : vitalité, achèvement, ardeur, résolution, stratégie.

Marcelle : Dédiée à Mars, dieu romain de la Guerre. Ce prénom est très répandu. Il est très peu attribué aujourd'hui. Variante : Marcèle. Caractérologie : conscience, bienveillance, décision, paix, conseil.

Marcelline : Dédiée à Mars, dieu romain de la Guerre. Ce prénom est assez répandu. Il est très peu attribué aujourd'hui. Tendance : en croissance modérée. Variante : Marcellina. Caractérologie : intuition, médiation, relationnel, fidélité, détermination.

Marcia : Dédiée à Mars, dieu romain de la Guerre. Ce prénom est très rare. Tendance : en décroissance modérée. Variantes : Marcianne, Marcie, Marcienne, Marcy, Marsia, Martiale, Martianne, Martienne. Caractérologie : ouverture d'esprit, rectitude, rêve, humanité, générosité.

Mareva : Combinaison de Marie et d'Eva. Ce prénom assez rare est relativement peu attribué aujourd'hui. Tendance : en forte croissance. Caractérologie : bienveillance, paix, conscience, conseil, résolution.

Margaret : Perle (grec). Ce prénom assez rare est très peu attribué aujourd'hui. En France, Margaret est plus traditionnellement usité en Alsace. Caractérologie : sociabilité, réceptivité, réalisation, détermination, diplomatie.

Margareth : Perle (grec). Ce prénom est rare. En France, Margareth est plus traditionnellement usité en Alsace. Caractérologie : direction, audace, réussite, attention, dynamisme.

Margaux : Perle (grec). Ce prénom répandu figure dans le top 50 français aujourd'hui. Tendance : stable. Variantes : Margaud,

MARIE

Fête : 15 août

Étymologie : l'étymologie de Marie est controversée. On lui prête généralement l'origine hébraïque de Myriam et le sens : « celle qui élève ». Ce prénom a été porté par bon nombre de bergères, de reines, et par plus de cent saintes. Implanté pendant des années dans l'élite des plus grands prénoms français, suisses et belges francophones, ce prénom décline néanmoins depuis quatre ans.

Marie a quitté le top 10 des palmarès suisse et belge francophones, elle devrait faire de même dans l'Hexagone en 2005. Cependant, il est peu probable que Marie tombe dans l'oubli de sitôt. Que ce soit en France ou ailleurs, Marie et ses formes dérivées reviennent périodiquement à la mode depuis des siècles. Maria est par exemple un prénom très usité en Italie et dans les pays slaves. Elle est aussi un des 5 prénoms préférés des parents allemands, estoniens, espagnols et roumains. Ailleurs, on peut la trouver orthographiée sous la forme de Mari, notamment en Hongrie et au Japon. Cette dernière est particulièrement en vogue dans l'île du soleil levant (même si sa signification, *un ballon*, est différente). Mary est la forme qui est la plus usitée dans les pays anglophones. Néanmoins, elle est en déclin dans ces régions.
À noter la mixité souvent ignorée de Marie. Ce prénom est aujourd'hui presque exclusivement féminin. Or, en France, il n'était pas rare de le voir conjugué au masculin jusqu'au début du XXe siècle. Notons enfin que les formes composées de Marie sont très nombreuses. On compte Marie-Christine, Marie-France, Marie-Hélène et Marie-Claire parmi celles qui sont les plus portées aujourd'hui.

Dans la Bible, **Sainte Marie** est l'épouse de Joseph le charpentier. Elle est prévenue par l'archange Gabriel qu'elle a été choisie pour enfanter Jésus. Le 15 août célèbre l'assomption de la Vierge Marie.
Personnalité célèbre : Marie Curie, physicienne française (1867-1934). Marie Curie détermine en 1902 la masse atomique du radium et reçoit pour cette découverte un prix Nobel. En 1911, elle reçoit le prix Nobel de chimie.
Statistique : Marie est le 1er prénom attribué en France au cours du XXe siècle. Ce prénom a été attribué 24 363 73 fois pendant cette période.

147

Margault. Caractérologie : persévérance, structure, sécurité, logique, réussite.

Margo : Perle (grec). Ce prénom est rare. Tendance : en forte croissance. Caractérologie : humanité, rectitude, rêve, ouverture d'esprit, réussite.

Margot : Perle (grec). Ce prénom répandu figure dans le top 50 français aujourd'hui. Tendance : stable. Caractérologie : loyauté, diplomatie, sociabilité, réceptivité, réalisation.

Marguerite : Perle (grec). Ce prénom est très répandu. Il est relativement peu attribué aujourd'hui. Tendance : stable. Variantes : Margalite, Margarita, Margerie. Variantes bretonnes : Gaïd, Gaïdig. Caractérologie : compassion, réalisation, altruisme, idéalisme, intégrité.

Marguerite-Marie : Prénom composé de Marguerite et de Marie. Ce prénom est rare. Tendance : stable. Caractérologie : audace, cœur, réussite, dynamisme, direction.

Mari : Celle qui élève (hébreu). Ballon (japonais). Ce prénom est très rare. Tendance : stable. Mari est répandu au Japon et en Hongrie. En France, ce prénom est plus traditionnellement usité au Pays Basque. Caractérologie : charisme, curiosité, dynamisme, courage, indépendance.

Maria : Celle qui élève (hébreu). Ce prénom répandu est plutôt bien attribué aujourd'hui. Tendance : en forte croissance. Maria est très répandu en Italie, dans les pays slaves, scandinaves et hispanophones. On retrouve aussi ce prénom un peu partout dans le monde occidental. Maria devrait figurer dans le top 10 allemand en 2004. En France, Maria est plus traditionnellement usité en Corse et au Pays Basque. Variante : Marya. Caractérologie : paix, conscience, bienveillance, conseil, sagesse.

Mariam : Celle qui élève (hébreu). Ce prénom est assez répandu. Il est relativement peu attribué aujourd'hui. Tendance : en croissance modérée. Caractérologie : audace, direction, dynamisme, indépendance, assurance.

Mariama : Celle qui élève (hébreu). Ce prénom assez rare est peu attribué actuellement. Tendance : en croissance modérée. Caractérologie : réceptivité, diplomatie, bonté, sociabilité, loyauté.

Mariame : Celle qui élève (hébreu). Ce prénom est rare. Tendance : en forte croissance. Variante : Marieme. Caractérologie : paix, conscience, détermination, bienveillance, conseil.

Mariane : Combinaison de Marie et Anne. Ce prénom assez rare est très peu attribué aujourd'hui. Tendance : en décroissance modérée. Caractérologie : méditation, savoir, indépendance, résolution, intelligence.

Marianna : Combinaison de Marie et Anna. Ce prénom est rare. Tendance : en croissance modérée. En France, Marianna est plus traditionnellement usité en Bretagne et au Pays Basque. Variantes : Mariana, Maryane, Maryanna, Maryanne. Caractérologie : habileté, force, résolution, ambition, passion.

Marianne : Combinaison de Marie et Anne. Ce prénom répandu est relativement peu attribué aujourd'hui. Tendance : en décroissance modérée. Caractérologie : pratique, communication, résolution, adaptation, enthousiasme.

Trouver un prénom tri-culturel

Le tableau ci-dessous propose une sélection de prénoms francophones avec leurs équivalences dans les pays anglophones et hispanophones. Cette sélection sera utile aux parents qui souhaitent trouver un prénom dont l'orthographe ou la prononciation reste identique (ou très proche) dans de nombreuses régions du monde.

Prénom francophone	Prénom anglophone	Prénom hispanophone
Alexa	Alexa	Alexa
Alicia	Alicia	Alicia
Alison	Alison	Alison
Alyssa	Alyssa	Alyssa
Amélie	Emily	Amalia
Anna	Hannah	Ana, Anna
Audrey	Audrey	Audrey
Barbara	Barbara	Barbara
Carla	Carla	Carla
Chloé	Chloe	Chloe
Clara	Clara	Clara
Claudia	Claudia	Claudia
Déborah	Deborah	Débora
Emma	Emma	Emma
Gabriella	Gabriella	Gabriella
Inès	-	Inés
Jade	Jade	Jade
Jessica	Jessica	Jessica
Julia	Julia	Julia
Laura	Laura	Laura
Lisa	Lisa	Luisa
Lucie	Lucy	Lucía
Madeline	Madeline	Madeline
Marie	Mary	María
Maude	Maud	Maud
Megan	Megan	–
Mélissa	Melissa	Melissa
Mia	Mia	Mía
Morgan	Morgan	Morgana
Nicole	Nicole	Nicole
Olivia	Olivia	Olivia
Pauline	Pauline	Pauline
Rachel	Rachel	Raquel
Sarah	Sarah	Sara
Sophia	Sophia	Sofía
Vanessa	Vanessa	Vanessa
Victoria	Victoria	Victoria
Zoé	Zoe	Zoé

M

149

Marie : Celle qui élève (hébreu). Ce prénom est très répandu. De plus, il figure dans le top 50 français aujourd'hui. Voir le zoom dédié à Marie. Caractérologie : résolution, audace, dynamisme, direction, indépendance.

Marie-Alice : Prénom composé de Marie et d'Alice. Ce prénom est rare. Tendance : en décroissance modérée. Caractérologie : méthode, ténacité, engagement, fiabilité, détermination.

Marie-Alix : Prénom composé de Marie et d'Alix. Ce prénom est rare. Tendance : stable. Caractérologie : relationnel, raisonnement, médiation, intuition, volonté.

Marie-Amélie : Prénom composé de Marie et d'Amélie. Ce prénom assez rare est relativement peu attribué aujourd'hui. Tendance : en forte croissance. Caractérologie : direction, indépendance, dynamisme, audace, détermination.

Marie-Ange : Prénom composé de Marie et d'Ange. Ce prénom répandu est très peu attribué aujourd'hui. Tendance : en décroissance modérée. Caractérologie : réalisation, audace, dynamisme, détermination, direction.

Marie-Anne : Prénom composé de Marie et d'Anne. Ce prénom est assez répandu. Il est très peu attribué aujourd'hui. Tendance : en décroissance modérée. Caractérologie : ardeur, vitalité, achèvement, stratégie, détermination.

Marie-Camille : Prénom composé de Marie et de Camille. Ce prénom est rare. Tendance : stable. Caractérologie : sociabilité, détermination, diplomatie, réceptivité, loyauté.

Marie-Caroline : Prénom composé de Marie et de Caroline. Ce prénom assez rare est très peu attribué aujourd'hui. Tendance : en décroissance modérée. Caractérologie : paix, volonté, raisonnement, bienveillance, conscience.

Marie-Charlotte : Prénom composé de Marie et de Charlotte. Ce prénom est assez répandu. Il est très peu attribué aujourd'hui. Tendance : en décroissance modérée. Caractérologie : méthode, analyse, fiabilité, ténacité, finesse.

Marie-Christine : Prénom composé de Marie et de Christine. Ce prénom répandu est très peu attribué aujourd'hui. Tendance : stable. Caractérologie : connaissances, spiritualité, finesse, résolution, sagacité.

Marie-Claire : Prénom composé de Marie et de Claire. Ce prénom répandu est très peu attribué aujourd'hui. Tendance : en décroissance modérée. Caractérologie : ténacité, méthode, fiabilité, engagement, résolution.

Marie-Émilie : Prénom composé de Marie et d'Émilie. Ce prénom est rare. Tendance : en croissance modérée. Caractérologie : intégrité, altruisme, idéalisme, réflexion, décision.

Marie-Emmanuelle : Prénom composé de Marie et d'Emmanuelle. Ce prénom assez rare est très peu attribué aujourd'hui. Tendance : en décroissance modérée. Caractérologie : communication, enthousiasme, résolution, pratique, adaptation.

Marie-Eva : Prénom composé de Marie et d'Eva. Ce prénom est très rare. Tendance : en croissance modérée. Caractérologie : médiation, intuition, relationnel, fidélité, décision.

Marie-Ève : Prénom composé de Marie et d'Ève. Ce prénom assez rare est très peu attribué aujourd'hui. Tendance : en décroissance modérée. Caractérologie : énergie, autorité, ambition, détermination, innovation.

Marie-France : Prénom composé de Marie et de France. Ce prénom répandu est très peu attribué aujourd'hui. Tendance : stable. Caractérologie : analyse, communication, volonté, pragmatisme, optimisme.

Marie-Françoise : Prénom composé de Marie et de Françoise. Ce prénom répandu est très peu attribué aujourd'hui. Tendance : en croissance modérée. Caractérologie : dynamisme, analyse, audace, direction, volonté.

Marie-Gabrielle : Prénom composé de Marie et de Gabrielle. Ce prénom assez rare est très peu attribué aujourd'hui. Tendance : stable. Caractérologie : altruisme, idéalisme, compassion, intégrité, réalisation.

Marie-Hélène : Prénom composé de Marie et d'Hélène. Ce prénom répandu est très peu attribué aujourd'hui. Tendance : en décroissance modérée. Caractérologie : curiosité, dynamisme, courage, indépendance, décision.

Marie-Jeanne : Prénom composé de Marie et de Jeanne. Ce prénom répandu est très peu attribué aujourd'hui. Tendance : en décroissance modérée. Caractérologie : énergie, résolution, découverte, originalité, audace.

Marie-José : Prénom composé de Marie et de José. Ce prénom répandu est très peu attribué aujourd'hui. Caractérologie : curiosité, courage, volonté, dynamisme, résolution.

Marie-Julie : Prénom composé de Marie et de Julie. Ce prénom est rare. Tendance : stable. Caractérologie : méthode, ténacité, engagement, fiabilité, résolution.

Marie-Laure : Prénom composé de Marie et de Laure. Ce prénom répandu est très peu attribué aujourd'hui. Tendance : en décroissance modérée. Caractérologie : ténacité, méthode, fiabilité, engagement, résolution.

Marie-Léa : Prénom composé de Marie et de Léa. Ce prénom est très rare. Tendance : stable. Caractérologie : direction, dynamisme, indépendance, décision, audace.

Marie-Line : Prénom composé de Marie et de Line. Ce prénom répandu est très peu attribué aujourd'hui. Tendance : en décroissance modérée. Caractérologie : découverte, énergie, résolution, audace, originalité.

Marie-Lise : Prénom composé de Marie et de Lise. Ce prénom assez rare est très peu attribué aujourd'hui. Tendance : en décroissance modérée. Caractérologie : direction, indépendance, audace, dynamisme, résolution.

Marielle : Celle qui élève (hébreu). Ce prénom répandu est très peu attribué aujourd'hui. Tendance : en décroissance modérée. Variantes : Mariel, Maryelle. Caractérologie : pragmatisme, communication, résolution, optimisme, créativité.

Marie-Lou : Prénom composé de Marie et de Lou. Ce prénom assez rare est relativement peu attribué aujourd'hui. Tendance : stable. Caractérologie : persévérance, sécurité, structure, volonté, analyse.

M

151

Marie-Louise : Prénom composé de Marie et de Louise. Ce prénom répandu est très peu attribué aujourd'hui. Tendance : stable. Caractérologie : direction, audace, caractère, logique, dynamisme.

Marie-Lys : Prénom composé de Marie et de Lys. Ce prénom est très rare. Tendance : en croissance modérée. Caractérologie : pragmatisme, sympathie, communication, optimisme, réalisation.

Mariem : Celle qui élève (hébreu). Ce prénom est rare. Tendance : en décroissance modérée. Caractérologie : audace, découverte, énergie, originalité, décision.

Marie-Madeleine : Prénom composé de Marie et de Madeleine. Ce prénom est assez répandu. Il est très peu attribué aujourd'hui. Tendance : stable. Caractérologie : sens des responsabilités, famille, détermination, influence, équilibre.

Marie-Océane : Prénom composé de Marie et d'Océane. Ce prénom est très rare. Tendance : stable. Caractérologie : force, habileté, ambition, analyse, volonté.

Marie-Paule : Prénom composé de Marie et de Paule. Ce prénom répandu est très peu attribué aujourd'hui. Tendance : stable. Caractérologie : diplomatie, sociabilité, réceptivité, compassion, réalisation.

Marie-Pierre : Prénom composé de Marie et de Pierre. Ce prénom répandu est très peu attribué aujourd'hui. Tendance : en décroissance modérée. Caractérologie : rêve, humanité, détermination, rectitude, réalisation.

Marie-Rose : Prénom composé de Marie et de Rose. Ce prénom est assez répandu. Il est très peu attribué aujourd'hui. Tendance : en croissance modérée. Caractérologie : fiabilité, méthode, ténacité, caractère, décision.

Marie-Sophie : Prénom composé de Marie et de Sophie. Ce prénom assez rare est très peu attribué aujourd'hui. Tendance : en décroissance modérée. Caractérologie : innovation, énergie, autorité, caractère, réussite.

Marie-Thérèse : Prénom composé de Marie et de Thérèse. Ce prénom répandu est très peu attribué aujourd'hui. Tendance : stable. Caractérologie : altruisme, idéalisme, intégrité, décision, attention.

Mariette : Celle qui élève (hébreu). Ce prénom est assez répandu. Il est très peu attribué aujourd'hui. Tendance : stable. Variantes : Marieta, Marietou, Marietta. Caractérologie : dynamisme, direction, indépendance, audace, décision.

Mariève : Combinaison de Marie et d'Ève. Ce prénom est porté par moins de 100 personnes en France. Variantes : Marieva, Maryève. Caractérologie : innovation, autorité, ambition, décision, énergie.

Marika : Celle qui élève (hébreu). Ce prénom assez rare est très peu attribué aujourd'hui. Tendance : stable. En France, Marika est plus traditionnellement usité au Pays Basque. Caractérologie : ardeur, stratégie, leadership, vitalité, achèvement.

Marilou : Combinaison de Marie et de Louise. Ce prénom assez rare est relativement peu attribué aujourd'hui. Tendance : stable. Caractérologie : ambition, habileté, raisonnement, passion, force.

Marilyn : Celle qui élève (hébreu). Ce prénom est assez répandu. Il est très peu attribué aujourd'hui. Tendance : en décroissance modérée. Variante : Marilie. Caractérologie : réceptivité, diplomatie, réussite, sociabilité, cœur.

Marilyne : Celle qui élève (hébreu). Ce prénom répandu est très peu attribué aujourd'hui. Tendance : en décroissance modérée. Caractérologie : sympathie, sagacité, connaissances, spiritualité, réalisation.

Marilyse : Celle qui élève (hébreu). Ce prénom est très rare. Variante : Marilys. Caractérologie : enthousiasme, pratique, cœur, réussite, communication.

Marina : De la mer (latin). Ce prénom répandu figure dans le top 100 français aujourd'hui. Tendance : stable. Variante : Maryna. Caractérologie : réceptivité, diplomatie, sociabilité, résolution, loyauté.

Marine : De la mer (latin). Ce prénom est très répandu. De plus, il figure dans le top 50 français aujourd'hui. Tendance : en décroissance modérée. Variante : Marinne. Caractérologie : sens des responsabilités, équilibre, famille, influence, détermination.

Marion : Celle qui élève (hébreu). Ce prénom est très répandu. De plus, il figure dans le top 50 français aujourd'hui. Tendance : en décroissance modérée. Variante : Maryon. Caractérologie : méditation, savoir, intelligence, décision, caractère.

Marisa : Celle qui élève (hébreu). Ce prénom est rare. Tendance : en forte décroissance. Variantes : Marysa, Maribel, Marisol, Marissa, Maritza, Mariza. Caractérologie : savoir, méditation, indépendance, intelligence, sagesse.

Marise : Celle qui élève (hébreu). Ce prénom assez rare est très peu attribué aujourd'hui. Caractérologie : intuition, médiation, fidélité, détermination, relationnel.

Marivonne : Combinaison de Marie et d'Yvonne. Ce prénom est très rare. Caractérologie : pragmatisme, communication, optimisme, détermination, volonté.

Marjane : Corail (arabe). Ce prénom est très rare. Tendance : en forte croissance. Variante : Morjane. Caractérologie : détermination, vitalité, achèvement, ardeur, stratégie.

Marjolaine : Se rapporte au nom de la plante aromatique du même nom. Ce prénom est assez répandu. Il est très peu attribué aujourd'hui. Tendance : en forte décroissance. Caractérologie : force, habileté, ambition, volonté, raisonnement.

Marjorie : Perle (grec). Ce prénom répandu est relativement peu attribué aujourd'hui. Tendance : en décroissance modérée. Variante : Marjelle. Caractérologie : force, ambition, caractère, habileté, décision.

Marjory : Perle (grec). Ce prénom assez rare est très peu attribué aujourd'hui. Tendance : en décroissance modérée. Caractérologie : direction, audace, indépendance, réussite, dynamisme.

Marlène : Haute tour (grec). Ce prénom répandu est peu attribué actuellement. Tendance : en décroissance modérée. Variantes : Marlie, Marline, Marly. Caractérologie : courage, curiosité, résolution, dynamisme, indépendance.

Marnie : De la mer (latin). Ce prénom est très rare. Tendance : en décroissance modérée.

M

153

Variantes : Marnia, Marny. Caractérologie : bienveillance, conscience, paix, conseil, décision.

Maroua : Roche, quartz (arabe). Ce prénom est rare. Tendance : stable. Variante : Maroi. Caractérologie : bienveillance, paix, conseil, conscience, logique.

Marta : Dame, maîtresse de maison (araméen). Ce prénom est rare. Tendance : stable. Marta devrait figurer dans le top 10 espagnol et norvégien en 2004. En France, ce prénom est plus traditionnellement usité en Corse et au Pays Basque. Caractérologie : achèvement, ardeur, stratégie, vitalité, leadership.

Martha : Dame, maîtresse de maison (araméen). Ce prénom assez rare est très peu attribué aujourd'hui. Tendance : stable. Caractérologie : connaissances, spiritualité, originalité, sagacité, philosophie.

Marthe : Dame, maîtresse de maison (araméen). Ce prénom répandu est très peu attribué aujourd'hui. Tendance : stable. Caractérologie : sociabilité, détermination, diplomatie, réceptivité, sensibilité.

Martine : Dédié à Mars, dieu romain de la Guerre (latin). Ce prénom est très répandu. Il est très peu attribué aujourd'hui. Tendance : stable. Variante : Martina. Caractérologie : vitalité, résolution, achèvement, ardeur, stratégie.

Marwa : Roche, quartz (arabe). Ce prénom assez rare est relativement peu attribué aujourd'hui. Tendance : en forte croissance. Caractérologie : diplomatie, sociabilité, réceptivité, loyauté, résolution.

Mary : Celle qui élève (hébreu). Ce prénom est assez répandu. Il est relativement peu attribué aujourd'hui. Tendance : stable. Mary est très répandu dans les pays anglophones. Caractérologie : pragmatisme, communication, optimisme, réalisation, créativité.

Maryam : Celle qui élève (hébreu). Ce prénom assez rare est relativement peu attribué aujourd'hui. Tendance : stable. Variantes : Maryama, Maryame, Maryem. Caractérologie : habileté, force, ambition, passion, réussite.

Marylène : Combinaison de Mary et d'Hélène. Ce prénom répandu est très peu attribué aujourd'hui. Tendance : en décroissance modérée. Caractérologie : pratique, communication, enthousiasme, cœur, réussite.

Marylin : Celle qui élève (hébreu). Ce prénom assez rare est très peu attribué aujourd'hui. Tendance : stable. Caractérologie : cœur, intuition, relationnel, médiation, réussite.

Maryline : Celle qui élève (hébreu). Ce prénom répandu est très peu attribué aujourd'hui. Tendance : en décroissance modérée. Caractérologie : sagacité, spiritualité, réalisation, sympathie, connaissances.

Marylise : Combinaison de Mary et de Lise. Ce prénom assez rare est très peu attribué aujourd'hui. Tendance : en croissance modérée. Caractérologie : pratique, enthousiasme, communication, compassion, réalisation.

Marylou : Combinaison de Mary et de Louise. Ce prénom assez rare est peu attribué actuellement. Tendance : stable. Variante : Mary-Lou. Caractérologie : équilibre, famille, sens des responsabilités, logique, réussite.

Maryne : De la mer (latin). Ce prénom assez rare est peu attribué actuellement. Tendance : en décroissance modérée. Variante : Maryn. Caractérologie : persévérance, sécurité, structure, réalisation, résolution.

Maryse : Celle qui élève (hébreu). Ce prénom répandu est très peu attribué aujourd'hui. Tendance : en décroissance modérée. Caractérologie : altruisme, idéalisme, intégrité, réalisation, détermination.

Maryvonne : Combinaison de Marie et d'Yvonne. Ce prénom répandu est très peu attribué aujourd'hui. Caractérologie : volonté, autorité, énergie, réalisation, innovation.

Mathilda : Puissance, combat (germanique). Ce prénom assez rare est relativement peu attribué aujourd'hui. Tendance : en croissance modérée. Caractérologie : curiosité, dynamisme, organisation, indépendance, courage.

Mathilde : Puissance, combat (germanique). Ce prénom répandu figure dans le top 50 français aujourd'hui. Voir le zoom dédié à Mathilde. Variantes : Matheline, Mathéna, Mathie, Mathylde, Matilde, Maty, Tilda, Tilde. Caractérologie : rêve, humanité, résolution, rectitude, finesse.

Mathurine : Maturité (latin). Ce prénom est très rare. Variante : Thurine. Caractérologie : dynamisme, direction, audace, finesse, résolution.

Matilda : Puissance, combat (germanique). Ce prénom est très rare. Tendance : stable. Matilda devrait figurer dans le top 10 suédois en 2004. En France, ce prénom est plus traditionnellement usité en Corse. Caractérologie : conscience, bienveillance, paix, conseil, organisation.

Mattea : Don de Dieu (hébreu). Ce prénom est très rare. Tendance : en forte croissance. Variantes : Matéa, Mathéa, Mathée, Matisse. Caractérologie : paix, bienveillance, conscience, conseil, sagesse.

Maud : Puissance, combat (germanique). Ce prénom répandu est plutôt bien attribué aujourd'hui. Tendance : stable. Caractérologie : enthousiasme, communication, pratique, générosité, adaptation.

Maude : Puissance, combat (germanique). Ce prénom est assez répandu. Il est peu attribué actuellement. Tendance : stable. Caractérologie : achèvement, vitalité, stratégie, ardeur, leadership.

Maurane : Celle qui élève (hébreu). Ce prénom assez rare est très peu attribué aujourd'hui. Tendance : en forte décroissance. Variante : Mauranne. Variante occitane : Maura. Caractérologie : audace, indépendance, direction, dynamisme, décision.

Maureen : Celle qui élève (hébreu). Ce prénom est assez répandu. Il est relativement peu attribué aujourd'hui. Tendance : en décroissance modérée. Variante : Maureene. Caractérologie : découverte, audace, originalité, détermination, énergie.

Maurine : Celle qui élève (hébreu). Ce prénom assez rare est relativement peu attribué aujourd'hui. Tendance : en décroissance modérée. Variantes : Maurie, Maurina, Mauryne. Caractérologie : détermination, humanité, rêve, rectitude, ouverture d'esprit.

M

155

MATHILDE

Fête : 14 mars

Étymologie : du germain *maht* : puissance, et *hild* : combat. Ce prénom, particulièrement usité à la fin du Moyen Âge et au XIXe siècle, revient en force en France dans les années 1980. Sa croissance solide la propulse en 11e position en 1996, année de son apogée. Malgré un déclin amorcé depuis 1998, Mathilde se porte plutôt bien. Elle devrait se maintenir dans le top 20 français quelques années supplémentaires. En 2005, on peut même anticiper la naissance d'un peu plus de 4 000 Mathilde dans l'Hexagone. Il faut dire que le retour des prénoms rétro lui facilite la tâche. Cette vogue pourrait même lui donner un second souffle.

En dehors de la France, ce prénom est particulièrement usité en Allemagne et en Norvège. Mathilde évolue en effet dans le top 30 de ces pays. De plus, elle se propage au Canada et pourrait s'imposer dans le top 30 québécois dès 2005. Par ailleurs, elle a quitté le champs des 100 premiers prénoms wallons mais se maintiendra sans doute dans le top 30 de la Suisse francophone. Dans l'histoire, ce prénom fut porté par plusieurs reines.

Mathilde de Flandre est la fille du comte Baudouin VI de Flandre. Vers 1051, elle épouse Guillaume, duc de Normandie et futur Guillaume Ier le conquérant. Le pape, initialement opposé au mariage, revient sur sa décision en échange de la fondation de deux abbayes à Caen et à Saint-Étienne. « L'Abbaye aux Hommes » est ainsi fondée par Guillaume, et « l'Abbaye aux Dames » est fondée par Mathilde. Elle fait construire et armer le *Mora*, navire utilisé par son époux pour la conquête de l'Angleterre. Elle devient reine d'Angleterre en 1068. Mathilde de Flandre représente le duc en Normandie et assume la régence de cette région lors des expéditions de son mari. Elle meurt en 1083 et est ensevelie à la Trinité de Caen.

Sainte Mathilde devient reine en épousant le roi de Germanie, Henri l'Oiseleur vers 912. Mathilde voue une grande partie de sa vie aux malades, aux pauvres et aux prisonniers. Bien après la mort de son mari, sainte Mathilde termine ses jours dans le monastère de Nordhausen comme simple religieuse.

Dans *Le Rouge et le Noir* de Stendhal, **Mathilde de la Mole** est une des deux héroïnes aimées par Julien Sorel. Ce roman de Stendhal a été publié en 1830.

Statistique : Mathilde est le 91e prénom féminin le plus attribué du XXe siècle en France.

Mauve : Fleur mauve (latin). Ce prénom est porté par moins de 100 personnes en France. Caractérologie : ardeur, achèvement, vitalité, leadership, stratégie.

Mavelle : Aimable (latin). Variante : Maveline. Caractérologie : spiritualité, connaissances, sagacité, originalité, philosophie.

Maxence : La plus grande (latin). Ce prénom est très rare. Tendance : stable. Maxence figure dans le palmarès des prénoms mixtes. Pour en savoir plus, voir cet article. Caractérologie : diplomatie, réceptivité, sociabilité, loyauté, caractère.

Maxima : La plus grande (latin). Ce prénom est porté par moins de 100 personnes en France. Variantes : Massilia, Massima, Maxa. Caractérologie : sagacité, originalité, spiritualité, connaissances, philosophie.

Maxine : La plus grande (grec). Ce prénom est très rare. Tendance : en forte croissance. Caractérologie : pragmatisme, optimisme, détermination, communication, volonté.

May : Perle (grec). Celle qui élève (hébreu). Ce prénom est rare. Tendance : en forte croissance. Caractérologie : créativité, optimisme, communication, pragmatisme, réussite.

Maya : Source, rivière (arabe, hébreu). Ce prénom assez rare est plutôt bien attribué aujourd'hui. Tendance : en forte croissance. Variantes basques : Mayana, Mayane. Caractérologie : méthode, ténacité, réussite, fiabilité, engagement.

Maybelle : Combinaison de Marie et d'Isabelle. Caractérologie : communication, pratique, cœur, réussite, enthousiasme.

Mayline : Celle qui élève (hébreu). Ce prénom est très rare. Tendance : en forte croissance. Caractérologie : méditation, savoir, intelligence, sympathie, réalisation.

Maylis : Celle qui élève (hébreu). Ce prénom est assez répandu. Il est relativement peu attribué aujourd'hui. Tendance : en croissance modérée. Variante : Mayliss. Caractérologie : spiritualité, connaissances, originalité, réussite, sagacité.

Mayssa : Celle dont la démarche est gracieuse (arabe). Ce prénom est très rare. Tendance : en forte croissance. Caractérologie : équilibre, famille, sens des responsabilités, réalisation, influence.

Mazal : Une bonne étoile (hébreu). Ce prénom est porté par moins de 100 personnes en France. Caractérologie : habileté, passion, force, management, ambition.

Mazarine : Féminin de Mazarin, nom du Premier ministre d'Anne d'Autriche au XVIIᵉ siècle. Ce prénom est très rare. Tendance : en décroissance modérée. Caractérologie : équilibre, sens des responsabilités, famille, détermination, influence.

Meg : Perle (grec). Ce prénom est très rare. Tendance : en forte croissance. Caractérologie : sagacité, spiritualité, originalité, philosophie, connaissances.

Megan : Perle (grec). Ce prénom assez rare est très peu attribué aujourd'hui. Tendance : en décroissance modérée. Megan devrait figurer dans le top 10 anglais, irlandais et québécois en 2004. Caractérologie : méthode, engagement, ténacité, fiabilité, réalisation.

Mégane : Perle (grec). Ce prénom répandu est relativement peu attribué aujourd'hui.

M

157

Tendance : en décroissance modérée. Variantes : Megann, Méganne, Meggan, Meggane. Caractérologie : intégrité, idéalisme, réflexion, altruisme, réussite.

Meggie : Perle (grec). Ce prénom est rare. Tendance : en forte décroissance. Variantes : Meggy, Meguy. Caractérologie : audace, dynamisme, direction, assurance, indépendance.

Meghan : Perle (grec). Ce prénom est rare. Tendance : stable. Caractérologie : enthousiasme, adaptation, communication, pratique, réalisation.

Meghane : Perle (grec). Ce prénom est rare. Tendance : en forte décroissance. Caractérologie : stratégie, achèvement, réussite, vitalité, ardeur.

Mehdia : Le guide éclairé par Dieu (arabe). Ce prénom est porté par moins de 100 personnes en France. Caractérologie : détermination, sécurité, structure, persévérance, efficacité.

Mei : Belle (chinois). Ce prénom est très rare. Tendance : en forte croissance. Caractérologie : dévouement, altruisme, intégrité, idéalisme, réflexion.

Méira : Lumière (hébreu). Caractérologie : direction, audace, résolution, dynamisme, indépendance.

Méissa : Celle dont la démarche est gracieuse (arabe). Ce prénom est très rare. Tendance : en forte croissance. Caractérologie : pragmatisme, communication, optimisme, créativité, résolution.

Mélaine : Noir, peau brune (grec). Ce prénom breton est assez rare. Il est peu attribué

actuellement. Tendance : stable. Variante : Melena. Caractérologie : dynamisme, curiosité, courage, résolution, indépendance.

Mélanie : Noir, peau brune (grec). Ce prénom est très répandu. De plus, il figure dans le top 100 français aujourd'hui. Tendance : en décroissance modérée. Variantes : Mélane, Mélène. Caractérologie : courage, indépendance, curiosité, dynamisme, détermination.

Mélany : Noir, peau brune (grec). Ce prénom assez rare est très peu attribué aujourd'hui. Tendance : en décroissance modérée. Caractérologie : savoir, intelligence, cœur, méditation, réussite.

Mélie : Travailleuse (germanique). Abeille (grec). Ce prénom est très rare. Tendance : en forte croissance. Variantes : Mélia, Mellie, Melly. Caractérologie : ardeur, achèvement, vitalité, leadership, stratégie.

Mélika : Douée, reine (arabe). Ce prénom est rare. Caractérologie : bienveillance, conscience, paix, organisation, détermination.

Mélike : Douée, reine (arabe). Ce prénom est très rare. Tendance : en forte croissance. Caractérologie : énergie, autorité, autonomie, ambition, innovation.

Mélina : Abeille (grec). Ce prénom répandu est plutôt bien attribué aujourd'hui. Tendance : stable. Variantes : Mélyna, Mélyne. Caractérologie : ouverture d'esprit, humanité, rectitude, rêve, décision.

Mélinda : Abeille (grec). Ce prénom est assez répandu. Il est relativement peu attribué aujourd'hui. Tendance : stable. Variantes :

Mélynda, Mindy. Caractérologie : fiabilité, engagement, résolution, ténacité, méthode.

Méline : Abeille (grec). Ce prénom assez rare est plutôt bien attribué aujourd'hui. Tendance : en forte croissance. Variantes : Méliana, Méliane. Caractérologie : méthode, fiabilité, ténacité, engagement, sens du devoir.

Mélisa : Abeille (grec). Ce prénom assez rare est relativement peu attribué aujourd'hui. Tendance : en forte croissance. Caractérologie : énergie, découverte, originalité, audace, résolution.

Mélisande : Abeille (grec). Ce prénom est rare. Tendance : stable. Caractérologie : dynamisme, direction, indépendance, audace, résolution.

Mélissa : Abeille (grec). Ce prénom répandu figure dans le top 50 français aujourd'hui. Tendance : en décroissance modérée. Variantes : Mélis, Mélissane, Mélissanne, Mélisse. Caractérologie : famille, sens des responsabilités, influence, décision, équilibre.

Mélissandre : Abeille (grec). Ce prénom est rare. Tendance : stable. Variantes : Mélissande, Mélisandre, Mélyssandre. Caractérologie : diplomatie, décision, réceptivité, sociabilité, loyauté.

Mélita : Miel (grec). Ce prénom est porté par moins de 100 personnes en France. Caractérologie : bienveillance, conscience, détermination, paix, organisation.

Mélodie : Mélodie, chanson (grec). Ce prénom répandu est relativement peu attribué aujourd'hui. Tendance : en décroissance modérée. Variantes : Mélodi, Mélodine.

Caractérologie : rectitude, volonté, humanité, analyse, rêve.

Mélody : Mélodie, chanson (grec). Ce prénom est assez répandu. Il est relativement peu attribué aujourd'hui. Tendance : en décroissance modérée. Caractérologie : intuition, relationnel, sympathie, volonté, médiation.

Méloé : Étymologie probable : noir, peau brune (grec). Ce prénom est très rare. Tendance : en forte croissance. Variante : Méloée. Caractérologie : découverte, originalité, audace, volonté, énergie.

Mélusine : Travailleuse (germanique). Ce prénom est très rare. Tendance : stable. Caractérologie : ardeur, achèvement, stratégie, vitalité, résolution.

Melvina : Amie de l'assemblée (celte). Ce prénom est très rare. Tendance : en croissance modérée. Variante : Melvine. Caractérologie : persévérance, sécurité, détermination, structure, efficacité.

Mélyssa : Abeille (grec). Ce prénom est rare. Tendance : stable. Caractérologie : ténacité, fiabilité, réalisation, méthode, compassion.

Mendy : Celle qui élève (hébreu). Montagne (basque). Ce prénom est très rare. Tendance : en décroissance modérée. Caractérologie : spiritualité, connaissances, originalité, philosophie, sagacité.

Méora : Étoile (hébreu). Caractérologie : sagacité, spiritualité, volonté, connaissances, résolution.

Mercedes : Prix, grâce (latin). Ce prénom est assez répandu. Il est très peu attribué aujourd'hui. Tendance : stable. Mercedes est très répandu en Espagne. En France, ce prénom est plus traditionnellement usité au

M

159

Pays Basque. Caractérologie : altruisme, idéalisme, résolution, intégrité, réflexion.

Mérédith : Grande, qui a le pouvoir (gallois). Ce prénom est très rare. Tendance : stable. Caractérologie : autorité, innovation, énergie, ambition, sensibilité.

Meriam : Celle qui élève (hébreu). Ce prénom est rare. Tendance : en croissance modérée. Variante : Meriame. Caractérologie : curiosité, dynamisme, courage, indépendance, résolution.

Meriem : Celle qui élève (hébreu). Ce prénom est assez répandu. Il est peu attribué actuellement. Tendance : stable. Caractérologie : intégrité, altruisme, idéalisme, réflexion, dévouement.

Merryl : Celle qui élève (hébreu). Ce prénom est très rare. Tendance : en forte croissance. Variantes : Mérine, Meryll. Caractérologie : innovation, autorité, ambition, énergie, cœur.

Meryem : Celle qui élève (hébreu). Ce prénom assez rare est peu attribué actuellement. Tendance : stable. Variantes : Meryam, Meyrem. Caractérologie : sagacité, spiritualité, connaissances, philosophie, originalité.

Meryl : Celle qui élève (hébreu). Ce prénom assez rare est peu attribué actuellement. Tendance : stable. Variante : Eryl. Caractérologie : énergie, ambition, autorité, innovation, sympathie.

Messaline : Nom de famille romain très ancien (latin). Ce prénom est très rare. Tendance : en forte décroissance. Caractérologie : spiritualité, connaissances, sagacité, résolution, originalité.

Messaouda : Porte-bonheur (arabe). Ce prénom est rare. Tendance : stable. Caractérologie : force, ambition, passion, habileté, caractère.

Météa : Douce (grec). Caractérologie : ambition, force, habileté, passion, management.

Mia : Celle qui élève (hébreu). Ce prénom est rare. Tendance : en forte croissance. Variante : Mya. Caractérologie : énergie, découverte, originalité, audace, séduction.

Michaëlla : Qui est comme Dieu (hébreu). Ce prénom est très rare. Tendance : en croissance modérée. Variantes : Micah, Michaëla, Mickaëla, Mika, Mikaela, Mikela. Variante occitane : Miquela. Caractérologie : indépendance, direction, audace, dynamisme, décision.

Michaëlle : Qui est comme Dieu (hébreu). Ce prénom est très rare. Variantes : Michaële, Mickaëlle. Caractérologie : découverte, énergie, originalité, audace, détermination.

Michèle : Qui est comme Dieu (hébreu). Ce prénom est très répandu. Il est très peu attribué aujourd'hui. Tendance : en décroissance modérée. Caractérologie : autorité, innovation, ambition, énergie, autonomie.

Micheline : Qui est comme Dieu (hébreu). Ce prénom répandu est très peu attribué aujourd'hui. Caractérologie : conscience, paix, conseil, bienveillance, sagesse.

Michelle : Qui est comme Dieu (hébreu). Ce prénom est très répandu. Il est très peu attribué aujourd'hui. Tendance : stable. Michelle devrait figurer dans le top 10 allemand en 2004. Caractérologie : ténacité, méthode, fiabilité, engagement, sens du devoir.

Mieko : Lumineuse (japonais). Caractérologie : achèvement, stratégie, ardeur, vitalité, caractère.

Miki : Tige, tronc (japonais). Caractérologie : paix, bienveillance, conscience, conseil, sagesse.

Mila : Miracles (espagnol). Aimée du peuple (slave). Ce prénom assez rare est plutôt bien attribué aujourd'hui. Voir le zoom dédié à Mila. Caractérologie : vitalité, ardeur, stratégie, achèvement, leadership.

Milagros : Miracle (espagnol). Ce prénom est très rare. Variante : Milagro. Caractérologie : méthode, réalisation, ténacité, fiabilité, raisonnement.

Milane : Aimée du peuple (slave). Ce prénom est porté par moins de 100 personnes en France. Variante : Milana. Caractérologie : réflexion, altruisme, idéalisme, résolution, intégrité.

Milda : Douceur (anglais). Ce prénom est porté par moins de 100 personnes en France. Caractérologie : sociabilité, optimisme, pragmatisme, communication, créativité.

Mildred : Conseillère, diplomate (anglais). Ce prénom est très rare. Caractérologie : intuition, médiation, fidélité, adaptabilité, relationnel.

Miléna : Combinaison de Marie et d'Hélène. Ce prénom assez rare est relativement peu attribué aujourd'hui. Tendance : stable. Variante : Myléna. Caractérologie : décision, ouverture d'esprit, humanité, rêve, rectitude.

Milène : Combinaison de Marie et Hélène. Ce prénom assez rare est très peu attribué aujourd'hui. Tendance : en décroissance modérée. Caractérologie : méthode, ténacité, fiabilité, sens du devoir, engagement.

Milia : Miracle (espagnol). Travailleuse (germanique). Ce prénom est porté par moins de 100 personnes en France. Dans l'Hexagone, Milia est plus traditionnellement usité au Pays Basque. Caractérologie : vitalité, achèvement, ardeur, stratégie, leadership.

Milica : Travailleuse (germanique). Ce prénom est très rare. Variante : Milika. Caractérologie : loyauté, sociabilité, réceptivité, diplomatie, bonté.

Milka : Reine, conseillère (hébreu). Paix glorieuse (slave). Ce prénom est très rare. Variante : Milcah. Caractérologie : dynamisme, direction, audace, organisation, indépendance.

Milla : Jeune assistante de cérémonies (étrusque). Ce prénom est très rare. Tendance : en forte croissance. Variantes : Millie, Milly. Caractérologie : réceptivité, sociabilité, diplomatie, bonté, loyauté.

Mimi : Celle qui élève (hébreu). Ce prénom est porté par moins de 100 personnes en France. Caractérologie : passion, ambition, habileté, force, management.

Mina : Protectrice résolue (germanique). Ce prénom assez rare est relativement peu attribué aujourd'hui. Tendance : en forte croissance. En France, Mina est plus traditionnellement usité dans les Flandres. Variantes : Mine, Mini, Minna, Minnie. Caractérologie : autorité, énergie, innovation, résolution, ambition.

161

MILA

Fête : 16 septembre

Étymologie : diminutif de Ludmilla, du slave : aimée du peuple. Mila est également un diminutif espagnol de Milagros : « miracles » Ce prénom est répandu dans les pays hispanophones et slaves, notamment en Tchécoslovaquie et en Russie. En France, Mila est restée pratiquement inconnue du grand public jusqu'en 1997. En effet, avant cette date, le nombre de Mila qui naissaient chaque année se comptait sur les doigts d'une main. Aujourd'hui, Mila est en plein essor. En 2005, on peut estimer que ce prénom sera attribué à plus de 500 enfants dans l'Hexagone. Il est encore trop tôt pour affirmer que ce dernier sera en vogue demain, mais son ascension est indéniablement remarquable.

Nul doute que Mila ambitionne l'entrée du top 100 français. Cet objectif est d'autant plus réalisable que Mila s'inscrit dans la vogue actuelle des prénoms courts en « a ». En outre, sa qualité de prénom slave et son identité régionale basque lui donnent un charme particulièrement recherché par les parents français. Mentionnons quelques dérivés et variantes répandus dans les pays slaves : Milana, Milane, Ludmila. Notons enfin que ce prénom commence à émerger dans les régions francophones de la Belgique, de la Suisse et du Québec.

Statistique : Mila est le 1 496e prénom féminin le plus attribué du XXe siècle en France.

Minerve : Déesse romaine de la Sagesse (latin). Ce prénom est porté par moins de 100 personnes en France. Caractérologie : découverte, audace, séduction, énergie, originalité.

Minh : Intelligente, perspicace (vietnamien). Ce prénom est très rare. Caractérologie : ambition, habileté, passion, force, management.

Miora : Lumière (hébreu). Ce prénom est porté par moins de 100 personnes en France. Caractérologie : intuition, relationnel, médiation, fidélité, adaptabilité.

Miranda : Celle qui élève (hébreu). Ce prénom est très rare. Tendance : en croissance modérée. Variantes : Mira, Mirabelle, Mirana. Caractérologie : bienveillance, paix, détermination, conscience, conseil.

Mirca : Lagon bleu (tahitien). Caractérologie : passion, ambition, habileté, force, management.

Mireille : Celle qui élève (hébreu). Ce prénom est très répandu. Il est très peu attribué aujourd'hui. Tendance : stable. Caractérologie : médiation, intuition, fidélité, adaptabilité, relationnel.

Mirella : Celle qui élève (hébreu). Ce prénom est rare. Tendance : en décroissance modérée. Variantes : Mérielle, Mirela, Miren, Mirielle. Caractérologie : méditation, intelligence, savoir, indépendance, décision.

Miriam : Celle qui élève (hébreu). Ce prénom assez rare est très peu attribué aujourd'hui. Tendance : en croissance modérée. Variante : Miryam. Caractérologie : altruisme, dévouement, idéalisme, intégrité, réflexion.

Misao : Fidèle, loyale (japonais). Caractérologie : optimisme, communication, créativité, pragmatisme, sociabilité.

Mgisty : Brumeux (anglais). Caractérologie : originalité, énergie, découverte, réussite, audace.

Mitsuko : Enfant de la lumière (japonais). Caractérologie : humanité, rectitude, analyse, rêve, organisation.

Miyo : Belle, enfant (japonais). Caractérologie : achèvement, vitalité, leadership, ardeur, stratégie.

Moa : Mère (suédois). Moa devrait figurer dans le top 10 suédois en 2004. Caractérologie : bonté, diplomatie, loyauté, sociabilité, réceptivité.

Moana : Océan (tahitien). Ce prénom est très rare. Tendance : en forte croissance. Caractérologie : achèvement, stratégie, ardeur, vitalité, caractère.

Modestie : Timide, discrète (latin). Ce prénom est très rare. Variantes : Modesta, Modestine, Modesty. Caractérologie : rectitude, humanité, résolution, rêve, volonté.

Moéa : Qui dort bien (tahitien). Caractérologie : spiritualité, connaissances, sagacité, caractère, originalité.

Mohana : L'enchanteresse (sanscrit). Caractérologie : savoir, méditation, indépendance, intelligence, volonté.

Moïra : Celle qui élève (hébreu). Ce prénom est très rare. Tendance : stable. Variantes : Maéra, Maïra, Maïre. Caractérologie : sociabilité, réceptivité, loyauté, diplomatie, bonté.

Moïsa : Sauvée des eaux (hébreu). Ce prénom est porté par moins de 100 personnes en France. Caractérologie : pratique, communication, générosité, enthousiasme, adaptation.

Mojdeh : Bonne nouvelle (perse). Caractérologie : autorité, énergie, innovation, ambition, caractère.

Molly : Celle qui élève (hébreu). Ce prénom est très rare. Tendance : en croissance modérée. Caractérologie : courage, curiosité, indépendance, charisme, dynamisme.

Mona : Vœux, désir (arabe). Solitaire (grec). Ce prénom assez rare est relativement peu attribué aujourd'hui. Tendance : en croissance modérée. Variante : Monna. Caractérologie : sagacité, originalité, spiritualité, connaissances, volonté.

Monia : Vœux, désir (arabe). Ce prénom est assez répandu. Il est très peu attribué aujourd'hui. Tendance : en décroissance modérée. Variante : Monya. Caractérologie : spiritualité, sagacité, connaissances, caractère, décision.

M

163

Monica : Solitaire (grec). Ce prénom assez rare est très peu attribué aujourd'hui. Tendance : en croissance modérée. Monica est très répandu dans les pays anglophones et hispanophones. En France, ce prénom est plus traditionnellement usité en Corse. Variante : Monika. Caractérologie : direction, audace, analyse, dynamisme, volonté.

Monique : Solitaire (grec). Ce prénom est très répandu. Il est très peu attribué aujourd'hui. Tendance : en décroissance modérée. Variante : Monick. Caractérologie : ténacité, fiabilité, analyse, méthode, volonté.

Montserrat : Montagne dentelée (latin). Ce prénom est très rare. Variante : Monserrat. Caractérologie : vitalité, achèvement, stratégie, volonté, résolution.

Morane : Née de la mer (breton). Ce prénom est rare. Tendance : en décroissance modérée. Variante : Morine. Caractérologie : pragmatisme, communication, décision, caractère, optimisme.

Morgan : Née de la mer (breton). Ce prénom assez rare est peu attribué actuellement. Tendance : stable. Variante : Morgana. Caractérologie : caractère, courage, dynamisme, réussite, curiosité.

Morgane : Née de la mer (breton). Ce prénom répandu figure dans le top 50 français aujourd'hui. Tendance : stable. Variantes : Morgann, Morganne, Morgiane. Caractérologie : innovation, énergie, autorité, volonté, réalisation.

Mori : Forêt (japonais). Caractérologie : énergie, autorité, innovation, autonomie, ambition.

Morwenna : Jeune fille (gallois). Ce prénom est porté par moins de 100 personnes en France. Caractérologie : fiabilité, ténacité, détermination, méthode, volonté.

Mouna : Vœux, désir (arabe). Ce prénom assez rare est peu attribué actuellement. Tendance : en croissance modérée. Caractérologie : autorité, énergie, innovation, ambition, volonté.

Mounia : Vœux, désir (arabe). Ce prénom assez rare est peu attribué actuellement. Tendance : stable. Variante : Mounya. Caractérologie : dynamisme, audace, volonté, direction, analyse.

Muriel : Celle qui élève (hébreu). Ce prénom répandu est très peu attribué aujourd'hui. Tendance : en décroissance modérée. Caractérologie : conseil, paix, bienveillance, sagesse, conscience.

Murielle : Celle qui élève (hébreu). Ce prénom répandu est très peu attribué aujourd'hui. Tendance : stable. Variantes : Muryel, Muryelle. Caractérologie : audace, énergie, séduction, originalité, découverte.

My : Celle qui élève (hébreu). Belle, gracieuse (vietnamien). Ce prénom est très rare. Tendance : en décroissance modérée. Caractérologie : diplomatie, sociabilité, réceptivité, loyauté, bonté.

Mylène : Combinaison de Marie et d'Hélène. Ce prénom répandu est plutôt bien attribué aujourd'hui. Tendance : stable. Variante : Mylaine. Caractérologie : sociabilité, réceptivité, diplomatie, loyauté, sympathie.

Myriam : Celle qui élève (hébreu). Ce prénom répandu figure dans le top 100 français aujourd'hui. Tendance : stable. Caractérologie : méditation, réussite, savoir, intelligence, indépendance.

Myriame : Celle qui élève (hébreu). Ce prénom assez rare est très peu attribué aujourd'hui. Tendance : stable. Variantes : Myra, Myria, Myriama. Caractérologie : communication, pratique, enthousiasme, résolution, réalisation.

Myriem : Celle qui élève (hébreu). Ce prénom est rare. Tendance : en croissance modérée. Caractérologie : intuition, médiation, relationnel, fidélité, adaptabilité.

Myrtille : Se rapporte au fruit du même nom. Ce prénom est rare. Tendance : en croissance modérée. Caractérologie : conscience, conseil, bienveillance, sympathie, paix.

N : Ceci surprendra plus d'un lecteur. N n'est pas seulement une lettre ; c'est aussi un prénom, aussi méconnu soit-il. Ce prénom est porté par moins de 100 personnes en France. N a été enregistré sur les registres de l'état civil français pour la première fois en 1948. À noter : M et N sont les deux seules lettres de l'alphabet qui aient été utilisées en tant que prénoms en France.

Naama : Douceur, beauté (hébreu). Variante : Naamah. Caractérologie : optimisme, pragmatisme, communication, créativité, sociabilité.

Nabia : D'une grande intelligence (arabe). Ce prénom est très rare. Variante : Nabiha. Caractérologie : humanité, rectitude, rêve, ouverture d'esprit, décision.

Nabila : Noble, honorable (arabe). Ce prénom assez rare est très peu attribué aujourd'hui.

Tendance : stable. Variantes : Nabella, Nabilah, Nabilla. Caractérologie : pratique, communication, enthousiasme, organisation, résolution.

Nacéra : Protection, victoire (arabe). Ce prénom assez rare est très peu attribué aujourd'hui. Tendance : en décroissance modérée. Variante : Nacira. Caractérologie : paix, bienveillance, conseil, conscience, décision.

Nada : Rosée (arabe). Espoir (russe). Ce prénom est rare. Tendance : en forte croissance. Nada est assez répandu dans les pays slaves. Caractérologie : diplomatie, réceptivité, sociabilité, loyauté, bonté.

Nadège : Espérance dans l'attente (latin). Ce prénom répandu est très peu attribué aujourd'hui. Tendance : en décroissance modérée. Variante : Nadeje. Caractérologie : rêve, humanité, rectitude, ouverture d'esprit, réalisation.

Nadéra : Précieux, rare (arabe). Ce prénom est très rare. Caractérologie : sagacité, connaissances, spiritualité, résolution, originalité.

Nadette : Courageuse comme un ours (germanique). Ce prénom est très rare. Caractérologie : sens des responsabilités, équilibre, famille, influence, exigence.

Nadia : Celle qui proclame haut et fort (arabe). Espérance dans l'attente (latin). Espoir (russe). Ce prénom répandu est relativement peu attribué aujourd'hui. Tendance : en décroissance modérée. Nadia est très répandu dans les pays slaves. Variante : Nadya. Caractérologie : diplomatie, réceptivité, sociabilité, détermination, loyauté.

N

165

Nadine : Combinaison de Nadège et de Bernadette. Ce prénom est très répandu. Il est très peu attribué aujourd'hui. Tendance : en décroissance modérée. Variante : Nadyne. Caractérologie : sociabilité, diplomatie, réceptivité, loyauté, résolution.

Nadira : Précieux, rare (arabe). Ce prénom est rare. Caractérologie : diplomatie, sociabilité, loyauté, réceptivité, détermination.

Nadja : Espérance dans l'attente (latin). Ce prénom est très rare. En dehors de la France, Nadja est particulièrement répandu en Tchécoslovaquie. Caractérologie : communication, enthousiasme, pratique, adaptation, générosité.

Nadra : Très rare (arabe). Ce prénom est très rare. Variante : Nédra Caractérologie : relationnel, intuition, médiation, fidélité, détermination.

Nady : Combinaison de Nadège et de Bernadette. Ce prénom est très rare. Caractérologie : ambition, habileté, force, passion, réalisation.

Naëlle : Celle dont le travail est fructueux (arabe). Ce prénom est très rare. Tendance : en forte croissance. Variante : Naëla. Caractérologie : ténacité, fiabilité, méthode, engagement, sens du devoir.

Naéva : Vie, donner la vie (hébreu). Ce prénom est très rare. Tendance : en forte croissance. Caractérologie : originalité, sagacité, spiritualité, connaissances, philosophie.

Nafissa : Rare, coûteux (arabe). Ce prénom est très rare. Tendance : stable. Variante : Nafi. Caractérologie : équilibre, famille, sens des responsabilités, influence, résolution.

Nahara : Lumière (araméen). Caractérologie : connaissances, sagacité, originalité, résolution, spiritualité.

Nahia : Flot, fluide (grec). Désirée (basque). Ce prénom est très rare. Tendance : en forte croissance. En France, Nahia est plus traditionnellement usité au Pays Basque. Caractérologie : équilibre, famille, influence, sens des responsabilités, détermination.

Nahida : Jeune fille qui devient femme (arabe). Ce prénom est très rare. Tendance : stable. Variantes : Nahed, Nahid. Caractérologie : autorité, énergie, innovation, ambition, détermination.

Nahima : Douceur, plaisir (arabe). Ce prénom est rare. Variantes : Naéma, Nahéma. Caractérologie : direction, audace, détermination, dynamisme, indépendance.

Nahla : Qui a étanché sa soif (arabe). Ce prénom est très rare. Tendance : stable. Variante : Nahila. Caractérologie : rectitude, humanité, rêve, ouverture d'esprit, générosité.

Naïa : Flot, fluide (grec). Voir également Naya. Ce prénom est très rare. Tendance : en forte croissance. Caractérologie : savoir, indépendance, intelligence, méditation, détermination.

Naïda : Flot, fluide (grec). Ce prénom est très rare. Tendance : en croissance modérée. Variantes : Naïad, Naïada. Caractérologie : médiation, relationnel, fidélité, intuition, résolution.

Naïg : Grâce (hébreu). Ce prénom est porté par moins de 100 personnes en France. Tendance : stable. Ce prénom est plus par-

Les prénoms de reines

La vogue des prénoms rétro et médiévaux a remis au goût du jour certains prénoms (Agnès, Blanche, Jeanne, Louise, Marie) qui ont été portés par des reines. Il est intéressant de voyager dans le temps et d'observer plus en détail ces prénoms royaux qui redeviennent à la mode par cycles. Les noms de reines sont classés par ordre chronologique et retracent les dynasties successives des Capétiens, des Valois et des Bourbons.

Les Capétiens :
Adélaïde d'Aquitaine
Rozala, dite Suzanne de
Provence
Berthe de Bourgogne
Constance d'Arles
Mathilde
Anne de Russie
Berthe de Hollande
Bertrade de Montfort
Adélaïde de Savoie
Aliénor d'Aquitaine
Constance de Castille
Adèle de Champagne
Isabelle de Hainaut
Ingeburge de Danemark
Agnès de Méranie
Blanche de Castille
Marguerite de Provence
Isabelle d'Aragon
Marie de Brabant
Jeanne de Navarre
Marguerite de Bourgogne
Clémence de Hongrie
Jeanne de Bourgogne
Blanche de Bourgogne
Marie de Luxembourg
Jeanne d'Evreux

Les Valois :
Jeanne de Bourgogne
Blanche de Navarre
Jeanne de Boulogne
Jeanne de Bourbon
Isabeau de Bavière
Marie d'Anjou
Charlotte de Savoie
Anne de Bretagne
Jeanne de France
Mary d'Angleterre
Claude de France
Eleonore de Habsbourg
Catherine de Médicis
Marie Stuart
Elisabeth d'Autriche
Louise de Lorraine-
Vaudémont

Les Bourbons :
Marguerite de Valois, dite
« la Reine Margot »
Marie de Médicis
Anne d'Autriche
Marie Thérèse de
Habsbourg
Marie Leszcynska
Marie Antoinette de
Lorraine-Autriche
Marie Amélie de Bourbon-
Autriche

ticulièrement usité en Bretagne où il s'orthographie également sans tréma. Caractérologie : structure, persévérance, sécurité, efficacité, résolution.

Naïla : Celle dont le travail est fructueux (arabe). Ce prénom est rare. Tendance : en forte croissance. Variantes : Naïlah, Nayla, Neyla. Caractérologie : direction, résolution, dynamisme, indépendance, audace.

Naïma : Douceur, plaisir (arabe). Ce prénom est assez répandu. Il est peu attribué actuellement. Tendance : stable. Variantes : Naaïma, Nayma. Caractérologie : intuition, médiation, relationnel, détermination, fidélité.

Naïri : Qui vient d'Arménie (arménien). Caractérologie : bienveillance, conseil, conscience, décision, paix.

Naïs : Grâce (hébreu). Ce prénom assez rare est relativement peu attribué aujourd'hui. Tendance : en croissance modérée. Caractérologie : spiritualité, connaissances, sagacité, originalité, décision.

Najat : Sauvée (arabe). Ce prénom assez rare est très peu attribué aujourd'hui. Tendance : en décroissance modérée. Caractérologie : audace, direction, indépendance, dynamisme, assurance.

Najate : Sauvée (arabe). Ce prénom est rare. Caractérologie : équilibre, sens des responsabilités, exigence, influence, famille.

Najet : Sauvée (arabe). Ce prénom est rare. Tendance : stable. Variantes : Nadjat, Nadjet, Naget, Nagète, Najette. Caractérologie : indépendance, courage, dynamisme, curiosité, charisme.

Najia : Sauvée (arabe). Ce prénom est rare. Tendance : en croissance modérée. Variantes : Nadjia, Nagia, Najah, Najda, Nejda. Caractérologie : habileté, passion, ambition, force, décision.

Najoua : Confidence, secret (arabe). Ce prénom est rare. Tendance : stable. Variantes : Najoie, Najwa, Néjoua. Caractérologie : ambition, force, passion, habileté, management.

Nami : Vague (japonais). Caractérologie : dynamisme, direction, audace, détermination, indépendance.

Namira : Tigresse (arabe). Caractérologie : relationnel, intuition, décision, médiation, fidélité.

Nancy : Grâce (hébreu). Ce prénom est assez répandu. Il est très peu attribué aujourd'hui. Tendance : en décroissance modérée. Variantes : Nana, Nancie. Caractérologie : communication, enthousiasme, pratique, adaptation, cœur.

Nao : Fleur de pêcher (vietnamien). Honnête (japonais). Caractérologie : pragmatisme, optimisme, sociabilité, communication, créativité.

Naomi : Belle, agréable (hébreu). Ce prénom est assez répandu. Il est relativement peu attribué aujourd'hui. Tendance : stable. Caractérologie : spiritualité, sagacité, volonté, détermination, connaissances.

Naomie : Belle, agréable (hébreu). Ce prénom assez rare est plutôt bien attribué aujourd'hui. Tendance : en forte croissance. Variantes : Naomy, Néomie, Noam, Noamie. Caractérologie : décision, communication, pragmatisme, caractère, optimisme.

Naoual : Un présent (arabe). Ce prénom est rare. Tendance : en décroissance modérée. Variantes : Naouele, Nawaël. Caractérologie : énergie, ambition, innovation, autonomie, autorité.

Naouel : Un présent (arabe). Ce prénom est rare. Tendance : stable. Caractérologie : découverte, audace, originalité, énergie, séduction.

Nara : Chêne, symbole de stabilité (japonais). Heureuse (celte). Proche, aimée (anglais). Caractérologie : résolution, méditation, savoir, intelligence, indépendance.

Narcisse : Amour-propre (grec). Ce prénom est très rare. Variante : Narcissa. Caractérologie : savoir, intelligence, méditation, indépendance, détermination.

Narimane : Au caractère doux et agréable (arabe). Ce prénom est très rare. Tendance : en décroissance modérée. Variantes : Narima, Narimen, Narimene, Narrimane, Neriman. Caractérologie : pragmatisme, communication, optimisme, créativité, résolution.

Nariné : Fine (arménien). Caractérologie : originalité, sagacité, connaissances, spiritualité, décision.

Narjès : Féminin arabe équivalent de Narcisse : amour-propre (grec). Ce prénom est très rare. Tendance : en croissance modérée. Variantes : Nargès, Narjess, Narjis, Narjisse. Caractérologie : sécurité, efficacité, structure, persévérance, détermination.

Nasséra : Protection, victoire (arabe). Ce prénom assez rare est très peu attribué aujourd'hui. Tendance : en forte décroissance.

Caractérologie : audace, détermination, découverte, originalité, énergie.

Nassia : Miracle divin (hébreu). Ce prénom est porté par moins de 100 personnes en France. Variantes : Nasia, Nasya. Caractérologie : altruisme, détermination, réflexion, idéalisme, intégrité.

Nassima : Air frais (arabe). Ce prénom assez rare est peu attribué actuellement. Tendance : stable. Caractérologie : sécurité, persévérance, détermination, structure, efficacité.

Nassira : Protection, victoire (arabe). Ce prénom est rare. Tendance : stable. Variante : Nasira. Caractérologie : réflexion, intégrité, altruisme, idéalisme, décision.

Nastasia : Jour de la naissance (latin). Ce prénom est rare. Tendance : en décroissance modérée. Variantes : Nastassia, Nastasya, Natassia. Caractérologie : enthousiasme, pratique, communication, adaptation, détermination.

Natacha : Jour de la naissance (latin). Ce prénom répandu est relativement peu attribué aujourd'hui. Tendance : en décroissance modérée. Variante : Natasha. Caractérologie : communication, enthousiasme, pratique, organisation, finesse.

Natalia : Jour de la naissance (latin). Ce prénom assez rare est très peu attribué aujourd'hui. Tendance : stable. Natalia est très répandu dans les pays slaves. En France, ce prénom est plus traditionnellement usité en Corse. Caractérologie : méthode, fiabilité, ténacité, décision, gestion.

Natalie : Jour de la naissance (latin). Ce prénom assez rare est très peu attribué aujour-

N

169

d'hui. Variantes : Natale, Natali. Caractérologie : organisation, stratégie, vitalité, achèvement, détermination.

Nataline : Jour de la naissance (latin). Ce prénom est très rare. Variantes : Natalena, Natalène, Natalina, Nathalène, Nathaline. Caractérologie : gestion, méthode, ténacité, décision, fiabilité.

Nathalia : Jour de la naissance (latin). Ce prénom est rare. Tendance : stable. Caractérologie : communication, finesse, pratique, enthousiasme, résolution.

Nathalie : Jour de la naissance (latin). Ce prénom est très répandu. Il est peu attribué actuellement. Tendance : en décroissance modérée. Caractérologie : spiritualité, connaissances, décision, sagacité, attention.

Nathaly : Jour de la naissance (latin). Ce prénom est très rare. Variantes : Natalis, Nataly, Natty. Caractérologie : altruisme, idéalisme, intégrité, sensibilité, compassion.

Nathanaëlle : Il a donné (hébreu). Ce prénom assez rare est très peu attribué aujourd'hui. Tendance : stable. Caractérologie : pratique, enthousiasme, communication, sensibilité, organisation.

Natividad : Nativité (latin). Ce prénom est très rare. Variante : Nativité. Caractérologie : communication, pragmatisme, optimisme, créativité, décision.

Natsu : Printemps (japonais). Caractérologie : gestion, adaptation, communication, pratique, enthousiasme.

Nava : Belle (hébreu). Caractérologie : réceptivité, loyauté, sociabilité, bonté, diplomatie.

Nawal : Un présent (arabe). Ce prénom assez rare est peu attribué actuellement. Tendance : stable. Variantes : Naoïl, Naoïle, Naouale, Nawale. Caractérologie : paix, bienveillance, conscience, conseil, sagesse.

Nawel : Un présent (arabe). Ce prénom est assez répandu. Il est relativement peu attribué aujourd'hui. Tendance : stable. Variantes : Naouelle, Nawell, Nawelle. Caractérologie : autorité, innovation, énergie, ambition, autonomie.

Naya : Sollicitude (arabe). Ce prénom est très rare. Tendance : en forte croissance. Variante : Nayah. Caractérologie : audace, découverte, originalité, énergie, séduction.

Nayana : Regard, yeux (sanscrit). Caractérologie : médiation, relationnel, intuition, fidélité, adaptabilité.

Nazélie : Gracieuse, charmante (arménien). Variante : Nazanie Caractérologie : idéalisme, altruisme, réflexion, intégrité, détermination.

Nedra : Inférieur au niveau de la terre (anglais). Ce prénom est porté par moins de 100 personnes en France. Caractérologie : équilibre, influence, famille, détermination, sens des responsabilités.

Neige : Neige (français). Ce prénom est très rare. Tendance : en croissance modérée. Caractérologie : persévérance, structure, sécurité, honnêteté, efficacité.

Neila : Éclat du soleil (grec). Ce prénom est très rare. Tendance : en croissance modérée. Caractérologie : énergie, découverte, originalité, détermination, audace.

Neïma : Mélodie (hébreu). Ce prénom est porté par moins de 100 personnes en France. Caractérologie : famille, sens des responsabilités, décision, équilibre, influence.

Nejma : Étoile (arabe). Ce prénom est rare. Tendance : en croissance modérée. Variantes : Najima, Najma, Nedjma. Caractérologie : originalité, connaissances, philosophie, sagacité, spiritualité.

Nelia : Petite fleur (kabyle). Ce prénom est très rare. Tendance : en forte croissance. Caractérologie : énergie, découverte, audace, détermination, originalité.

Nélia : Jour de la naissance (latin). Ce prénom est très rare. Tendance : en forte croissance. Variante : Nélie. Caractérologie : énergie, découverte, audace, détermination, originalité.

Nell : Éclat du soleil (grec). Ce prénom assez rare est plutôt bien attribué aujourd'hui. Tendance : en forte croissance. Caractérologie : savoir, intelligence, méditation, indépendance, sagesse.

Nellie : Éclat du soleil (grec). Ce prénom est rare. Tendance : en forte décroissance. Caractérologie : communication, créativité, sociabilité, pragmatisme, optimisme.

Nelly : Éclat du soleil (grec). Ce prénom répandu est peu attribué actuellement. Tendance : en décroissance modérée. Variantes : Nella, Nelli, Nely. Caractérologie : énergie, audace, compassion, découverte, originalité.

Néola : Jeune (grec). Caractérologie : réceptivité, sociabilité, diplomatie, bonté, loyauté.

Néona : Pleine lune (grec). Caractérologie : méthode, sens du devoir, fiabilité, engagement, ténacité.

Nerea : Mien, mienne (basque). Ce prénom est porté par moins de 100 personnes en France. Caractérologie : indépendance, intelligence, savoir, méditation, décision.

Neria : Source de lumière (hébreu). Caractérologie : intuition, médiation, décision, fidélité, relationnel.

Nérina : Nymphe de la mer (grec). Ce prénom est porté par moins de 100 personnes en France. Variante : Nérissa. Caractérologie : spiritualité, sagacité, connaissances, décision, originalité.

Nese : Chaste, pure (grec). Ce prénom est porté par moins de 100 personnes en France. Caractérologie : connaissances, spiritualité, sagacité, originalité, philosophie.

Neslihan : De la famille des Khan (turc). Ce prénom est très rare. Tendance : stable. Caractérologie : innovation, autorité, énergie, résolution, ambition.

Nesrine : Fleur sauvage (arabe). Ce prénom assez rare est relativement peu attribué aujourd'hui. Tendance : en croissance modérée. Variantes : Nasrine, Nassrine, Nesrin, Nesserine, Nessrine, Nisrin. Caractérologie : pragmatisme, optimisme, créativité, communication, résolution.

Ness : Sympathique, généreuse (arabe). Ce prénom assez rare est relativement peu attribué aujourd'hui. Tendance : en forte croissance. Caractérologie : optimisme, communication, créativité, pragmatisme, sociabilité.

Les prénoms vietnamiens en France

Peu d'ouvrages les mentionnent, et pourtant, de nombreux prénoms vietnamiens sont portés en France. Ces derniers ont été inclus dans ce livre et apparaissent sous la forme orthographique qui est attribuée en France. Au Viêt Nam, les prénoms sont en majorité d'un genre mixte. De plus, ils sont souvent composés de deux noms. Dans l'Hexagone, la plupart d'entre eux sont mixtes, mais certains se présentent sous une forme distincte masculine ou féminine. C'est la raison pour laquelle les genres sont indiqués tels qu'ils sont usités en France et au Viêt Nam dans le tableau ci-dessous. Soulignons que l'orthographe de la plupart de ces prénoms est trouvée sous une forme orthographique francisée. Deux raisons peuvent expliquer ce choix effectué par les parents. D'une part, lorsque l'orthographe du prénom prend en compte les règles de phonétique française, sa prononciation reste plus proche de celle qui est utilisée au Viêt Nam ; d'autre part les prénoms vietnamiens utilisent des caractères qui n'existent pas dans l'alphabet français. L'utilisation de l'alphabet français facilite donc la lecture et l'écriture de ces prénoms.

Forme vietnamienne	Forme française	Genre en France	Genre au Viêt-nam
An	An	Masculin	Mixte
Anh	Anh	Mixte	Mixte
Bão	Bao	Mixte	Masculin
Bãy	Bay	Masculin	Masculin
Châm	Cham	Masculin	Mixte
Nao	Nao	Mixte	Mixte
Hãi	Haï	Masculin	Masculin
Hoàng	Hoang	Masculin	Masculin
Hông	Hong	Mixte	Féminin
Hong	Hong	Mixte	Masculin
Huy	Huy	Masculin	Masculin
Kim	Kim	Mixte	Mixte
Luân	Luan	Féminin	Masculin
Ly	Ly	Mixte	Mixte
Minh	Minh	Mixte	Mixte
My	My	Féminin	Féminin
Ngoc	Ngoc	Mixte	Mixte
Nguyên, Nguyên	Nguyen	Masculin	Masculin
Nguyeät	Nguyet	Féminin	Féminin
Phong	Phong	Masculin	Masculin
Phúc	Phuc	Masculin	Mixte
Phuõng	Phuong	Féminin	Féminin
Quang	Quang	Masculin	Masculin
Quôc	Quoc	Masculin	Masculin

Les prénoms vietnamiens en France *(suite)*

Forme vietnamienne	Forme française	Genre en France	Genre au Viêt-nam
Sang	Seng	Masculin	Masculin
Tâm	Tam	Mixte	Mixte
Tân	Tan	Masculin	Masculin
Thanh, Thành	Tanh	Mixte	Mixte
Thão	Thao	Mixte	Mixte
Thi	Thi	Féminin	Féminin
Thiên	Thien	Mixte	Masculin
Tao	Tao	Masculin	Masculin
Thôm	Thom	Masculin	Féminin
Thu	Thu	Féminin	Féminin
Thûy	Thuy	Féminin	Féminin
Tiên	Tien	Masculin	Mixte
Tong	Tong	Masculin	Masculin
Trân	Tran	Mixte	Mixte
Trong	Trong	Masculin	Masculin
Tuãn	Tuan	Masculin	Masculin
Tú	Tu	Masculin	Mixte
Viêt	Viet	Masculin	Masculin
Vinh	Vinh	Masculin	Masculin
Xuân	Xuan	Mixte	Mixte
Yên	Yen	Mixte	Mixte

Dans les communautés vietnamiennes francophones et anglophones, une nouvelle génération de prénoms vietnamiens est en train d'émerger. Les associations de sons occidentaux et de particules vietnamiennes y sont notamment très en vogue. « Lan », l'orchidée, est particulièrement prisée par les parents. Le nombre de petites filles prénommées Y-lan et My-lan s'étend d'autant plus que ces prénoms sont faciles à prononcer partout dans le monde. Les associations utilisant les sons « Vi » et « Mi » sont également utilisées pour composer des prénoms masculins et féminins. En France, Luan est une véritable graine de star. Bien qu'extrêmement rare, ce prénom pourrait devenir l'un des choix préférés des parents vietnamiens (et peut-être des familles de toutes cultures). Il possède de nombreuses qualités qui expliquent ce potentiel : ce prénom est court, et sa terminaison, à consonance irlandaise, est dans l'air du temps. Enfin, et surtout, Luan ressemble à Loan, une graine de star.

Nettie : Dieu fait grâce (hébreu). Variante : Netty. Caractérologie : autorité, autonomie, innovation, énergie, ambition.

Nevada : Nom d'un État des États-Unis (anglais). Caractérologie : sociabilité, diplomatie, réceptivité, loyauté, bonté.

Ngoc : Pierre précieuse (vietnamien). Ce prénom est très rare. Tendance : en décroissance modérée. Caractérologie : sympathie, pratique, enthousiasme, communication, adaptation.

Nguyet : Lune (vietnamien). Caractérologie : réceptivité, diplomatie, sociabilité, loyauté, sympathie.

Niame : Prénom arabe d'origine égyptienne. Ce prénom est très rare. Tendance : stable. Variante : Niamet. Caractérologie : bienveillance, conscience, détermination, paix, conseil.

Niamh : D'une beauté éclatante (irlandais). Niamh devraif figurer dans le top 10 irlandais en 2004. Caractérologie : altruisme, idéalisme, intégrité, réflexion, détermination.

Nicole : Victoire du peuple (grec). Ce prénom est très répandu. Il est très peu attribué aujourd'hui. Tendance : en croissance modérée. Nicole est très répandu en Allemagne. Variantes : Nicolina, Nicoline. Variante basque : Nikole. Caractérologie : efficacité, persévérance, structure, analyse, sécurité.

Nicoletta : Victoire du peuple (grec). Ce prénom est très rare. Variante : Nicolette. Caractérologie : détermination, altruisme, idéalisme, raisonnement, intégrité.

Nicolle : Victoire du peuple (grec). Ce prénom est assez répandu. Il est très peu attribué aujourd'hui. Caractérologie : intelligence, méditation, indépendance, savoir, logique.

Nida : L'appel (arabe). Ce prénom est porté par moins de 100 personnes en France. Caractérologie : dynamisme, indépendance, audace, direction, décision.

Nieves : La neige (espagnol). Ce prénom est très rare. Variante : Neva. Caractérologie : sociabilité, loyauté, diplomatie, résolution, réceptivité.

Nikita : Victoire du peuple (grec). Ce prénom est rare. Tendance : en décroissance modérée. Variante : Nikki. Caractérologie : innovation, ambition, énergie, autorité, résolution.

Nil : Championne (irlandais). Ce prénom est porté par moins de 100 personnes en France. Variantes : Néala, Nèle. Caractérologie : force, habileté, passion, ambition, management.

Nima : Plaisirs, bienfaits (arabe). Corde d'instrument de musique (hébreu). Variantes : Nimah, Nimat. Caractérologie : autorité, ambition, innovation, énergie, détermination.

Nina : Grâce (hébreu). Ce prénom répandu figure dans le top 100 français aujourd'hui. Tendance : en croissance modérée. Nina est très répandu en Russie. Caractérologie : intuition, fidélité, relationnel, détermination, médiation.

Ninon : Messie (grec). Ce prénom est assez répandu. Il est plutôt bien attribué aujourd'hui. Tendance : en croissance modérée. Variante : Nine. Caractérologie : pragmatisme, communication, créativité, optimisme, sociabilité.

Nisha : Nuit (sanscrit). Ce prénom est porté par moins de 100 personnes en France. Caractérologie : paix, conscience, bienveillance, résolution, conseil.

Nisrine : Fleur sauvage (arabe). Ce prénom est rare. Tendance : en forte croissance. Variante : Nissrine. Caractérologie : indépendance, méditation, intelligence, décision, savoir.

Nissa : Lutin (scandinave). Un signe (hébreu). Ce prénom est porté par moins de 100 personnes en France. Variantes : Nisha, Nyssa. Caractérologie : détermination, ambition, habileté, force, passion.

Nita : Grâce (hébreu). Ce prénom est très rare. Caractérologie : vitalité, achèvement, décision, stratégie, ardeur.

Niva : Parole (hébreu). Caractérologie : ambition, innovation, autorité, énergie, résolution.

Nixie : Lutin, source (germanique). Caractérologie : sagacité, connaissances, spiritualité, philosophie, originalité.

Nizam : Harmonie (arabe). Caractérologie : idéalisme, détermination, réflexion, altruisme, intégrité.

Noa : En mouvement (hébreu). Ce prénom assez rare est plutôt bien attribué aujourd'hui. Tendance : en forte croissance. Noa figure dans le palmarès des prénoms mixtes. Pour en savoir plus, voir cet article. Variantes : Noah, Noée. Caractérologie : communication, enthousiasme, adaptation, pratique, générosité.

Noela : Jour de la naissance (latin). Ce prénom breton est rare. Caractérologie : médiation, intuition, relationnel, adaptabilité, fidélité.

Noèle : Jour de la naissance (latin). Ce prénom assez rare est très peu attribué aujourd'hui. Caractérologie : exigence, influence, équilibre, famille, sens des responsabilités.

Les prénoms rétro du début de XXe siècle

C'est avec un brin de nostalgie que l'on évoque les prénoms portés par nos arrière-grands-parents. Cette sélection du début du XXe siècle rassemble les prénoms dont la période record d'attribution se situe entre 1900 et 1910. Cela n'empêche pas chacun de ces derniers de séduire de plus en plus de parents aujourd'hui. Nous devrions bientôt voir s'épanouir Eulalie, Appoline, Anatole ou Faustin dans les cours d'écoles maternelles. Certains s'y font déjà entendre, comme Augustin, Louis, Jules, Victor, Oscar, Jeanne ou Rose.

Filles : Adèle, Aglaée, Albanie, Alexine, Alina, Alma, Angèle, Appoline, Armance, Arthémise, Augustine, Blanche, Célestine, Colombe, Dina, Elia, Émerence, Eugénie, Eulalie, Félicie, Fleurine, Gracianne, Honorine, Jeanne, Léona, Léonie, Léontine, Lilly, Louise, Matilde, Noémi, Pétronille, Philomène, Rose, Salomée, Sidonie, Victoire, Victorine et Zélie.

Garçons : Abel, Achille, Aimé, Anatole, Anthime, Auguste, Augustin, Célestin, Edgar, Emile, Ernest, Faustin, Félix, Gaston, Gustave, Jules, Léon, Léopold, Louis, Marceau, Marius, Max, Melchior, Oscar, Philémon, Rubens, Sully, Théodore, Théophile, Victor, Victorin, Wilhem.

Noélie : Jour de la naissance (latin). Ce prénom est assez répandu. Il est relativement peu attribué aujourd'hui. Tendance : en croissance modérée. Variante : Noélia. Caractérologie : influence, sens des responsabilités, équilibre, famille, raisonnement.

Noéline : Jour de la naissance (latin). Ce prénom est rare. Tendance : en forte croissance. Caractérologie : médiation, fidélité, intuition, relationnel, logique.

Noëlla : Jour de la naissance (latin). Ce prénom est assez répandu. Il est très peu attribué aujourd'hui. Tendance : en croissance modérée. Caractérologie : curiosité, indépendance, dynamisme, charisme, courage.

Noëlle : Jour de la naissance (latin). Ce prénom répandu est très peu attribué aujourd'hui. Tendance : en décroissance modérée. Caractérologie : rectitude, ouverture d'esprit, générosité, humanité, rêve.

Noëllie : Jour de la naissance (latin). Ce prénom assez rare est peu attribué actuellement. Tendance : stable. Variantes : Noëlline, Noëlly, Noëly. Caractérologie : rêve, rectitude, humanité, ouverture d'esprit, logique.

Noémi : Belle, agréable (hébreu). Ce prénom est rare. Tendance : en décroissance modérée. Caractérologie : intuition, médiation, relationnel, volonté, fidélité.

Noémie : Belle, agréable (hébreu). Ce prénom répandu figure dans le top 50 français aujourd'hui. Tendance : stable. Noémie devrait figurer dans le top 10 québécois en 2004. Variantes : Noémia, Noémy. Caractérologie : sagacité, spiritualité, connaissances, volonté, originalité.

Noha : Esprit, sagesse (arabe). Ce prénom est très rare. Tendance : en forte croissance. Caractérologie : intuition, relationnel, fidélité, médiation, adaptabilité.

Nohra : Forme arabe d'Éléonore : éclat du soleil (grec). Ce prénom est très rare. Variantes : Nora, Norah. Caractérologie : loyauté, sociabilité, réceptivité, diplomatie, résolution.

Nola : Célèbre (celte). Ce prénom est porté par moins de 100 personnes en France. Tendance : stable. Variante : Nolène. Caractérologie : famille, équilibre, sens des responsabilités, exigence, influence.

Nolwen : Blanc, heureux (breton). Ce prénom assez rare est peu attribué actuellement. Tendance : stable. Variantes : Nolvenn, Nolween, Nolwene. Caractérologie : relationnel, intuition, médiation, fidélité, adaptabilité.

Nolwenn : Blanc, heureux (breton). Ce prénom répandu est plutôt bien attribué aujourd'hui. Tendance : stable. Variante : Nolwenne. Caractérologie : sagacité, connaissances, spiritualité, philosophie, originalité.

Noor : Lumière (arabe). Ce prénom est très rare. Tendance : en forte croissance. Caractérologie : passion, habileté, ambition, management, force.

Nora : Éclat du soleil (grec). Ce prénom répandu est relativement peu attribué aujourd'hui. Tendance : stable. Nora devrait figurer dans le top 10 norvégien en 2004. Noora devrait faire de même dans le palmarès finlandais. Caractérologie : communication, optimisme, pragmatisme, créativité, détermination.

Norah : Éclat du soleil (grec). Ce prénom est très rare. Variante : Norha. Caractérologie : réceptivité, sociabilité, diplomatie, loyauté, détermination.

Norberte : Célèbre homme du nord (germanique). Ce prénom est porté par moins de 100 personnes en France. Caractérologie : indépendance, méditation, sagesse, savoir, intelligence.

Noria : Lumière (arabe). Ce prénom assez rare est très peu attribué aujourd'hui. Tendance : stable. Variante : Noriane. Caractérologie : adaptation, enthousiasme, communication, détermination, pratique.

Norine : Éclat du soleil (grec). Ce prénom est très rare. Tendance : stable. Variantes : Noreen, Norina. Caractérologie : optimisme, communication, créativité, sociabilité, pragmatisme.

Norma : Règle (latin). Ce prénom est rare. Tendance : en forte croissance. Caractérologie : connaissances, résolution, sagacité, spiritualité, volonté.

Nouhaïla : Esprit, sagesse (arabe). Ce prénom est très rare. Tendance : en forte croissance. Variantes : Nouha, Nouhayla. Caractérologie : rectitude, humanité, rêve, décision, logique.

Nouma : Belle, agréable (arabe). Ce prénom est porté par moins de 100 personnes en France. Variante : Numa. Caractérologie : audace, dynamisme, indépendance, direction, volonté.

Nour : Lumière (arabe). Ce prénom assez rare est relativement peu attribué aujourd'hui. Tendance : en forte croissance. Variantes : Nourra, Nur. Caractérologie : énergie, découverte, audace, raisonnement, originalité.

Noura : Lumière (arabe). Ce prénom assez rare est très peu attribué aujourd'hui. Tendance : en croissance modérée. Caractérologie : bienveillance, détermination, raisonnement, paix, conscience.

Nouria : Lumière (arabe). Ce prénom est rare. Tendance : stable. Variante : Nouriya. Caractérologie : sens des responsabilités, équilibre, décision, famille, logique.

Nova : Nouveau (latin). Variante : Novia. Caractérologie : connaissances, sagacité, spiritualité, originalité, volonté.

Noyale : Blanc, heureux (breton). Ce prénom est très rare. Caractérologie : altruisme, intégrité, réflexion, compassion, idéalisme.

Nuala : Pâle (irlandais). Caractérologie : ténacité, fiabilité, méthode, engagement, sens du devoir.

Nuccia : Qui apporte la victoire (grec). Caractérologie : paix, bienveillance, conseil, conscience, résolution.

Nuria : Le feu de Dieu (arménien). Ce prénom est très rare. Variantes : Nuriah, Nurya. Caractérologie : altruisme, réflexion, idéalisme, intégrité, détermination.

Nyoko : Trésor (japonais). Caractérologie : force, ambition, passion, habileté, management.

Obéline : Obélisque (grec). Ce prénom est porté par moins de 100 personnes en France. Variantes : Obélia, Obélie. Caractérologie : habileté, ambition, force, passion, analyse.

Océane : Océan (grec). Ce prénom répandu figure dans le top 50 français aujourd'hui. Voir le zoom dédié à Océane. Variantes :

O

OCÉANE

Fête : 2 novembre

Étymologie : du grec *océanos* : océan. La carrière de ce prénom est étonnante. Avant 1970, le nombre annuel de naissances d'Océane se comptait sur les doigts d'une main. Il a fallu attendre les années 1980 pour que plus de 100 bébés soient prénommés ainsi en France. Comment expliquer alors l'envolée soudaine d'Océane dans les années 1990 ? Elle a grandi si vite qu'elle est devenue le 4e prénom de l'année 2000. Malgré son déclin entamé il y a cinq ans, Océane demeure l'un des 10 premiers choix féminins des parents. Or, son succès n'est pas spécifique à la France. En Suisse romande et en Wallonie, Océane devrait se maintenir dans le top 10 malgré un petit fléchissement. Ce prénom gagne même du terrain au Canada et devrait intégrer le top 30 québécois dès 2005.

Dans les années 1970, la montée de Marine et Ondine a peut-être déclenché la vogue des prénoms marins. Cela dit, leur déclin, ainsi que celui de Dylan et Morgane, signale que ce thème est dépassé. Il semblerait que d'autres prénoms qui se rapportent à la nature soient prêts à reprendre le flambeau. La montée d'Ambre et Jade confirme cette tendance (voir les zooms qui leur sont dédiés). Le succès d'Alizée aussi. Ce prénom se rapporte à l'Alizé, nom d'un vent doux et régulier qui souffle notamment sur les îles Caraïbes. Ce dérivé d'Alice progresse très rapidement en France. Sa présence aux portes du top 20 français trahit d'ailleurs son ambition (ceci d'autant plus qu'Alizée bénéficie de la notoriété de la chanteuse du même nom). Sa renommée s'étend maintenant bien au-delà des frontières hexagonales puisqu'elle grandit au Québec et en Suisse. Gageons qu'Alizée s'affichera dans le top 50 des prénoms wallons en 2005.

Océane est célébrée le jour de la fête de saint Océan, le 2 novembre. Saint Océan vécut au IVe siècle en Asie mineure.

Dans la mythologie grecque, **Océan** est l'aîné des Titans, fils d'Ouranos et de Gaïa. Il ne participe pas au combat des Titans contre Zeus mais s'unit à sa soeur Thétys. Leur union engendre de nombreux enfants. Leurs fils sont les fleuves et leurs filles les océanides (nymphes de la Mer et des Eaux).

Statistique : Océane est le 188e prénom féminin le plus attribué du XXe siècle en France.

Océana, Océanie. Caractérologie : savoir, intelligence, méditation, sagesse, indépendance.

Océanne : Océan (grec). Ce prénom est rare. Tendance : stable. Caractérologie : communication, adaptation, pratique, enthousiasme, générosité.

Octavie : Huitième (latin). Ce prénom assez rare est très peu attribué aujourd'hui. Tendance : stable. Variantes : Octavia, Octavienne, Ottavia. Caractérologie : optimisme, communication, pragmatisme, volonté, analyse.

Odélia : Richesse (germanique). Ce prénom est très rare. Tendance : stable. Variantes : Odélie, Odelinda, Odell, Odelle. Caractérologie : audace, direction, caractère, logique, dynamisme.

Odeline : Richesse (germanique). Ce prénom est très rare. Tendance : en décroissance modérée. Caractérologie : direction, audace, caractère, dynamisme, logique.

Odessa : Long voyage (grec). Ce prénom est très rare. Tendance : en décroissance modérée. Caractérologie : rêve, rectitude, caractère, humanité, ouverture d'esprit.

Odette : Richesse (germanique). Ce prénom est très répandu. Il est très peu attribué aujourd'hui. Variantes : Odete, Odetta, Odiane. Caractérologie : sens des responsabilités, équilibre, volonté, famille, influence.

Odile : Richesse (germanique). Ce prénom répandu est très peu attribué aujourd'hui. Tendance : stable. Variantes : Odila, Odilia, Odyle, Odylle. Caractérologie : intégrité, altruisme, raisonnement, volonté, idéalisme.

Odille : Richesse (germanique). Ce prénom est rare. Caractérologie : communication, pratique, analyse, volonté, enthousiasme.

Ohanna : Dieu fait grâce (hébreu). Caractérologie : achèvement, vitalité, stratégie, leadership, ardeur.

Oihana : Bosquet, bois (basque). Ce prénom est très rare. Tendance : en forte croissance. Variante : Oyana. Caractérologie : communication, enthousiasme, pratique, adaptation, détermination.

Oksana : Hospitalier (grec). Ce prénom est très rare. Tendance : en forte décroissance. Variantes : Oksanna, Oksanne. Caractérologie : indépendance, savoir, méditation, intelligence, sagesse.

Olfa : Entente, harmonie (arabe). Ce prénom est rare. Tendance : en décroissance modérée. Variante : Olpha. Caractérologie : intelligence, savoir, indépendance, méditation, sagesse.

Olga : Heureuse (germanique). Ce prénom répandu est très peu attribué aujourd'hui. Tendance : stable. Olga est très répandu en Russie. Caractérologie : vitalité, achèvement, ardeur, stratégie, leadership.

Olinda : Aube (grec). Violette (latin). Ce prénom est très rare. Variante : Olynda. Caractérologie : autorité, innovation, énergie, volonté, raisonnement.

Olive : Se rapporte aux olives (latin). Ce prénom est rare. Caractérologie : altruisme, analyse, idéalisme, intégrité, volonté.

Olivia : Se rapporte aux olives (latin). Ce prénom répandu est plutôt bien attribué aujourd'hui. Tendance : stable. Olivia devrait figurer dans le top 10 anglais et américain en 2004. Variantes : Oliva, Oliviana, Oliviane, Olivine. Caractérologie : indépendance, courage, curiosité, dynamisme, analyse.

Olwen : Trace blanche (celte). Olwen est une des héroïnes des Mabinogion, contes

O

179

> ### Les prénoms autour du monde

La mode des prénoms d'ailleurs ne semble pas connaître de frontière. Ils sont partout, ces parents qui s'inspirent de prénoms exotiques pour nommer leurs enfants. Aux États-Unis et en Angleterre, les prénoms hindous, perses et indiens d'Amérique (tel que Cheyenne) sont en plein essor. En France, cette quête d'exotisme a introduit de nouveaux prénoms arabes, slaves, scandinaves, tahitiens, et bien sûr, d'innombrables succès européens. Il faut dire que la plupart des prénoms voyagent facilement d'un pays à l'autre. Pour traverser les frontières, une simple variation orthographique fait l'affaire. Ainsi, Antoine et Lucas n'ont aucune difficulté à égaler leurs excellentes performances françaises à l'étranger. Pour se faire, ces derniers se transforment, selon le pays d'accueil, en Anthony, Anton, Antonio et Luke, Luka, Loukas ou Louka.

Cependant, tous les prénoms ne s'exportent pas n'importe où. Les succès français d'Océane, Camille, Marine, Anaïs et Manon ont certes influencé la percée de ces prénoms dans d'autres régions francophones. Cependant, ces derniers ne sont pas plébiscités par d'autres cultures, sans doute parce que leur prononciation est jugée plus difficile. À l'heure de la mondialisation, certains parents se réjouiront de préserver ainsi l'identité spécifiquement française ou francophone de l'enfant.

Depuis une vingtaine d'années, une vogue anglo-américaine déferle dans les pays francophones. Il n'en demeure pas moins que de nombreux prénoms figurant dans la Bible, ou désignant un personnage historique célèbre, représentent une source d'inspiration commune pour les parents du monde entier. Sarah, Marie, Eva (Ève) et Léa illustrent bien cet exemple. Ces prénoms figurent actuellement dans le top 10 de bien des pays européens et anglophones. Chez les garçons, Alexandre, Antoine, Thomas et Nicolas (retrouvés aussi sous les formes d'Alexander, Anthony et Nicholas) semblent indémodables et se maintiennent en haut de palmarès en France comme à l'étranger. Leur classement est assez homogène (souvent dans les douze premiers), même si leur cote de popularité est plutôt à la baisse. À noter que Matthew résiste mieux dans les régions anglophones que Mathieu ne le fait en France. Maxime semble lui aussi indémodable, qu'il soit Maxim en Russie, Maximilian en Allemagne, ou Max en Angleterre. On observe enfin l'évolution surprenante de Jack, un des premiers choix des parents anglais, irlandais et australiens alors que Jacob constitue le choix numéro un des Américains. Il ne serait pas étonnant de voir notre Jacques français se réveiller lui aussi d'ici quelques années.

mythologiques des anciens gallois. En France, ce prénom est plus traditionnellement usité en Bretagne. Variante : Olwenn. Caractérologie : paix, conseil, bienveillance, conscience, sagesse.

Olympe : Qui vient de l'Olympe (grec). Ce prénom assez rare est peu attribué actuellement. Tendance : en croissance modérée. Caractérologie : courage, curiosité, dynamisme, cœur, caractère.

Olympia : Qui vient de l'Olympe (grec). Ce prénom est très rare. Variante : Olympie. Caractérologie : curiosité, courage, dynamisme, sympathie, volonté.

Omayma : Jeune mère (arabe). Ce prénom est très rare. Tendance : en forte croissance. Variantes : Omaïma, Oméima. Caractérologie : dynamisme, curiosité, indépendance, réalisation, courage.

Ombeline : Esprit brillant (germanique). Ce prénom assez rare est relativement peu attribué aujourd'hui. Tendance : stable. Variante : Ombline. Caractérologie : enthousiasme, pratique, volonté, communication, raisonnement.

Ondine : Flot, vague (latin). Ce prénom est rare. Tendance : stable. Variante : Ondina. Caractérologie : connaissances, sagacité, spiritualité, originalité, volonté.

Oona : Agneau (irlandais). Ce prénom est porté par moins de 100 personnes en France. Tendance : en décroissance modérée. Caractérologie : humanité, rectitude, ouverture d'esprit, rêve, générosité.

Opale : Pierre précieuse (sanscrit). Ce prénom est porté par moins de 100 personnes en France. Tendance : en forte croissance. Variantes : Opal, Opaline. Caractérologie : structure, persévérance, sécurité, cœur, efficacité.

Ophélia : Qui aide (grec). Ce prénom assez rare est très peu attribué aujourd'hui. Tendance : en décroissance modérée. Variante : Phélia. Caractérologie : communication, enthousiasme, pratique, ressort, analyse.

Ophélie : Qui aide (grec). Ce prénom répandu est plutôt bien attribué aujourd'hui. Tendance : en forte décroissance. Variantes : Ophéline, Ophély. Caractérologie : connaissances, sagacité, analyse, ressort, spiritualité.

Ophira : En or (hébreu). Variante : Ofira. Caractérologie : méthode, engagement, ténacité, ressort, fiabilité.

Ora : Lumière (hébreu). Ce prénom est porté par moins de 100 personnes en France. Variante : Orah. Caractérologie : savoir, intelligence, méditation, indépendance, sagesse.

Orane : En or (latin). Ce prénom assez rare est relativement peu attribué aujourd'hui. Tendance : en croissance modérée. Variante : Oranne. Caractérologie : habileté, ambition, passion, résolution, force.

Oréa : Montagnes (grec). Variante : Oréal. Caractérologie : enthousiasme, pratique, communication, résolution, adaptation.

Oregane : De haute naissance (breton). Ce prénom est très rare. Tendance : stable. Caractérologie : réceptivité, détermination, sociabilité, loyauté, diplomatie.

Orélie : En or (latin). Ce prénom est très rare. Caractérologie : énergie, innovation, autorité, ambition, analyse.

Oriana : En or (latin). Ce prénom est rare. Tendance : en croissance modérée. Caractérologie : engagement, fiabilité, ténacité, méthode, décision.

Oriane : En or (latin). Ce prénom est assez répandu. Il est plutôt bien attribué aujourd'hui. Tendance : stable. Variantes : Oria,

Oriola, Orria, Oryane. Caractérologie : ambition, passion, détermination, force, habileté.

Orianna : En or (latin). Ce prénom est très rare. Tendance : en forte croissance. Caractérologie : décision, ouverture d'esprit, humanité, rectitude, rêve.

Orianne : En or (latin). Ce prénom assez rare est peu attribué actuellement. Tendance : stable. Caractérologie : persévérance, structure, sécurité, efficacité, décision.

Orina : Paix (grec). Orina est très répandu en Russie. Caractérologie : pratique, résolution, communication, adaptation, enthousiasme.

Orinda : Pin (hébreu). Caractérologie : résolution, méditation, intelligence, volonté, savoir.

Orla : Or, princesse (irlandais). Gloire du pays (germanique). Caractérologie : autorité, innovation, énergie, ambition, raisonnement.

Orlanda : Aigle (russe). Ce prénom est porté par moins de 100 personnes en France. Variante : Orlenda. Caractérologie : relationnel, intuition, médiation, analyse, volonté.

Orlane : Gloire du pays (germanique). Ce prénom est assez répandu. Il est plutôt bien attribué aujourd'hui. Tendance : en croissance modérée. Variantes : Orlanne, Orléna, Orlène. Caractérologie : détermination, diplomatie, réceptivité, raisonnement, sociabilité.

Orna : Couleur pâle (irlandais). Caractérologie : pratique, communication, adaptation, détermination, enthousiasme.

Ornella : Éclat du soleil (grec). Ce prénom est assez répandu. Il est relativement peu attribué aujourd'hui. Tendance : stable. Variante : Ornèla. Caractérologie : dynamisme, logique, courage, décision, curiosité.

Orphée : Prénom révolutionnaire. Ce prénom est très rare. Tendance : en croissance modérée. Ce prénom fut longtemps exclusivement masculin mais son usage a évolué : il se trouve aujourd'hui porté et attribué à une majorité de filles. Caractérologie : méthode, ténacité, fiabilité, engagement, ressort.

Orphélie : Combinaison d'Orphée et d'Ophélie. Ce prénom est porté par moins de 100 personnes en France. Caractérologie : savoir, action, méditation, raisonnement, intelligence.

Osana : Santé (basque). Variantes : Osane, Osanna, Osanne. Caractérologie : séduction, énergie, originalité, audace, découverte.

Oscarine : Lance divine (anglais). Ce prénom est porté par moins de 100 personnes en France. Caractérologie : communication, décision, optimisme, pragmatisme, logique.

Othilie : Riche, prospère (germanique). Ce prénom est très rare. Tendance : en forte croissance. En France, Othilie est plus traditionnellement usité en Alsace. Variantes : Othélie, Ottilie. Caractérologie : bienveillance, paix, finesse, conscience, analyse.

Otilia : Riche, prospère (germanique). Ce prénom est très rare. Caractérologie : pragmatisme, communication, logique, optimisme, gestion.

Ouarda : Rose (arabe). Ce prénom assez rare est très peu attribué aujourd'hui. Tendance : en forte croissance. Variantes : Oirda, Ourda. Caractérologie : sens des responsabilités, analyse, influence, équilibre, famille.

Ouardia : Rose (arabe). Ce prénom est rare. Caractérologie : bienveillance, conseil, conscience, logique, paix.

Ouidad : Fidèle et affectionnée (arabe). Ce prénom est très rare. Variantes : Ouidade, Ouided. Caractérologie : rêve, rectitude, humanité, raisonnement, ouverture d'esprit.

Oulfa : Entente, harmonie (arabe). Ce prénom est très rare. Caractérologie : audace, direction, indépendance, assurance, dynamisme.

Les variations orthographiques et inventions

Les inventions enrichissent chaque année notre patrimoine des prénoms. Elles se traduisent par la création de nouvelles consonances et/ou par la combinaison de plusieurs prénoms. Par exemple, Maxandre combine Maxime et Alexandre alors qu'Elissandre marie Elie et Sandra.

Par contraste, les variations altèrent le plus souvent l'orthographe des prénoms tout en gardant leur prononciation inchangée. Cette pratique est de plus en plus répandue, même si c'est le prénom référent qui reste généralement le plus attribué. Ainsi, Théo est bien plus courant que Téo, et Catherine devance de loin Katherine. Il est difficile de trouver un prénom qui n'ait pas de tels "faux jumeaux" aujourd'hui. Même les prénoms rares ou méconnus ne sont pas épargnés par cette pratique. Les deux premières Lilou de France n'ont que 8 ans, et pourtant Lilou se décline déjà en quatre orthographes différentes. Meghan n'échappe pas non plus à la règle puisqu'elle peut s'orthographier de onze façons.

Le phénomène des variations et innovations orthographiques n'est certes pas nouveau, mais on peut se demander si ces dernières sont toutes de bon goût. Il semble nécessaire de rappeler quelques éléments de bon sens : un prénom très rare, écrit avec une variante orthographique peu commune ou complexe risque d'être difficile à porter. Ce type de choix peut en effet obliger la personne à répéter et épeler l'orthographe précise de son prénom tout au long de sa vie. En outre, si quelques inventions prospèrent et se répandent, la plupart d'entre elles ne sont portées que par un nombre très réduit d'individus. Ce genre de situation peut poser un problème identitaire pour la personne dont le prénom n'est pas reconnu comme tel par un large public. Les témoignages en ce sens ne manquent pas. Par exemple, de nombreux internautes écrivent au site www.MeilleursPrenoms.com et regrettent de ne voir leur prénom figurer dans aucun ouvrage de référence sur le sujet. Leur démarche procède d'une quête de reconnaissance, d'un besoin de prouver que leur prénom existe.

Oumaïma : Jeune mère (arabe). Ce prénom est très rare. Tendance : en forte croissance. Variantes : Oum, Ouma. Caractérologie : direction, indépendance, audace, logique, dynamisme.

Oumayma : Jeune mère (arabe). Ce prénom est très rare. Tendance : en forte croissance. Variantes : Oumy, Umay, Umayma. Caractérologie : vitalité, stratégie, achèvement, réalisation, ardeur.

Ourdia : Rose (arabe). Ce prénom est très rare. Caractérologie : originalité, découverte, énergie, audace, analyse.

Oxana : Hospitalier (grec). Ce prénom est très rare. Tendance : en forte croissance. Variantes : Oxane, Oxanna, Oxanne. Caractérologie : audace, direction, dynamisme, indépendance, assurance.

Palmyre : Palmiers (hébreu). Ce prénom assez rare est très peu attribué aujourd'hui. Tendance : stable. Variantes : Palma, Palmira, Palmire. Caractérologie : idéalisme, sympathie, réalisation, altruisme, intégrité.

Paloma : Colombe (latin). Ce prénom assez rare est relativement peu attribué aujourd'hui. Tendance : en croissance modérée. Caractérologie : persévérance, structure, sécurité, efficacité, réussite.

Paméla : Sucré (grec). Ce prénom est assez répandu. Il est très peu attribué aujourd'hui. Tendance : en décroissance modérée. Variantes : Pam, Pamella. Caractérologie : sympathie, communication, pratique, enthousiasme, réalisation.

Paola : Petite (latin). Ce prénom est assez répandu. Il est relativement peu attribué aujourd'hui. Tendance : en croissance modérée. Paola est très répandu en Italie. En France, ce prénom est plus traditionnellement usité en Bretagne. Variantes : Paolina, Paoline. Caractérologie : altruisme, idéalisme, réflexion, dévouement, intégrité.

Paquerette : Perle (grec). Ce prénom assez rare ne devrait pas être attribué à plus de 10 bébés en 2005. Caractérologie : relationnel, médiation, ressort, finesse, intuition.

Paquita : Libre (latin). Ce prénom est rare. Caractérologie : structure, persévérance, action, sécurité, organisation.

Pascale : Passage (hébreu). Ce prénom répandu est très peu attribué aujourd'hui. Tendance : en décroissance modérée. Caractérologie : pratique, communication, enthousiasme, sympathie, adaptation.

Pascaline : Passage (hébreu). Ce prénom est assez répandu. Il est très peu attribué aujourd'hui. Tendance : en décroissance modérée. Caractérologie : stratégie, achèvement, décision, vitalité, cœur.

Patricia : Noble personne (latin). Ce prénom est très répandu. Il est peu attribué actuellement. Tendance : stable. Variantes : Patriciane, Patricie, Patrizia, Patsy, Pattie, Patty. Caractérologie : énergie, gestion, découverte, originalité, audace.

Paula : Petite (latin). Ce prénom est assez répandu. Il est peu attribué actuellement. Tendance : en croissance modérée. Paula devrait figurer dans le top 10 espagnol en 2004. En France, Paula est plus traditionnellement usité en Corse. Variante : Pola.

PAULINE

Fête : 26 janvier

Étymologie : du latin *paulus* : petite. Pauline est la forme féminine de Paul la plus moderne en France, mais pas la plus répandue. En 2003, on dénombre plus de Paulette que de Pauline vivant dans l'Hexagone. Il faut dire que Paulette a été très en vogue une grande partie du XXe siècle. Cependant, ce prénom est devenu désuet à partir des années 1960 et ne s'est pas encore remis de sa chute.

La trajectoire de Pauline est bien différente. Prénom rétro très usité au XIXe siècle puis boudé au milieu du XXe, il est revenu en force dans les années 1980. Pauline est sans doute un des premiers prénoms qui ait ressuscité la vogue du rétro. Ce mouvement de mode propulse Emma vers des sommets et fait renaître Jeanne, Lucie, Rose et Zoé. Or, si ces dernières ont le vent en poupe, c'est parce qu'elles viennent d'être redécouvertes. Tel n'est plus le cas de Pauline qui brille dans le top 20 depuis neuf ans. Dans ce contexte, il n'est pas étonnant que Pauline suive une tendance déclinante. En 2005, on peut estimer que ce prénom ne sera donné qu'à un peu plus de 3 000 Françaises. On peut même anticiper qu'il quittera le top 20 français prochainement.

Dans d'autres régions francophones, les perspectives d'évolution de ce prénom sont contrastées. Ce dernier a quitté le palmarès des 20 prénoms les plus choisis de la Suisse romande et poursuit sa chute aujourd'hui. En revanche, Pauline grimpe en Wallonie et accède au top 10 en 2002. On peut s'étonner de son absence au Québec : ce prénom de grande notoriété y est extrêmement discret aujourd'hui.

Personnalité célèbre : Pauline Bonaparte, sœur de Napoléon Ier. Pauline Bonaparte épouse le prince Camille Borghèse en seconde noce. La belle princesse est indépendante et sait provoquer les esprits conventionnels : c'est nue qu'elle posera pour le sculpteur italien Canova. Pauline Bonaparte aime la vie parisienne et y organise de grandes fêtes mondaines. Après avoir quelque peu délaissé son époux italien, elle renoue avec lui à la fin de sa vie.

Littérature : Pauline, personnage de *Polyeucte*, de Corneille, et *Le Conte d'hiver*, de Shakespeare.

Statistique : Pauline est le 77e prénom féminin le plus attribué du XXe siècle en France.

185

Caractérologie : paix, bienveillance, conscience, conseil, sagesse.

Paule : Petite (latin). Ce prénom répandu est très peu attribué aujourd'hui. Tendance :

stable. Caractérologie : autorité, énergie, innovation, ambition, cœur.

Paulette : Petite (latin). Ce prénom est très répandu. Il est très peu attribué aujourd'hui. Caractérologie : autorité, énergie, innovation, organisation, compassion.

Paulina : Petite (latin). Ce prénom est très rare. Tendance : en forte croissance. Caractérologie : sociabilité, réceptivité, diplomatie, décision, cœur.

Pauline : Petite (latin). Ce prénom est très répandu. De plus, il figure dans le top 50 français aujourd'hui. Voir le zoom dédié à Pauline. Variantes : Paulia, Pauliana, Paulienne, Paulyne. Caractérologie : paix, résolution, bienveillance, conscience, sympathie.

Paz : L'or (hébreu). Ce prénom est porté par moins de 100 personnes en France. Caractérologie : sagacité, connaissances, philosophie, spiritualité, originalité.

Pearl : Perle (grec). Ce prénom est très rare. Tendance : en croissance modérée. Caractérologie : détermination, compassion, sagacité, connaissances, spiritualité.

Peggy : Perle (grec). Ce prénom répandu est très peu attribué aujourd'hui. Tendance : stable. Variantes : Peg, Peggie. Caractérologie : exigence, équilibre, sens des responsabilités, famille, influence.

Pélagie : Haute mer (grec). Ce prénom est rare. Tendance : stable. Variantes : Pélage, Pélagia. Caractérologie : audace, direction, détermination, dynamisme, compassion.

Penda : Celle qui est pourvue de nombreuses capacités (grec). Ce prénom est très rare.

Tendance : en croissance modérée. Variante : Pandora. Caractérologie : méthode, fiabilité, ténacité, engagement, réalisation.

Pénélope : Tisserande (grec). Dans l'Iliade et l'Odyssée d'Homère, Pénélope est l'épouse fidèle d'Ulysse et la mère de Télémaque. Ce prénom assez rare est relativement peu attribué aujourd'hui. Tendance : stable. Variante : Penny. Caractérologie : connaissances, sagacité, originalité, spiritualité, compassion.

Pépita : Dieu ajoutera (hébreu). Ce prénom est très rare. En dehors de la France, Pepita est répandu en Espagne. Caractérologie : efficacité, sécurité, structure, détermination, persévérance.

Périne : Petit caillou (grec). Ce prénom est rare. Tendance : en croissance modérée. Variantes : Périna, Périnne. Caractérologie : sécurité, persévérance, structure, efficacité, honnêteté.

Perle : Perle (grec). Ce prénom assez rare est peu attribué actuellement. Tendance : stable. Variantes : Perla, Perlina, Perline. Caractérologie : réceptivité, diplomatie, sociabilité, loyauté, compassion.

Pernelle : Petit caillou (grec). Ce prénom est très rare. Tendance : stable. Variantes : Pernille, Péroline, Péronelle, Péronille, Péronne, Péronnelle. Caractérologie : paix, conscience, bienveillance, compassion, conseil.

Perrine : Petit caillou (grec). Ce prénom répandu est plutôt bien attribué aujourd'hui. Tendance : stable. Variantes : Perrina, Perryne. Caractérologie : persévérance, structure, honnêteté, sécurité, efficacité.

Persephone : Celle qui est prospère (grec). Caractérologie : méthode, ténacité, fiabilité, ressort, résolution.

Persia : De perse (grec). Caractérologie : énergie, découverte, décision, originalité, audace.

La législation française

Les parents d'aujourd'hui ont une liberté de choix de prénom qui leur fut longtemps contestée. Pendant la Révolution, les lois françaises imposaient aux parents de choisir les prénoms selon qu'ils étaient en usage dans les différents calendriers ou dans une liste qui incluait des personnages de l'histoire ancienne. Un prénom peu conformiste n'avait aucune chance d'être accepté par les fonctionnaires de l'État.

Dans les années 1960, la montée des identités régionales pousse de nombreuses familles à se rebeller contre le système. Beaucoup de parents décident alors de maintenir leurs choix de prénoms au risque de priver l'enfant d'une existence civilement reconnue.

L'instruction ministérielle du 12 avril 1966 élargit, fort heureusement, le répertoire de prénoms recevables à des prénoms tirés de la mythologie, aux prénoms régionaux et composés, tolérant même dans certains cas les diminutifs et les variations.

Mais ce n'est qu'en 1993 que la loi s'assouplit considérablement, garantissant l'acceptabilité de n'importe quel prénom du moment qu'il ne paraît pas contraire à l'intérêt de l'enfant. De tels cas sont, il est vrai, assez rares. Cependant, un prénom qui paraît grossier ou péjoratif, qui présente une consonance ridicule, ou semble d'une extrême complexité à porter peut être contesté par l'officier de l'état civil. De même, la préservation du droit des tiers à voir protéger leur patronyme interdit, en théorie, l'attribution de prénoms qui sont des patronymes célèbres. Dans les cas où ces limites ne sont pas respectées, l'officier d'état civil informe le procureur de la République du choix effectué par les parents. Le procureur peut alors à son tour saisir le juge aux affaires familiales. Si ce dernier estime que le choix du prénom sort des limites autorisées par la loi, il en ordonne la suppression sur les registres. Dans ce cas de figure, le juge a le pouvoir d'attribuer un autre prénom, à moins que les parents ne conviennent d'un nouveau choix légalement acceptable. Notons toutefois que ces situations extrêmes sont très rares.

Changement de prénom

Des raisons légitimes peuvent inciter le porteur d'un prénom à en changer. Dans ce cas, une procédure légale est engagée. La demande est portée devant le juge aux affaires familiales à la requête de l'intéressé ou de son représentant légal. Le nouveau prénom devient officiellement reconnu dès que ce dernier a été autorisé par décret.

P

187

Petra : Petit caillou (grec). Ce prénom est très rare. En France, Petra est plus traditionnellement usité au Pays Basque. Caractérologie : paix, détermination, conscience, bienveillance, conseil.

Pétronille : Petit caillou (grec). Ce prénom est très rare. Tendance : en forte croissance. Caractérologie : humanité, rêve, compassion, rectitude, raisonnement.

Pétula : Impatiente (anglais). Ce prénom est porté par moins de 100 personnes en France. Caractérologie : cœur, pragmatisme, optimisme, communication, gestion.

Pétunia : Fleur (latin). Caractérologie : résolution, dynamisme, sympathie, curiosité, courage.

Phénicia : Se rapporte au Phénix qui parvint, dans la mythologie égyptienne, à renaître de ses cendres. Ce prénom est porté par moins de 100 personnes en France. Caractérologie : médiation, intuition, relationnel, compassion, action.

Philadelphia : Aimer, frère (grec). Variante : Philadelphie. Caractérologie : réceptivité, action, sociabilité, réussite, diplomatie.

Philae : Qui aime (grec). Ce prénom est porté par moins de 100 personnes en France. Tendance : en décroissance modérée.
. Variantes : Phila, Philia, Phillie. Caractérologie : bienveillance, paix, ressort, sympathie, conscience.

Philippa : Qui aime les chevaux (grec). Ce prénom est très rare. Variantes : Filippa, Fily. Variante occitane : Felipa. Caractérologie : équilibre, ressort, famille, sens des responsabilités, influence.

Philippine : Qui aime les chevaux (grec). Ce prénom est assez répandu. Il est relativement peu attribué aujourd'hui. Tendance : stable. Variante : Philipine. Caractérologie : compassion, paix, conscience, bienveillance, action.

Philomène : Qui aime la lune (grec). Ce prénom est assez répandu. Il est très peu attribué aujourd'hui. Tendance : en croissance modérée. Variantes : Filomena, Philoména. Caractérologie : sagacité, spiritualité, connaissances, raisonnement, volonté.

Philys : Feuille (grec). Caractérologie : ambition, habileté, passion, force, action.

Phoebé : Brillante, lumineuse (grec). Ce prénom est très rare. Tendance : en forte croissance. Phoebé est le nom du plus lointain des satellites connus de Saturne. Dans la mythologie grecque, Phoebé est l'autre nom d'Artémis. Variantes : Phèbe, Phébée. Caractérologie : bienveillance, conscience, paix, finesse, conseil.

Phuong : Phénix, flamboyant (vietnamien). Ce prénom est très rare. Tendance : en décroissance modérée. Caractérologie : réflexion, idéalisme, altruisme, intégrité, sympathie.

Pia : Pieuse (latin). Ce prénom assez rare est très peu attribué aujourd'hui. Tendance : stable. En France, Pia est plus traditionnellement usité au Pays Basque. Caractérologie : vitalité, achèvement, ardeur, leadership, stratégie.

Piedad : Piété (latin). Ce prénom est porté par moins de 100 personnes en France. Caractérologie : optimisme, résolution, communication, pragmatisme, réalisation.

Le palmarès des 100 prénoms féminins du XXᵉ siècle

Les prénoms ci-dessous sont classés par ordre décroissant d'attribution. Ainsi, les 3 prénoms féminins les plus attribués du siècle dernier sont Marie, Jeanne et Françoise.

1. Marie	26. Simone	51. Cécile	76. Laetitia
2. Jeanne	27. Paulette	52. Élisabeth	77. Pauline
3. Françoise	28. Valérie	53. Laurence	78. Mireille
4. Anne	29. Jeannine	54. Lucie	79. Annick
5. Monique	30. Sophie	55. Aurélie	80. Audrey
6. Catherine	31. Sandrine	56. Virginie	81. Charlotte
7. Jacqueline	32. Céline	57. Dominique	82. Nadine
8. Madeleine	33. Stéphanie	58. Henriette	83. Béatrice
9. Isabelle	34. Véronique	59. Josette	84. Mélanie
10. Nathalie	35. Odette	60. Claire	85. Évelyne
11. Suzanne	36. Chantal	61. Claudine	86. Michelle
12. Marguerite	37. Yvette	62. Marthe	87. Delphine
13. Sylvie	38. Annie	63. Maria	88. Josiane
14. Yvonne	39. Geneviève	64. Danielle	89. Micheline
15. Hélène	40. Lucienne	65. Corinne	90. Éliane
16. Martine	41. Brigitte	66. Caroline	91. Mathilde
17. Denise	42. Patricia	67. Christelle	92. Léa
18. Nicole	43. Thérèse	68. Élodie	93. Karine
19. Marcelle	44. Raymonde	69. Gisèle	94. Joséphine
20. Christine	45. Georgette	70. Bernadette	95. Agnès
21. Germaine	46. Colette	71. Florence	96. Liliane
22. Renée	47. Julie	72. Juliette	97. Laura
23. Christiane	48. Michèle	73. Ginette	98. Élise
24. Louise	49. Émilie	74. Camille	99. Fernande
25. Andrée	50. Alice	75. Simone	100. Marion

P
189

Pierrette : Petit caillou (grec). Ce prénom répandu est très peu attribué aujourd'hui. Variantes : Perrette, Pierra, Pierret. Caractérologie : management, ambition, force, passion, habileté.

Poe : Perle (tahitien). Caractérologie : rectitude, humanité, rêve, générosité, ouverture d'esprit.

Pollyanna : Celle qui élève (hébreu). Ce prénom est porté par moins de 100 personnes en France. Variante : Pollyanne. Caractérologie : diplomatie, loyauté, sociabilité, réceptivité, cœur.

Pomme : Se rapporte au nom du fruit (latin). Ce prénom est porté par moins de 100 personnes en France. Variante : Pomeline. Caractérologie : achèvement, ardeur, vitalité, volonté, stratégie.

Precillia : Ancien (latin). Ce prénom est rare. Tendance : stable. Variante : Precilia. Caractérologie : fiabilité, ténacité, méthode, décision, cœur.

Prescilia : Ancien (latin). Ce prénom assez rare est très peu attribué aujourd'hui. Tendance : en décroissance modérée. Variante : Prescylia. Caractérologie : réceptivité, diplomatie, sociabilité, résolution, sympathie.

Prescilla : Ancien (latin). Ce prénom assez rare est très peu attribué aujourd'hui. Tendance : en forte décroissance. Caractérologie : découverte, compassion, détermination, énergie, audace.

Prescillia : Ancien (latin). Ce prénom est assez répandu. Il est relativement peu attribué aujourd'hui. Tendance : en décroissance modérée. Caractérologie : énergie, découverte, audace, sympathie, résolution.

Prima : Premier (latin). Caractérologie : enthousiasme, communication, pratique, adaptation, réalisation.

Princesse : Celle qui est au-dessus (latin). Ce prénom est porté par moins de 100 personnes en France. Caractérologie : rêve, humanité, rectitude, compassion, détermination.

Prisca : Ancien (latin). Ce prénom assez rare est peu attribué actuellement. Tendance : stable. Variante : Priska. Caractérologie : créativité, pragmatisme, optimisme, communication, sociabilité.

Priscilia : Ancien (latin). Ce prénom assez rare est peu attribué actuellement. Tendance : en croissance modérée. Caractérologie : famille, sens des responsabilités, équilibre, influence, exigence.

Priscilla : Ancien (latin). Ce prénom répandu est peu attribué actuellement. Tendance : en décroissance modérée. Variantes : Pricilla, Priscila, Prissie. Caractérologie : humanité, rectitude, rêve, générosité, ouverture d'esprit.

Priscille : Ancien (latin). Ce prénom assez rare est très peu attribué aujourd'hui. Tendance : stable. Caractérologie : sécurité, résolution, structure, sympathie, persévérance.

Priscillia : Ancien (latin). Ce prénom est assez répandu. Il est peu attribué actuellement. Tendance : en décroissance modérée. Variante : Pricillia Caractérologie : altruisme, intégrité, idéalisme, dévouement, réflexion.

Privela : Charismatique, princesse (breton). Caractérologie : sociabilité, diplomatie, cœur, réussite, réceptivité.

Priya : Qui est aimée (sanscrit). Ce prénom est porté par moins de 100 personnes en France. Caractérologie : conscience, paix, conseil, bienveillance, sagesse.

Prudence : Prudente (latin). Ce prénom est rare. Tendance : en croissance modérée. Variantes : Prudencia, Prudie, Prudy.

Caractérologie : audace, énergie, découverte, originalité, sympathie.

Prune : Se rapporte au nom du même fruit. Ce prénom assez rare est relativement peu attribué aujourd'hui. Tendance : en forte croissance. Variante : Prunelle. Caractérologie : intuition, relationnel, médiation, cœur, fidélité.

Pulchérie : Beauté (latin). Ce prénom est porté par moins de 100 personnes en France. Caractérologie : méditation, sympathie, savoir, ressort, intelligence.

Quinta : Cinquième (latin). Variante : Quinte. Caractérologie : innovation, autorité, énergie, attention, décision.

Quiterie : Calme et tranquille (latin). Ce prénom basque est très rare. Tendance : stable. Variante occitane : Quiteira. Caractérologie : dynamisme, curiosité, courage, indépendance, sensibilité.

Quitterie : Calme et tranquille (latin). Ce prénom est rare. Tendance : stable. Variante : Quitteri. Caractérologie : sagacité, connaissances, spiritualité, sensibilité, originalité.

Rabeb : Nuage blanc (arabe). Ce prénom est porté par moins de 100 personnes en France. Variante : Rabab. Caractérologie : audace, direction, dynamisme, indépendance, décision.

Rabia : Jardin (arabe). Ce prénom assez rare est très peu attribué aujourd'hui. Tendance : stable. Variantes : Rabah, Rabha, Rabiaa, Rabiya, Rabiye. Caractérologie : sécurité, persévérance, efficacité, honnêteté, structure.

Rachel : Brebis (hébreu). Ce prénom répandu est plutôt bien attribué aujourd'hui. Tendance : stable. Caractérologie : diplomatie, réceptivité, sociabilité, loyauté, détermination.

Rachèle : Brebis (hébreu). Ce prénom est rare. Caractérologie : résolution, connaissances, sagacité, spiritualité, originalité.

Rachelle : Brebis (hébreu). Ce prénom assez rare est très peu attribué aujourd'hui. Tendance : stable. Caractérologie : innovation, autorité, énergie, ambition, résolution.

Rachida : Bien guidée, qui a la foi (arabe). Ce prénom est assez répandu. Il est très peu attribué aujourd'hui. Tendance : stable. Caractérologie : leadership, vitalité, achèvement, stratégie, ardeur.

Radegonde : Conseil, guerre (germanique). Ce prénom est très rare. Caractérologie : énergie, volonté, innovation, autorité, réalisation.

Radia : Comblée (arabe). Ce prénom assez rare est très peu attribué aujourd'hui. Tendance : en forte croissance. Variantes : Radhia, Rida. Caractérologie : conscience, bienveillance, sagesse, paix, conseil.

Radija : Comblée (arabe). Ce prénom est très rare. Variantes : Radidja, Rhadija. Caractérologie : connaissances, originalité, philosophie, sagacité, spiritualité.

Rafaëla : Dieu a guéri (hébreu). Ce prénom est très rare. Tendance : en forte croissance. En France, Rafaëla est plus traditionnellement usité au Pays Basque. Variantes : Raffaëla,

R

191

Rafaëlla. Variante basque : Rafaela. Caractérologie : ambition, décision, force, habileté, logique.

Rahma : Qui pardonne (arabe). Ce prénom assez rare est peu attribué actuellement. Tendance : en croissance modérée. Variante : Rahima. Caractérologie : curiosité, dynamisme, indépendance, charisme, courage.

Rai : Confiance (japonais). Caractérologie : direction, assurance, indépendance, dynamisme, audace.

Raïa : Proche de Dieu (hébreu). Caractérologie : diplomatie, réceptivité, bonté, loyauté, sociabilité.

Raïssa : Déluge (arabe). Ce prénom est rare. Tendance : en forte croissance. Caractérologie : ténacité, engagement, méthode, fiabilité, sens du devoir.

Raja : Espoir (arabe). Ce prénom est rare. Tendance : en croissance modérée. Variantes : Radja, Rajah. Caractérologie : communication, pragmatisme, optimisme, créativité, sociabilité.

Rajaa : Espoir (arabe). Ce prénom est rare. Tendance : stable. Variante : Rajae. Caractérologie : fiabilité, sens du devoir, ténacité, méthode, engagement.

Rama : Elevée (hébreu). Ce prénom est très rare. Tendance : en croissance modérée. Caractérologie : bienveillance, paix, conscience, conseil, sagesse.

Ramia : Habileté (arabe). Ce prénom est porté par moins de 100 personnes en France. Caractérologie : conscience, bienveillance, paix, conseil, sagesse.

Ramona : Qui protège avec sagesse (germanique). Ce prénom est très rare. En France, Ramona est plus traditionnellement usité au Pays Basque. Variante occitane : Raimonda. Caractérologie : habileté, ambition, force, volonté, résolution.

Rana : Riche et noble (arabe). Ce prénom est très rare. Tendance : en forte croissance. Caractérologie : méditation, intelligence, détermination, indépendance, savoir.

Randa : Arbuste odorant (arabe). Protection (scandinave). Ce prénom est très rare. Tendance : en décroissance modérée. Caractérologie : diplomatie, sociabilité, réceptivité, loyauté, détermination.

Rani : Reine (sanscrit). Caractérologie : sens des responsabilités, équilibre, famille, décision, influence.

Rania : Riche et noble (arabe). Ce prénom assez rare est plutôt bien attribué aujourd'hui. Tendance : en forte croissance. Variantes : Rahnia, Raniha, Ranya, Rhania. Caractérologie : spiritualité, connaissances, détermination, sagacité, originalité.

Raphaële : Dieu a guéri (hébreu). Ce prénom assez rare est très peu attribué aujourd'hui. Tendance : stable. Variantes : Rafaële, Rafaëlle. Caractérologie : pragmatisme, communication, ressort, optimisme, sympathie.

Raphaëlla : Dieu a guéri (hébreu). Ce prénom est très rare. Tendance : stable. Variante : Raphaëla. Caractérologie : diplomatie, réceptivité, sociabilité, cœur, action.

Raphaëlle : Dieu a guéri (hébreu). Ce prénom est assez répandu. Il est relativement peu attribué aujourd'hui. Tendance : stable.

Caractérologie : conscience, bienveillance, sympathie, paix, ressort.

Raquel : Brebis (hébreu). Ce prénom est rare. Tendance : en croissance modérée. Raquel est très répandu dans les pays hispanophones. Caractérologie : relationnel, intuition, fidélité, médiation, détermination.

Rayane : Belle, désaltérée (arabe). Ce prénom est porté par moins de 100 personnes en France. Tendance : stable. Caractérologie : innovation, énergie, autorité, ambition, détermination.

Raymonde : Qui protège avec sagesse (germanique). Ce prénom est très répandu. Il est très peu attribué aujourd'hui. Variantes : Raymonda, Raymone. Caractérologie : découverte, audace, énergie, caractère, réussite.

Rébecca : Génisse (hébreu). Ce prénom est assez répandu. Il est relativement peu attribué aujourd'hui. Tendance : stable. Rebecca devrait figurer dans le top 10 irlandais en 2004. Variante : Rébeca. Variante basque : Rebeka. Caractérologie : direction, dynamisme, décision, gestion, audace.

Régina : Reine (latin). Ce prénom est assez répandu. Il très peu attribué aujourd'hui. Regina est très répandu en Italie. En France, ce prénom est plus traditionnellement usité en Alsace et en Corse. Caractérologie : intégrité, idéalisme, réflexion, altruisme, décision.

Régine : Reine (latin). Ce prénom répandu est très peu attribué aujourd'hui. Caractérologie : ténacité, méthode, fiabilité, engagement, sens du devoir.

Réhane : Basilic (arabe, arménien). Ce prénom est porté par moins de 100 personnes en France. Tendance : stable. Caractérologie : bienveillance, paix, conscience, conseil, détermination.

Reiko : Enfant de la gratitude, enfant de la grâce (japonais). Caractérologie : efficacité, structure, persévérance, sécurité, honnêteté.

Reine : Reine (latin). Ce prénom répandu est très peu attribué aujourd'hui. Tendance : en croissance modérée. Variante basque et occitane : Reina. Caractérologie : conscience, paix, bienveillance, conseil, sagesse.

Réjane : Reine (latin). Ce prénom est assez répandu. Il est très peu attribué aujourd'hui. Tendance : en décroissance modérée. Variantes : Réjanne, Réjeane, Réjine. Caractérologie : ambition, force, habileté, passion, résolution.

Renalde : Qui gouverne avec sagesse (germanique). Ce prénom est porté par moins de 100 personnes en France. Variante : Rayna. Caractérologie : découverte, audace, originalité, énergie, détermination.

Renata : Renaître (latin). Ce prénom est très rare. Variante : Renate. Caractérologie : originalité, découverte, audace, détermination, énergie.

Renda : Arbuste odorant (arabe). Protection (scandinave). Ce prénom est porté par moins de 100 personnes en France. Caractérologie : influence, équilibre, sens des responsabilités, famille, décision.

Renée : Renaître (latin). Ce prénom est très répandu. Il est très peu attribué aujourd'hui. Variante : Rena. Caractérologie :

R

193

diplomatie, réceptivité, sociabilité, loyauté, bonté.

Réva : Génisse (hébreu). Caractérologie : dynamisme, audace, direction, détermination, indépendance.

Rexana : Aube (perse). Caractérologie : réflexion, idéalisme, décision, intégrité, altruisme.

Reyhan : Combinaison féminine de Ryan et de Rayane. Ce prénom est très rare. Tendance : en décroissance modérée. Caractérologie : ambition, habileté, force, détermination, action.

Rhéa : Fleur, protectrice des cités (grec, latin). Dans la mythologie romaine, Rhéa est connue sous le nom d'Ilia. Dans la mythologie grecque, la déesse Rhéa est la compagne de Cronos. Caractérologie : curiosité, dynamisme, détermination, indépendance, courage.

Rhodia : Rose (grec). Variante : Rhoda. Caractérologie : audace, direction, indépendance, dynamisme, assurance.

Rhonda : Rivière (celte). Ce prénom est porté par moins de 100 personnes en France. Caractérologie : conscience, paix, bienveillance, détermination, volonté.

Richarde : Puissant gouverneur (germanique). Ce prénom est très rare. Caractérologie : pragmatisme, communication, résolution, optimisme, créativité.

Riham : Pluie fine (arabe). Ce prénom est très rare. Caractérologie : efficacité, persévérance, honnêteté, structure, sécurité.

Rima : Antilope (arabe). Ce prénom est très rare. Tendance : stable. Variantes : Rym,

Ryma. Caractérologie : curiosité, dynamisme, courage, charisme, indépendance.

Rime : Antilope (arabe). Ce prénom est très rare. Tendance : en forte croissance. Caractérologie : idéalisme, dévouement, réflexion, altruisme, intégrité.

Rina : Joie, bonheur (hébreu). Ce prénom assez rare est très peu attribué aujourd'hui. Tendance : en forte croissance. Caractérologie : paix, bienveillance, conscience, conseil, détermination.

Rinda : Don de Dieu (grec). Caractérologie : résolution, dynamisme, audace, direction, indépendance.

Rita : Perle (grec). Ce prénom est assez répandu. Il est très peu attribué aujourd'hui. Tendance : en croissance modérée. Rita est très répandu en Italie. Variante : Ritta. Caractérologie : créativité, pragmatisme, sociabilité, optimisme, communication.

Rivka : Génisse (hébreu). Ce prénom est très rare. Tendance : stable. Caractérologie : savoir, méditation, indépendance, intelligence, sagesse.

Rizlane : Gazelle (arabe). Ce prénom est très rare. Tendance : stable. Variante : Rhizlane. Caractérologie : structure, sécurité, efficacité, détermination, persévérance.

Roanna : Tendre et gracieuse (latin). Variantes : Roanne, Rohanna, Rohanne. Caractérologie : réflexion, idéalisme, altruisme, détermination, intégrité.

Robanne : Combinaison de Roberte et d'Anne. Caractérologie : influence, décision, famille, équilibre, sens des responsabilités.

ROMANE

Fête : 28 février

Étymologie : du latin *romanus* : romaine. Les quatre premières Romane du XXe siècle sont nées en France en 1912. À l'époque, ce prénom était totalement inconnu des Français. Ce n'est donc pas l'année 1912 qui bouleversa la donne. Jusque dans les années 1970, ce prénom reste d'ailleurs, au mieux, attribué une à quatre fois par an. Son usage demeure confidentiel jusque dans les années 1990 où Romane est soudain découverte par les Français. Sa nouvelle notoriété s'étend rapidement, et l'engouement pour ce prénom se traduit par une montée exponentielle des naissances. On dénombre la naissance de 54 Romane en 1991, 767 en 1993 puis 1 216 l'année suivante. Quel est donc le secret de Romane ? Force est de reconnaître que l'actrice française, Romane Bohringer, a influencé le destin de ce prénom. L'actrice est découverte, en même temps que son prénom, en 1992. Cette année-là, elle apparaît dans 3 films, dont *L'Accompagnatrice*, de Claude Miller, et *Les Nuits fauves*, de Cyril Collard. L'engouement des parents pour ce nouveau prénom est immédiat. Il se poursuit d'ailleurs aujourd'hui, même si la courbe de croissance de Romane a repris une progression plus lente. On peut estimer que ce prénom sera attribué à plus de 2 000 enfants en 2005, ce qui devrait lui permettre d'évoluer vers le top 30 français. À noter : ce prénom est porté par une si infime proportion de garçons qu'il est difficile de considérer qu'il soit masculin.

Romane se propage graduellement dans d'autres régions francophones. Son usage reste toutefois confidentiel dans la plupart d'entre elles, excepté en Wallonie, où Romane s'approche du top 30. À ce jour, ce prénom ne s'exporte pas en dehors de la francophonie. Il est d'ailleurs peu probable qu'il perce un jour dans les pays anglophones : sa prononciation sonne comme « Roman », son équivalent masculin. À l'heure de la mondialisation, certains parents se réjouiront de préserver ainsi l'identité spécifiquement française ou francophone de l'enfant.

Saint Romain est le fondateur des monastères du Mont Jura, au Ve siècle.
Statistique : Romane est le 374e prénom féminin le plus attribué du XXe siècle en France.

R

195

Roberte : Brillant, gloire (germanique). Ce prénom est assez répandu. Il est très peu attribué aujourd'hui. Variante : Roberta. Caractérologie : médiation, adaptabilité, fidélité, relationnel, intuition.

Robertine : Brillant, gloire (germanique). Ce prénom est très rare. Variantes : Robine, Robyn. Caractérologie : connaissances, spiritualité, sagacité, originalité, philosophie.

Rocca : Reposée (germanique). Ce prénom est porté par moins de 100 personnes en France. Variante : Rochelle. Caractérologie : méthode, ténacité, engagement, fiabilité, analyse.

Rogatienne : Requête (latin). Ce prénom est porté par moins de 100 personnes en France. Caractérologie : idéalisme, décision, réflexion, altruisme, intégrité.

Rohana : Bois de santal (sanscrit). Caractérologie : pratique, communication, enthousiasme, adaptation, décision.

Rolande : Gloire du pays (germanique). Ce prénom répandu est très peu attribué aujourd'hui. Caractérologie : famille, sens des responsabilités, logique, équilibre, caractère.

Rollande : Gloire du pays (germanique). Ce prénom assez rare est très peu attribué aujourd'hui. Caractérologie : humanité, rectitude, rêve, volonté, analyse.

Romaine : Romaine (latin). Ce prénom est rare. Variante : Roma. Caractérologie : communication, enthousiasme, pratique, décision, caractère.

Romana : Romaine (latin). Ce prénom est très rare. Caractérologie : ambition, force, habileté, décision, caractère.

Romance : Prénom inventé d'après le mot romance. Ce prénom est très rare. Tendance : stable. Caractérologie : caractère, sens des responsabilités, logique, équilibre, famille.

Romane : Romaine (latin). Ce prénom répandu figure dans le top 50 français aujourd'hui. Variantes : Romanella,

Romélie, Romina. Caractérologie : pragmatisme, communication, optimisme, détermination, volonté.

Romarine : Se rapporte au romarin (latin). Caractérologie : communication, pratique, résolution, enthousiasme, volonté.

Romea : De Rome (latin). En France, Romea est plus traditionnellement usité au Pays Basque. Caractérologie : sagacité, connaissances, spiritualité, caractère, décision.

Romy : Romaine (latin). Ce prénom assez rare est relativement peu attribué aujourd'hui. Tendance : en croissance modérée. Caractérologie : ardeur, vitalité, achèvement, stratégie, leadership.

Ronnie : Porter la victoire (grec). Variante : Rony. Caractérologie : pragmatisme, communication, créativité, sociabilité, optimisme.

Rosa : Rose (latin). Ce prénom répandu est peu attribué actuellement. Tendance : en forte croissance. Rosa est très répandu dans les pays hispanophones et en Italie. Caractérologie : stratégie, achèvement, ardeur, vitalité, leadership.

Rosabelle : Rose (latin). Ce prénom est porté par moins de 100 personnes en France. Variantes : Rosabel, Rosabella, Rozabel. Caractérologie : achèvement, vitalité, stratégie, raisonnement, détermination.

Rosalia : Rose (latin). Ce prénom est rare. Caractérologie : communication, enthousiasme, raisonnement, pratique, adaptation.

Rosalie : Rose (latin). Ce prénom est assez répandu. Il est relativement peu attribué aujourd'hui. Tendance : stable. Variante :

Rosali. Caractérologie : intelligence, logique, méditation, décision, savoir.

Rosaline : Combinaison de Rosa et de Line. Ce prénom est très rare. Tendance : en croissance modérée. Variantes : Rosalina, Rosalyn. Caractérologie : communication, pratique, analyse, résolution, enthousiasme.

Rosamée : Combinaison de Rose et d'Aimée. Caractérologie : structure, persévérance, sécurité, détermination, volonté.

Rosana : Rose (latin). Ce prénom est très rare. Tendance : en forte croissance. Variante : Rossana. Caractérologie : courage, dynamisme, indépendance, curiosité, détermination.

Rosanna : Rose (latin). Ce prénom est rare. Tendance : stable. Variantes : Rosane, Rosanne. Caractérologie : direction, audace, détermination, indépendance, dynamisme.

Rose : Rose (latin). Ce prénom répandu est plutôt bien attribué aujourd'hui. Voir le zoom dédié à Rose. Variantes : Rosaire, Rosalba, Rosaria, Rosée. Caractérologie : décision, communication, pratique, enthousiasme, adaptation.

Roseline : Combinaison de Rose et de Line. Ce prénom répandu est très peu attribué aujourd'hui. Tendance : en décroissance modérée. Caractérologie : résolution, intelligence, savoir, méditation, analyse.

Rosella : Rose (latin). Ce prénom est très rare. Variante : Roselle. Caractérologie : audace, dynamisme, direction, décision, logique.

Roselyne : Combinaison de Rose et de Lyne. Ce prénom répandu est très peu attribué aujourd'hui. Tendance : en décroissance modérée. Caractérologie : analyse, découverte, énergie, audace, sympathie.

Rose-Marie : Prénom composé de Rose et de Marie. Ce prénom est assez répandu. Il est très peu attribué aujourd'hui. Tendance : en décroissance modérée. Caractérologie : structure, sécurité, persévérance, résolution, volonté.

Rosemary : Combinaison de Rose et de Mary. Ce prénom est très rare. Variante : Rosemarie. Caractérologie : bienveillance, paix, conscience, volonté, réalisation.

Rosemonde : Rose (latin). Ce prénom assez rare est très peu attribué aujourd'hui. Caractérologie : idéalisme, altruisme, intégrité, détermination, volonté.

Rosette : Rose (latin). Ce prénom est assez répandu. Il est très peu attribué aujourd'hui. Variantes : Rosetta, Rosita. Caractérologie : adaptation, pratique, communication, détermination, enthousiasme.

Rosine : Rose (latin). Ce prénom est assez répandu. Il est très peu attribué aujourd'hui. Tendance : stable. Variantes : Rosiane, Rosina. Caractérologie : passion, habileté, détermination, ambition, force.

Rosy : Rose (latin). Ce prénom est rare. Tendance : en forte croissance. Variantes : Rosia, Rosie. Caractérologie : énergie, audace, découverte, séduction, originalité.

Roxana : Aube (perse). Ce prénom est très rare. Tendance : stable. Caractérologie : autorité, innovation, énergie, décision, ambition.

ROSE, LILY-ROSE

ROSE

Fête : 23 août

Étymologie : du latin *rosa* : rose. Ce vieux prénom porté par plusieurs saintes est en vogue dès le Xe siècle en France. Au Moyen Âge, c'est la forme Rosemonde qui est très répandue. Aujourd'hui, Rose est toujours une source prolifique de prénoms composés ou contenant, comme dans Rosemonde, le nom de la fleur. Cependant, c'est sans autre bagage que Rose devrait monter en force dans les prochaines années. En effet, Rose pousse de manière constante depuis 1995, période de son éclosion. Il faut dire que le retour de Rose s'inscrit dans la vogue des prénoms rétro qui entraînent Emma, Louise, Lucie, Jeanne et Zoé sur le chemin du succès. Attendons-nous à ce que ce prénom soit attribué à près de 600 enfants en 2005. Sauf accident, son entrée dans le top 100 français ne devrait pas être longtemps différée.

Au-delà des frontières de l'Hexagone, la carrière de Rose est inégale. Au Québec, elle pousse tellement vite qu'elle devrait figurer dans le top 30 québécois en 2005. En revanche, cette fleur est moins plébiscitée en Wallonie et en Suisse romande. En dehors de la zone francophone, la variante Rosa est très répandue en Italie et en Espagne. Elle y est toutefois démodée aujourd'hui. À noter : Marie-Rose et Rose-Marie sont les formes composées de Rose les plus portées aujourd'hui en France.

Sainte Rose de Lima (aussi connue sous le nom d'Isabelle de Florès) vit au XVIe siècle au Pérou. Elle y mène une vie de religieuse dominicaine. Elle est canonisée au XVIIe siècle. Sainte Rose de Lima est la patronne de l'Amérique latine, des Philippines, des fleuristes, des horticulteurs et des jardiniers.

Dans de nombreux pays du monde, **la rose** est un symbole de beauté, d'amour et de pureté. Un bouquet de roses est un des accessoires indissociables du mariage. La rose était la fleur d'Aphrodite, la déesse grecque de l'Amour et de la Beauté. Elle devient celle de Vénus à l'époque romaine. Au travers des siècles, bien des poètes ont loué la rose comme symbole de la perfection féminine et des mystères de l'amour.

Statistiques : Rose est le 118e prénom féminin le plus attribué du XXe siècle en France. Pour l'anecdote, 1900 est l'année record d'attribution de ce prénom en France pour tout le XXe siècle. Cette année-là, 3 613 petites Rose sont nées, contre 49 (record minimal) en 1989.

ROSE, LILY-ROSE *(suite)*

LILY-ROSE

Fête : 27 juillet. ou 23 août

Ce prénom fleuri rassemble les **étymologies** des deux parties qui le composent. Lily, forme de Liliane, vient du latin *lilium* : lys. L'origine de Rose vient d'être détaillée. La particularité de Lily-Rose est d'être l'un des prénoms féminins les plus jeunes de France. Il est apparu aux côtés de Noan et Maelwenn pour la première fois en France en 1999. Depuis, il ne cesse de progresser de manière spectaculaire. Sa carrière est d'autant plus remarquable que Lily-Rose devrait devenir le 2ᵉ prénom composé français en 2005. L'apparition de la première Lily-Rose suit de près la naissance de Lili-Rose, dont les parents ne sont autres que Vanessa Paradis et Johnny Depp. Il est remarquable que sa notoriété se propage déjà en dehors de l'Hexagone : Lily-Rose est entrée (pour la première fois en 2003) dans le top 500 québécois. De retour en France, Lily-Rose ambitionne de s'imposer dans le top 200 français, ce dont elle est assez proche. Conséquence directe, les prénoms Lili et Lily progressent dans l'Hexagone (Lily évolue dans le top 140 français). Ces derniers ressemblent trop à Lilou (en vogue actuellement) pour s'arrêter en si bon chemin. Notons enfin que Lily enregistre une progression phénoménale en Angleterre et qu'elle est en vogue en Autriche.

Statistique : Lily-Rose est le 4 705ᵉ prénom féminin le plus attribué du XXᵉ siècle en France. Voir le palmarès des prénoms composés.

R

Roxane : Aube (perse). Ce prénom répandu est relativement peu attribué aujourd'hui. Tendance : en décroissance modérée. Caractérologie : curiosité, indépendance, détermination, dynamisme, courage.

Roxanne : Aube (perse). Ce prénom assez rare est peu attribué actuellement. Tendance : stable. Caractérologie : autorité, innovation, résolution, énergie, ambition.

Rozenn : Rose (latin). Ce prénom breton est assez répandu. Il est peu attribué actuellement. Tendance : stable. Variantes : Roza, Rozanne, Rozen. Caractérologie : médiation, relationnel, adaptabilité, fidélité, intuition.

Ruby : Rougeâtre (latin). Ce prénom est très rare. Tendance : en décroissance modérée. Variante : Rubis. Caractérologie : communication, optimisme, créativité, pragmatisme, sociabilité.

Répartition de la fréquence d'attribution des prénoms en France

Dans l'histogramme ci-dessous, les prénoms portés en France ont été regroupés en dix catégories établies selon le degré de fréquence des prénoms. La première catégorie inclut les prénoms qui sont extrêmement rares (portés par moins d'une cinquantaine de personnes), et la dernière rassemble ceux qui sont extrêmement courants (portés par plus de 500 000 personnes). L'histogramme reprend les données statistiques de l'Insee. Celles-ci correspondent à un peu plus de 13 000 prénoms.

En étudiant cet histogramme, on observe qu'une multitude de prénoms rares (et très rares) sont portés par une fraction importante de la population française. En effet, plus de la moitié de ces 13 000 prénoms (soit un peu plus de 6 500 d'entre eux) sont portés par moins de 100 personnes en France. Par contraste, le nombre de prénoms qui est porté par une grande majorité de personnes en France est beaucoup plus limité. Le répertoire de prénoms portés par 10 000 à 100 000 personnes est inférieur à 500. Enfin, soulignons que seuls trois prénoms sont portés par plus de 500 000 personnes en France aujourd'hui. Il s'agit de Marie, Michel et Pierre.

Un calcul plus affiné permet de déterminer que 334 prénoms sont portés par 80 % de la population française. Cela signifie que chacun de ces 334 prénoms (dont 132 sont masculins et 202 sont féminins) sont portés par plus de 40 000 personnes en France.

À noter : La population de la France est estimée à 61,7 millions d'habitants au 1er janvier 2004 (source : Bilan démographique 2003, Insee).

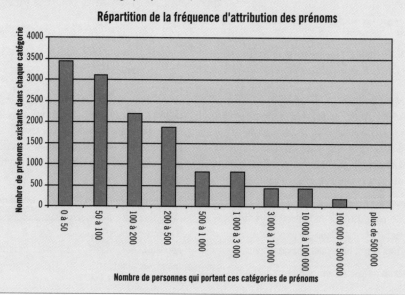

Répartition de la fréquence d'attribution des prénoms

Rufina : Rouge (basque). Ce prénom est porté par moins de 100 personnes en France. Caractérologie : famille, équilibre, sens des responsabilités, raisonnement, détermination.

Ruth : Compagne, amie (hébreu). Ce prénom assez rare est très peu attribué aujourd'hui. Tendance : en croissance modérée. Caractérologie : sécurité, structure, efficacité, persévérance, honnêteté.

S **aadia** : Heureuse, que le destin favorise (arabe). Ce prénom est rare. Tendance : en décroissance modérée. Variantes : Saad, Saada. Caractérologie : force, ambition, passion, management, habileté.

Sabah : Beauté fraîche comme le matin (arabe). Ce prénom assez rare est très peu attribué aujourd'hui. Tendance : stable. Variantes : Saba, Sabahe, Sabbah, Sabéha, Sabiha. Caractérologie : fiabilité, ténacité, méthode, sens du devoir, engagement.

Sabia : Douce (irlandais). Caractérologie : découverte, audace, énergie, originalité, séduction.

Sabina : Habitante d'Italie centrale (latin). Ce prénom est rare. Tendance : en décroissance modérée. Sabina est très répandu dans les pays hispanophones, dans les pays slaves, en Italie et au Portugal. Caractérologie : dynamisme, direction, audace, indépendance, détermination.

Sabine : Habitante d'Italie centrale (latin). Ce prénom répandu est très peu attribué aujourd'hui. Tendance : en décroissance modérée. Dans l'histoire, l'enlèvement des Sabines est un des faits marquants de la fondation de Rome. Caractérologie : énergie, découverte, originalité, décision, audace.

Sabria : Calme et patiente (arabe). Ce prénom est très rare. Tendance : stable. Variantes : Sabra, Sabriya, Sabrya. Caractérologie : originalité, séduction, énergie, découverte, audace.

Sabrina : Cactus épineux (hébreu). Ce prénom répandu est plutôt bien attribué aujourd'hui. Tendance : en décroissance modérée. Variante : Sabryna. Caractérologie : indépendance, direction, dynamisme, audace, détermination.

Sabrine : Cactus épineux (hébreu). Ce prénom assez rare est relativement peu attribué aujourd'hui. Tendance : stable. Caractérologie : dynamisme, indépendance, courage, curiosité, décision.

Sacha : Défense de l'humanité (grec). Ce prénom assez rare est relativement peu attribué aujourd'hui. Tendance : stable. Sacha figure dans le palmarès des prénoms mixtes. Pour en savoir plus, voir cet article. Caractérologie : découverte, énergie, séduction, audace, originalité.

Sadia : Heureuse, que le destin favorise (arabe). L'aide de Dieu (hébreu). Ce prénom assez rare est très peu attribué aujourd'hui. Tendance : en décroissance modérée. Variantes : Sadie, Sadio. Caractérologie : indépendance, savoir, méditation, intelligence, sagesse.

Safa : Pure (arabe). Ce prénom est rare. Tendance : en croissance modérée. Variantes : Safaa, Safae. Caractérologie :

humanité, rectitude, ouverture d'esprit, générosité, rêve.

Safia : Fidèle, droite (arabe). Sagesse (grec). Ce prénom est assez répandu. Il est relativement peu attribué aujourd'hui. Tendance : en croissance modérée. Variantes : Safiya, Safya. Caractérologie : altruisme, idéalisme, intégrité, réflexion, dévouement.

Sahar : Crépuscule (arabe). Lune (hébreu). Ce prénom est très rare. Tendance : en forte décroissance. Variante : Shahar. Caractérologie : réceptivité, sociabilité, diplomatie, bonté, loyauté.

Sahra : Fleur, blancheur lumineuse (arabe). Ce prénom assez rare est peu attribué actuellement. Tendance : en décroissance modérée. Caractérologie : sociabilité, diplomatie, loyauté, réceptivité, bonté.

Saïda : Heureuse, que le destin favorise (arabe). Ce prénom est assez répandu. Il est très peu attribué aujourd'hui. Tendance : stable. Caractérologie : connaissances, sagacité, spiritualité, originalité, philosophie.

Sakae : Prospérité (japonais). Caractérologie : indépendance, assurance, direction, audace, dynamisme.

Sakina : Bien être, maison du paradis (arabe). Ce prénom assez rare est peu attribué actuellement. Tendance : stable. Variante : Soukina. Caractérologie : direction, audace, indépendance, décision, dynamisme.

Sakura : Fleur de cerisier (japonais). Caractérologie : vitalité, stratégie, achèvement, ardeur, gestion.

Salamata : Paix, salut (arabe). Ce prénom est très rare. Tendance : en forte croissance. Variantes : Salimata, Salimatou, Sélimata. Caractérologie : dynamisme, indépendance, curiosité, organisation, courage.

Saliha : Intègre, équitable (arabe). Ce prénom assez rare est très peu attribué aujourd'hui. Tendance : en croissance modérée. Variante : Salia. Caractérologie : audace, découverte, énergie, originalité, séduction.

Salila : Eau (sanscrit). Caractérologie : intégrité, réflexion, idéalisme, altruisme, dévouement.

Salima : Pure, intacte, en sécurité (arabe). Ce prénom est assez répandu. Il est très peu attribué aujourd'hui. Tendance : stable. Variante : Salama. Caractérologie : assurance, dynamisme, direction, indépendance, audace.

Sally : Princesse (hébreu). Ce prénom est très rare. Tendance : en décroissance modérée. Variantes : Sallie, Saly. Caractérologie : conscience, sagesse, bienveillance, paix, conseil.

Salma : Intacte, saine (arabe). Ce prénom assez rare est relativement peu attribué aujourd'hui. Tendance : en forte croissance. Caractérologie : dynamisme, audace, direction, indépendance, assurance.

Salomé : Pacifique, calme (hébreu). Ce prénom répandu figure dans le top 100 français aujourd'hui. Tendance : stable. Variantes : Saloméa, Salomée. Caractérologie : réceptivité, diplomatie, sociabilité, loyauté, caractère.

Saloni : Belle (sanscrit). Caractérologie : savoir, méditation, résolution, intelligence, analyse.

Saloua : Réconfort (arabe). Ce prénom est rare. Tendance : en décroissance modérée. Variante : Séloua. Caractérologie : exigence, influence, famille, équilibre, sens des responsabilités.

Salvadora : Sauveur (grec). Ce prénom est porté par moins de 100 personnes en France. Variante : Salvatora. Caractérologie : pragmatisme, communication, optimisme, créativité, raisonnement.

Salwa : Réconfort (arabe). Ce prénom est très rare. Tendance : stable. Caractérologie : relationnel, médiation, intuition, adaptabilité, fidélité.

Samantha : Celle qui écoute (araméen). Ce prénom répandu est plutôt bien attribué aujourd'hui. Tendance : stable. Samantha devrait figurer dans le top 10 américain en 2004. Variantes : Samanta, Sammantha. Caractérologie : dynamisme, curiosité, courage, attention, indépendance.

Samara : Conversation intime pendant la nuit (arabe). Ce prénom est très rare. Tendance : en forte croissance. Variante : Samar. Caractérologie : ambition, force, habileté, passion, management.

Samia : Supérieure, sublime (arabe). Ce prénom répandu est relativement peu attribué aujourd'hui. Tendance : stable. Variantes : Sama, Samae, Samah. Caractérologie : méditation, savoir, intelligence, indépendance, sagesse.

Samiha : Généreuse, magnanime (arabe). Ce prénom est très rare. Variantes : Samiya, Sémiha. Caractérologie : paix, conscience, bienveillance, conseil, sagesse.

Samira : Conversation intime pendant la nuit (arabe). Ce prénom répandu est peu attribué actuellement. Tendance : stable. Variante : Sémira. Caractérologie : savoir, intelligence, indépendance, sagesse, méditation.

Samra : La brune (arabe). Ce prénom est très rare. Tendance : en forte croissance. Variante : Semra. Caractérologie : sagacité, originalité, connaissances, spiritualité, philosophie.

Samuelle : Son nom est Dieu (hébreu). Ce prénom est très rare. Variantes : Samuela, Samuella. Caractérologie : sagacité, spiritualité, originalité, connaissances, philosophie.

Samya : Supérieure, sublime (arabe). Ce prénom est rare. Tendance : en décroissance modérée. Caractérologie : dynamisme, courage, indépendance, réalisation, curiosité.

Sana : Élévation, élégance (arabe). Ce prénom est assez répandu. Il est relativement peu attribué aujourd'hui. Tendance : en croissance modérée. Variantes : Sanae, Sanah, Sanna, Sena. Caractérologie : stratégie, vitalité, leadership, ardeur, achèvement.

Sanaa : Élévation, élégance (arabe). Ce prénom assez rare est très peu attribué aujourd'hui. Tendance : stable. Caractérologie : idéalisme, altruisme, intégrité, réflexion, dévouement.

Sandie : Défense de l'humanité (grec). Ce prénom est assez répandu. Il est très peu attribué aujourd'hui. Tendance : en décroissance modérée. Variantes : Sandi, Sandia. Caractérologie : originalité, sagacité, détermination, spiritualité, connaissances.

Sandra : Défense de l'humanité (grec). Ce prénom répandu est plutôt bien attribué aujourd'hui. Tendance : en décroissance modérée. Sandra est très répandu en Italie. Variante : Saundra. Caractérologie : enthousiasme, communication, pratique, adaptation, détermination.

Sandrina : Défense de l'humanité (grec). Ce prénom assez rare est très peu attribué aujourd'hui. En France, Sandrina est plus traditionnellement usité au Pays Basque. Caractérologie : stratégie, ardeur, vitalité, achèvement, résolution.

Sandrine : Défense de l'humanité (grec). Ce prénom est très répandu. Il est peu attribué actuellement. Tendance : en décroissance modérée. Variantes : Sandryne, Sendrine. Caractérologie : créativité, décision, optimisme, pragmatisme, communication.

Sandy : Défense de l'humanité (grec). Ce prénom répandu est relativement peu attribué aujourd'hui. Tendance : en décroissance modérée. Caractérologie : altruisme, réalisation, idéalisme, intégrité, réflexion.

Sania : Élévation, élégance (arabe). Ce prénom est très rare. Tendance : en forte croissance. Variante : Sanya. Caractérologie : habileté, ambition, passion, force, résolution.

Santana : Vénérée (latin). Ce prénom est très rare. Tendance : stable. Variantes : Santa, Santine. Caractérologie : spiritualité, sagacité, originalité, connaissances, philosophie.

Saphia : Sagesse (grec). Ce prénom est très rare. Tendance : stable. Caractérologie : rêve, rectitude, humanité, ouverture d'esprit, ressort.

Saphir : Pierre précieuse bleue (hébreu). Ce prénom est porté par moins de 100 personnes en France. Variante : Safira. Caractérologie : ambition, force, habileté, passion, ressort.

Sara : Princesse (hébreu). Ce prénom répandu est plutôt bien attribué aujourd'hui. Tendance : stable. Sara devrait figurer dans le top 10 novégien en 2004. Ce prénom est aussi très en vogue en Italie, en Espagne, au Portugal et en Grèce. Variante : Saura. Caractérologie : pragmatisme, communication, sociabilité, créativité, optimisme.

Sarah : Princesse (hébreu). Ce prénom est très répandu. De plus, il figure dans le top 50 français aujourd'hui. Voir le zoom dédié à Sarah. Caractérologie : intuition, relationnel, fidélité, médiation, adaptabilité.

Sarah-Lou : Prénom composé de Sarah et de Lou. Ce prénom est porté par moins de 100 personnes en France. Tendance : en croissance modérée. Caractérologie : originalité, découverte, énergie, audace, analyse.

Saria : Fortune, richesse. Celle qui marche (arabe). Ce prénom est porté par moins de 100 personnes en France. Variante : Sarya. Caractérologie : pratique, communication, enthousiasme, générosité, adaptation.

Sarina : Combinaison de Sarah et d'Anna. Ce prénom est très rare. Tendance : en décroissance modérée. Caractérologie : force, habileté, ambition, passion, décision.

Sarra : Fleur, blancheur lumineuse (arabe). Ce prénom assez rare est très peu attribué aujourd'hui. Tendance : en décroissance modérée. Variante : Sarha. Caractérologie : communication, pratique, adaptation, enthousiasme, générosité.

SARAH

Fête : 9 octobre

Étymologie : de l'hébreu *saray* : princesse. Les origines bibliques de Sarah expliquent sans doute son succès durable en France et à l'étranger. Pourtant, ce prénom n'a pas toujours été en vogue. Peu attribué au début du XXᵉ siècle en France et totalement délaissé entre 1940 et 1960, il ne partait pas favori pour connaître le succès qui l'honore actuellement. Cela n'a pas empêché Sarah de s'envoler dans les années 1970. Sa progression douce mais constante la mène trente ans plus tard à des sommets dans l'Hexagone et dans bien d'autres pays. En 2001, Sarah monte dans le top 10 du Québec, de la Suisse romande et de la Wallonie. Sa courbe de croissance trahit toutefois un fléchissement qui devrait s'accentuer en 2005. Cette situation est assez comparable à celle de la France. Toutefois, en 2005, Sarah devrait rester dans le top 10 français et prénommer plus de 5 000 fillettes dans l'Hexagone.

Dans les pays anglophones, Sarah se positionne dans le haut des palmarès américains, australiens et irlandais. Sara est également l'un des premiers choix des parents allemands, sans oublier le succès qu'elle remporte en Italie, en Espagne et dans les pays scandinaves. En outre, Sara se propage aussi au Québec et en Suisse romande. Si l'on ajoute que cette variante est assez attribuée dans les communautés arabes et musulmanes du monde entier, il ne reste plus beaucoup de parties du globe où Sara est inusité. Cette dernière et Sarah sont, plus que jamais, de grands prénoms internationaux.

Dans la Bible, **Sarah** est l'épouse d'Abraham. Elle ne peut concevoir d'enfant lorsqu'elle est en âge d'en avoir, et c'est lorsqu'elle est très âgée qu'un ange vient lui annoncer sa prochaine maternité. Son fils Isaac naîtra dans l'année.

Sarah est également le prénom d'une sainte qui a vécu en Provence au Iᵉʳ siècle.

Personnalité célèbre : Sarah Bernhardt, actrice française de théâtre (1844-1923). Elle a compté parmi ses admirateurs des personnalités comme Napoléon III et Victor Hugo en France, ou Oscar Wilde en Angleterre.

Statistique : Sarah est le 101ᵉ prénom féminin le plus attribué du XXᵉ siècle en France.

S

205

Sasha : Défense de l'humanité (grec). Ce prénom est rare. Tendance : en forte croissance. Variante : Sascha. Caractérologie : optimisme, créativité, pragmatisme, sociabilité, communication.

Saskia : Saxonne (hollandais). Ce prénom est très rare. Tendance : en croissance modérée. Caractérologie : influence, sens des responsabilités, équilibre, famille, exigence.

Sati : Vérité (sanscrit). Ce prénom est porté par moins de 100 personnes en France. Variante : Satya. Caractérologie : engagement, ténacité, méthode, sens du devoir, fiabilité.

Satine : Satiné, poli (français). Caractérologie : énergie, originalité, audace, découverte, décision.

Savannah : Grande plaine verdoyante (espagnol). Ce prénom est très rare. Tendance : en décroissance modérée. Variantes : Savana, Savanah, Savanna. Caractérologie : vitalité, achèvement, ardeur, leadership, stratégie.

Saveria : Maison neuve (basque). Ce prénom est très rare. Tendance : stable. Caractérologie : optimisme, créativité, pragmatisme, communication, résolution.

Savina : Habitante d'Italie centrale (latin). Ce prénom est très rare. Variante : Savine. Caractérologie : enthousiasme, pratique, communication, adaptation, détermination.

Sawsan : Lys des vallées (arabe). Ce prénom est porté par moins de 100 personnes en France. Tendance : en forte croissance. Variantes : Sawsane, Sawsen. Caractérologie : découverte, audace, séduction, énergie, originalité.

Scarlett : De couleur écarlate (latin). Ce prénom est très rare. Tendance : en décroissance modérée. Caractérologie : ambition, résolution, habileté, organisation, force.

Schérazade : Femme de la haute ville (prénom arabe d'origine perse). Ce prénom est très rare. Tendance : en forte croissance. Variante : Schéhérazade Caractérologie : résolution, rectitude, rêve, humanité, ouverture d'esprit.

Sébastienne : Respectée, vénérée (grec). Ce prénom est très rare. Variantes : Bastienne, Sébastiane. Caractérologie : originalité, audace, découverte, décision, énergie.

Sécil : Aveugle (latin). Ce prénom est très rare. Tendance : en croissance modérée. Caractérologie : communication, pratique, enthousiasme, décision, adaptation.

Séda : Grande dame (arménien). Ce prénom est très rare. Tendance : en forte décroissance. Caractérologie : médiation, fidélité, relationnel, adaptabilité, intuition.

Séfora : Pierre précieuse bleue (hébreu). Ce prénom est très rare. Tendance : en croissance modérée. Caractérologie : audace, détermination, indépendance, dynamisme, direction.

Ségolène : Victoire, récompense (germanique). Ce prénom est assez répandu. Il est très peu attribué aujourd'hui. Tendance : en forte décroissance. Variante : Ségolaine. Caractérologie : énergie, autorité, innovation, compassion, ambition.

Segonde : Seconde (latin). Ce prénom est porté par moins de 100 personnes en France. Caractérologie : bienveillance, volonté, paix, conscience, réalisation.

Séham : Flèches (arabe). Ce prénom est très rare. Caractérologie : audace, direction, assurance, indépendance, dynamisme.

Seiko : Qui mène avec succès (japonais). Caractérologie : énergie, découverte, audace, originalité, décision.

Séléna : Solennelle (latin). Ce prénom assez rare est relativement peu attribué aujourd'hui. Tendance : en forte croissance. Caractérologie : réceptivité, diplomatie, loyauté, sociabilité, bonté.

Selene : Solennelle (latin). Ce prénom basque est très rare. Tendance : en forte croissance. Variante : Selen. Caractérologie : famille, équilibre, influence, exigence, sens des responsabilités.

Selia : Aveugle (latin). Ce prénom est très rare. Tendance : stable. Caractérologie : détermination, autorité, innovation, énergie, ambition.

Sélima : Pure, intacte, en sécurité (arabe). Ce prénom est très rare. Caractérologie : audace, découverte, originalité, énergie, décision.

Sélin : Lune (grec). Ce prénom est rare. Tendance : en croissance modérée. Variante : Sélina. Caractérologie : audace, découverte, énergie, détermination, originalité.

Selma : Intacte, saine (arabe). Protection divine (germanique). Ce prénom assez rare est plutôt bien attribué aujourd'hui. Tendance : en forte croissance. Caractérologie : dynamisme, curiosité, courage, indépendance, charisme.

Selvi : Forêt (latin). Ce prénom est très rare. Caractérologie : méthode, détermination, fiabilité, engagement, ténacité.

Sema : Ciel (turc). Signe (grec). Ce prénom est très rare. Tendance : stable. Caractérologie : relationnel, fidélité, intuition, médiation, adaptabilité.

Sémia : Supérieure, sublime (arabe). Ce prénom est très rare. Caractérologie : réceptivité, sociabilité, diplomatie, résolution, loyauté.

Seona : Dieu fait grâce (hébreu). Seona est très répandu en Écosse. Caractérologie : recti-tude, rêve, humanité, ouverture d'esprit, générosité.

Séphora : Siffler (arabe). Oiselle (hébreu). Ce prénom assez rare est peu attribué actuellement. Tendance : stable. Dans l'Ancien Testament, Séphora est l'épouse de Moïse. Caractérologie : direction, audace, résolution, dynamisme, ressort.

Séraphine : Ardente (hébreu). Ce prénom est rare. Tendance : en décroissance modérée. Variantes : Sérafina, Séraphie, Séraphina. Caractérologie : audace, découverte, détermination, action, énergie.

Séréna : Sereine (latin). Ce prénom assez rare est relativement peu attribué aujourd'hui. Tendance : en croissance modérée. Variante : Séren. Caractérologie : ardeur, vitalité, achèvement, stratégie, résolution.

Serine : Sereine (latin). Ce prénom est très rare. Tendance : en forte croissance. Variante : Serina. Caractérologie : indépendance, intelligence, méditation, détermination, savoir.

Servane : Qui est respectueuse (breton). Ce prénom assez rare est relativement peu attribué aujourd'hui. Tendance : en forte croissance. Caractérologie : communication, pragmatisme, optimisme, créativité, résolution.

Servanne : Qui est respectueuse (breton). Ce prénom est très rare. Tendance : en croissance modérée. Caractérologie : achèvement, stratégie, décision, ardeur, vitalité.

Sévan : Nom d'un lac d'Arménie (arménien). Caractérologie : méditation, indépendance, savoir, sagesse, intelligence.

Séverine : Grave, sérieuse (latin). Ce prénom répandu est très peu attribué aujourd'hui. Tendance : en décroissance modérée. Variantes : Séverina, Séveryne. Caractérologie : connaissances, originalité, sagacité, détermination, spiritualité.

Seyda : Maîtrise de soi (arabe). Ce prénom est très rare. Tendance : en décroissance modérée. Caractérologie : rêve, humanité, rectitude, ouverture d'esprit, réalisation.

Shade : Ombre (anglais). Ce prénom est très rare. Tendance : en croissance modérée. Caractérologie : audace, dynamisme, direction, indépendance, assurance.

Shaï : Don, présent (hébreu). Caractérologie : ambition, énergie, innovation, autonomie, autorité.

Shaïa : Palace féerique (irlandais). Caractérologie : réceptivité, loyauté, diplomatie, bonté, sociabilité.

Shaïma : D'une grande beauté (arabe). Ce prénom est rare. Tendance : en forte croissance. Caractérologie : paix, bienveillance, sagesse, conscience, conseil.

Shaïna : Belle (yiddish). Ce prénom est rare. Tendance : en forte croissance. Variante : Sheïna. Caractérologie : sagacité, originalité, spiritualité, connaissances, résolution.

Shakira : Présent le plus désiré (arabe). Caractérologie : méthode, ténacité, fiabilité, sens du devoir, engagement.

Shamsi : Mon petit soleil (arabe). Shamsi est assez répandu au Maroc. Caractérologie : influence, sens des responsabilités, famille, équilibre, exigence.

Shana : Dieu fait grâce (hébreu). Ce prénom assez rare est plutôt bien attribué aujourd'hui. Tendance : en forte croissance. Caractérologie : savoir, intelligence, méditation, sagesse, indépendance.

Shani : Dieu fait grâce (hébreu). Ce prénom est très rare. Tendance : en croissance modérée. Variantes : Shanie, Shany. Caractérologie : famille, influence, équilibre, décision, sens des responsabilités.

Shania : Dieu fait grâce (hébreu). Ce prénom assez rare est relativement peu attribué aujourd'hui. Tendance : en forte croissance. Caractérologie : savoir, intelligence, résolution, méditation, indépendance.

Shanna : Dieu fait grâce (hébreu). Ce prénom est rare. Tendance : en croissance modérée. À noter : Shanna signifie « amour « aux Comores. Caractérologie : pratique, communication, générosité, adaptation, enthousiasme.

Shannon : Expérience, sagesse (irlandais). Ce prénom assez rare est relativement peu attribué actuellement. Tendance : stable. Shannon a longtemps été un prénom mixte. Toutefois, son usage a évolué : aujourd'hui, ce prénom est presque exclusivement attribué aux filles. Shannon est aussi le nom du plus long fleuve d'Irlande et des îles britanniques. Variantes : Shannen, Shannone, Shanon, Shanone. Caractérologie : structure, sécurité, efficacité, persévérance, honnêteté.

Shanti : Calme, sereine (sanscrit). Ce prénom est porté par moins de 100 personnes en France. Caractérologie : achèvement, vitalité, stratégie, finesse, résolution.

Sharleen : Fort et viril (germanique). Ce prénom est très rare. Tendance : en forte croissance. Variantes : Sharlen, Sharlène. Caractérologie : innovation, détermination, autorité, ambition, énergie.

Sharon : Plaine déserte (hébreu). Ce prénom assez rare est relativement peu attribué aujourd'hui. Tendance : en forte croissance. Caractérologie : pragmatisme, optimisme, créativité, résolution, communication.

Sharone : Plaine déserte (hébreu). Ce prénom est très rare. Tendance : en forte croissance. Caractérologie : force, ambition, habileté, décision, passion.

Shauna : Dieu fait grâce (hébreu). Ce prénom est très rare. Tendance : en décroissance modérée. En dehors de la France, Shauna est en vogue en Irlande. Variantes : Shaine, Shane, Shanée, Shawnee. Caractérologie : innovation, autonomie, énergie, autorité, ambition.

Shéhérazade : Femme de la haute ville (prénom arabe d'origine perse). Ce prénom est rare. Tendance : stable. Shéhérazade est l'héroïne mythique des Mille et Une Nuits. Variantes : Chéhérazade, Chéhrazad, Chéhrazade, Chérazad, Shéérazade. Caractérologie : autorité, innovation, ambition, énergie, détermination.

Sheila : Aveugle (latin). Ce prénom est rare. Tendance : stable. Variantes : Sheela, Shelley. Caractérologie : idéalisme, résolution, intégrité, réflexion, altruisme.

Sheïma : D'une grande beauté (arabe). Ce prénom est très rare. Tendance : en forte croissance. Caractérologie : autorité, innovation, énergie, détermination, ambition.

Shelby : La ferme de la colline (anglo-saxon). Ce prénom est porté par moins de 100 personnes en France. Tendance : en forte croissance. À noter : si ce prénom est mixte dans les pays anglophones, Shelby reste à ce jour exclusivement féminin en France. Caractérologie : vitalité, achèvement, attention, stratégie, cœur.

Shérazade : Femme de la haute ville (prénom arabe d'origine perse). Ce prénom est rare. Tendance : en croissance modérée. Caractérologie : paix, conscience, bienveillance, conseil, décision.

Sherine : Charmante, agréable (arabe, perse). Ce prénom est très rare. Tendance : en croissance modérée. Variante : Shirine. Caractérologie : équilibre, sens des responsabilités, famille, influence, résolution.

Sherley : Prairie ensoleillée (anglais). Ce prénom est très rare. Tendance : stable. Caractérologie : diplomatie, sympathie, ressort, réceptivité, sociabilité.

Sheryl : Cerisier (latin). Ce prénom est très rare. Tendance : en décroissance modérée. Variante : Shirel. Caractérologie : bienveillance, paix, conscience, action, compassion.

Shina : Fidèle, loyale (japonais). Caractérologie : résolution, équilibre, sens des responsabilités, famille, influence.

Shirley : Prairie ensoleillée (anglais). Ce prénom est assez répandu. Il est peu attribué actuellement. Tendance : en décroissance modérée. Caractérologie : bienveillance, paix, conscience, action, cœur.

Shona : Dieu fait grâce (hébreu). Ce prénom est très rare. Tendance : stable. Shona est

S

très répandu en Écosse. Variante : Shonah. Caractérologie : générosité, communication, pratique, enthousiasme, adaptation.

Sibel : Prophétesse (grec). Ce prénom assez rare est très peu attribué aujourd'hui. Tendance : stable. Caractérologie : intuition, relationnel, médiation, gestion, décision.

Sibille : Prophétesse (grec). Ce prénom est très rare. Caractérologie : curiosité, dynamisme, courage, gestion, décision.

Sibylle : Prophétesse (grec). Ce prénom assez rare est peu attribué actuellement. Tendance : stable. Variantes : Sibyl, Sibylline. Caractérologie : pragmatisme, communication, optimisme, décision, cœur.

Sidney : Habitante de Sidon (latin). Ce prénom est très rare. Tendance : en forte croissance. Variante : Sidaine. Caractérologie : persévérance, structure, sécurité, réussite, décision.

Sidonie : Habitante de Sidon (latin). Ce prénom est assez répandu. Il est relativement peu attribué aujourd'hui. Tendance : en croissance modérée. Sidon était une ville située près de Byblos, entre les montagnes du Liban et la mer. Variantes : Sidony, Sydonie. Variante basque : Sidonia. Caractérologie : communication, pragmatisme, détermination, optimisme, volonté.

Siegrid : Victoire, paix (germanique). Ce prénom est très rare. Caractérologie : stratégie, achèvement, détermination, réalisation, vitalité.

Sierra : Chaîne de montagne (anglais). Caractérologie : intelligence, savoir, détermination, méditation, indépendance.

Sigrid : Victoire, paix (germanique). Ce prénom assez rare est très peu attribué aujourd'hui. Tendance : stable. Caractérologie : pratique, communication, adaptation, enthousiasme, réalisation.

Siham : Flèches (arabe). Ce prénom est assez répandu. Il est relativement peu attribué aujourd'hui. Tendance : en croissance modérée. Caractérologie : curiosité, dynamisme, indépendance, courage, charisme.

Sihame : Flèches (arabe). Ce prénom assez rare est très peu attribué aujourd'hui. Tendance : stable. Caractérologie : audace, direction, dynamisme, décision, indépendance.

Sihem : Flèches (arabe). Ce prénom assez rare est peu attribué actuellement. Tendance : en croissance modérée. Variante : Siheme. Caractérologie : rêve, ouverture d'esprit, rectitude, humanité, décision.

Sila : Réunion (turc). Ce prénom est porté par moins de 100 personnes en France. Tendance : en croissance modérée. Caractérologie : énergie, audace, découverte, originalité, séduction.

Siloé : Nom d'une ancienne source d'eau située près du mur sud de Jérusalem (hébreu). Ce prénom est porté par moins de 100 personnes en France. Tendance : en forte croissance. Caractérologie : analyse, famille, sens des responsabilités, équilibre, résolution.

Silvana : Forêt (latin). Ce prénom assez rare est très peu attribué aujourd'hui. Variantes : Silva, Silvaine, Silvanie. Caractérologie : famille, sens des responsabilités, équilibre, influence, décision.

Silvia : Forêt (latin). Ce prénom assez rare est très peu attribué aujourd'hui. Tendance : en forte décroissance. Silvia devrait figurer dans le top 10 italien en 2004. En France, ce prénom est plus traditionnellement usité en Corse. Variante : Silbia. Caractérologie : humanité, rêve, rectitude, générosité, ouverture d'esprit.

Silviane : Forêt (latin). Ce prénom est rare. Caractérologie : direction, audace, dynamisme, indépendance, décision.

Simone : Qui est exaucée (hébreu). Ce prénom est très répandu. Il est très peu attribué aujourd'hui. Tendance : en décroissance modérée. Variantes : Simona, Simonne. Caractérologie : communication, enthousiasme, détermination, volonté, pratique.

Sindy : Divine (latin). Ce prénom assez rare est très peu attribué aujourd'hui. Tendance : en forte décroissance. Caractérologie : ambition, force, résolution, habileté, réalisation.

Sinead : Dieu fait grâce (hébreu). Ce prénom est porté par moins de 100 personnes en France. Tendance : stable. Caractérologie : originalité, spiritualité, sagacité, connaissances, résolution.

Siobhan : Dieu fait grâce (hébreu). Ce prénom est porté par moins de 100 personnes en France. Variante : Siobhane. Caractérologie : énergie, découverte, audace, décision, attention.

Siona : Prénom biblique qui se rapporte au second nom du mont Hermon (hébreu). Ce prénom est porté par moins de 100 personnes en France. Caractérologie : fiabilité, méthode, ténacité, engagement, détermination.

Siranouche : Belle femme (arménien). Ce prénom est porté par moins de 100 personnes en France. Caractérologie : curiosité, dynamisme, résolution, analyse, courage.

Sirin : Charmante, agréable (arabe, perse). Ce prénom est très rare. Tendance : en forte croissance. Caractérologie : sens des responsabilités, famille, détermination, équilibre, influence.

Sirine : Charmante, agréable (arabe, perse). Ce prénom assez rare est relativement peu attribué aujourd'hui. Tendance : en forte croissance. Variantes : Cirine, Sheryne. Caractérologie : relationnel, intuition, fidélité, médiation, décision.

Sissi : Aveugle (latin). Ce prénom est très rare. Caractérologie : pragmatisme, communication, optimisme, sociabilité, créativité.

Sita : Sillon (sanscrit). Ce prénom est porté par moins de 100 personnes en France. Caractérologie : méthode, ténacité, engagement, sens du devoir, fiabilité.

Sixtine : Lisse, polie (grec). Ce prénom assez rare est relativement peu attribué aujourd'hui. Tendance : stable. Caractérologie : autorité, détermination, innovation, énergie, ambition.

Sloane : Guerrière (celte). Ce prénom est très rare. Tendance : stable. Caractérologie : optimisme, communication, pragmatisme, sociabilité, créativité.

Smahan : Sublime, de haut rang (arabe). Ce prénom est très rare. Caractérologie : bonté, sociabilité, réceptivité, diplomatie, loyauté.

Smina : Fleur de jasmin (arabe). Ce prénom est très rare. Caractérologie : fidélité, relationnel, médiation, résolution, intuition.

Soazig : Libre (latin). Ce prénom breton est assez rare. Il est très peu attribué aujourd'hui. Tendance : en décroissance modérée. Caractérologie : originalité, action, énergie, découverte, audace.

Sofia : Sagesse (grec). Sofia est également un prénom arabe. Ce prénom est assez répandu. Il est plutôt bien attribué aujourd'hui. Tendance : stable. Sofia est très répandu dans les pays slaves, hispanophones, et en Italie. Caractérologie : audace, découverte, énergie, originalité, séduction.

Soizic : Libre (latin). Ce prénom breton est assez répandu. Il est très peu attribué aujourd'hui. Tendance : en décroissance modérée. Variante : Soazic. Caractérologie : altruisme, idéalisme, intégrité, réflexion, logique.

Solange : Solennelle (latin). Ce prénom répandu est très peu attribué aujourd'hui. Tendance : stable. Caractérologie : dynamisme, indépendance, direction, audace, sympathie.

Soléa : Solennelle (latin). Ce prénom est porté par moins de 100 personnes en France. Tendance : en forte croissance. Caractérologie : spiritualité, connaissances, philosophie, sagacité, originalité.

Soledad : Solitude (espagnol). Ce prénom est rare. Tendance : stable. Caractérologie : équilibre, sens des responsabilités, famille, influence, caractère.

Solen : Solennelle (latin). Ce prénom assez rare est très peu attribué aujourd'hui. Tendance : stable. Caractérologie : médiation, intuition, adaptabilité, fidélité, relationnel.

Solena : Solennelle (latin). Ce prénom est très rare. Tendance : en forte croissance. En France, Solena est plus traditionnellement usité en Bretagne. Variante : Solenna. Caractérologie : optimisme, pragmatisme, communication, créativité, sociabilité.

Solène : Solennelle (latin). Ce prénom répandu figure dans le top 100 français aujourd'hui. Tendance : stable. Variante : Silana. Caractérologie : sagesse, savoir, intelligence, indépendance, méditation.

Solenn : Solennelle (latin). Ce prénom est assez répandu. Il est relativement peu attribué aujourd'hui. Tendance : stable. Caractérologie : indépendance, méditation, intelligence, sagesse, savoir.

Solenne : Solennelle (latin). Ce prénom est assez répandu. Il est relativement peu attribué aujourd'hui. Tendance : stable. Caractérologie : pratique, communication, enthousiasme, adaptation, générosité.

Soline : Solennelle (latin). Ce prénom assez rare est relativement peu attribué aujourd'hui. Tendance : en croissance modérée. Variantes : Solyane, Solyne. Caractérologie : intuition, décision, logique, relationnel, médiation.

Solveig : Gardienne du foyer (vieux scandinave). Ce prénom est rare. Tendance : stable. En ancien norvégien, Solveig signifie également « maison pleine de force «. Ce prénom est particulièrement répandu en Norvège. Variante : Solweig. Caractérologie : réussite, achèvement, vitalité, logique, stratégie.

Somaya : Parfaite, élevée (arabe). Ce prénom est très rare. Tendance : en croissance modérée. Caractérologie : diplomatie, réceptivité, loyauté, sociabilité, réalisation.

Sona : Grande, élancée (arménien). Ce prénom est très rare. Caractérologie : structure, sécurité, persévérance, honnêteté, efficacité.

Sonia : Sagesse (grec). Ce prénom répandu est plutôt bien attribué aujourd'hui. Tendance : en décroissance modérée. Sonia est très répandu dans les pays slaves. Caractérologie : persévérance, sécurité, structure, décision, efficacité.

Sonja : Sagesse (grec). Ce prénom est rare. En dehors de la France, Sonja est particulièrement répandu dans les pays slaves. Caractérologie : dynamisme, curiosité, charisme, courage, indépendance.

Sonya : Sagesse (grec). Ce prénom est rare. Tendance : en décroissance modérée. Sonya est particulièrement répandu en Russie. Variantes : Sonnia, Sonny. Caractérologie : relationnel, intuition, médiation, fidélité, adaptabilité.

Sophia : Sagesse (grec). Ce prénom est assez répandu. Il est relativement peu attribué aujourd'hui. Tendance : stable. Sophia est très répandu en Russie. Caractérologie : dynamisme, curiosité, action, indépendance, courage.

Sophie : Sagesse (grec). Ce prénom est très répandu. De plus, il figure dans le top 100 français aujourd'hui. Tendance : en décroissance modérée. Sophie devrait figurer dans le top 10 allemand et anglais en 2004. Variantes : Sofie, Sophy. Caractérologie : rectitude, humanité, rêve, décision, action.

Soraya : Beauté des étoiles (arabe, perse). Ce prénom est assez répandu. Il est relativement peu attribué aujourd'hui. Tendance : stable. Caractérologie : sagacité, connaissances, philosophie, spiritualité, originalité.

Soria : Clarté du soleil (cambodgien). Ce prénom est rare. Tendance : en décroissance modérée. Caractérologie : ardeur, stratégie, vitalité, achèvement, leadership.

Sorya : Clarté du soleil (cambodgien). Ce prénom est très rare. Tendance : stable. Variante : Soriya. Caractérologie : famille, sens des responsabilités, équilibre, influence, exigence.

Souad : Heureuse, chanceuse (arabe). Ce prénom est assez répandu. Il est très peu attribué aujourd'hui. Tendance : stable. Variantes : Souaad, Souade, Souadou, Souhad, Souhade, Suheda. Caractérologie : conscience, bienveillance, conseil, sagesse, paix.

Soufia : Dévouée (arabe). Ce prénom est très rare. Caractérologie : ambition, analyse, force, habileté, passion.

Souhila : Préparer, faciliter un projet (arabe). Ce prénom est rare. Tendance : stable. Variantes : Sohéila, Souhaïla, Souhayla, Souhéila, Souhéla, Souheyla. Caractérologie : fiabilité, ténacité, méthode, logique, engagement.

Soukaïna : Bien être, maison du paradis (arabe). Ce prénom assez rare est peu attribué actuellement. Tendance : stable. Variantes : Soukayna, Soukéina. Caractérologie : autorité, énergie, décision, logique, innovation.

Soumaya : Parfaite, élevée (arabe). Ce prénom assez rare est peu attribué actuellement. Tendance : stable. Caractérologie : dynamisme, curiosité, courage, indépendance, réussite.

Souméya : Parfaite, élevée (arabe). Ce prénom est très rare. Tendance : en croissance modérée. Caractérologie : humanité, rêve, caractère, rectitude, réussite.

Soumia : Parfaite, élevée (arabe). Ce prénom assez rare est très peu attribué aujourd'hui. Tendance : stable. Variantes : Soumiya, Soumya. Caractérologie : influence, équilibre, famille, sens des responsabilités, analyse.

Sounia : Sagesse (grec). Ce prénom est très rare. Caractérologie : sagacité, connaissances, spiritualité, analyse, résolution.

Souria : Beauté des étoiles (arabe, perse). Ce prénom est très rare. Variantes : Soraïa, Soreya, Souraya, Sourya. Caractérologie : intuition, médiation, relationnel, fidélité, analyse.

Stacy : Résurrection (grec). Ce prénom est assez répandu. Il est relativement peu attribué aujourd'hui. Tendance : stable. Variantes : Stacey, Stacie. Caractérologie : énergie, audace, découverte, organisation, originalité.

Stanislawa : Commandeur prestigieux (slave). Ce prénom assez rare est très peu attribué aujourd'hui. Variante : Stanislava. Caractérologie : relationnel, médiation, intuition, gestion, décision.

Stecy : Résurrection (grec). Ce prénom assez rare est peu attribué actuellement. Tendance : en décroissance modérée.

Variantes : Steacy, Stecie. Caractérologie : humanité, rectitude, rêve, cœur, gestion.

Steffy : Couronnée (grec). Ce prénom est rare. Tendance : en décroissance modérée. Variantes : Steffi, Steffie, Stephie, Stephy. Caractérologie : idéalisme, dévouement, altruisme, réflexion, intégrité.

Stella : Étoile (latin). Ce prénom est assez répandu. Il est relativement peu attribué aujourd'hui. Tendance : stable. En France, Stella est plus traditionnellement usité en Corse. Caractérologie : sens des responsabilités, équilibre, famille, influence, gestion.

Stelly : Étoile (latin). Ce prénom est très rare. Tendance : en croissance modérée. Variantes : Stellie, Stellina. Caractérologie : enthousiasme, communication, cœur, pratique, gestion.

Stéphania : Couronnée (grec). Ce prénom est rare. Variante : Stefania. Caractérologie : pratique, communication, enthousiasme, sensibilité, action.

Stéphanie : Couronnée (grec). Ce prénom est très répandu. Il est relativement peu attribué aujourd'hui. Tendance : en décroissance modérée. Variantes : Stefanie, Stephany. Caractérologie : ressort, intelligence, savoir, méditation, finesse.

Sterenn : Astre (breton). Ce prénom est rare. Tendance : en croissance modérée. Variante : Steren. Caractérologie : courage, dynamisme, curiosité, indépendance, résolution.

Stessy : Résurrection (grec). Ce prénom assez rare est peu attribué actuellement. Tendance : stable. Variante : Stessie. Caractérologie : achèvement, ardeur, vitalité, stratégie, leadership.

Suki : Aimée (japonais). Caractérologie : sens des responsabilités, famille, influence, équilibre, organisation.

Sultana : Désigne les princes de certains pays musulmans. Ce prénom est très rare. Variante : Sultan. Caractérologie : intelligence, savoir, organisation, méditation, indépendance.

Summer : L'été (anglais). Ce prénom est porté par moins de 100 personnes en France. Caractérologie : habileté, détermination, ambition, force, passion.

Sunny : Ensoleillé (anglais). Ce prénom est porté par moins de 100 personnes en France. Caractérologie : compassion, créativité, optimisme, communication, pragmatisme.

Susan : Lys (hébreu). Ce prénom est rare. Tendance : stable. Caractérologie : loyauté, sociabilité, bonté, réceptivité, diplomatie.

Susana : Lys (hébreu). Ce prénom est très rare. En dehors de la France, Susana est particulièrement répandu dans les pays anglophones et en Italie. Variantes : Sue, Susanna. Caractérologie : enthousiasme, communication, adaptation, pratique, générosité.

Susie : Lys (hébreu). Ce prénom est rare. Tendance : en forte croissance. Variantes : Suzi, Suzy. Caractérologie : audace, direction, dynamisme, indépendance, décision.

Suzanne : Lys (hébreu). Ce prénom est très répandu. Il est relativement peu attribué aujourd'hui. Tendance : stable. Variantes : Susanne, Suzan, Suzane, Suzanna. Caractérologie : indépendance, direction, audace, dynamisme, assurance.

Suzel : Lys (hébreu). Ce prénom est rare. En France, Suzel est plus traditionnellement usité en Alsace. Variante : Suzelle. Caractérologie : sociabilité, diplomatie, réceptivité, loyauté, bonté.

Suzie : Lys (hébreu). Ce prénom assez rare est peu attribué actuellement. Tendance : en croissance modérée. Caractérologie : ambition, décision, force, habileté, passion.

Suzon : Lys (hébreu). Ce prénom est très rare. Tendance : en décroissance modérée. Caractérologie : curiosité, dynamisme, courage, charisme, indépendance.

Suzy : Lys (hébreu). Ce prénom est assez répandu. Il est très peu attribué aujourd'hui. Tendance : stable. Caractérologie : direction, audace, dynamisme, indépendance, assurance.

Svetlana : Lumineux (slave). Ce prénom est rare. Tendance : en forte croissance. Caractérologie : persévérance, structure, sécurité, efficacité, gestion.

Swan : Cygne (anglais). Ce prénom est très rare. Tendance : stable. Variantes : Swane, Swanny. Caractérologie : générosité, pratique, enthousiasme, communication, adaptation.

Sybil : Prophétesse (grec). Ce prénom est très rare. Tendance : en forte décroissance. Caractérologie : persévérance, efficacité, structure, sécurité, organisation.

Sybille : Prophétesse (grec). Ce prénom assez rare est très peu attribué aujourd'hui. Tendance : stable. Variante : Sybile. Caractérologie : communication, détermination, pragmatisme, optimisme, compassion.

S

215

Sydney : Habitante de Sidon (latin). Ce prénom est très rare. Tendance : en forte croissance. Caractérologie : relationnel, intuition, fidélité, médiation, réalisation.

Sylia : Aveugle (latin). Ce prénom est très rare. Tendance : en croissance modérée. Variantes : Silke, Silia, Silya, Sylla, Syllia. Caractérologie : pragmatisme, optimisme, communication, créativité, sociabilité.

Sylvaine : Forêt (latin). Ce prénom est assez répandu. Il est très peu attribué aujourd'hui. Tendance : en décroissance modérée. Caractérologie : ambition, réalisation, force, habileté, compassion.

Sylvana : Forêt (latin). Ce prénom assez rare est très peu attribué aujourd'hui. Tendance : stable. Variantes : Sylva, Sylvane, Sylvina. Caractérologie : méthode, réalisation, ténacité, fiabilité, compassion.

Sylvanie : Forêt (latin). Ce prénom est rare. Tendance : stable. Caractérologie : vitalité, achèvement, cœur, réussite, stratégie.

Sylvia : Forêt (latin). Ce prénom répandu est très peu attribué aujourd'hui. Tendance : en décroissance modérée. Caractérologie : intelligence, savoir, méditation, indépendance, réalisation.

Sylviane : Forêt (latin). Ce prénom répandu est très peu attribué aujourd'hui. Caractérologie : achèvement, compassion, vitalité, stratégie, réalisation.

Sylvianne : Forêt (latin). Ce prénom assez rare est très peu attribué aujourd'hui. Caractérologie : persévérance, réalisation, structure, sympathie, sécurité.

Sylvie : Forêt (latin). Ce prénom est très répandu. Il est très peu attribué aujourd'hui. Tendance : en décroissance modérée. Variante : Silvie. Caractérologie : relationnel, médiation, intuition, cœur, réussite.

Syna : Ensemble, union (grec). Caractérologie : séduction, découverte, audace, originalité, énergie.

Syriane : Seigneur (grec). Ce prénom est porté par moins de 100 personnes en France. Tendance : stable. Caractérologie : direction, audace, dynamisme, indépendance, résolution.

Syrine : Charmante, agréable (arabe, perse). Ce prénom est rare. Tendance : en forte croissance. Caractérologie : rêve, décision, rectitude, ouverture d'esprit, humanité.

Tabatha : Gazelle (grec, araméen). Ce prénom est très rare. Tendance : stable. Caractérologie : force, passion, ambition, management, habileté.

Tahia : La déesse de l'Amour qui agit la nuit (tahitien). Caractérologie : adaptation, communication, enthousiasme, pratique, générosité.

Tahira : Pureté, innocence (arabe). Caractérologie : optimisme, créativité, communication, pragmatisme, sociabilité.

Tahlia : Fleurissant (grec). Caractérologie : équilibre, famille, sens des responsabilités, organisation, influence.

Taïs : Lien, bandage (grec). Ce prénom est très rare. Tendance : en forte croissance. Caractérologie : fiabilité, méthode, ténacité, engagement, sens du devoir.

Takara : Trésor (japonais). Caractérologie : intelligence, savoir, sagesse, méditation, indépendance.

Taki : Cascade (japonais). Caractérologie : curiosité, indépendance, dynamisme, charisme, courage.

Tal : La rosée (hébreu). Ce prénom est porté par moins de 100 personnes en France. Variantes : Talila, Talilah, Telila, Telilah. Caractérologie : famille, équilibre, sens des responsabilités, influence, organisation.

Talia : Fleurissant (grec). Ce prénom est très rare. Tendance : en forte croissance. Talia pourrait également signifier « jeune agneau » en araméen. Variantes : Tali, Talie. Caractérologie : méditation, savoir, organisation, intelligence, indépendance.

Taline : Jour de la naissance (latin). Ce prénom est très rare. Tendance : stable. Caractérologie : connaissances, sagacité, résolution, spiritualité, organisation.

Tam : Centre, cœur, esprit (vietnamien). Caractérologie : connaissances, philosophie, sagacité, spiritualité, originalité.

Tama : Bijou (japonais). Caractérologie : vitalité, achèvement, leadership, ardeur, stratégie.

Tamako : L'enfant joyaux (japonais). Caractérologie : connaissances, sagacité, spiritualité, originalité, philosophie.

Tamala : Bijou (japonais). Caractérologie : optimisme, communication, pragmatisme, créativité, organisation.

Tamar : Palmier (hébreu). Ce prénom est très rare. Caractérologie : achèvement, leadership, vitalité, ardeur, stratégie.

Tamara : Palmier (hébreu). Ce prénom assez rare est relativement peu attribué aujourd'hui. Tendance : en croissance modérée. Caractérologie : altruisme, idéalisme, réflexion, intégrité, dévouement.

Tami : Peuple (japonais). Variante : Tamie. Caractérologie : savoir, intelligence, sagesse, méditation, indépendance.

Tamiko : Enfant du peuple (japonais). Caractérologie : conscience, bienveillance, paix, conseil, sagesse.

Tammy : Palmier (hébreu). Ce prénom est porté par moins de 100 personnes en France. Variantes : Tammi, Tammie, Tamy, Thamara. Caractérologie : rectitude, rêve, humanité, réalisation, ouverture d'esprit.

Tanaïs : Fée (slave). Ce prénom est très rare. Tendance : en forte croissance. Variantes : Tana, Tanys. Caractérologie : innovation, détermination, autorité, énergie, ambition.

Tania : Fée (slave). Ce prénom est assez répandu. Il est relativement peu attribué aujourd'hui. Tendance : en croissance modérée. Caractérologie : humanité, rectitude, rêve, décision, ouverture d'esprit.

Tanya : Fée (slave). Ce prénom est rare. Tendance : stable. Variantes : Tanaya, Tanina. Caractérologie : connaissances, sagacité, spiritualité, philosophie, originalité.

Taous : Paon (arabe). Ce prénom est très rare. Caractérologie : gestion, méthode, ténacité, engagement, fiabilité.

Tara : Raisonnable (arabe). Tour, colline rocailleuse (celte). Ce prénom assez rare est relativement peu attribué aujourd'hui.

Tendance : en forte croissance. Variante : Thara. Caractérologie : fiabilité, méthode, engagement, ténacité, sens du devoir.

Tareen : Tour, colline rocailleuse (celte). Caractérologie : humanité, ouverture d'esprit, rectitude, rêve, décision.

Tatiana : Fée (slave). Ce prénom répandu est plutôt bien attribué aujourd'hui. Tendance : stable. Variantes : Tatiane, Tatyana. Caractérologie : communication, créativité, optimisme, décision, pragmatisme.

Tatjana : Fée (slave). Ce prénom est très rare. Variante : Tanja. Caractérologie : persévérance, structure, sécurité, honnêteté, efficacité.

Taylor : Couturière (anglo-saxon). Ce prénom est très rare. Tendance : en croissance modérée. Caractérologie : autorité, énergie, organisation, innovation, analyse.

Téa : Dieu (grec). Ce prénom est très rare. Tendance : en forte croissance. Caractérologie : ambition, force, passion, habileté, management.

Téana : Fée (slave). Dieu (grec). Combinaison de Téa et d'Anna. Variantes : Téane, Téanna, Téanne. Caractérologie : curiosité, charisme, courage, dynamisme, indépendance.

Tehani : Celle qui est aimée, chérie (tahitien). Caractérologie : attention, communication, enthousiasme, pratique, décision.

Tehila : Compliment (hébreu). Ce prénom est porté par moins de 100 personnes en France. Caractérologie : résolution, audace, direction, finesse, dynamisme.

Tehora : Pure (hébreu). Caractérologie : détermination, méthode, ténacité, fiabilité, sensibilité.

Télia : Puissance, combat (germanique). Caractérologie : relationnel, résolution, médiation, organisation, intuition.

Telma : Protection divine (germanique). Ce prénom est très rare. Tendance : stable. Caractérologie : bienveillance, conscience, paix, conseil, organisation.

Téoxana : Dieu, hospitalier (grec). Variantes : Téoxane, Téoxanna, Téoxanne, Téoxena, Téoxène, Téoxenna, Téoxenne, Théoxane, Théoxanna, Théoxanne, Théoxena, Théoxène, Théoxenna, Théoxenne. Caractérologie : force, habileté, passion, ambition, management.

Teresa : Qui récolte (grec). Ce prénom assez rare est très peu attribué aujourd'hui. Tendance : en croissance modérée. Teresa est très répandu au Portugal. Variante : Tereza. Caractérologie : courage, décision, curiosité, dynamisme, indépendance.

Terry : Qui récolte (grec). Ce prénom est très rare. Tendance : en croissance modérée. Variantes : Teri, Terri. Caractérologie : séduction, énergie, découverte, originalité, audace.

Tess : Qui récolte (grec). Ce prénom assez rare est relativement peu attribué aujourd'hui. Tendance : en croissance modérée. Caractérologie : idéalisme, altruisme, intégrité, réflexion, dévouement.

Tessa : Qui récolte (grec). Ce prénom assez rare est relativement peu attribué aujourd'hui. Tendance : en croissance modérée. Variante : Thessa. Caractérologie : indépendance, dynamisme, direction, assurance, audace.

Tessy : Qui récolte (grec). Ce prénom est très rare. Tendance : en forte croissance. Variante : Tessie. Caractérologie : méditation, intelligence, sagesse, indépendance, savoir.

Teva : Grande voyageuse (tahitien). Ange (cambodgien). Écrit avec un accent, Téva signifie également « fruit de la nature » (hébreu). Ce prénom est porté par moins de 100 personnes en France. Caractérologie : optimisme, pragmatisme, communication, sociabilité, créativité.

Texa : Qui récolte (grec). Caractérologie : audace, découverte, originalité, séduction, énergie.

Thaïs : Lien, bandage (grec). Ce prénom assez rare est plutôt bien attribué aujourd'hui. Voir le zoom dédié à Thaïs. Caractérologie : pratique, adaptation, communication, enthousiasme, générosité.

Thalassa : Mer (grec). Caractérologie : rectitude, ouverture d'esprit, humanité, rêve, gestion.

Thalia : Fleurissant (grec). Ce prénom est très rare. Tendance : en forte croissance. Thalia pourrait également signifier « jeune agneau » en araméen. Caractérologie : famille, équilibre, sens des responsabilités, influence, organisation.

Thalie : Fleurissant (grec). Ce prénom est très rare. Tendance : stable. Caractérologie : autorité, énergie, résolution, innovation, finesse.

Tham : Grâce (vietnamien). Caractérologie : équilibre, sens des responsabilités, famille, exigence, influence.

Thamila : Tourterelle (kabyle). Caractérologie : autorité, innovation, gestion, énergie, ambition.

Thana : Compliment (arabe). Caractérologie : force, ambition, habileté, passion, finesse.

Thanh : Fin, clair, couleur bleue ou muraille (idée de solidité), achevé (vietnamien). Ce prénom est très rare. Tendance : en décroissance modérée. Caractérologie : sens des responsabilités, équilibre, famille, influence, sensibilité.

Thao : Respectueuse de ses parents (vietnamien). Caractérologie : vitalité, achèvement, stratégie, ardeur, leadership.

Théa : Dieu (grec). Ce prénom assez rare est relativement peu attribué aujourd'hui. Tendance : en forte croissance. Thea devrait figurer dans le top 10 norvégien en 2004. Variante : Thela. Caractérologie : sagacité, connaissances, spiritualité, originalité, attention.

Théana : Dieu (grec). Combinaison de Théa et d'Anna. Ce prénom est porté par moins de 100 personnes en France. Tendance : en forte croissance. Variantes : Théane, Théanna, Théanne. Caractérologie : structure, persévérance, sécurité, efficacité, sensibilité.

Théïa : Dans la mythologie grecque, Théïa est la fille de Gaïa. Caractérologie : connaissances, détermination, spiritualité, sagacité, sensibilité.

T

Thelma : Protection divine (germanique). Ce prénom est rare. Tendance : en forte croissance. Caractérologie : dynamisme, curiosité, courage, organisation, finesse.

Thémis : Dans la mythologie grecque, Thémis est la déesse de la Justice. Ce prénom est très rare. Tendance : en forte croissance. Caractérologie : intuition, relationnel, résolution, médiation, finesse.

Théodora : Don de Dieu (grec). Ce prénom est rare. Tendance : stable. Variantes : Téodora, Théodoria, Théodorine. Caractérologie : attention, dynamisme, curiosité, caractère, courage.

Théola : Envoyée de Dieu (grec). Caractérologie : savoir, intelligence, méditation, gestion, attention.

THAÏS

Fête : 8 octobre

Étymologie : probablement du grec : lien, bandage. Ce prénom est encore rare en France mais son évolution est remarquable. Son existence est très discrète jusqu'au début des années 1990, période à laquelle Thaïs commence tout juste à grandir. Cependant, sa croissance s'accélère à partir de 1997, ce qui lui permet de sortir de son relatif anonymat. Aujourd'hui, la notoriété de ce jeune prénom s'élargit dans l'Hexagone. Thaïs figure dans le top 140 français, et tout laisse à penser qu'elle n'a pas encore atteint son apogée. Les nouveaux prénoms ont la cote actuellement, et Thaïs s'inscrit tout à fait dans cette thématique de renouvellement. On peut d'ailleurs estimer que ce prénom sera attribué à plus de 500 enfants en France en 2005.

En dehors de l'Hexagone, Thaïs est rarissime au Québec, mais elle commence à y émerger. La Belgique l'a déjà remarquée et compte davantage de petites Thaïs chaque année. L'originalité de sa sonorité pourrait attirer les parents désireux d'attribuer un prénom court qui se distingue de la vogue des terminaisons en « a ».

Thaïs est une célèbre courtisane athénienne du IVe siècle av. J.-C. Elle est pendant longtemps la maîtresse d'Alexandre le Grand. Elle suit ce dernier tout au long de ses campagnes en Asie. Après la mort de ce dernier, elle devient la femme de Ptolémée Ier (futur roi d'Égypte).

Sainte Thaïs est une comédienne et courtisane égyptienne du IVe siècle. Elle se convertit au christianisme et termine ses jours religieuse. L'histoire de cette sainte a été narrée par Anatole France, puis reprise par Jules Massenat pour en faire un opéra, d'où la fameuse « Méditation de Thaïs ».

Statistique : Thaïs est le 789e prénom féminin le plus attribué du XXe siècle en France.

Théonie : Dieu (grec). Ce prénom est porté par moins de 100 personnes en France. Variantes : Théona, Théone, Théonie. Caractérologie : ténacité, engagement, méthode, fiabilité, finesse.

Théophania : Apparition divine (grec). Variante : Théophanie. Caractérologie : savoir, intelligence, méditation, action, sensibilité.

Théophila : Qui aime les dieux (grec). Ce prénom est porté par moins de 100 personnes en France. Variante : Théophilia. Caractérologie : méthode, ténacité, fiabilité, sensibilité, raisonnement.

Thérésa : Qui récolte (grec). Ce prénom assez rare est très peu attribué aujourd'hui. Tendance : en croissance modérée. Variantes : Thérésia, Thérézia, Thérézina. Caractérologie : résolution, ténacité, fiabilité, méthode, finesse.

Thérèse : Qui récolte (grec). Ce prénom est très répandu. Il est très peu attribué aujourd'hui. Tendance : en décroissance modérée. Variante : Thérèze. Caractérologie : détermination, ambition, force, habileté, sensibilité.

Thi : Poème (vietnamien). Ce prénom assez rare est très peu attribué aujourd'hui. Tendance : en décroissance modérée. Variantes : Thia, Thy, Thya. Caractérologie : innovation, autorité, ambition, énergie, autonomie.

Thien : Celle qui est juste, bonne et vertueuse (vietnamien). Ce prénom est porté par moins de 100 personnes en France. Caractérologie : réceptivité, diplomatie, loyauté, sociabilité, sensibilité.

Thifaine : Apparition divine (grec). Ce prénom est très rare. Tendance : en croissance modérée. Variantes : Thiphaine, Thyphaine. Caractérologie : altruisme, intégrité, attention, idéalisme, décision.

Thiffany : Apparition divine (grec). Ce prénom est très rare. Tendance : stable. Variantes : Thifanie, Thifany, Thiphanie. Caractérologie : stratégie, action, achèvement, vitalité, attention.

Thom : Ananas, parfumée (vietnamien). Caractérologie : médiation, intuition, relationnel, fidélité, adaptabilité.

Thora : Tonnerre (scandinave). Variante : Thorina. Caractérologie : vitalité, achèvement, stratégie, ardeur, leadership.

Thu : Automne (vietnamien). Ce prénom est porté par moins de 100 personnes en France. Caractérologie : méthode, fiabilité, engagement, ténacité, sens du devoir.

Thuy : Eau (vietnamien). Ce prénom est très rare. Tendance : en croissance modérée. Caractérologie : réceptivité, sociabilité, loyauté, diplomatie, bonté.

Tiana : Fée (slave). Ce prénom est très rare. Tendance : en forte croissance. Variantes : Tia, Tianna. Caractérologie : altruisme, idéalisme, réflexion, résolution, intégrité.

Tiare : Fleur (tahitien). Caractérologie : vitalité, achèvement, détermination, ardeur, stratégie.

Tifanny : Apparition divine (grec). Ce prénom est rare. Tendance : stable. Caractérologie : vitalité, achèvement, stratégie, ardeur, résolution.

T

221

Tifany : Apparition divine (grec). Ce prénom assez rare est peu attribué actuellement. Tendance : stable. Caractérologie : pratique, détermination, communication, enthousiasme, adaptation.

Tifenn : Apparition divine (grec). Ce prénom assez rare est relativement peu attribué aujourd'hui. Tendance : en forte croissance. Variantes : Tifaine, Tifene, Tiffaine, Tiffène, Tiffen, Tiphène. Caractérologie : courage, dynamisme, charisme, curiosité, indépendance.

Tiffanie : Apparition divine (grec). Ce prénom assez rare est peu attribué actuellement. Tendance : stable. Variantes : Tifanie, Tiffani. Caractérologie : intelligence, méditation, savoir, détermination, indépendance.

Tiffany : Apparition divine (grec). Ce prénom répandu est relativement peu attribué aujourd'hui. Tendance : en décroissance modérée. Caractérologie : résolution, idéalisme, intégrité, altruisme, réflexion.

Timéa : Honorer Dieu (grec). Ce prénom est porté par moins de 100 personnes en France. Tendance : en forte croissance. Caractérologie : pratique, adaptation, communication, résolution, enthousiasme.

Timothée : Honorer Dieu (grec). Ce prénom est très rare. Tendance : en croissance modérée. Variante : Timothéa. Caractérologie : dynamisme, curiosité, courage, attention, caractère.

Tina : Diminutif d'Augustina et de Christina. Ce prénom assez rare est relativement peu attribué aujourd'hui. Tendance : en croissance modérée. Caractérologie : passion, force, ambition, habileté, décision.

Tiphaine : Apparition divine (grec). Ce prénom répandu est plutôt bien attribué aujourd'hui. Tendance : stable. En France, Tiphaine est plus traditionnellement usité en Bretagne avec cette orthographe. Caractérologie : dynamisme, audace, attention, direction, action.

Tiphanie : Apparition divine (grec). Ce prénom est assez répandu. Il est peu attribué actuellement. Tendance : en décroissance modérée. Caractérologie : ressort, finesse, audace, dynamisme, direction.

Tiphany : Apparition divine (grec). Ce prénom est rare. Tendance : en décroissance modérée. Caractérologie : pragmatisme, communication, optimisme, sensibilité, action.

Tomo : Connaissance, intelligence (japonais). Caractérologie : intégrité, idéalisme, réflexion, altruisme, dévouement.

Tonia : Inestimable (latin). Fleur (grec). Ce prénom est très rare. Variantes : Tonina, Tonya. Caractérologie : découverte, énergie, audace, originalité, détermination.

Tori : Oiseau (japonais). Ce prénom est porté par moins de 100 personnes en France. Caractérologie : force, ambition, habileté, management, passion.

Tosca : Étrusque (latin). Ce prénom est très rare. Caractérologie : structure, sécurité, efficacité, persévérance, gestion.

Toscane : Étrusque (latin). Ce prénom est très rare. Tendance : en forte croissance. Caractérologie : découverte, audace, énergie, organisation, originalité.

Touria : Étoile des Pléiades dans la constellation du taureau (arabe). Ce prénom est rare.

Variantes : Touraya, Touriya. Caractérologie : pratique, gestion, enthousiasme, communication, logique.

Tova : Conciliante (hébreu). Caractérologie : sécurité, persévérance, structure, efficacité, honnêteté.

Tovia : Bonté divine (hébreu). Caractérologie : persévérance, sécurité, efficacité, structure, honnêteté.

Tracy : Qui récolte (grec). Ce prénom assez rare est peu attribué actuellement. Tendance : en décroissance modérée. Variantes : Tracey, Tracie, Trecy, Tressy. Caractérologie : organisation, fiabilité, méthode, engagement, ténacité.

Tran : Très précieux (vietnamien). Ce prénom est porté par moins de 100 personnes en France. Caractérologie : stratégie, achèvement, vitalité, ardeur, détermination.

Tricia : Noble personne (latin). Ce prénom est très rare. Tendance : stable. Variante : Trycia. Caractérologie : influence, sens des responsabilités, équilibre, organisation, famille.

Tristana : Révolte, tumulte (celte). À noter que l'étymologie de ce prénom est controversée. Ce prénom est très rare. Tendance : en croissance modérée. En France, Tristana est plus traditionnellement usité en Bretagne. Caractérologie : pragmatisme, communication, optimisme, créativité, résolution.

Trixie : Heureuse, qui rend heureuse (latin). Caractérologie : efficacité, honnêteté, persévérance, structure, sécurité.

Tsipora : Petit oiseau (hébreu). Ce prénom est très rare. Tendance : en décroissance modé-

rée. Caractérologie : ambition, passion, force, habileté, management.

Typhaine : Apparition divine (grec). Ce prénom est assez répandu. Il est relativement peu attribué aujourd'hui. Tendance : stable. Variantes : Tyffaine, Typhène. Caractérologie : force, action, ambition, habileté, attention.

Typhanie : Apparition divine (grec). Ce prénom assez rare est très peu attribué aujourd'hui. Tendance : stable. Variante : Tyffanie. Caractérologie : vitalité, stratégie, achèvement, ressort, finesse.

Uguette : Esprit, intelligence (germanique). Ce prénom est porté par moins de 100 personnes en France. Caractérologie : rectitude, humanité, ouverture d'esprit, rêve, sympathie.

Ulrike : Puissance (germanique). Ce prénom est porté par moins de 100 personnes en France. Variantes : Ulrica, Ulrique. Caractérologie : structure, sécurité, efficacité, persévérance, honnêteté.

Ulyssia : Courroucée (latin). Ce prénom est porté par moins de 100 personnes en France. Caractérologie : spiritualité, connaissances, sagacité, originalité, philosophie.

Uranie : Céleste (grec). Ce prénom est très rare. Variantes : Urana, Urane, Urania. Caractérologie : audace, énergie, originalité, découverte, détermination.

Urbaine : De la ville (latin). Ce prénom est porté par moins de 100 personnes en France. Variantes : Urbane, Urbanie.

Caractérologie : connaissances, sagacité, spiritualité, organisation, détermination.

Urielle : Dieu est ma lumière (hébreu). Ce prénom est très rare. Tendance : stable. Variantes : Uria, Uriel, Uriela. Variante bretonne : Uriell. Caractérologie : audace, direction, dynamisme, assurance, indépendance.

Urrea : L'or (basque). Caractérologie : idéalisme, altruisme, intégrité, détermination, réflexion.

Ursula : Ours (latin). Ce prénom est rare. Tendance : stable. Caractérologie : loyauté, sociabilité, réceptivité, diplomatie, bonté.

Ursule : Ours (latin). Ce prénom assez rare est très peu attribué aujourd'hui. Variantes : Ursine, Ursuline. Caractérologie : paix, décision, conscience, bienveillance, conseil.

Usoa : Colombe (basque). Caractérologie : diplomatie, réceptivité, bonté, sociabilité, loyauté.

Uta : Poème (japonais). Ce prénom est porté par moins de 100 personnes en France. Caractérologie : conseil, bienveillance, conscience, paix, gestion.

Vahiné : Épouse, femme (tahitien). Caractérologie : curiosité, indépendance, dynamisme, courage, décision.

Vaiana : L'eau de la grotte (tahitien). Ce prénom est très rare. Tendance : stable. Caractérologie : décision, enthousiasme, communication, adaptation, pratique.

Vaihere : Amour éternel (tahitien). Caractérologie : dynamisme, courage, curiosité, indépendance, décision.

Vaïla : Vivre (slave). Caractérologie : rectitude, rêve, humanité, ouverture d'esprit, générosité.

Vainui : Grande pour l'éternité (tahitien). Caractérologie : fiabilité, engagement, ténacité, méthode, détermination.

Vaitiare : Fleur éternelle (tahitien). Caractérologie : persévérance, sécurité, détermination, structure, efficacité.

Valda : Celle qui gouverne (norvégien). Ce prénom est porté par moins de 100 personnes en France. Caractérologie : fiabilité, ténacité, méthode, engagement, sens du devoir.

Valentina : Robuste, puissante (latin). Ce prénom est rare. Tendance : stable. Valentina devrait figurer dans le top 10 italien en 2004. Caractérologie : vitalité, achèvement, stratégie, organisation, résolution.

Valentine : Robuste, puissante (latin). Ce prénom répandu figure dans le top 100 français aujourd'hui. Tendance : stable. Variantes : Valantine, Vale, Valence. Caractérologie : communication, pragmatisme, optimisme, détermination, organisation.

Valéria : Courageuse (latin). Ce prénom est rare. Tendance : stable. Caractérologie : découverte, énergie, originalité, audace, détermination.

Valériane : Se rapporte au nom d'une plante médicinale. Ce prénom est rare. Tendance : en décroissance modérée. Variante : Valérianne. Caractérologie : sens des responsabilités, résolution, famille, équilibre, influence.

Valérie : Courageuse (latin). Ce prénom est très répandu. Il est très peu attribué aujourd'hui. Tendance : en décroissance modérée. Variantes : Vaka, Valérine, Valeska. Caractérologie : décision, humanité, rêve, rectitude, ouverture d'esprit.

Valia : Robuste, puissante (latin). Ce prénom est porté par moins de 100 personnes en France. Caractérologie : altruisme, réflexion, idéalisme, intégrité, dévouement.

Vanessa : Papillon (grec). Ce prénom répandu est relativement peu attribué aujourd'hui. Tendance : en décroissance modérée. Ce prénom a été inventé par Jonathan Swift au XVIIIᵉ siècle. Variantes : Vanesa, Vannessa. Caractérologie : humanité, rêve, rectitude, ouverture d'esprit, générosité.

Vania : Papillon (grec). Ce prénom est très rare. Caractérologie : médiation, relationnel, intuition, fidélité, résolution.

Vanille : Nom du fruit du vanillier (latin). Ce prénom est rare. Tendance : en décroissance modérée. Caractérologie : pragmatisme, communication, optimisme, résolution, créativité.

Vanina : Dieu fait grâce (hébreu). La pluie chasse la tristesse (tahitien). Ce prénom assez rare est peu attribué actuellement. Tendance : stable. Variante : Vannina. Caractérologie : savoir, intelligence, méditation, indépendance, décision.

Varda : Une rose (hébreu). Variantes : Vardia, Vardiella, Vardina. Caractérologie : assurance, direction, dynamisme, audace, indépendance.

Varina : Étrangère (grec). Caractérologie : loyauté, réceptivité, sociabilité, décision, diplomatie.

Vassilia : Reine (grec). Ce prénom est porté par moins de 100 personnes en France. Caractérologie : sociabilité, bonté, réceptivité, loyauté, diplomatie.

Vasthie : Belle (perse). Ce prénom est porté par moins de 100 personnes en France. Variante : Vastie. Caractérologie : communication, attention, pratique, enthousiasme, décision.

Velia : Jour de la naissance (latin). Ce prénom est porté par moins de 100 personnes en France. Variante : Velina. Caractérologie : méthode, ténacité, fiabilité, engagement, décision.

Venise : Se rapporte à Venise, ville d'Italie. Ce prénom est porté par moins de 100 personnes en France. Variante : Vénusia. Caractérologie : intuition, médiation, relationnel, fidélité, détermination.

Vénus : Déesse romaine de l'Amour (latin). Ce prénom est très rare. Tendance : en forte croissance. Variante : Vénissia. Caractérologie : altruisme, dévouement, intégrité, idéalisme, réflexion.

Véra : Vrai (latin). Foi (slave). Ce prénom assez rare est très peu attribué aujourd'hui. Tendance : en décroissance modérée. Notons que la variante Veera devrait figurer dans le top 10 finlandais en 2004. Variantes : Veera, Veira, Viera. Caractérologie : dynamisme, indépendance, direction, audace, détermination.

Vérane : Vrai (latin). Foi (slave). Ce prénom est très rare. Tendance : stable. Variante :

V

225

Vérana. Caractérologie : diplomatie, réceptivité, sociabilité, loyauté, décision.

Verena : Vrai (latin). Foi (slave). Ce prénom est très rare. Tendance : stable. Caractérologie : intuition, détermination, médiation, fidélité, relationnel.

Verna : Vérité (latin). Caractérologie : paix, bienveillance, détermination, conseil, conscience.

Veronica : Porter la victoire (grec). Ce prénom est rare. Tendance : stable. Veronica est très en vogue en Italie. Variantes : Verona, Veronika. Caractérologie : sens des responsabilités, équilibre, famille, analyse, volonté.

Véronique : Porter la victoire (grec). Ce prénom est très répandu. Il est très peu attribué aujourd'hui. Tendance : en décroissance modérée. Caractérologie : intégrité, analyse, idéalisme, altruisme, volonté.

Vesna : Printemps (slave). Ce prénom est très rare. Caractérologie : sagacité, connaissances, spiritualité, originalité, philosophie.

Via : Couleur jaune, blonde (latin). Caractérologie : curiosité, dynamisme, charisme, courage, indépendance.

Viana : Combinaison de Vi et d'Anna. Variante : Vianna. Caractérologie : sociabilité, réceptivité, diplomatie, loyauté, décision.

Vianca : Clair (germanique). Caractérologie : audace, énergie, découverte, originalité, résolution.

Vicente : Qui triomphe (latin). Ce prénom est porté par moins de 100 personnes en France. Caractérologie : influence, équi-

libre, famille, sens des responsabilités, exigence.

Vicky : Victorieuse (latin). Ce prénom assez rare est peu attribué actuellement. Tendance : stable. Variantes : Vicki, Vickie. Caractérologie : intelligence, indépendance, savoir, méditation, sagesse.

Victoire : Victorieuse (latin). Ce prénom est assez répandu. Il est plutôt bien attribué aujourd'hui. Tendance : stable. Caractérologie : relationnel, intuition, caractère, médiation, logique.

Victoria : Victorieuse (latin). Ce prénom répandu figure dans le top 100 français aujourd'hui. Tendance : stable. Variantes : Viktoria, Toria. Caractérologie : intelligence, méditation, gestion, savoir, logique.

Victorine : Victorieuse (latin). Ce prénom est assez répandu. Il est relativement peu attribué aujourd'hui. Tendance : stable. Variantes : Victoriana, Victorie, Victorienne, Victorina. Caractérologie : sagacité, connaissances, volonté, spiritualité, raisonnement.

Vida : Aimée, chérie (hébreu). Ce prénom est porté par moins de 100 personnes en France. Caractérologie : rectitude, humanité, générosité, rêve, ouverture d'esprit.

Vienne : Vivante (latin). Ce prénom est porté par moins de 100 personnes en France. Caractérologie : paix, bienveillance, conseil, conscience, sagesse.

Vilma : Protectrice résolue (germanique). Ce prénom est très rare. Caractérologie : enthousiasme, communication, générosité, adaptation, pratique.

Vincente : Qui triomphe (latin). Ce prénom assez rare est très peu attribué aujourd'hui. Variantes : Vinca, Vincenza. Caractérologie : sociabilité, réceptivité, diplomatie, loyauté, bonté.

Vinciane : Qui triomphe (latin). Ce prénom assez rare est très peu attribué aujourd'hui. Tendance : en décroissance modérée. Variante : Vincianne. Caractérologie : originalité, énergie, décision, découverte, audace.

Violaine : Se rapporte à la violette, fleur aux pétales violets (latin). Ce prénom est assez répandu. Il est peu attribué actuellement. Tendance : stable. C'est le poète et écrivain Paul Claudel qui a inventé ce prénom. Violaine est le personnage principal de la pièce de théâtre L'Annonce faite à Marie de Paul Claudel. Notons que Violaine est aussi le nom d'un petit village de l'Ain. Variantes : Viola, Violène, Violine. Caractérologie : équilibre, logique, sens des responsabilités, famille, caractère.

Violetta : Se rapporte à la violette, fleur aux pétales violets (latin). Ce prénom est rare. Violetta est particulièrement répandu dans les pays slaves et hispanophones. Variante : Violeta. Caractérologie : logique, énergie, découverte, audace, caractère.

Violette : Se rapporte à la violette, fleur aux pétales violets (latin). Ce prénom répandu est relativement peu attribué aujourd'hui. Tendance : en forte croissance. Caractérologie : humanité, rêve, rectitude, caractère, logique.

Virgilia : Qui porte une canne (latin). Ce prénom est porté par moins de 100 personnes en France. Caractérologie : équilibre, famille, sens des responsabilités, réussite, influence.

Virginia : Pure, vierge (latin). Ce prénom assez rare est très peu attribué aujourd'hui. Tendance : en décroissance modérée. Variante : Virgina. Caractérologie : vitalité, décision, achèvement, stratégie, réussite.

Virginie : Pure, vierge (latin). Ce prénom est très répandu. Il est relativement peu attribué aujourd'hui. Tendance : en décroissance modérée. Variante : Virginy. Caractérologie : pratique, communication, adaptation, enthousiasme, générosité.

Viridiana : Florissante (grec). Ce prénom est très rare. Variantes : Virdis, Virida, Viridienne. Caractérologie : influence, famille, équilibre, détermination, sens des responsabilités.

Virna : Vérité (latin). Ce prénom est porté par moins de 100 personnes en France. Caractérologie : direction, dynamisme, indépendance, audace, résolution.

Vita : Vie (latin). Ce prénom est très rare. Variantes : Vitalie, Vitaline. Caractérologie : originalité, spiritualité, connaissances, philosophie, sagacité.

Vittoria : Victorieuse (latin). Ce prénom est très rare. Tendance : stable. Caractérologie : famille, exigence, équilibre, sens des responsabilités, influence.

Viviane : Vivante (latin). Ce prénom répandu est très peu attribué aujourd'hui. Tendance : stable. Variantes : Viva, Vivian, Viviana, Vivianka. Caractérologie : innovation, énergie, ambition, autorité, décision.

227

Vivianne : Vivante (latin). Ce prénom assez rare est très peu attribué aujourd'hui. Variante : Vivienne. Caractérologie : famille, équilibre, détermination, sens des responsabilités, influence.

Wacila : Maturation spirituelle (arabe). Ce prénom est porté par moins de 100 personnes en France. Tendance : stable. Caractérologie : persévérance, sécurité, efficacité, résolution, structure.

Wadislawa : Gouverneur puissant et renommé (slave). Ce prénom est porté par moins de 100 personnes en France. Variante : Vladia. Caractérologie : détermination, communication, enthousiasme, adaptation, pratique.

Wafa : Fidèle (arabe). Ce prénom assez rare est très peu attribué aujourd'hui. Tendance : stable. Caractérologie : honnêteté, efficacité, sécurité, persévérance, structure.

Wafaa : Fidèle (arabe). Ce prénom est très rare. Tendance : en croissance modérée. Variantes : Wafae, Waffa. Caractérologie : découverte, énergie, originalité, audace, séduction.

Wahida : L'unique (arabe). Ce prénom est porté par moins de 100 personnes en France. Variante : Ouahida. Caractérologie : autorité, innovation, énergie, ambition, résolution.

Walburga : Gouverner, forteresse (germanique). Ce prénom est porté par moins de 100 personnes en France. Variante : Walburge. Caractérologie : résolution, structure, persévérance, sympathie, sécurité.

Wallis : Du pays de Galles (anglais). Ce prénom est porté par moins de 100 personnes en France. Variante : Wally. Caractérologie : fiabilité, méthode, ténacité, engagement, décision.

Waltraud : Courageuse à la bataille (germanique). Ce prénom est porté par moins de 100 personnes en France. Variante : Waltrude. Caractérologie : innovation, énergie, résolution, autorité, organisation.

Wanda : Branche fine (germanique). Ce prénom est assez répandu. Il est très peu attribué aujourd'hui. Tendance : stable. Wanda est très répandu dans les pays anglophones et en Allemagne. Variantes : Vanda, Venda, Wandeline, Wenda. Caractérologie : savoir, sagesse, intelligence, méditation, indépendance.

Warda : Rose (arabe). Ce prénom est rare. Tendance : stable. Caractérologie : sociabilité, diplomatie, loyauté, réceptivité, résolution.

Wassila : Maturation spirituelle (arabe). Ce prénom assez rare est peu attribué actuellement. Tendance : en croissance modérée. Caractérologie : enthousiasme, pratique, adaptation, communication, détermination.

Wassima : Belle, gracieuse (arabe). Ce prénom est porté par moins de 100 personnes en France. Tendance : en croissance modérée. Caractérologie : ténacité, méthode, engagement, fiabilité, détermination.

Wendy : Branche fine (germanique). Ce prénom est assez répandu. Il est relativement peu attribué aujourd'hui. Tendance : en décroissance modérée. Variantes : Wendi, Wendie. Caractérologie : ardeur, vitalité, achèvement, stratégie, leadership.

Whitney : Île blanche (anglais). Ce prénom est rare. Tendance : stable. Caractérologie : dynamisme, curiosité, courage, finesse, ressort.

Widad : Fidèle et affectionnée (arabe). Ce prénom est très rare. Tendance : stable. Variantes : Wided, Wydad. Caractérologie : dynamisme, curiosité, courage, indépendance, résolution.

Wilhelmine : Protectrice résolue (germanique). Ce prénom est très rare. Variante : Vilhelmine Caractérologie : diplomatie, réceptivité, sociabilité, bonté, loyauté.

Wilma : Protectrice résolue (germanique). Ce prénom est très rare. Wilma devrait figurer dans le top 10 finlandais et suédois en 2004. Variantes : Vilma, Wylma. Caractérologie : sécurité, structure, persévérance, décision, efficacité.

Winifred : Amie de la paix (germanique). Ce prénom est porté par moins de 100 personnes en France. En dehors de l'Hexagone, Winifred est particulièrement répandu en Allemagne. Variante : Winifried. Caractérologie : savoir, intelligence, indépendance, méditation, caractère.

Winnie : Gardienne sacrée (germanique). Ce prénom est porté par moins de 100 personnes en France. Caractérologie : sociabilité, réceptivité, diplomatie, loyauté, bonté.

Winona : Gardienne sacrée (germanique). Ce prénom est très rare. Tendance : en croissance modérée. Variante : Wynona. Caractérologie : détermination, structure, persévérance, sécurité, efficacité.

Wissal : Couple harmonieux (arabe). Ce prénom est très rare. Tendance : en forte croissance. Caractérologie : relationnel, décision, intuition, médiation, fidélité.

Wissem : Honorée de médailles (arabe). Ce prénom est très rare. Tendance : en forte croissance. Variantes : Wissam, Wissame. Caractérologie : sagacité, spiritualité, connaissances, originalité, décision.

Withney : Île blanche (anglais). Ce prénom est très rare. Tendance : stable. Caractérologie : découverte, énergie, audace, ressort, finesse.

Wladyslawa : Gouverneur puissant et renommé (slave). Ce prénom est très rare. Caractérologie : ténacité, méthode, réussite, fiabilité, cœur.

Xana : Xana est une petite fée dans la mythologie asturienne. En France, Xana est plus traditionnellement usité au Pays Basque. Caractérologie : efficacité, sécurité, structure, persévérance, honnêteté.

Xanthia : Jaune (grec). Variantes : Xanthe, Xantia. Caractérologie : découverte, détermination, énergie, audace, sensibilité.

Xavière : Maison neuve (basque). Ce prénom est rare. Notons que dans le Pays Basque, ce prénom s'orthographie principalement sans accent. Variantes : Xaverine, Xaviera. Caractérologie : pratique, communication, enthousiasme, décision, caractère.

Xena : Hospitalier (grec). Ce prénom est porté par moins de 100 personnes en France. Tendance : stable. Caractérologie : achèvement, vitalité, ardeur, stratégie, leadership.

Xénia : Hospitalier (grec). Ce prénom est très rare. Tendance : en forte croissance. Caractérologie : force, ambition, habileté, passion, décision.

Xuan : Printemps, jeunesse (vietnamien). Ce prénom est très rare. Caractérologie : famille, équilibre, sens des responsabilités, influence, exigence.

Xylia : Forêt (latin). Variante : Xylina. Caractérologie : habileté, ambition, force, raisonnement, passion.

Yacine : Se rapporte aux premières lettres de la XXXVIe sourate du Coran (arabe). Ce prénom est très rare. Tendance : en croissance modérée. Caractérologie : communication, enthousiasme, pratique, résolution, sympathie.

Yaël : Chèvre sauvage (hébreu). Yael est également une forme bretonne de Joëlle. Ce prénom assez rare est peu attribué actuellement. Tendance : stable. Caractérologie : connaissances, spiritualité, sagacité, originalité, compassion.

Yaëlle : Chèvre sauvage (hébreu). Yaelle est également une forme bretonne de Joëlle. Ce prénom assez rare est relativement peu attribué aujourd'hui. Tendance : en forte croissance. Caractérologie : influence, sens des responsabilités, équilibre, famille, sympathie.

Yaffa : Belle (hébreu). Caractérologie : pragmatisme, communication, optimisme, créativité, sociabilité.

Yamina : Éthique, morale (arabe). Ce prénom est assez répandu. Il est peu attribué actuel-

lement. Tendance : en croissance modérée. Variantes : Yaminah, Yamma, Yemina, Yeminah. Caractérologie : altruisme, idéalisme, intégrité, détermination, réalisation.

Yamini : Nuit (sanscrit). Caractérologie : force, ambition, réussite, habileté, décision.

Yanna : Dieu fait grâce (hébreu). Ce prénom est très rare. Tendance : en croissance modérée. En France, Yanna est plus traditionnellement usité en Bretagne. Variante : Yana. Caractérologie : audace, dynamisme, indépendance, direction, assurance.

Yasmina : Fleur de jasmin (arabe). Ce prénom répandu est relativement peu attribué aujourd'hui. Tendance : stable. Variante : Iasmina. Caractérologie : innovation, énergie, autorité, réussite, décision.

Yasmine : Fleur de jasmin (arabe). Ce prénom est assez répandu. Il figure dans le top 100 français aujourd'hui. Tendance : en forte croissance. Variantes : Yasmeen, Yasmin, Yassmine. Caractérologie : énergie, découverte, audace, décision, réussite.

Yelena : Éclat du soleil (grec). Ce prénom est très rare. Tendance : en croissance modérée. Caractérologie : cœur, vitalité, achèvement, stratégie, ardeur.

Yen : Paix, hirondelle (vietnamien). Caractérologie : achèvement, vitalité, ardeur, stratégie, leadership.

Yeva : Vie, donner la vie (hébreu). Yeva est assez répandu en Arménie. Caractérologie : habileté, force, passion, réussite, ambition.

Ylana : Arbre (hébreu). Ce prénom est porté par moins de 100 personnes en France. Tendance : en décroissance modérée.

Caractérologie : ambition, habileté, force, passion, cœur.

Ylona : Éclat du soleil (grec). Ce prénom est très rare. Tendance : en forte croissance. Caractérologie : engagement, fiabilité, cœur, méthode, ténacité.

Ymen : Croyance, foi (arabe). Ce prénom est très rare. Tendance : stable. Caractérologie : communication, enthousiasme, pratique, adaptation, générosité.

Ynès : Sympathique, généreuse (arabe). Chaste, pure (grec). Ce prénom est très rare. Tendance : en forte croissance. Caractérologie : rêve, ouverture d'esprit, humanité, rectitude, générosité.

Yoah : Dieu est Dieu (hébreu). Caractérologie : structure, sécurité, persévérance, efficacité, honnêteté.

Yoanna : Dieu fait grâce (hébreu). Ce prénom est très rare. Tendance : stable. Variantes bretonnes : Yoanie, Yoannie. Caractérologie : indépendance, méditation, savoir, intelligence, sagesse.

Yohanna : Dieu fait grâce (hébreu). Ce prénom est très rare. Tendance : stable. Variantes : Yohana, Yohanne. Caractérologie : paix, bienveillance, sagesse, conscience, conseil.

Yoko : L'enfant du soleil (japonais). Caractérologie : créativité, communication, pragmatisme, optimisme, sociabilité.

Yolaine : Aube (grec). Violette (latin). Ce prénom assez rare est très peu attribué aujourd'hui. Tendance : stable. Variante : Yola. Caractérologie : altruisme, sympathie, idéalisme, analyse, intégrité.

Yolanda : Aube (grec). Violette (latin). Ce prénom est rare. Caractérologie : idéalisme, altruisme, intégrité, volonté, réalisation.

Yolande : Aube (grec). Violette (latin). Ce prénom répandu est très peu attribué aujourd'hui. Tendance : en décroissance modérée. Caractérologie : fiabilité, ténacité, méthode, réalisation, volonté.

Yolène : Aube (grec). Violette (latin). Ce prénom est rare. Tendance : stable. Variante : Yoline. Caractérologie : sécurité, persévérance, efficacité, structure, compassion.

Yona : Colombe (hébreu). Ce prénom est rare. Tendance : en forte croissance. Variantes : Yonah, Yonna. Caractérologie : innovation, autorité, énergie, ambition, autonomie.

Yori : Fiable et digne de confiance (japonais). Caractérologie : sens du devoir, ténacité, méthode, engagement, fiabilité.

Youna : If (celte). Ce prénom est rare. Tendance : en forte croissance. En France, Youna est plus traditionnellement usité en Bretagne. Caractérologie : fiabilité, méthode, ténacité, compassion, engagement.

Yousra : Qui a bon caractère (arabe). Ce prénom assez rare est relativement peu attribué aujourd'hui. Tendance : en croissance modérée. Variantes : Yosra, Yossra, Yousria, Yusra. Caractérologie : rectitude, raisonnement, humanité, rêve, ouverture d'esprit.

Youssra : Qui a bon caractère (arabe). Ce prénom est rare. Tendance : en forte croissance. Caractérologie : ambition, autorité, logique, innovation, énergie.

Ysaline : Dieu est serment (hébreu). Ce prénom est très rare. Tendance : en croissance modérée. Variante : Ysalis. Caractérologie : décision, structure, cœur, persévérance, sécurité.

Ysanne : Combinaison de Yseult et d'Anne. Variantes : Ysann, Ysanna. Caractérologie : paix, bienveillance, conscience, conseil, sagesse.

Ysatis : Prénom inventé, sans doute inspiré par le parfum Ysatis de Givenchy. Ce prénom est porté par moins de 100 personnes en France. Tendance : en décroissance modérée. Caractérologie : générosité, pratique, communication, enthousiasme, adaptation.

Ysaure : Habitante d'Isaurie (grec). Caractérologie : sympathie, achèvement, vitalité, stratégie, résolution.

Yse : Dieu est serment (hébreu). Ce prénom est très rare. Tendance : en forte croissance. Variante : Ysée. Caractérologie : ténacité, méthode, sens du devoir, engagement, fiabilité.

Yseult : Belle (celte). Ce prénom est très rare. Tendance : en croissance modérée. Variantes : Yseut, Ysold, Ysolt. Caractérologie : pratique, communication, cœur, enthousiasme, gestion.

Ysia : La souveraine (grec). Caractérologie : idéalisme, altruisme, intégrité, dévouement, réflexion.

Ysoline : Dieu est serment (hébreu). Ce prénom est très rare. Tendance : stable. Caractérologie : rêve, humanité, rectitude, raisonnement, compassion.

Yuala : Peuple, valeur (celte). Caractérologie : influence, sens des responsabilités, famille, équilibre, exigence.

Yue : Lune (chinois). Caractérologie : bienveillance, conseil, paix, compassion, conscience.

Yuki : Neige (japonais). Caractérologie : pratique, enthousiasme, adaptation, communication, générosité.

Yukiko : Enfant de la neige (japonais). Caractérologie : sociabilité, loyauté, réceptivité, logique, diplomatie.

Yuko : Enfant gracieuse (japonais). Caractérologie : humanité, ouverture d'esprit, rectitude, rêve, générosité.

Yulika : Fleur de lotus (japonais). Caractérologie : intelligence, savoir, organisation, méditation, indépendance.

Yumi : Belle révérence (japonais). Caractérologie : curiosité, charisme, dynamisme, courage, indépendance.

Yuna : Se rapporte au nom d'une sainte de Belle-Île en terre (breton). Ce prénom est rare. Tendance : en forte croissance. Caractérologie : originalité, spiritualité, sagacité, cœur, connaissances.

Yvana : If (celte). Ce prénom est très rare. Tendance : en croissance modérée. Variante : Yva. Caractérologie : humanité, rectitude, rêve, réussite, ouverture d'esprit.

Yvanna : If (celte). Ce prénom est très rare. Tendance : en forte croissance. Variantes : Yvane, Yvanne, Yvonna. Caractérologie : indépendance, réalisation, courage, dynamisme, curiosité.

Yveline : If (celte). Ce prénom est assez répandu. Il est très peu attribué aujourd'hui. Caractérologie : compassion, diplomatie, sociabilité, loyauté, réceptivité.

Yvette : If (celte). Ce prénom est très répandu. Il est très peu attribué aujourd'hui. Caractérologie : sagesse, savoir, intelligence, indépendance, méditation.

Yvonne : If (celte). Ce prénom est très répandu. Il est très peu attribué aujourd'hui. Tendance : stable. Caractérologie : curiosité, dynamisme, courage, indépendance, volonté.

Zahia : Splendeur, lumière (arabe). Ce prénom assez rare est très peu attribué aujourd'hui. Tendance : stable. Variante : Zahya. Caractérologie : ouverture d'esprit, rectitude, humanité, rêve, générosité.

Zahira : Rayonnante (arabe). Ce prénom est très rare. Variante : Zahéra. Caractérologie : intégrité, altruisme, idéalisme, dévouement, réflexion.

Zahra : Fleur, blancheur lumineuse (arabe). Ce prénom assez rare est peu attribué actuellement. Tendance : en croissance modérée. Variante : Zarha. Caractérologie : humanité, générosité, rectitude, ouverture d'esprit, rêve.

Zaïa : Splendeur, lumière (arabe). Ce prénom est très rare. Caractérologie : innovation, énergie, autorité, autonomie, ambition.

Zaïna : Belle (arabe). Ce prénom est très rare. Tendance : en croissance modérée. Caractérologie : famille, sens des responsabilités, décision, équilibre, influence.

Zaïnab : Beauté, fleur aromatique (arabe). Ce prénom est très rare. Tendance : en croissance modérée. Variantes : Zaïneb, Zéinab, Zéinabou, Zéine, Zéineb, Zinab. Caractérologie : force, ambition, décision, habileté, attention.

Zakia : Intelligente, pure (arabe). Ce prénom assez rare est très peu attribué aujourd'hui. Tendance : stable. Variantes : Zakiya, Zakya. Caractérologie : communication, optimisme, créativité, pragmatisme, sociabilité.

Zara : Fleur, blancheur lumineuse (arabe). Ce prénom est très rare. Tendance : en forte croissance. Variante : Zarah. Caractérologie : direction, audace, dynamisme, indépendance, assurance.

Zazie : Libre (latin). Ce prénom est porté par moins de 100 personnes en France. Tendance : en forte croissance. Caractérologie : sécurité, persévérance, résolution, structure, efficacité.

Zehra : Fleur, blancheur lumineuse (arabe). Ce prénom est rare. Tendance : en forte croissance. Caractérologie : structure, sécurité, persévérance, décision, efficacité.

Zéina : Décoration (arabe). Ce prénom est très rare. Tendance : en forte croissance. Caractérologie : audace, dynamisme, direction, résolution, indépendance.

Zelda : Vie (grec). Ce prénom est très rare. Tendance : stable. Caractérologie : créativité, pragmatisme, optimisme, communication, sociabilité.

Zélia : Rayon de soleil (espagnol). Ce prénom assez rare est peu attribué actuellement. Tendance : en croissance modérée.

Z

Variante : Zéliha. Caractérologie : vitalité, achèvement, détermination, stratégie, ardeur.

Zélie : Rayon de soleil (espagnol). Ce prénom assez rare est relativement peu attribué aujourd'hui. Tendance : en forte croissance. Caractérologie : pragmatisme, communication, optimisme, créativité, sociabilité.

Zelina : Lune (grec). Ce prénom est porté par moins de 100 personnes en France. Dans l'Hexagone, Zelina est plus traditionnellement usité au Pays Basque. Caractérologie : engagement, méthode, fiabilité, ténacité, détermination.

Zena : Hospitalier (grec). Ce prénom est très rare. Variante : Zénon. Caractérologie : autorité, innovation, énergie, autonomie, ambition.

Zenaïde : Hospitalier (grec). Ce prénom est très rare. Variante : Zénia. Caractérologie : autorité, énergie, innovation, ambition, résolution.

Zéphirine : Vent doux (grec). Ce prénom est porté par moins de 100 personnes en France. Caractérologie : intuition, fidélité, médiation, action, relationnel.

Zeyneb : Beauté, fleur aromatique (arabe). Ce prénom est très rare. Tendance : en forte croissance. Caractérologie : courage, curiosité, dynamisme, indépendance, sensibilité.

Zeynep : Beauté, fleur aromatique (arabe). Ce prénom assez rare est relativement peu attribué aujourd'hui. Tendance : en forte croissance. Caractérologie : direction, audace, dynamisme, indépendance, assurance.

Zhora : Fleur, blancheur lumineuse (arabe). Ce prénom est très rare. Caractérologie : originalité, énergie, séduction, découverte, audace.

Zia : Trembler (hébreu). Ce prénom est très rare. Tendance : en forte croissance. Zia est également originaire de la tradition maya, ce qui explique la notoriété importante de ce prénom en Amérique du Sud. Caractérologie : humanité, rêve, rectitude, générosité, ouverture d'esprit.

Zineb : Beauté, fleur aromatique (arabe). Ce prénom assez rare est très peu attribué aujourd'hui. Tendance : en croissance modérée. Caractérologie : sociabilité, réceptivité, finesse, diplomatie, loyauté.

Zipporah : Petit oiseau (hébreu). Caractérologie : dynamisme, direction, audace, action, indépendance.

Zita : Lettre alphabétique grecque (grec). Ce prénom basque et corse est très rare. Caractérologie : intuition, médiation, relationnel, fidélité, adaptabilité.

Zoé : Vie (grec). Ce prénom répandu figure dans le top 50 français aujourd'hui. Voir le zoom dédié à Zoé. Variantes : Zéa, Zoée. Caractérologie : dynamisme, indépendance, direction, audace, assurance.

Zoélie : Vie (grec). Ce prénom est porté par moins de 100 personnes en France. Variantes : Zoéline, Zoëlla, Zoëlle. Caractérologie : rectitude, analyse, humanité, ouverture d'esprit, rêve.

Zofia : Sagesse (grec). Ce prénom est très rare. Caractérologie : communication, enthousiasme, adaptation, pratique, générosité.

Zohra : Fleur, blancheur lumineuse (arabe). Ce prénom est assez répandu. Il est peu attribué actuellement. Tendance : stable. Caractérologie : curiosité, dynamisme, charisme, courage, indépendance.

Zora : Fleur, blancheur lumineuse (arabe). Aurore (slave). Ce prénom assez rare est très peu attribué aujourd'hui. Tendance : en forte croissance. Variantes : Zorah, Zorha. Caractérologie : conscience, paix, bienveillance, conseil, sagesse.

ZOÉ

Fête : 2 mai

Étymologie : du grec *zoè* : vie. Peu usité en France au début du XXe siècle, ce prénom est totalement oublié de 1945 à 1960. C'est avec discrétion qu'il revient ensuite au début des années 1980. Cependant, il faudra attendre 1998 pour que sa persévérance porte ses premiers fruits. En effet, cette année-là, l'état civil français enregistre la naissance du premier millier de Zoé, un record pour le XXe siècle. Aujourd'hui, Zoé n'a pas terminé de faire parler d'elle, tant son ascension est solide et constante. En 2005, on peut anticiper que près de 2 500 Françaises seront prénommées ainsi. Cette performance devrait lui assurer une entrée attendue dans le top 20 français. Il faut dire que la percée de Zoé s'inscrit dans la vogue des prénoms anciens ou rétro dont Emma est la porte-parole (cette dernière est en effet très en vogue). Zoé devrait poursuivre son ascension auprès d'autres grands noms de la période rétro comme Jeanne, Lisa, Lucie ou Rose.

En dehors de l'Hexagone, Zoé grandit dans bien d'autres pays. On devrait en effet la retrouver dans le top 50 américain, anglais et irlandais en 2005. Au Québec, Zoé monte doucement et devrait s'approcher du top 40 de son palmarès. Toutefois, elle est bien plus en vogue en Belgique où elle est l'un des 20 prénoms préférés des Wallons. Enfin, sa courbe d'ascension est fulgurante en Suisse romande : Zoé ne se contentera pas longtemps de sa huitième place conquise en 2002.

Au Ier siècle, **sainte Zoé** est esclave en Turquie. Elle meurt martyre en 127 après avoir refusé d'abjurer à son maître sa foi chrétienne.

Personnalités célèbres : Zoé Caldwell, actrice américaine. Zoé Valdès, poète, romancière et scénariste française d'origine cubaine.

Statistique : Zoé est le 322e prénom féminin le plus attribué du XXe siècle en France.

Zoubida : Fleur d'œillet (arabe). Ce prénom est rare. Variante : Zoubaïda Caractérologie : équilibre, gestion, famille, sens des responsabilités, logique.

Zuria : Blanche (basque). Caractérologie : sociabilité, communication, créativité, pragmatisme, optimisme.

PARTIE 2

Prénoms masculins

Aaron : Esprit (hébreu). Ce prénom assez rare est relativement peu attribué aujourd'hui. Tendance : en forte croissance. Caractérologie : ténacité, méthode, décision, engagement, fiabilité.

Abbes : Austère (arabe). Ce prénom est très rare. Variantes : Abasse, Abbas. Caractérologie : sociabilité, réceptivité, loyauté, diplomatie, bonté.

Abdallah : Serviteur de Dieu (arabe). Ce prénom assez rare est peu attribué actuellement. Tendance : en forte croissance. Variantes : Abdelah, Abdelila, Abdelilah. Caractérologie : gestion, découverte, énergie, audace, originalité.

Abdel : Serviteur de Dieu (arabe). Ce prénom est assez répandu. Il est peu attribué actuellement. Tendance : stable. Variantes : Abdel, Abd-el, Abdelali. Caractérologie : paix, bienveillance, conscience, conseil, gestion.

Abdèlaziz : Serviteur du Tout Puissant (arabe). Ce prénom assez rare est très peu attribué aujourd'hui. Tendance : stable. Variantes : Abdelazize, Abdelazziz, Abdelhaziz, Abdellaziz. Forme composée : Abdel-Aziz. Caractérologie : détermination, audace, énergie, découverte, sensibilité.

Abdelhafid : Serviteur du gardien suprême (arabe). Ce prénom est rare. Tendance : en forte croissance. Caractérologie : connaissances, sagacité, spiritualité, sensibilité, raisonnement.

Abdel-Hakim : Serviteur de celui qui est sage (arabe). Ce prénom est très rare. Tendance : en croissance modérée. Notons que ce prénom composé est plus répandu que la forme simple Abdelakim. Caractérologie : pratique, communication, résolution, enthousiasme, finesse.

Abdelhalim : Serviteur de celui qui est indulgent (arabe). Ce prénom est rare. Tendance : en forte croissance. Forme composée : Abdel-Halim. Caractérologie : résolution, ténacité, finesse, méthode, fiabilité.

Abdelhamid : Serviteur de celui qui est loué (arabe). Ce prénom est rare. Tendance : stable. Notons que la forme composée Abdel-Hamid est aussi répandue qu'Abdelhamid. Variante : Abdelhamed. Caractérologie : courage, dynamisme, finesse, curiosité, résolution.

Abdeljalil : Serviteur de celui qui est grand (arabe). Ce prénom est très rare. Tendance : stable. Caractérologie : découverte, énergie, audace, détermination, organisation.

Abdelkader : Serviteur du puissant (arabe). Ce prénom est assez répandu. Il est relativement peu attribué aujourd'hui. Tendance : stable. Variante : Abdulkadir. Variante composée : Abdel-Kader. Caractérologie : idéalisme, altruisme, résolution, organisation, intégrité.

Abdelkarim : Serviteur de celui qui est généreux (arabe). Ce prénom assez rare est très peu attribué aujourd'hui. Tendance : stable. Notons que les formes composées Abdoul-Karim et Abdel-Karim sont beaucoup moins répandues que AbdelKarim. Caractérologie : méthode, fiabilité, organisation, ténacité, résolution.

Abdelkrim : Serviteur de celui qui est généreux (arabe). Ce prénom assez rare est très peu attribué aujourd'hui. Tendance : stable.

Variante : Abdelkrime. Caractérologie : pragmatisme, optimisme, communication, détermination, organisation.

Abdellah : Serviteur de Dieu (arabe). Ce prénom assez rare est peu attribué actuellement. Tendance : stable. Caractérologie : organisation, rectitude, humanité, rêve, finesse.

Abdelmajid : Serviteur du glorieux (arabe). Ce prénom est rare. Tendance : stable. Variante : Abdelmagid. Notons qu'Abdel-Magid, la version composée d'Abdelmajid, est encore très rare en France. Caractérologie : sagacité, connaissances, décision, spiritualité, gestion.

Abdelmalek : Serviteur du Souverain suprême (arabe). Ce prénom est rare. Tendance : en croissance modérée. Notons qu'Abdel-Malek, la version composée de ce prénom, est encore très rare en France. Variante : Abdelmalik. Forme composée : Abdel-Malik. Caractérologie : pragmatisme, communication, optimisme, créativité, organisation.

Abdelrahim : Serviteur de celui qui est bon (arabe). Ce prénom est très rare. Tendance : en forte croissance. Variantes : Abdelghani, Abderahim, Abdelrani, Abderrahim. Caractérologie : dynamisme, audace, direction, résolution, finesse.

Abdenour : Serviteur de la lumière (arabe). Ce prénom est très rare. Variantes : Abdelnour, Abdennour, Abdenor. Caractérologie : habileté, force, logique, caractère, ambition.

Abderrahmane : Serviteur du miséricordieux (arabe). Ce prénom est rare. Tendance : stable. Variantes : Abderahman, Abderah-mane, Abderrahman. Caractérologie : idéalisme, altruisme, attention, décision, intégrité.

Abdeslam : Serviteur de celui qui sert la paix (arabe). Ce prénom est très rare. Variantes : Abdesalem, Abdeslem, Abdessalem, Abdesselem, Abdesslam. Caractérologie : pratique, communication, adaptation, gestion, enthousiasme.

Abdon : Serviteur (hébreu). Ce prénom est très rare. Caractérologie : altruisme, idéalisme, intégrité, réflexion, volonté.

Abdou : Serviteur de Dieu (arabe). Ce prénom est rare. Tendance : stable. Caractérologie : méditation, intelligence, indépendance, organisation, savoir.

Abdullah : Serviteur de Dieu (arabe). Ce prénom est rare. Tendance : stable. Variantes : Abdala, Abdela, Abdella, Abdellali, Abdoul, Abdoulah, Abdoullah, Abdul. Caractérologie : savoir, intelligence, méditation, organisation, indépendance.

Abed : Celui qui est pieux (arabe). Ce prénom est très rare. Tendance : en forte croissance. Variante : Abid. Caractérologie : pragmatisme, optimisme, créativité, communication, sociabilité.

Abel : Souffle, respiration (hébreu). Ce prénom est assez répandu. Il est relativement peu attribué aujourd'hui. Tendance : en forte croissance. Variantes : Abélard, Abelardo, Abelin, Abelino. Caractérologie : fidélité, intuition, médiation, relationnel, organisation.

Abiel : Dieu est mon père (hébreu). Caractérologie : médiation, intuition, organisation, relationnel, résolution.

A

239

Abondance : Richesse, abondance (latin). Caractérologie : volonté, organisation, courage, curiosité, dynamisme.

Aboubacar : Petit chameau (arabe). Ce prénom est très rare. Tendance : en croissance modérée. Variantes : Aboubakar, Aboubakari, Aboubaker, Aboubakr, Boubakary, Boubakeur, Boubker. Caractérologie : organisation, autorité, innovation, énergie, raisonnement.

Le palmarès des prénoms masculins en 2005

Ci-dessous le top 20 des prénoms masculins, estimé pour l'année 2005. Le classement a été effectué par ordre décroissant d'attribution.

1. Lucas	8. Maxime	15. Louis
2. Théo	9. Mathis	16. Nicolas
3. Matteo	10. Antoine	17. Paul
4. Thomas	11. Léo	18. Quentin
5. Hugo	12. Mathéo	19. Arthur
6. Enzo	13. Alexis	20. Jules
7. Tom	14. Clément	

Observations et commentaires :

La plus grande nouveauté de ce palmarès vient de son sommet : Lucas devient, pour la première fois, numéro 1 français. Il détrône Théo à l'issue d'une bataille acharnée. Pourtant, les terminaisons en « o » n'ont jamais autant dominé ce palmarès. Matteo s'est emparé de la 3e place de ce hit-parade alors qu'Hugo, Enzo et Léo s'en rapprochent. Cette vague déferlante accélère le déclin des prénoms qui ont déjà connu leur moment de gloire. Ainsi, après une longue période de règne, Thomas s'incline en 4e position.

On observe que de nouveaux prénoms apparaissent dans ce palmarès : Mathéo et Mathis y ont fait une entrée remarquée. Ces derniers forment, avec Matteo, un trio triomphal. Ce sont Valentin et Alexandre qui leur ont cédé leurs places après bien des années de succès. Julien a lui aussi quitté ce palmarès, mais son frère Jules vient le remplacer. Il vient renforcer une vogue du rétro qui a récemment propulsé Louis dans le top 20 français.

D'autres prénoms continuent une phase de déclin entamée depuis quelques années. C'est le cas d'Alexis, Antoine, Maxime, Nicolas et Clément. Ces derniers devraient toutefois se maintenir jusqu'à 2006 dans ce palmarès. Tel n'est pas le cas d'Arthur et Quentin qui pourraient prochainement en disparaître. Dans ce contexte, Nathan et Yanis sont parfaitement positionnés pour les y remplacer.

Abraham : Père des nations (hébreu). Ce prénom assez rare est très peu attribué aujourd'hui. Tendance : stable. Variantes : Aba, Avraham. Variante basque : Abarran. Caractérologie : vitalité, stratégie, achèvement, leadership, ardeur.

Abriel : Né en avril (latin). Caractérologie : relationnel, médiation, intuition, résolution, organisation.

Absalon : Mon père est paix (hébreu). Caractérologie : énergie, innovation, autorité, organisation, ambition.

Acacio : Fleur protectrice du mal (grec). Ce prénom est porté par moins de 100 personnes en France. Caractérologie : découverte, audace, originalité, énergie, analyse.

Achille : Qui a de belles lèvres (grec). Ce prénom est assez répandu. Il est relativement peu attribué aujourd'hui. Tendance : en croissance modérée. Variantes : Achile, Achilles, Aghiles. Caractérologie : dynamisme, curiosité, courage, décision, indépendance.

Achraf : Honorable (arabe). Ce prénom est rare. Tendance : stable. Variante : Ashraf. Caractérologie : audace, direction, dynamisme, indépendance, analyse.

Adaïa : Parure divine (hébreu). Caractérologie : originalité, sagacité, philosophie, connaissances, spiritualité.

Adalbert : Noble, brillant (germanique). Ce prénom est très rare. Variantes : Adalard, Adelbert. Caractérologie : idéalisme, intégrité, altruisme, décision, gestion.

Adam : Fait de terre rouge (hébreu). Des origines babyloniennes ou phéniciennes pourraient également donner à Adam la signification suivante : homme, humanité. Ce prénom est assez répandu. Il figure dans le top 100 français aujourd'hui. Voir le zoom dédié à Adam. Variantes : Adame, Adamo, Adan, Adao, Damek, Damica, Damicke. Caractérologie : dynamisme, direction, audace, indépendance, assurance.

Adama : Fait de terre rouge (hébreu). Voir Adam. Ce prénom assez rare est relativement peu attribué aujourd'hui. Tendance : en croissance modérée. Caractérologie : diplomatie, loyauté, réceptivité, sociabilité, bonté.

Adams : Fait de terre rouge (hébreu). Voir Adam. Ce prénom est porté par moins de 100 personnes en France. Caractérologie : sociabilité, réceptivité, bonté, diplomatie, loyauté.

Addison : Fils d'Adam (anglais). Caractérologie : optimisme, communication, pragmatisme, volonté, résolution.

Adei : Qui montre du respect (basque). Caractérologie : décision, innovation, énergie, ambition, autorité.

Adel : Noble (germanique). Ce prénom est assez répandu. Il est relativement peu attribué aujourd'hui. Tendance : stable. Caractérologie : persévérance, sécurité, structure, efficacité, honnêteté.

Adelin : Noble (germanique). Ce prénom est très rare. Tendance : en décroissance modérée. Variantes : Adelino, Adelio, Hedelin. Caractérologie : ouverture d'esprit, humanité, rêve, résolution, rectitude.

Adem : Noble, illustre (germanique). Ce prénom assez rare est relativement peu attri-

A

241

ADAM

Fête : 16 mai

Étymologie : de l'hébreu *adamah* et *adom* : fait de terre rouge. Des origines babyloniennes ou phéniciennes pourraient également donner à Adam la signification d'« homme, humanité ». Ce vieux prénom a été principalement usité dans les pays anglo-saxons à partir du VIIe siècle. En revanche, ce dernier n'a jamais été très répandu en France. Au début du XXe siècle, Adam était tout au plus donné à une centaine d'enfants par an. Il a ensuite été si peu attribué qu'il a bien failli disparaître dans les années 1950. Ce n'est qu'en 1985 qu'Adam a retrouvé son niveau d'attribution du début du siècle et qu'il a pris son envol. Ce prénom biblique a percé dans le top 60 français et devrait poursuivre sa croissance. En attendant mieux, Adam prénommera un peu plus de 1 000 nouveau-nés dans l'Hexagone en 2005.

En dehors de la France, Adam est bien placé en haut du palmarès de l'Irlande. Il est également présent dans le top 20 anglais, australien et suédois, ainsi que dans le top 60 américain. Dans les pays francophones, Adam est une véritable graine de star. Il grandit vite au Québec où il devrait prochainement s'imposer dans le top 30. Il se propage aussi en Belgique et devrait monter dans le top 90 wallon avant 2006. Il s'est déjà fait remarquer à Bruxelles en s'imposant deuxième en 2002. Il faut dire que ce prénom est très en vogue dans la communauté musulmane de la capitale belge. Les arabes vénèrent Adam en sa qualité de premier homme et de premier prophète. Adam est donc un prénom international à identité multiculturelle. C'est une raison supplémentaire de penser qu'il grandira davantage en France et dans la zone francophone.

Dans la Bible, **Adam** est le premier homme créé par Dieu. Il vit avec Ève dans le jardin d'Eden jusqu'au moment où ils commettent le « péché originel » de goûter au fruit défendu de l'arbre de la connaissance du bien et du mal. Dieu les chasse du paradis terrestre et les punit pour leur désobéissance. Comme tous ses descendants, Adam sera voué au travail et aux réalités de la vie sur terre. Adam est le patron des jardiniers.
Adam de la Halle est auteur compositeur français de chansons et rondeaux du XIIIe siècle.
Personnalité célèbre : Adam Sandlers, acteur américain.
Statistique : Adam est le 296e prénom masculin le plus attribué du XXe siècle en France.

bué aujourd'hui. Tendance : en croissance modérée. Caractérologie : curiosité, dynamisme, indépendance, courage, charisme.

Adhémar : Noble, illustre (germanique). Ce prénom est porté par moins de 100 personnes en France. Variantes : Adelmard, Adelmo, Adémar. Caractérologie : découverte, énergie, originalité, audace, détermination.

Adiël : Parure divine (hébreu). Caractérologie : persévérance, décision, structure, sécurité, efficacité.

Adil : Juste (arabe). Ce prénom assez rare est relativement peu attribué aujourd'hui. Tendance : stable. Variantes : Adile, Adlâne, Adlen, Adlène. Caractérologie : achèvement, stratégie, ardeur, leadership, vitalité.

Adler : Aigle (germanique). Caractérologie : structure, persévérance, sécurité, efficacité, détermination.

Adnane : S'installer (arabe). Ce prénom est très rare. Tendance : en croissance modérée. Variantes : Adnan, Adnen, Adnène. Caractérologie : adaptation, pratique, communication, enthousiasme, générosité.

Adolphe : Noble, loup (germanique). Ce prénom est assez répandu. Il est très peu attribué aujourd'hui. Variantes : Adelphe, Adolf, Adolfo, Adolph, Adolpho. Caractérologie : spiritualité, volonté, connaissances, sagacité, réalisation.

Adonis : Seigneur (hébreu). Ce prénom est très rare. Tendance : en forte croissance. Variante basque : Adon. Caractérologie : force, ambition, habileté, décision, caractère.

Adrian : Habitant d'Adria, Italie (grec). Ce prénom assez rare est relativement peu attribué aujourd'hui. Tendance : stable. Variante : Adryan. Caractérologie : relationnel, intuition, fidélité, médiation, détermination.

Adriano : Habitant d'Adria, Italie (grec). Ce prénom assez rare est peu attribué actuellement. Tendance : stable. Caractérologie : résolution, achèvement, vitalité, stratégie, volonté.

Adriel : La majesté de Dieu (hébreu). Ce prénom est porté par moins de 100 personnes en France. Tendance : stable. Variantes : Adrial, Hadriel. Caractérologie : ténacité, méthode, fiabilité, engagement, détermination.

Adrien : Habitant d'Adria, Italie (grec). Ce prénom répandu figure dans le top 50 français aujourd'hui. Voir le zoom dédié à Adrien. Variante : Adryen. Variante basque : Adiran. Caractérologie : paix, bienveillance, conscience, conseil, décision.

Ael : Ange, messager (latin). Ce prénom breton est très rare. Tendance : en croissance modérée. Variante : Aelig. Caractérologie : idéalisme, altruisme, dévouement, réflexion, intégrité.

Afif : Chaste (arabe). Ce prénom est très rare. Caractérologie : persévérance, structure, efficacité, sécurité, honnêteté.

Agathon : Bonté, gentillesse (grec). Ce prénom est porté par moins de 100 personnes en France. Caractérologie : communication, enthousiasme, pratique, adaptation, sensibilité.

A

243

ADRIEN

Fête : 8 septembre

Étymologie : du grec *adrianos* : habitant de la ville d'Adria (ville d'Italie qui a donné son nom à la mer Adriatique). Ce prénom a été usité au début du XXe siècle puis il a été oublié dans les années 1960. Il revient cependant en force dans les années 1980. Même si sa croissance s'est ralentie en 2003, Adrien se maintiendra sans doute dans le top 30 du palmarès français. On peut même estimer que ce prénom sera attribué à environ 2 700 nouveau-nés en France en 2005. Il dépassera sans doute les performances d'autres prénoms de source antique comme Florian, Romain et Aurélien. Il faut reconnaître que le courant des prénoms antiques romains est beaucoup moins porteur aujourd'hui qu'il ne l'était il y a cinq ans. Adrien est, dans ce contexte, un des prénoms qui résiste le mieux à cette tendance déclinante. Mais pour combien de temps ?

Rien n'est déterminé à l'avance, d'autant qu'Adrien a plus d'un tour dans son sac. Par exemple, son évolution surprend en Wallonie et en Suisse romande où on le croyait condamné à la débâcle. Contre toute attente, Adrien est remonté aux portes du top 20 wallon tout en montant en flèche vers le top 10 suisse romand. Par contraste, Alexandre et Valentin sont sortis de ce hit-parade. En dehors de la zone francophone, c'est la variante Adrian que l'on rencontre le plus. Actuellement, Adrian est l'un des 10 prénoms préférés des parents espagnols. En plus d'être répandu en Allemagne, ce prénom est aussi en vogue en Norvège. Enfin outre-Atlantique, Adrian est sur le point d'entrer dans le top 70 américain. Ce tour d'horizon serait incomplet si l'on oubliait Hadrien, du nom d'un des derniers empereurs romains. Ce prénom est apparu en France dans les années 1980, mais il n'y a pas vraiment percé.

Hadrien succède à Trajan en 117 et règne sur l'empire romain jusqu'en 138. Homme politique brillant et cultivé, il réorganise l'administration et protège son empire des invasions barbares en fortifiant ses frontières. L'Angleterre lui doit notamment la construction du célèbre mur d'Hadrien.

Hadrien est le personnage central du livre de Marguerite Yourcenar, *Mémoires d'Hadrien*.

Adrien est un prénom porté par plusieurs saints. Il est le saint patron des gardiens de prison et des bourreaux. Il est aussi invoqué avec saint Roch contre les maladies contagieuses.

Personnalité célèbre : Adrian Brody, acteur américain.

Statistique : Adrien est le 87e prénom masculin le plus attribué du XXe siècle en France.

Agenor : D'un grand courage (grec). Ce prénom est porté par moins de 100 personnes en France. Caractérologie : conscience, paix, décision, bienveillance, conseil.

Agnel : Chaste, pur (grec). Ce prénom est porté par moins de 100 personnes en France. Variante : Agnan. Variante bretonne : Noan. Caractérologie : créativité, communication, pragmatisme, sympathie, optimisme.

Agustin : Consacré par les augures (latin). Ce prénom est très rare. En France, Agustin est plus traditionnellement usité au Pays Basque. Variantes : Agosti, Agostinho, Agostino, Agustinho, Agustino. Caractérologie : détermination, innovation, énergie, autorité, compassion.

Ahmed : Digne d'éloges (arabe). Ce prénom répandu est relativement peu attribué aujourd'hui. Tendance : en croissance modérée. Variantes : Ahmad, Ahmadou, Ahmid, Aimad, Mamoudou. Caractérologie : persévérance, structure, honnêteté, sécurité, efficacité.

Aidan : Petit feu (celte). Ce prénom est porté par moins de 100 personnes en France. Tendance : stable. Aidan s'est francisé avec l'utilisation occasionnelle du tréma (Aïdan) alors que ses origines celtiques en contredisent l'usage. Aidan se rapporte à Adodh, dieu celtique du Soleil, d'où la signification : « petit feu ». Caractérologie : relationnel, fidélité, intuition, médiation, résolution.

Aimable : Aimable (latin). Ce prénom est très rare. Variantes : Amable, Amavel, Mavel. Caractérologie : détermination, sagacité, connaissances, spiritualité, organisation.

Aiman : Qui protège avec sagesse (germanique). Ce prénom est très rare. Tendance : en croissance modérée. Caractérologie : décision, intuition, relationnel, médiation, fidélité.

Aïmane : Heureux (arabe). Ce prénom est très rare. Tendance : en forte croissance. Variante : Aïman. Caractérologie : détermination, indépendance, savoir, méditation, intelligence.

Aimé : Aimé des Dieux (latin). Ce prénom répandu est très peu attribué aujourd'hui. Tendance : stable. Caractérologie : autorité, énergie, innovation, détermination, ambition.

Aïmen : Heureux (arabe). Ce prénom est rare. Tendance : en forte croissance. Caractérologie : détermination, influence, équilibre, famille, sens des responsabilités.

Aimeric : Puissant (germanique). Ce prénom est rare. Tendance : en croissance modérée. En France, Aimeric est plus traditionnellement usité en Occitanie. Variantes : Aimerick, Aimery, Amery. Variantes basques : Aimar, Aimard. Caractérologie : méthode, ténacité, fiabilité, résolution, engagement.

Aïssa : Dieu sauve (hébreu). Ce prénom assez rare est peu attribué actuellement. Tendance : en croissance modérée. Caractérologie : fiabilité, ténacité, sens du devoir, méthode, engagement.

Aitor : Père de tous les Basques (mythologie basque). Ce prénom est très rare. Tendance : en croissance modérée. Caractérologie : idéalisme, altruisme, intégrité, réflexion, dévouement.

A

245

Akash : Ciel (sanscrit). Ce prénom est porté par moins de 100 personnes en France. Caractérologie : efficacité, sécurité, structure, persévérance, honnêteté.

Akemi : Beauté naissante (japonais). Caractérologie : créativité, optimisme, détermination, pragmatisme, communication.

Akim : Dieu a établi (hébreu). Ce prénom est assez répandu. Il est très peu attribué aujourd'hui. Tendance : stable. Caractérologie : savoir, intelligence, indépendance, méditation, sagesse.

Akira : Très intelligent (japonais). Variante : Akio. Caractérologie : honnêteté, structure, sécurité, efficacité, persévérance.

Akram : Noble et généreux (arabe). Ce prénom est rare. Tendance : en croissance modérée. Caractérologie : ambition, force, habileté, passion, management.

Al : Beau, calme (celte). Ce prénom est très rare. Tendance : en décroissance modérée. Caractérologie : méthode, ténacité, engagement, sens du devoir, fiabilité.

Ala : Supérieur, sublime (arabe). Ce prénom est porté par moins de 100 personnes en France. Variante : Alaa. Caractérologie : séduction, découverte, audace, énergie, originalité.

Aladin : D'une grande loyauté (arabe). Ce prénom est très rare. Tendance : stable. Caractérologie : dynamisme, courage, indépendance, détermination, curiosité.

Alain : Beau, calme (celte). Ce prénom est très répandu. Il est relativement peu attribué aujourd'hui. Tendance : stable. Variante :

Alen. Caractérologie : direction, indépendance, détermination, audace, dynamisme.

Alan : Beau, calme (celte). Ce prénom répandu figure dans le top 100 français aujourd'hui. Tendance : stable. En France, Alan est plus traditionnellement usité en Bretagne et en Occitanie. Variantes : Alane, Alann, Lan, Lanig. Caractérologie : innovation, autorité, énergie, autonomie, ambition.

Alaric : Roi de tous (germanique). Ce prénom est très rare. Tendance : stable. Variantes bretonnes : Alar, Alarig. Variante occitane : Alari. Caractérologie : ardeur, achèvement, vitalité, stratégie, leadership.

Albain : Blanc (latin). Ce prénom est très rare. Caractérologie : optimisme, communication, pragmatisme, détermination, organisation.

Alban : Blanc (latin). Ce prénom répandu est plutôt bien attribué aujourd'hui. Tendance : stable. Variantes : Alba, Albano, Alva. Caractérologie : communication, pragmatisme, créativité, optimisme, gestion.

Albéric : Noble, brillant (germanique). Ce prénom assez rare est très peu attribué aujourd'hui. Tendance : en décroissance modérée. Caractérologie : découverte, énergie, audace, décision, gestion.

Albert : Noble, brillant (germanique). Ce prénom répandu est peu attribué actuellement. Tendance : stable. Variantes : Albérie, Albertin, Alibert, Bel, Béla, Elbert. Variante alsacienne : Albrecht. Caractéro-logie : persévérance, structure, gestion, décision, sécurité.

Alberto : Noble, brillant (germanique). Ce prénom assez rare est très peu attribué aujourd'hui. Tendance : stable. Alberto est très répandu en Espagne. Variantes : Alberti, Albertino. Caractérologie : détermination, direction, audace, dynamisme, raisonnement.

Albin : Blanc (latin). Ce prénom assez rare est peu attribué actuellement. Tendance : stable. Variante : Albino. Caractérologie : relationnel, médiation, organisation, intuition, détermination.

Alcée : Poète lyrique grec qui chanta des hymnes à la beauté, l'amour et la mort vers 640-580 av. J.-C. Il est considéré comme l'inventeur des vers « alcaïques » qui ont ensuite été empruntés par Horace. Ce prénom est porté par moins de 100 personnes en France. Caractérologie : habileté, force, management, passion, ambition.

Alcibiade : Nom d'un général et homme politique grec du Vᵉ siècle av. J.-C. Ce prénom est porté par moins de 100 personnes en France. Caractérologie : énergie, autorité, innovation, gestion, décision.

Alcide : Voir Alcibiade. Ce prénom corse est assez rare. Il est très peu attribué aujourd'hui. Tendance : en forte croissance. Caractérologie : méditation, détermination, savoir, intelligence, indépendance.

Alderic : Noble, puissant (germanique). Ce prénom est très rare. Variante : Alderick. Caractérologie : méditation, savoir, indépendance, intelligence, détermination.

Aldo : Noble (germanique). Ce prénom assez rare est très peu attribué aujourd'hui. Tendance : en croissance modérée. Aldo est très répandu en Italie. Variante : Alde. Caractérologie : découverte, audace, énergie, séduction, originalité.

Aldous : Vieil ami (anglais). Caractérologie : rectitude, humanité, ouverture d'esprit, générosité, rêve.

Aldric : Noble, puissant (germanique). Ce prénom est rare. Tendance : stable. Variante : Aldrick. Caractérologie : sociabilité, diplomatie, réceptivité, bonté, loyauté.

Aldwin : Vieil ami (anglais). Ce prénom est très rare. Tendance : en décroissance modérée. Caractérologie : idéalisme, altruisme, intégrité, décision, réflexion.

Alessandro : Défense de l'humanité (grec). Ce prénom assez rare est relativement peu attribué aujourd'hui. Tendance : en croissance modérée. Alessandro devrait figurer dans le top 10 italien en 2004. Variantes : Alejandro, Alessio. Caractérologie : rectitude, humanité, rêve, logique, caractère.

Alex : Défense de l'humanité (grec). Ce prénom répandu figure dans le top 100 français aujourd'hui. Tendance : stable. Alex figure dans le palmarès des prénoms mixtes. Pour en savoir plus, voir cet article. Variante : Alec. Caractérologie : exigence, influence, famille, équilibre, sens des responsabilités.

Alexander : Défense de l'humanité (grec). Ce prénom assez rare est très peu attribué aujourd'hui. Tendance : stable. Alexander est très répandu dans les pays anglophones et germanophones. Ce prénom devrait figurer dans le top 10 allemand et suédois en 2004. Variantes : Sancho, Sander, Sanders, Xander, Xandre. Caractérologie : volonté, pratique, enthousiasme, communication, raisonnement.

Alexandre : Défense de l'humanité (grec). Ce prénom est très répandu. De plus, il figure

A

247

ALEXANDRE

Fête : 22 avril

Étymologie : du grec *alexein* : repousser, défendre, et *andros* : l'homme, l'ennemi, d'où la signification « défense de l'humanité ». Au cours des siècles, ce vieux prénom a été porté par bon nombre de saints, papes, empereurs et rois du monde entier. Alexandre a été dans le peloton des 10 premiers prénoms de France entre 1982 et 2001. Néanmoins, son déclin a commencé dès 1998. Sept ans après, on peut estimer que ce prénom sera attribué à un peu moins de 3 000 enfants en France. Cette performance est plus qu'honorable, mais elle est insuffisante pour le maintenir dans le top 20 français. Ceci n'est pas le cas d'Alexis. Cette forme d'Alexandre reste en effet dans ce palmarès même si elle décline elle aussi.

En dehors de la France, Alexandre est très à la mode en Europe et dans bien d'autres régions du monde. Force est de constater que sa tendance y est toutefois déclinante. En 2005, Alexandre devrait se maintenir dans les 10 premiers prénoms suisses romands, ce qui ne sera plus le cas en Wallonie et au Québec. Il n'en reste pas moins que ses variantes résistent mieux dans d'autres pays. Alessandro pourrait par exemple se maintenir dans le top 5 italien en 2005. Enfin, Alexander se positionne dans le top 20 des prénoms américains et anglais, ainsi que dans le top 10 des palmarès allemands, autrichiens, norvégiens et suédois.

Alexandre III est aussi appelé Alexandre le Grand. Roi de la Macédoine à l'âge de 20 ans, il parvient après de nombreuses batailles à se rendre maître de tout l'empire perse. Il a également fondé la ville d'Alexandrie en Égypte. Alexandre meurt au combat à l'âge de 33 ans (356 av. J.-C. – 323 av. J.-C.).

Alexandre II est tsar de Russie à la fin du XIXe siècle. Il humanise la justice, abolit le servage des paysans et s'engage dans des réformes démocratiques qui diminuent les privilèges des classes nobles. Il est assassiné à Saint-Pétersbourg en 1881.

Alexandre Dumas, écrivain français (1802-1870). Alexandre Dumas (père) est l'auteur de nombreuses chroniques et romans historiques parmi lesquels *Les Trois Mousquetaires* et le cycle de *La Reine Margot*. Son roman moderne *Le Comte de Monté Cristo* connaît toujours un grand succès mondial aujourd'hui.

Statistique : Alexandre est le 42e prénom masculin le plus attribué du XXe siècle en France. Pierre-Alexandre est le composé d'Alexandre le plus porté aujourd'hui.

dans le top 50 français aujourd'hui. Voir le zoom dédié à Alexandre. Variantes : Aleksandar, Aleksandre, Ales, Alesander, Alexan, Alexandros. Caractérologie : caractère, enthousiasme, logique, communication, pratique.

Alexandro : Défense de l'humanité (grec). Ce prénom est très rare. Tendance : en forte croissance. Caractérologie : caractère, logique, ténacité, méthode, fiabilité.

Alexi : Défense de l'humanité (grec). Ce prénom est rare. Tendance : en croissance modérée. Caractérologie : sens des responsabilités, famille, équilibre, détermination, raisonnement.

Alexis : Défense de l'humanité (grec). Ce prénom est très répandu. De plus, il figure dans le top 50 français aujourd'hui. Tendance : stable. Ceci peut paraître étonnant, mais selon les pays, Alexis n'est pas toujours conjugué au masculin. Par exemple, Alexis est l'un des 10 prénoms féminins les plus attribués actuellement aux États-Unis. Variante : Alexys. Caractérologie : intelligence, méditation, raisonnement, détermination, savoir.

Alexy : Défense de l'humanité (grec). Ce prénom assez rare est relativement peu attribué aujourd'hui. Tendance : stable. Variantes : Alexei, Alexian. Caractérologie : engagement, ténacité, fiabilité, méthode, compassion.

Alfonso : Noble, vif (germanique). Ce prénom est rare. Caractérologie : énergie, autorité, ambition, innovation, autonomie.

Alfred : Sage conseiller (germanique). Ce prénom répandu est très peu attribué aujourd'hui. Tendance : stable. Variantes :

Alfie, Alfrède, Alfy, Alphie, Eldrid. Caractérologie : direction, logique, audace, caractère, dynamisme.

Alfredo : Sage conseiller (germanique). Ce prénom est rare. En France, Alfredo est plus traditionnellement usité au Pays Basque. Caractérologie : connaissances, logique, sagacité, spiritualité, caractère.

Ali : Supérieur, sublime (arabe). Ce prénom répandu est relativement peu attribué aujourd'hui. Tendance : en croissance modérée. Caractérologie : structure, honnêteté, persévérance, efficacité, sécurité.

Alim : Sage, raisonnable (arabe). Ce prénom est très rare. Tendance : en forte croissance. Caractérologie : ardeur, achèvement, stratégie, vitalité, leadership.

Alistair : Oculiste (grec). Ce prénom est très rare. Tendance : en forte croissance. Variante : Alister. Caractérologie : passion, force, ambition, habileté, organisation.

Alix : De noble lignée (germanique). Ce prénom est assez répandu. Il est relativement peu attribué aujourd'hui. Tendance : en croissance modérée. Alix figure dans le palmarès des prénoms mixtes. Pour en savoir plus, voir cet article. Caractérologie : innovation, autorité, énergie, logique, ambition.

Allain : Beau, calme (celte). Ce prénom assez rare est très peu attribué aujourd'hui. Caractérologie : ténacité, méthode, fiabilité, engagement, détermination.

Allan : Beau, calme (celte). Ce prénom répandu est plutôt bien attribué aujourd'hui. Tendance : stable. Variante : Allen. Caractérologie : méthode, ténacité, fiabilité, engagement, sens du devoir.

Almas : Diamant (arabe). Caractérologie : énergie, innovation, ambition, autorité, autonomie.

Aloïs : Très sage (vieil allemand). Ce prénom assez rare est relativement peu attribué aujourd'hui. Tendance : stable. Caractérologie : médiation, intuition, logique, relationnel, fidélité.

Aloïse : Illustre au combat (germanique). Ce prénom est rare. Caractérologie : raisonnement, méditation, intelligence, détermination, savoir.

Aloyse : Illustre au combat (germanique). Ce prénom assez rare ne devrait pas être attribué à plus de 10 bébés en 2005. Variante : Aloys. Caractérologie : curiosité, dynamisme, courage, indépendance, sympathie.

Alpha : Désigne la première lettre de l'alphabet grec. Ce prénom est très rare. Tendance : en décroissance modérée. Variante : Alfa. Caractérologie : médiation, intuition, relationnel, fidélité, adaptabilité.

Alphée : Dans la mythologie grecque, Alphée se transforme en fleuve pour rejoindre sa bien-aimée, la nymphe Aréthuse. Ce prénom est porté par moins de 100 personnes en France. Caractérologie : sociabilité, réceptivité, diplomatie, compassion, loyauté.

Alphonse : Noble, vif (germanique). Ce prénom répandu est très peu attribué aujourd'hui. Tendance : stable. Variantes : Alfons, Alfonse, Alonso, Alonzo, Alphonso. Caractérologie : idéalisme, intégrité, réflexion, altruisme, compassion.

Alrick : Roi de tous (germanique). Ce prénom est très rare. Tendance : stable. Variantes :

Alric, Alrik. Caractérologie : idéalisme, altruisme, intégrité, réflexion, organisation.

Altman : Vieil homme (germanique). Caractérologie : originalité, spiritualité, sagacité, connaissances, organisation.

Alvaro : Juste, raisonnable (espagnol). Ce prénom est très rare. Variante : Alvar. Caractérologie : influence, famille, équilibre, sens des responsabilités, analyse.

Alvin : Ami de tous (germanique). Ce prénom est rare. Tendance : stable. Variantes : Alvine, Alvino, Alvyn, Alwin. Caractérologie : méthode, engagement, ténacité, fiabilité, résolution.

Aly : Sublime (arabe). Ce prénom est très rare. Tendance : en forte croissance. Caractérologie : sociabilité, loyauté, réceptivité, diplomatie, bonté.

Amadéo : Amour de Dieu (latin). Ce prénom est très rare. Variante : Amadeus. Caractérologie : créativité, communication, optimisme, volonté, pragmatisme.

Amador : Amoureux (basque). Ce prénom est très rare. Caractérologie : sagacité, connaissances, philosophie, spiritualité, originalité.

Amaël : Chef, prince (celte). Ce prénom est rare. Tendance : en forte croissance. Caractérologie : courage, curiosité, dynamisme, indépendance, charisme.

Amal : Espoir (arabe). Travail (hébreu). Ce prénom est très rare. Variante : Amel. Caractérologie : réflexion, idéalisme, intégrité, altruisme, dévouement.

Amand : Qui est aimé (latin). Ce prénom assez rare est très peu attribué aujourd'hui. Variante : Amandin. Caractérologie : bienveillance, paix, conseil, conscience, sagesse.

Amandio : Qui est aimé (latin). Ce prénom est très rare. Variante : Amando. Caractérologie : communication, pratique, caractère, enthousiasme, décision.

Amar : Bâtisseur (arabe). Ce prénom est assez répandu. Il est très peu attribué aujourd'hui. Tendance : stable. Variantes : Amara, Ammar Caractérologie : bienveillance, paix, sagesse, conscience, conseil.

Amarand : Fleur éternelle (grec). Caractérologie : méditation, intelligence, indépendance, décision, savoir.

Amaria : Dieu a parlé (hébreu). Variante : Amarya. Caractérologie : sagesse, méditation, intelligence, indépendance, savoir.

Amaury : Puissant (germanique). Ce prénom répandu est plutôt bien attribué aujourd'hui. Tendance : stable. Variante : Amory. Caractérologie : savoir, indépendance, méditation, intelligence, réalisation.

Ambroise : Immortel (grec). Ce prénom assez rare est peu attribué actuellement. Tendance : stable. Variantes : Ambrose, Ambrosio. Caractérologie : direction, audace, dynamisme, décision, caractère.

Amed : Loué, comblé de louanges (arabe). Ce prénom est très rare. Caractérologie : curiosité, dynamisme, charisme, courage, indépendance.

Amédé : Amour de Dieu (latin). Ce prénom est rare. Caractérologie : innovation, énergie, ambition, autorité, autonomie.

Amédée : Amour de Dieu (latin). Ce prénom assez rare est très peu attribué aujourd'hui. Variante : Amédéo. Caractérologie : bienveillance, conseil, paix, conscience, sagesse.

Amélien : Travailleur (germanique). Ce prénom est très rare. Tendance : en forte croissance. Variante : Amélio. Caractérologie : dynamisme, courage, curiosité, résolution, indépendance.

Amiel : Peuple de Dieu (hébreu). Ce prénom est porté par moins de 100 personnes en France. Caractérologie : ténacité, engagement, méthode, fiabilité, détermination.

Amin : Loyal, digne de confiance (arabe). Ce prénom assez rare est relativement peu attribué aujourd'hui. Tendance : en croissance modérée. Caractérologie : dynamisme, direction, audace, indépendance, décision.

Amine : Loyal, digne de confiance (arabe). Ce prénom est assez répandu. Il est plutôt bien attribué aujourd'hui. Tendance : en croissance modérée. Caractérologie : paix, conscience, conseil, bienveillance, résolution.

Amir : Prince (arabe). Proclamé (hébreu). Ce prénom assez rare est relativement peu attribué aujourd'hui. Tendance : en croissance modérée. Caractérologie : curiosité, dynamisme, indépendance, courage, charisme.

Amos : Né des dieux, fardeau (hébreu). Ce prénom est porté par moins de 100 personnes en France. Tendance : stable. Caractérologie : pragmatisme, communication, optimisme, sociabilité, créativité.

Amour : Amour (latin). Ce prénom est très rare. Caractérologie : dynamisme, curiosité, indépendance, courage, raisonnement.

An : Paix (vietnamien). Ce prénom est porté par moins de 100 personnes en France.

Caractérologie : influence, famille, sens des responsabilités, équilibre, exigence.

Anaclet : Grâce (hébreu). Ce prénom est porté par moins de 100 personnes en France. Caractérologie : diplomatie, loyauté, sociabilité, réceptivité, organisation.

Anaël : Grâce (hébreu). Ce prénom est rare. Tendance : stable. Caractérologie : équilibre, sens des responsabilités, influence, exigence, famille.

Anaia : Frère (basque). Caractérologie : force, ambition, habileté, résolution, passion.

Anas : Sociable, sympathique (arabe). Ce prénom assez rare est relativement peu attribué aujourd'hui. Tendance : en croissance modérée. Caractérologie : ambition, force, management, habileté, passion.

Anass : Sociable, sympathique (arabe). Ce prénom est rare. Tendance : en croissance modérée. Variante : Anasse. Caractérologie : générosité, rêve, rectitude, humanité, ouverture d'esprit.

Anastase : Résurrection (grec). Ce prénom est porté par moins de 100 personnes en France. Variante : Anastasio. Caractérologie : achèvement, vitalité, ardeur, stratégie, leadership.

Anatole : Aube, soleil levant (grec). Ce prénom assez rare est relativement peu attribué aujourd'hui. Tendance : en croissance modérée. Variante basque : Anatoli. Caractérologie : organisation, énergie, audace, découverte, originalité.

Ancelin : Serviteur (latin). Ce prénom est très rare. Tendance : en forte croissance. Variantes : Ancel, Ancelot. Caractérologie :

fiabilité, ténacité, méthode, engagement, détermination.

Andelin : Noble (germanique). Caractérologie : courage, indépendance, décision, dynamisme, curiosité.

Andéol : Courageux, viril (grec). Ce prénom est très rare. Tendance : en forte croissance. Caractérologie : famille, équilibre, influence, sens des responsabilités, caractère.

Anderson : Courageux, viril (grec). Ce prénom est très rare. Tendance : en forte croissance. Variantes : Ander, Anders. Caractérologie : détermination, rêve, volonté, rectitude, humanité.

Andoni : Inestimable (latin). Fleur (grec). Ce prénom est très rare. Tendance : stable. En France, Andoni est plus traditionnellement usité au Pays Basque. Variantes : Andere, Andolin. Caractérologie : pratique, communication, enthousiasme, décision, caractère.

André : Courageux, viril (grec). Ce prénom est très répandu. Il est relativement peu attribué aujourd'hui. Tendance : stable. Variantes : Andrei, Andric, Andrien, Andry. Variantes occitanes : Andreu, Andrieu. Variante basque : Xandres. Caractérologie : famille, sens des responsabilités, équilibre, influence, décision.

Andrea : Courageux, viril (grec). Ce prénom assez rare est relativement peu attribué aujourd'hui. Tendance : stable. Andrea devrait figurer dans le top 10 italien en 2004. En France, ce prénom est plus traditionnellement usité en Corse et au Pays

Basque. Caractérologie : intelligence, savoir, méditation, indépendance, décision.

Andreas : Courageux, viril (grec). Ce prénom assez rare est relativement peu attribué aujourd'hui. Tendance : stable. Andreas est en vogue dans les pays scandinaves. Il devrait figurer dans le top 10 norvégien en 2004. Caractérologie : ambition, force, décision, habileté, passion.

Andres : Courageux, viril (grec). Ce prénom est rare. Caractérologie : connaissances, spiritualité, sagacité, originalité, résolution.

Andrew : Courageux, viril (grec). Ce prénom assez rare est peu attribué actuellement. Tendance : stable. Andrew devrait figurer dans le top 10 américain en 2004. Caractérologie : loyauté, diplomatie, sociabilité, réceptivité, résolution.

Andy : Courageux, viril (grec). Ce prénom est assez répandu. Il est relativement peu attribué aujourd'hui. Tendance : stable. Variante : Anddy. Caractérologie : achèvement, stratégie, réalisation, vitalité, ardeur.

Ange : Messager (latin). Ce prénom est assez répandu. Il est relativement peu attribué aujourd'hui. Tendance : en forte croissance. Caractérologie : humanité, rectitude, rêve, générosité, ouverture d'esprit.

Angel : Messager (latin). Ce prénom est assez répandu. Il est relativement peu attribué aujourd'hui. Tendance : en forte croissance. Variantes : Angéli, Angelus, Angély, Angie, Angy. Caractérologie : optimisme, communication, sympathie, pragmatisme, créativité.

Angelin : Messager (latin). Ce prénom est très rare. Variante : Angelino. Caractérologie :

ambition, habileté, force, sympathie, résolution.

Angelo : Messager (latin). Ce prénom est assez répandu. Il est relativement peu attribué aujourd'hui. Tendance : en croissance modérée. Angelo est très répandu en Italie. Variante : Angelito. Caractérologie : intégrité, idéalisme, altruisme, cœur, réflexion.

Anh : Reflet, rayon lumineux (vietnamien). Ce prénom est très rare. Caractérologie : découverte, énergie, séduction, originalité, audace.

Anibal : À la grâce de Baal. Baal est un dieu phénicien. Ce prénom est porté par moins de 100 personnes en France. Variante : Annibal. Caractérologie : pragmatisme, communication, détermination, optimisme, organisation.

Anice : Invincible (grec). Ce prénom est très rare. Tendance : en croissance modérée. Caractérologie : curiosité, dynamisme, courage, indépendance, décision.

Anicet : Invincible (grec). Ce prénom est rare. Tendance : stable. Caractérologie : connaissances, spiritualité, sagacité, organisation, détermination.

Anil : Vent (sanscrit). Ce prénom est très rare. Tendance : stable. Caractérologie : rêve, rectitude, humanité, décision, ouverture d'esprit.

Anis : Sociable, sympathique (arabe). Ce prénom est assez répandu. Il est relativement peu attribué aujourd'hui. Tendance : en croissance modérée. Variantes : Aniss, Anisse, Anys. Caractérologie : savoir, intelligence, indépendance, méditation, détermination.

A

253

Anouar : Lumière (arabe). Ce prénom assez rare est très peu attribué aujourd'hui. Tendance : stable. Variante : Anoir. Caractérologie : méditation, décision, intelligence, savoir, logique.

Anselme : Protection divine (germanique). Ce prénom assez rare est très peu attribué aujourd'hui. Tendance : stable. Variante : Anselmo. Caractérologie : exigence, famille, sens des responsabilités, équilibre, influence.

Anthelme : Protection divine (germanique). Ce prénom est très rare. Tendance : en forte croissance. Caractérologie : bienveillance, attention, paix, gestion, conscience.

Anthime : Protection divine (germanique). Ce prénom est très rare. Tendance : en croissance modérée. Variantes : Anthyme, Antime. Caractérologie : sagacité, connaissances, spiritualité, résolution, finesse.

Anthony : Inestimable (latin). Fleur (grec). Ce prénom est très répandu. De plus, il figure dans le top 50 français aujourd'hui. Tendance : en décroissance modérée. Variantes : Anthoni, Anthonny. Caractérologie : spiritualité, connaissances, originalité, sagacité, sensibilité.

Antoine : Inestimable (latin). Fleur (grec). Ce prénom est très répandu. De plus, il figure dans le top 50 français aujourd'hui. Voir le zoom dédié à Antoine. Variantes : Anthoine, Antonetto. Variante basque : Antolin. Caractérologie : bienveillance, conscience, conseil, résolution, paix.

Anton : Inestimable (latin). Fleur (grec). Ce prénom assez rare est relativement peu attribué aujourd'hui. Tendance : en forte croissance. Anton est particulièrement répandu dans les pays scandinaves et slaves. Ce prénom devrait figurer dans le top 10 suédois en 2004. Variante basque : Antton. Variante corse : Antone. Caractérologie : autorité, innovation, énergie, ambition, autonomie.

Antoni : Inestimable (latin). Fleur (grec). Ce prénom assez rare est peu attribué actuellement. Tendance : stable. Variante : Antonie. Caractérologie : autorité, énergie, innovation, ambition, détermination.

Antonin : Inestimable (latin). Fleur (grec). Ce prénom répandu figure dans le top 100 français aujourd'hui. Tendance : en forte croissance. Variantes : Anthonin, Tonin. Caractérologie : bienveillance, paix, conscience, conseil, décision.

Antonio : Inestimable (latin). Fleur (grec). Ce prénom répandu est relativement peu attribué aujourd'hui. Tendance : en croissance modérée. Antonio est particulièrement répandu dans les pays hispanophones, au Portugal et en Italie. Caractérologie : méditation, intelligence, savoir, décision, indépendance.

Antony : Inestimable (latin). Fleur (grec). Ce prénom répandu est relativement peu attribué aujourd'hui. Tendance : stable. Variante : Antonny. Caractérologie : ambition, force, passion, habileté, management.

Anwar : Lumière (arabe). Ce prénom est très rare. Tendance : stable. Caractérologie : communication, résolution, adaptation, enthousiasme, pratique.

Aodren : Au-dessus, royal (celte). Ce prénom breton est très rare. Tendance : en crois-

ANTOINE

Fête : 13 juin

Étymologie : du latin *antonius* : inestimable, ou du grec *anthos* : fleur. Au fil des siècles, ce vieux prénom porté par de nombreux saints est revenu périodiquement à la mode. Grâce à son comte *Le Petit Prince*, Antoine de Saint-Exupéry a peut-être participé à la vogue mondiale d'Antoine et de ses formes dérivées. Qu'elles soient Antonio en Italie, Anton en Suède ou encore Anthony aux États-Unis, ces variantes internationales sont aujourd'hui implantées dans le top 20 de ces pays. Antoine fléchit nettement en Suisse romande et en Wallonie, mais il est monté aux portes du top 10 québécois. En France, après avoir été délaissé pendant des décennies, Antoine a connu une belle renaissance dans les années 1970. Ce prénom a même été attribué à 6 715 enfants en 1996, un record pour l'ensemble du XXᵉ siècle. Cependant, en 2003, Antoine fléchit. On peut en effet estimer qu'à peine plus de 5 000 enfants se prénommeront ainsi en 2005. Dans ce contexte, Antoine ne devrait pas se maintenir longtemps dans le top 10 français.

Notons que d'autres formes de ce prénom, comme Anthony ou Tony, suivent le même chemin qu'Antoine et déclinent en France. La forme très française d'Antonin ne subit en revanche pas de contrecoup. Au contraire, ce prénom redécouvert dans les années 1970 commence à percer. Titouan est également épargné des effets du déclin d'Antoine et évolue dans le top 70 français. Il grandit d'autant plus résolument que cette forme provençale d'Antoine possède une identité régionale. La vogue actuelle des prénoms régionaux ne peut que le faire progresser...

Saint Antoine de Padoue, franciscain portugais du XIIIᵉ siècle, est reconnu pour ses talents extraordinaires de prédicateur qu'il a exercés sur toute l'Europe. Professeur de théologie à Padoue, il a été proclamé docteur de l'église en 1946. Ce saint est le patron des pauvres et de la mousson. Il est également invoqué pour retrouver les objets perdus.

Statistique : Antoine est le 43ᵉ prénom masculin le plus attribué du XXᵉ siècle en France. Marc-Antoine et Pierre-Antoine sont les formes composées d'Antoine qui sont les plus portées aujourd'hui.

255

sance modérée. Caractérologie : communication, enthousiasme, pratique, décision, caractère.

Apollinaire : Qui vient d'Appolonia (grec). Ce prénom est porté par moins de 100 personnes en France. Variante : Appolinaire. Caractérologie : structure, persévérance, sécurité, cœur, logique.

Apollon : Dans la mythologie grecque, Apollon est le dieu de la Lumière. Ce prénom est porté par moins de 100 personnes en France. Variantes : Apollo, Apolon. Caractérologie : fiabilité, méthode, engagement, ténacité, cœur.

Ara : Lumière (hébreu). Nom d'un roi dans la mythologie arménienne (arménien). Ce prénom est porté par moins de 100 personnes en France. Caractérologie : relationnel, intuition, adaptabilité, médiation, fidélité.

Arad : Il descend (hébreu). Caractérologie : sens des responsabilités, famille, équilibre, exigence, influence.

Aram : Magnificence, éminence (arménien). Ce prénom est porté par moins de 100 personnes en France. Caractérologie : équilibre, famille, sens des responsabilités, influence, exigence.

Aramis : Aramis est l'un des trois valeureux mousquetaires du roman d'Alexandre Dumas. Ce prénom est porté par moins de 100 personnes en France. Caractérologie : intelligence, savoir, indépendance, méditation, sagesse.

Aran : Forêt (thaïlandais). Caractérologie : spiritualité, connaissances, sagacité, originalité, résolution.

Arcade : Qui vient d'Arcadie (latin). Ce prénom est porté par moins de 100 personnes en France. Variantes : Arcadie, Arcadius, Arcady. Caractérologie : détermination, découverte, énergie, audace, originalité.

Archange : Nom de saint qui fut archevêque de Florence vers 1510. Ce prénom est très rare. Caractérologie : communication, pratique, enthousiasme, sympathie, ressort.

Archibald : Audacieux (germanique). Ce prénom est très rare. Tendance : en forte croissance. Variantes : Archambaud, Ubald, Ubaldo. Caractérologie : ténacité, fiabilité, méthode, engagement, organisation.

Areg : Soleil (arménien). Variantes : Arek, Arev. Caractérologie : méthode, fiabilité, engagement, décision, ténacité.

Arezki : Prénom kabyle dont la signification est inconnue. Ce prénom est rare. Tendance : en croissance modérée. Variantes : Areski, Ariski, Arizki, Rezki, Rizki. Caractérologie : sagacité, connaissances, résolution, finesse, spiritualité.

Argan : Argent (breton). Ce prénom est porté par moins de 100 personnes en France. Tendance : en croissance modérée. Caractérologie : courage, dynamisme, curiosité, indépendance, décision.

Argi : Lumière (basque). Caractérologie : ambition, passion, habileté, force, management.

Argitxu : Petite lumière (basque). Caractérologie : audace, dynamisme, direction, gestion, logique.

Arie : Lion (hébreu). Ce prénom est très rare. Tendance : stable. Variante : Ari. Caractérologie : conscience, paix, bienveillance, conseil, décision.

Ariel : Lion de Dieu (hébreu). Ce prénom est rare. Tendance : en croissance modérée. Variante : Arel. Caractérologie : rectitude, humanité, ouverture d'esprit, rêve, détermination.

Arif : Celui qui détient la connaissance (arabe). Ce prénom est très rare. Tendance : stable.

Caractérologie : sagacité, originalité, spiritualité, connaissances, philosophie.

Arii : Roi (tahitien). Caractérologie : énergie, autorité, innovation, ambition, autonomie.

Ariihere : Roi de l'amour (tahitien). Caractérologie : audace, dynamisme, résolution, direction, indépendance.

Aris : Courageux, brave (arménien). Ce prénom est très rare. Tendance : en forte croissance. Caractérologie : intuition, relationnel, médiation, fidélité, adaptabilité.

Aristide : Le meilleur (grec). Ce prénom assez rare est peu attribué actuellement. Tendance : en croissance modérée. Variantes : Ariste, Aristides. Caractérologie : structure, persévérance, résolution, sécurité, efficacité.

Aristote : Supérieur (grec). Nom du célèbre philosophe grec (384-322 av. J.-C.). Ce prénom est très rare. Tendance : stable. Caractérologie : achèvement, vitalité, décision, stratégie, ardeur.

Arius : Immortel (grec). Caractérologie : charisme, dynamisme, curiosité, courage, indépendance.

Armand : Fort, armé (germanique). Ce prénom répandu est plutôt bien attribué aujourd'hui. Tendance : en croissance modérée. Variantes : Arman, Armant, Mandy. Variantes occitanes : Aman, Amans. Caractérologie : bienveillance, paix, conscience, conseil, détermination.

Armando : Fort, armé (germanique). Ce prénom assez rare est très peu attribué aujourd'hui. Tendance : en forte croissance. En France, Armando est plus traditionnellement usité au Pays Basque. Caractérologie :

optimisme, communication, décision, caractère, pragmatisme.

Armel : Prince, ours (celte). Ce prénom breton est assez répandu. Il est très peu attribué aujourd'hui. Tendance : en croissance modérée. Caractérologie : méthode, ténacité, fiabilité, engagement, détermination.

Armen : L'arménien (arménien). Ce prénom est très rare. Variante : Armin. Caractérologie : équilibre, famille, sens des responsabilités, influence, détermination.

Arnaud : Aigle, gouverneur (germanique). Ce prénom est très répandu. De plus, il figure dans le top 100 français aujourd'hui. Tendance : en décroissance modérée. En France, Arnaud est plus traditionnellement usité en Occitanie. Caractérologie : audace, énergie, découverte, originalité, détermination.

Arnauld : Aigle, gouverneur (germanique). Ce prénom assez rare est très peu attribué aujourd'hui. Variantes : Arnald, Arnaut, Arne, Arnie. Caractérologie : ambition, force, passion, habileté, décision.

Arnault : Aigle, gouverneur (germanique). Ce prénom assez rare est très peu attribué aujourd'hui. Tendance : stable. Caractérologie : bienveillance, paix, conscience, organisation, résolution.

Arno : Aigle, gouverneur (germanique). Ce prénom assez rare est relativement peu attribué aujourd'hui. Tendance : stable. En France, Arno est plus traditionnellement usité au Pays Basque. Caractérologie : détermination, optimisme, pragmatisme, créativité, communication.

A

257

Arnold : Aigle, gouverneur (germanique). Ce prénom assez rare est très peu attribué aujourd'hui. Tendance : stable. Arnold est très répandu en Allemagne. En France, ce prénom est plus traditionnellement usité en Alsace et dans les Flandres. Variantes : Arnaldo, Arnould, Arnoux. Caractérologie : autorité, innovation, énergie, volonté, analyse.

Aron : Esprit (hébreu). Ce prénom est très rare. Tendance : en forte croissance. Caractérologie : communication, adaptation, pratique, enthousiasme, résolution.

Arsène : Masculin (grec). Ce prénom est assez répandu. Il est relativement peu attribué aujourd'hui. Tendance : en croissance modérée. Variantes : Arsenio, Arsenius. Caractérologie : passion, force, ambition, habileté, décision.

Artémon : Divin (latin). Voir Artémis pour connaître l'histoire de ce prénom. Ce prénom est porté par moins de 100 personnes en France. Variantes : Artème, Arthème, Arthémon, Arthène. Caractérologie : volonté, découverte, énergie, audace, détermination.

Arthur : Ours (celte). Ce prénom répandu figure dans le top 50 français aujourd'hui. Voir le zoom dédié à Arthur. Variante : Arthaud. Caractérologie : énergie, découverte, audace, originalité, organisation.

Arthus : Ours (celte). Ce prénom est très rare. Tendance : en forte croissance. Caractérologie : organisation, bienveillance, conscience, conseil, paix.

Artizar : Étoile du matin (basque). Caractérologie : générosité, pratique, communication, enthousiasme, adaptation.

Artur : Ours (celte). Ce prénom est très rare. Tendance : en croissance modérée. Caractérologie : sens des responsabilités, famille, gestion, influence, équilibre.

Arturo : Ours (celte). Ce prénom est très rare. En dehors de la France, Arturo est particulièrement répandu dans les pays hispanophones et en Italie. Caractérologie : pragmatisme, optimisme, organisation, raisonnement, communication.

Artus : Ours (celte). Ce prénom breton est très rare. Tendance : en forte croissance. Variantes : Arzel, Arzu. Caractérologie : gestion, méditation, intelligence, savoir, indépendance.

Ashley : Frênes dans un pré (anglais). Ce prénom est très rare. Ashley devrait figurer dans le top 10 américain en 2004. Caractérologie : intelligence, méditation, savoir, compassion, indépendance.

Aslan : Lion (turc). Ce prénom est porté par moins de 100 personnes en France. Variante : Arslan. Caractérologie : intuition, relationnel, fidélité, adaptabilité, médiation.

Assad : Semblable à un lion (arabe). Ce prénom est très rare. Tendance : stable. Variante : Hassad. Caractérologie : leadership, achèvement, stratégie, vitalité, ardeur.

Assane : Beau (arabe). Ce prénom est très rare. Tendance : stable. Caractérologie : découverte, originalité, énergie, audace, séduction.

Atef : Celui qui compatit (arabe). Ce prénom est très rare. Variantes : Ataf, Atif. Caractérologie : curiosité, indépendance, charisme, dynamisme, courage.

ARTHUR

Fête : 15 novembre

Étymologie : du celte *arzh* : ours. Ce grand prénom du Moyen Âge a été porté par plusieurs ducs de Bretagne. Il revient en force depuis quelques années et bénéficie de la vogue des prénoms celtes, irlandais et bretons. Il faut dire que la renaissance des prénoms médiévaux concourt aussi à cet essor. Dans ce contexte favorable, Arthur pourrait être attribué à plus de 3 500 enfants en France en 2005. On peut également s'attendre à ce qu'il se maintienne dans le top 20 français. Ce succès favorise la redécouverte d'Artus, un dérivé rare mais en forte croissance. Ce dernier est peu connu en dehors de la Bretagne, mais sa notoriété progresse dans le reste de la France.

En dehors de l'Hexagone, Arthur fait peu parler de lui. Son absence des palmarès anglophones est particulièrement surprenante, d'autant qu'Arthur est aussi un prénom anglophone dont la notoriété est établie. Il faut donc se tourner vers d'autres pays francophones pour retrouver un Arthur en pleine progression. Ce dernier devrait évoluer dans les tops 20 et 30 de la Wallonie et de la Suisse romande dès 2005. Ce prénom progresse aussi au Québec mais il ne semble pas près d'y percer pour le moment.

Arthur est sans doute le chevalier le plus connu des romans de la table ronde. Les exploits de ce dernier ont été contés au XIIᵉ siècle par Chrétien de Troyes.
Selon de nombreux récits médiévaux qui constituent la « matière bretonne », **Arthur**, ou Artus, est le roi légendaire des Bretons vers le début du VIᵉ siècle. Il combat vaillamment les envahisseurs anglo-saxons qui tentent d'envahir la Bretagne.
Personnalités célèbres : Arthur Rimbault, poète français (1854-1891), Arthur Rubinstein, pianiste virtuose (l'un des plus célèbres interprètes de Chopin).
Statistique : Arthur est le 126ᵉ prénom masculin le plus attribué du XXᵉ siècle en France.

A

259

Athanaël : Présent de Dieu (hébreu). Caractérologie : gestion, achèvement, vitalité, stratégie, attention.

Athanase : Immortel (grec). Ce prénom est très rare. Variantes : Athanas, Athos. Caractérologie : famille, équilibre, finesse, sens des responsabilités, influence.

Athmane : Homme sage (germanique). Ce prénom est très rare. Variantes : Athman, Atman, Atmane. Caractérologie : ambition, habileté, passion, force, sensibilité.

Atilla : Dieu est exalté (hébreu). Ce prénom est très rare. Tendance : en croissance modérée. Variantes : Atila, Atilio, Attila, Attilius,

Attilo. Caractérologie : autorité, innovation, énergie, organisation, ambition.

Aubert : Noble, brillant (germanique). Ce prénom est très rare. Variantes : Aubertin, Aubrey, Aubri. Caractérologie : persévérance, gestion, structure, sécurité, décision.

Aubin : Blanc (latin). Ce prénom assez rare est relativement peu attribué aujourd'hui. Tendance : en décroissance modérée. Caractérologie : médiation, intuition, résolution, relationnel, organisation.

Aubry : Noble, brillant (germanique). Ce prénom est très rare. Tendance : stable. Caractérologie : ténacité, méthode, gestion, fiabilité, engagement.

Audran : Au-dessus, royal (celte). Ce prénom est très rare. Tendance : en croissance modérée. Variantes : Audrain, Audren. Caractérologie : indépendance, résolution, curiosité, dynamisme, courage.

Audric : Noble, puissant (anglo-saxon). Ce prénom assez rare est très peu attribué aujourd'hui. Tendance : stable. Variante : Adrick. Caractérologie : réceptivité, sociabilité, loyauté, bonté, diplomatie.

Audry : Noble, puissant (anglo-saxon). Ce prénom est très rare. Tendance : en forte croissance. Caractérologie : sens des responsabilités, équilibre, famille, influence, réussite.

Auguste : Vénérable, grand (latin). Ce prénom répandu est relativement peu attribué aujourd'hui. Tendance : en forte croissance. Variantes : August, Augusto, Guste, Gusto. Caractérologie : ténacité, fiabilité, méthode, compassion, organisation.

Augustin : Consacré par les augures (latin). Ce prénom répandu est plutôt bien attribué aujourd'hui. Tendance : en croissance modérée. Variante : Gustin. Caractérologie : sécurité, structure, résolution, persévérance, sympathie.

Aurel : En or (latin). Ce prénom est très rare. Tendance : en croissance modérée. Caractérologie : optimisme, communication, pragmatisme, décision, créativité.

Aurèle : En or (latin). Ce prénom est rare. Tendance : en forte croissance. Caractérologie : stratégie, achèvement, ardeur, vitalité, décision.

Aurélien : En or (latin). Ce prénom répandu figure dans le top 100 français aujourd'hui. Tendance : stable. Variantes : Aurélian, Aurélio, Aurian, Auriol, Orélien. Caractérologie : sécurité, structure, persévérance, détermination, efficacité.

Aurre : En or (latin). Devant (basque). Caractérologie : rêve, humanité, rectitude, ouverture d'esprit, décision.

Austin : Consacré par les augures (latin). Ce prénom est porté par moins de 100 personnes en France. Caractérologie : communication, pratique, décision, gestion, enthousiasme.

Auxence : Perfection (latin). Ce prénom est très rare. Tendance : en forte croissance. Caractérologie : innovation, autorité, ambition, autonomie, énergie.

Avédis : Porteur de bonnes nouvelles (arménien). Ce prénom est porté par moins de 100 personnes en France. Caractérologie : équilibre, famille, influence, résolution, sens des responsabilités.

Avel : Vent (breton). Caractérologie : ténacité, fiabilité, méthode, sens du devoir, engagement.

Avelino : Souffle, respiration (hébreu). Ce prénom est très rare. Caractérologie : logique, bienveillance, paix, caractère, conscience.

Avi : Père de tous (hébreu). Ce prénom est très rare. Tendance : en forte décroissance. Caractérologie : charisme, curiosité, dynamisme, courage, indépendance.

Aviel : Dieu est mon père (hébreu). Ce prénom est porté par moins de 100 personnes en France. Tendance : stable. Caractérologie : structure, persévérance, sécurité, efficacité, décision.

Aviv : Printemps (hébreu). Caractérologie : idéalisme, altruisme, intégrité, dévouement, réflexion.

Avner : Père du charme (hébreu). Ce prénom est très rare. Tendance : en décroissance modérée. Caractérologie : conscience, bienveillance, paix, conseil, résolution.

Awen : Noble ami (irlandais). Ce prénom est très rare. Tendance : en forte croissance. En France, Awen est plus traditionnellement usité en Bretagne. Variante : Aven. Caractérologie : intelligence, sagesse, savoir, méditation, indépendance.

Axel : Mon père est paix (hébreu). Ce prénom répandu figure dans le top 50 français aujourd'hui. Tendance : stable. Axel est très répandu en Suède et au Danemark. Caractérologie : famille, équilibre, sens des responsabilités, exigence, influence.

Ayman : Heureux (arabe). Ce prénom est rare. Tendance : en forte croissance. Caractérologie : humanité, rêve, rectitude, ouverture d'esprit, réussite.

Aymen : Heureux (arabe). Ce prénom est rare. Tendance : en croissance modérée. Variantes : Aymane, Aymon. Caractérologie : ténacité, fiabilité, méthode, engagement, réalisation.

Aymeric : Puissant (germanique). Ce prénom répandu est plutôt bien attribué aujourd'hui. Tendance : stable. Variantes : Amalric, Aymerie, Aymerik. Variante basque : Ainaut. Caractérologie : relationnel, médiation, intuition, compassion, réalisation.

Aymerick : Puissant (germanique). Ce prénom est rare. Tendance : stable. Caractérologie : fiabilité, compassion, méthode, réalisation, ténacité.

Ayoub : Repentir (arabe). Ce prénom est assez répandu. Il est plutôt bien attribué aujourd'hui. Tendance : en croissance modérée. Variante : Ayoube. Caractérologie : énergie, innovation, autorité, ambition, gestion.

Azad : Noble, Libre (arménien). Ce prénom est très rare. Tendance : en croissance modérée. Caractérologie : découverte, audace, originalité, séduction, énergie.

Azedine : La religion est puissante (arabe). Ce prénom est rare. Tendance : stable. Variantes : Azdin, Azeddine. Caractérologie : énergie, autorité, innovation, ambition, résolution.

Aziz : Aimé, précieux, puissant (arabe). Ce prénom assez rare est très peu attribué aujourd'hui. Tendance : en croissance modérée. Variantes : Aaziz, Azize, Azouz, Azziz. Caractérologie : ambition, habileté, force, passion, management.

Azzedine : La religion est puissante (arabe). Ce prénom assez rare est très peu attribué aujourd'hui. Tendance : stable. Variantes : Azzdine, Azzedine. Caractérologie : ouverture d'esprit, rectitude, humanité, rêve, résolution.

Bachir : Qui annonce une bonne nouvelle (arabe). Ce prénom assez rare est très peu attribué aujourd'hui. Tendance : en croissance modérée. Caractérologie : dynamisme, courage, indépendance, organisation, curiosité.

Badr : Pleine lune, zénith (arabe). Ce prénom est rare. Tendance : en croissance modérée. Variantes : Bader, Badre. Caractérologie : intelligence, savoir, indépendance, méditation, sagesse.

Badredine : La religion à son zénith (arabe). Ce prénom est très rare. Tendance : en forte croissance. Variantes : Badradine, Badreddine. Caractérologie : vitalité, achèvement, stratégie, ardeur, résolution.

Bakar : Seul, unique (basque). Caractérologie : paix, bienveillance, sagesse, conscience, conseil.

Bakary : Patronyme répandu dans de nombreux pays d'Afrique. Ce prénom est rare. Tendance : stable. Variante : Bakari. Caractérologie : structure, persévérance, sécurité, efficacité, honnêteté.

Balthazar : Dieu protège le roi (grec). Ce prénom est rare. Tendance : en forte croissance. Variante : Balthasar. Caractérologie : habileté, force, ambition, passion, organisation.

Bao : Protection, précieux (vietnamien). Ce prénom est porté par moins de 100 personnes en France. Caractérologie : rectitude, humanité, générosité, ouverture d'esprit, rêve.

Baptiste : Immerger (grec). Ce prénom répandu figure dans le top 50 français aujourd'hui. Tendance : en croissance modérée. Caractérologie : diplomatie, sociabilité, détermination, réceptivité, loyauté.

Baptistin : Immerger (grec). Ce prénom est rare. Tendance : stable. Caractérologie : sociabilité, diplomatie, loyauté, réceptivité, résolution.

Barak : Eclair (hébreu). Variante : Barrak. Caractérologie : sens des responsabilités, influence, équilibre, exigence, famille.

Baran : Bélier (russe). Ce prénom est porté par moins de 100 personnes en France. Tendance : stable. Caractérologie : réflexion, altruisme, intégrité, idéalisme, décision.

Barclay : Bois de bouleau (anglais, irlandais). Caractérologie : vitalité, stratégie, achèvement, ardeur, gestion.

Barea : Fruit de mer (basque). Caractérologie : altruisme, intégrité, idéalisme, réflexion, détermination.

Barnabé : Fils du prophète (hébreu). Ce prénom est rare. Tendance : stable. Variantes basques : Barnaba, Barnabe. Caractérologie : savoir, intelligence, méditation, indépendance, résolution.

Barry : Aux cheveux clairs (irlandais). Ce prénom est porté par moins de 100 personnes en France. Variante : Barrie. Caractérologie : indépendance, audace, assurance, direction, dynamisme.

Barthélémy : Fils de Tolomai (hébreu). Ce prénom est assez répandu. Il est très peu attribué aujourd'hui. Tendance : stable. Variantes : Barthélémi, Bortolo. Variante basque : Bartolo. Variante occitane : Bertomieu. Caractérologie : audace, dynamisme, direction, réalisation, finesse.

Bartholomé : Fils de Tolomai (hébreu). Ce prénom est très rare. Tendance : en croissance modérée. Variantes : Bartolomé, Bartoloméo. Caractérologie : audace, finesse, direction, dynamisme, analyse.

Baruch : Béni (hébreu). Caractérologie : ardeur, achèvement, stratégie, gestion, vitalité.

Basile : Roi (grec). Ce prénom est assez répandu. Il est relativement peu attribué aujourd'hui. Tendance : stable. Variante : Basil. Variantes basques : Basilio, Bazil, Bazile. Caractérologie : optimisme, organisation, communication, pragmatisme, détermination.

Bassem : Celui qui sourit (arabe). Ce prénom est très rare. Tendance : stable. Variantes : Bassam, Bessem. Caractérologie : originalité, découverte, énergie, séduction, audace.

Bastian : Respecté, vénéré (grec). Ce prénom assez rare est relativement peu attribué aujourd'hui. Tendance : en forte croissance. En France, Bastian est plus traditionnellement usité en Bretagne. Caractérologie : pratique, communication, enthousiasme, adaptation, résolution.

Bastien : Respecté, vénéré (grec). Ce prénom répandu figure dans le top 50 français

aujourd'hui. Tendance : stable. Caractérologie : savoir, méditation, intelligence, indépendance, décision.

Batiste : Immerger (grec). Ce prénom est rare. Tendance : en forte croissance. Variante : Battista. Caractérologie : méthode, fiabilité, ténacité, engagement, décision.

Baudouin : Audacieux, amical (germanique). Ce prénom est rare. Tendance : stable. Variante : Baudoin. Caractérologie : volonté, bienveillance, paix, conscience, raisonnement.

Bay : Septième né, ou né au mois de juillet (vietnamien). Caractérologie : innovation, ambition, énergie, autorité, autonomie.

Bayard : Cheveux bruns (anglais). Ce prénom est porté par moins de 100 personnes en France. Variante : Baye. Caractérologie : famille, sens des responsabilités, équilibre, réalisation, influence.

Beaudoin : Audacieux, amical (germanique). Ce prénom est porté par moins de 100 personnes en France. Variante : Beaudouin. Caractérologie : force, ambition, volonté, analyse, habileté.

Béchir : Qui annonce les bonnes nouvelles (arabe). Ce prénom est rare. Tendance : en forte croissance. Caractérologie : rêve, humanité, ouverture d'esprit, rectitude, sensibilité.

Békir : Le premier (arabe). Ce prénom est très rare. Tendance : stable. Caractérologie : altruisme, idéalisme, intégrité, réflexion, dévouement.

Ben : Diminutif des prénoms assemblés avec Ben. Ce prénom assez rare est relativement peu attribué aujourd'hui. Tendance : en forte croissance. Caractérologie : généro-

B

sité, pratique, enthousiasme, adaptation, communication.

Benat : Courage, ours (germanique). Ce prénom basque est très rare. Caractérologie : conseil, bienveillance, conscience, paix, sagesse.

Benedetto : Béni (latin). Ce prénom est très rare. Variantes : Benedict, Benilde, Benito. Caractérologie : rectitude, ouverture d'esprit, humanité, rêve, caractère.

Bénigne : Bienveillant (latin). Ce prénom est porté par moins de 100 personnes en France. Caractérologie : intuition, relationnel, adaptabilité, médiation, fidélité.

Les prénoms masculins qui montent en France

Le palmarès des prénoms masculins est dominé par certaines terminaisons. Bon nombre d'entre elles se terminent en « o » (Enzo, Hugo), ou en « éo ». En effet, Matteo, Mathéo, Théo et Léo dominent le palmarès masculin. Il n'est pas étonnant que cette dominance favorise l'ascension de terminaisons inversées comme Noah, Noé et Néo.

Les consonances celtes, bretonnes et irlandaises que l'on croyait désavouées avec la chute de Dylan reviennent en force en 2005. Menées par Killian, les terminaisons en « an » permettent à Erwan, Loan, Ronan, Ryan, Nolan, Logan ou Evan de progresser de manière spectaculaire. D'autres prénoms en « an » grandissent également même s'ils n'ont pas de racines bretonnes ou irlandaises. Tel est le cas de Lilian et Esteban, Ethan, Nathan ou Yoan. Enfin les prénoms venus d'ailleurs sont également adoptés par quantité de parents à la recherche de sonorités nouvelles. Cette tendance a accéléré l'ascension des italiens Enzo et Matteo, elle pousse également les espagnols Mateo, Esteban et Pablo plus haut chaque année. Enfin, n'oublions pas la percée du grec Yanis, du slave Sacha, et des scandinaves Niels, Solveig et Sven.

Dans l'ensemble, les nouveaux prénoms qui montent sont courts. Ils sont en moyenne composés de deux syllabes et de six lettres. Cette tendance pousse des diminutifs comme Alex, Lou, Titouan, Tom, ou Théo vers le haut du palmarès français. En dehors des diminutifs, Lucas est en tête de palmarès et devance de peu Hugo et Enzo. D'autres petits noms attirent également l'attention. On peut notamment observer la percée d'Arthur, Evan, Léo, Maël, Mathis, Noah, Tanguy, Ryan et Yanis en France. On observe enfin que la plupart de ces prénoms sont jeunes : ils sont apparus en France dans les années 1980.

Par ailleurs, des prénoms classiques un peu oubliés reviennent et surprennent. C'est le cas d'Adam, Antonin, Adrien, Augustin, Baptiste, Emilien, Gabriel, Gaspard, Jules, Samuel, Victor et Simon qui reviennent de loin. Reste à souligner l'essor impressionnant de futurs candidats au top 50 : Ewan, Logan, Lorenzo, Sacha, Titouan et l'incontournable Noé. Mentionnons enfin quelques prénoms très rares qui présentent un fort potentiel : Eliott, Ethan, Liam, Loan, Oscar et Zacharie. Affaire à suivre...

Benjamin : Fils du Sud (hébreu). Ce prénom est très répandu. De plus, il figure dans le top 50 français aujourd'hui. Tendance : stable. Variantes : Benji, Bunyamin, Bunyamine. Caractérologie : audace, énergie, découverte, originalité, détermination.

Benoist : Béni (latin). Ce prénom assez rare est très peu attribué aujourd'hui. Tendance : stable. Caractérologie : créativité, pragmatisme, décision, optimisme, communication.

Benoît : Béni (latin). Ce prénom est très répandu. De plus, il figure dans le top 100 français aujourd'hui. Tendance : en décroissance modérée. Caractérologie : médiation, relationnel, fidélité, intuition, adaptabilité.

Benoni : Béni (latin). Ce prénom est très rare. Variante : Benony. Caractérologie : dynamisme, charisme, courage, curiosité, indépendance.

Béranger : Esprit, ours (germanique). Ce prénom est rare. Tendance : en décroissance modérée. Caractérologie : sagacité, connaissances, spiritualité, originalité, détermination.

Bérenger : Esprit, ours (germanique). Ce prénom assez rare est très peu attribué aujourd'hui. Tendance : stable. Variante occitane : Berengier. Caractérologie : intuition, relationnel, fidélité, médiation, adaptabilité.

Bernard : Courage, ours (germanique). Ce prénom est très répandu. Il est très peu attribué aujourd'hui. Tendance : en décroissance modérée. Variantes : Barnard, Bernat, Bernd, Bernhard, Bernie, Berny. Caractérologie : ambition, force, habileté, détermination, passion.

Bernardin : Courage, ours (germanique). Ce prénom est très rare. Caractérologie : décision, méthode, fiabilité, ténacité, engagement.

Bernardo : Courage, ours (germanique). Ce prénom est très rare. En dehors de la France, Bernardo est particulièrement répandu dans les pays hispanophones. Caractérologie : détermination, curiosité, dynamisme, volonté, courage.

Berthold : Commandeur éblouissant (germanique). Ce prénom est porté par moins de 100 personnes en France. Caractérologie : communication, pratique, finesse, enthousiasme, analyse.

Bertin : Brillant, corbeau (germanique). Ce prénom est très rare. Variante : Bertil. Caractérologie : dynamisme, curiosité, charisme, courage, indépendance.

Bertrand : Brillant, corbeau (germanique). Ce prénom répandu est peu attribué actuellement. Tendance : en décroissance modérée. Variantes : Belt, Beltig, Bertram, Bertranet, Bertranot. Variante basque : Bertran. Caractérologie : ambition, autorité, détermination, énergie, innovation.

Berty : Brillant, corbeau (germanique). Ce prénom est très rare. Variantes : Berthie, Bertie. Caractérologie : spiritualité, connaissances, originalité, philosophie, sagacité.

Béryl : Pierre précieuse vert pâle (grec). Ce prénom est porté par moins de 100 personnes en France. Caractérologie : stratégie, vitalité, ardeur, achèvement, compassion.

B

265

Bienvenu : Celui qui est bien aimé et bienvenu (latin). Ce prénom est très rare. Variantes : Benvenuto, Bienaimé, Bienbenido. Caractérologie : relationnel, médiation, fidélité, intuition, adaptabilité.

Bijan : Prénom persan ancien. Le poème Shah Nameh de Ferdowsi raconte l'histoire d'amour de Bijan, jeune guerrier perse, et de Manijeh, princesse byzantine. Caractérologie : rêve, humanité, rectitude, ouverture d'esprit, détermination.

Bilal : Eau, rafraîchissement (arabe). Ce prénom est assez répandu. Il figure dans le top 100 français aujourd'hui. Voir le zoom dédié à Bilal. Variantes : Belal, Bellal, Bilail, Bilale, Bilele, Bilhal, Billale, Bylel. Caractérologie : rectitude, rêve, humanité, ouverture d'esprit, gestion.

Bildad : Aimé (hébreu). Caractérologie : courage, curiosité, dynamisme, indépendance, organisation.

Bilel : Eau, rafraîchissement (arabe). Ce prénom assez rare est relativement peu attribué aujourd'hui. Tendance : en croissance modérée. Caractérologie : persévérance, structure, sécurité, efficacité, honnêteté.

Bill : Protecteur résolu (germanique). Ce prénom est porté par moins de 100 personnes en France. Caractérologie : achèvement, stratégie, leadership, ardeur, vitalité.

Billal : Eau, rafraîchissement (arabe). Ce prénom assez rare est relativement peu attribué aujourd'hui. Tendance : en forte croissance. Caractérologie : créativité, pragmatisme, gestion, communication, optimisme.

Billel : Eau, rafraîchissement (arabe). Ce prénom est rare. Tendance : en croissance modérée. Caractérologie : spiritualité, originalité, sagacité, connaissances, philosophie.

Billy : Protecteur résolu (germanique). Ce prénom assez rare est très peu attribué aujourd'hui. Tendance : stable. Variante : Bily. Caractérologie : équilibre, famille, sens des responsabilités, influence, exigence.

Bixente : Qui triomphe (latin). Ce prénom basque est très rare. Tendance : en forte croissance. Caractérologie : savoir, intelligence, méditation, sagesse, indépendance.

Bjorn : Ours (scandinave). Ce prénom est porté par moins de 100 personnes en France. Caractérologie : découverte, audace, énergie, originalité, décision.

Blaise : Qui balbutie (latin). Ce prénom assez rare est très peu attribué aujourd'hui. Tendance : stable. Variante : Blaize. Caractérologie : pratique, communication, décision, enthousiasme, gestion.

Blake : Foncé, ou clair (anglais). Caractérologie : fiabilité, ténacité, engagement, méthode, gestion.

Blanc : Clair (germanique). Variantes basques : Blanco, Blanko. Caractérologie : découverte, audace, énergie, originalité, organisation.

Bobby : Brillant, gloire (germanique). Ce prénom est très rare. Variantes : Bob, Boby. Caractérologie : autonomie, autorité, innovation, ambition, énergie.

Bogdan : Présent de Dieu (slave). Ce prénom est très rare. Tendance : en forte croissance.

BILAL

Fête : Pas de fête connue

Étymologie : Bilal est un prénom arabe qui signifie « eau, rafraîchissement ». Ce prénom, principalement usité dans les communautés musulmanes, est apparu pour la première fois en France en 1965. Il a mis du temps à s'affirmer, puisque ce n'est qu'à la fin des années 1980 que sa croissance s'est accélérée. Bilal est encore un prénom assez rare aujourd'hui, mais il progresse vite et pourrait véritablement percer demain. Il devrait d'ores et déjà figurer parmi les 100 prénoms les plus choisis en France. On peut même estimer que Bilal y sera attribué à plus de 800 nouveau-nés en 2005. Sa notoriété croissante a favorisé l'apparition de dix nouvelles variantes orthographiques : Belal, Bellal, Bilail, Bilale, Bilele, Bilhal, Billal, Billale, Billel et Bylel.

En dehors de la France, Bilal commence à émerger dans d'autres régions francophones. Au Québec, Bilal grandit tout doucement. En revanche, on s'attend à ce que sa notoriété s'étende plus vite en Belgique. En effet, si Bilal ne figure pas encore dans le palmarès des plus grands prénoms wallons, il était le 12e prénom le plus attribué de la capitale belge en 2002.

Dans l'histoire, **Bilal** est une personnalité importante de l'Islam. Noir affranchi, il devient vers l'an 600 le premier muezzin de l'Islam. Trésorier général de l'Islam, il participe également à l'administration de l'empire musulman durant toute la vie de Mahomet.
Personnalité célèbre : Enki Bilal, artiste, réalisateur et dessinateur. Ce Français d'origine yougoslave est aujourd'hui l'un des plus célèbres auteurs de bandes dessinées en France.
Statistique : Bilal est le 390e prénom masculin le plus attribué du XXe siècle en France.

B

267

Variante : Bodhan. Caractérologie : savoir, intelligence, méditation, volonté, réalisation.

Boguslaw : À la gloire de Dieu (slave). Ce prénom est porté par moins de 100 personnes en France. Variante : Boguslav. Caractérologie : compassion, organisation, innovation, autorité, énergie.

Bojan : Conflit (tchèque). Ce prénom est porté par moins de 100 personnes en France. Caractérologie : famille, équilibre, sens des responsabilités, influence, exigence.

Bonaventure : Chanceux (latin). Ce prénom est très rare. Caractérologie : diplomatie, sociabilité, analyse, volonté, réceptivité.

Boniface : Bonne figure, heureuse destinée (latin). Ce prénom est très rare. Caractérologie : détermination, autorité, énergie, innovation, raisonnement.

Borg : Qui vit dans un château (scandinave). Caractérologie : bienveillance, paix, conscience, sagesse, conseil.

Boris : Combattant, guerrier (slave). Ce prénom répandu est peu attribué actuellement. Tendance : en décroissance modérée. Boris est très répandu dans les pays slaves. Variantes : Borislav, Borris. Caractérologie : altruisme, réflexion, idéalisme, dévouement, intégrité.

Boualem : Chef, meneur de troupe (arabe). Ce prénom est rare. Tendance : en forte croissance. Variantes : Boualam, Bouhalem. Caractérologie : équilibre, famille, sens des responsabilités, gestion, caractère.

Boubacar : Petit chameau (arabe). Ce prénom est rare. Tendance : en croissance modérée. Variantes : Boubakar, Boubaker. Caractérologie : idéalisme, intégrité, altruisme, organisation, analyse.

Brad : Terrain déboisé (anglais). Ce prénom est très rare. Tendance : stable. Variantes : Bradan, Braden, Bradin. Caractérologie : spiritualité, connaissances, sagacité, philosophie, originalité.

Bradley : Terrain déboisé (anglais). Ce prénom est rare. Tendance : stable. Variantes : Bradleigh, Bradlie, Bradly, Brady. Caractérologie : ténacité, fiabilité, cœur, méthode, réussite.

Brahim : Père des nations (hébreu). Ce prénom est assez répandu. Il est relativement peu attribué aujourd'hui. Tendance : stable. Variantes : Braham, Brahima, Brahime. Caractérologie : famille, équilibre, sens des responsabilités, exigence, influence.

Branislav : Protection, gloire (slave). Ce prénom est porté par moins de 100 personnes en France. Caractérologie : habileté, ambition, force, organisation, détermination.

Brayan : Puissance, noblesse, respect (celte). Ce prénom assez rare est relativement peu attribué aujourd'hui. Tendance : stable. Variante : Brayane. Caractérologie : connaissances, sagacité, originalité, spiritualité, décision.

Brendan : Prince (celte). Épée (scandinave). Ce prénom assez rare est relativement peu attribué aujourd'hui. Tendance : stable. En France, Brendan est plus traditionnellement usité en Bretagne. Variante : Brandan. Caractérologie : méthode, ténacité, résolution, engagement, fiabilité.

Brendon : Épée (scandinave). Ce prénom est très rare. Tendance : en décroissance modérée. Variantes : Brandy, Brondon. Caractérologie : altruisme, idéalisme, intégrité, réflexion, volonté.

Brenton : Qui habite près d'une colline (celte). Variante : Brent. Caractérologie : sagacité, connaissances, spiritualité, originalité, philosophie.

Brett : Qui vient de Grande-Bretagne (latin). Ce prénom est porté par moins de 100 personnes en France. Variantes : Bret, Brit. Caractérologie : médiation, relationnel, intuition, adaptabilité, fidélité.

Briac : Puissance, noblesse, respect (celte). Ce prénom est rare. Tendance : stable. Caractérologie : gestion, bienveillance, conscience, paix, conseil.

Brian : Puissance, noblesse, respect (celte). Ce prénom est assez répandu. Il est relative-

Le palmarès des 100 prénoms masculins du XXe siècle

Les prénoms de ce palmarès sont classés par ordre décroissant d'attribution. Les trois prénoms les plus attribués du siècle dernier sont Jean, Pierre et André.

1. Jean	34. Stéphane	67. Eugène
2. Pierre	35. Sébastien	68. Roland
3. André	36. Guy	69. Kevin
4. Michel	37. David	70. Cédric
5. René	38. Albert	71. Joël
6. Marcel	39. Thierry	72. Hervé
7. Louis	40. Olivier	73. Patrice
8. Jacques	41. Lucien	74. Sylvain
9. Henri	42. Alexandre	75. Gabriel
10. Philippe	43. Antoine	76. Mathieu
11. Georges	44. Dominique	77. Gaston
12. Robert	45. Yves	78. Arnaud
13. Roger	46. Marc	79. Fabrice
14. Bernard	47. Didier	80. Emmanuel
15. Alain	48. Guillaume	81. Benjamin
16. Joseph	49. Émile	82. Clément
17. François	50. Serge	83. Auguste
18. Paul	51. Vincent	84. Jérémy
19. Claude	52. Bruno	85. Benoît
20. Maurice	53. Thomas	86. Ludovic
21. Daniel	54. Jean-Pierre	87. Adrien
22. Christian	55. Jérôme	88. Jules
23. Gérard	56. Gilbert	89. Damien
24. Patrick	57. Francis	90. Victor
25. Nicolas	58. Gilles	91. Xavier
26. Christophe	59. Franck	92. Mickaël
27. Frédéric	60. Maxime	93. Jean-Luc
28. Charles	61. Jean-Claude	94. Florian
29. Raymond	62. Fernand	95. Alexis
30. Julien	63. Romain	96. Fabien
31. Laurent	64. Denis	97. Alfred
32. Éric	65. Anthony	98. Édouard
33. Pascal	66. Léon	99. Jean-François
		100. Étienne

ment peu attribué aujourd'hui. Tendance : en décroissance modérée. Caractérologie : vitalité, stratégie, achèvement, décision, ardeur.

Brice : Tacheté, moucheté (celte). Ce prénom répandu est plutôt bien attribué aujourd'hui. Tendance : stable. Caractérologie : autorité, innovation, autonomie, ambition, énergie.

Brieg : Puissance, noblesse, respect (celte). Ce prénom breton est très rare. Tendance : en forte croissance. Variante : Briag. Caractérologie : curiosité, courage, dynamisme, indépendance, charisme.

Brieuc : Puissance, noblesse, respect (celte). Ce prénom breton est assez rare. Il est relativement peu attribué aujourd'hui. Tendance : en croissance modérée. Variante : Brieux. Caractérologie : engagement, fiabilité, méthode, ténacité, sens du devoir.

Brivael : Puissance, respect, prince (celte). Ce prénom breton est porté par moins de 100 personnes en France. Caractérologie : paix, détermination, bienveillance, organisation, conscience.

Broderick : Fils de grand gouverneur (gallois). Caractérologie : structure, volonté, analyse, persévérance, sécurité.

Bronislas : Protection, gloire (slave). Ce prénom est très rare. Caractérologie : autorité, innovation, détermination, raisonnement, énergie.

Bronislaw : Protection, gloire (slave). Ce prénom est très rare. Variantes : Bronislav, Brunislaw. Caractérologie : découverte, énergie, audace, décision, logique.

Bruce : Patronyme de lointaine ascendance normande et scandinave devenu prénom (écossais). Ce prénom assez rare est très peu attribué aujourd'hui. Tendance : stable. Caractérologie : ténacité, méthode, engagement, fiabilité, sens du devoir.

Bruno : Armure, couleur brune (germanique). Ce prénom est très répandu. Il est relativement peu attribué aujourd'hui. Tendance : en décroissance modérée. Bruno est très répandu en Italie. Variantes : Bruneau, Brunon, Brunot. Caractérologie : indépendance, intelligence, savoir, méditation, raisonnement.

Bryan : Puissance, noblesse, respect (celte). Ce prénom répandu figure dans le top 100 français aujourd'hui. Tendance : stable. Variante : Bryann. Caractérologie : bienveillance, paix, conscience, conseil, décision.

Bryce : Tacheté, moucheté (celte). Ce prénom est très rare. Tendance : en croissance modérée. Caractérologie : vitalité, achèvement, sympathie, ardeur, stratégie.

Burak : Aux dix mille sources (arménien). Ce prénom est très rare. Tendance : stable. Caractérologie : ardeur, vitalité, stratégie, achèvement, organisation.

Byron : Étable (anglais). Ce prénom est très rare. Tendance : stable. Caractérologie : intuition, relationnel, adaptabilité, médiation, fidélité.

Cadet : Prénom masculin révolutionnaire rendu célèbre grâce à la chanson Cadet Rousselle (1792). Ce prénom est porté par moins de 100 personnes en France. Caractérologie : famille, sens des responsabilités, influence, équilibre, organisation.

Caleb : Audacieux (hébreu). Caractérologie : dynamisme, curiosité, courage, indépendance, organisation.

Calhoun : Petit bois (irlandais). Variante : Colhoun. Caractérologie : réceptivité, bonté, diplomatie, sociabilité, loyauté.

Calixte : Le plus beau (grec). Ce prénom est rare. Tendance : en forte croissance. Variantes : Calix, Calliste, Callixte. Caractérologie : décision, réceptivité, sociabilité, logique, diplomatie.

Calvin : Chauve (latin). Ce prénom assez rare est relativement peu attribué aujourd'hui. Tendance : en croissance modérée. Caractérologie : savoir, indépendance, méditation, intelligence, décision.

Camel : Parfait, achevé (arabe). Ce prénom est rare. Variante : Camal. Caractérologie : méditation, indépendance, intelligence, sagesse, savoir.

Cameron : Nez crochu (écossais). Ce prénom est rare. Tendance : en forte croissance. Variante : Camerone. Caractérologie : volonté, raisonnement, équilibre, sens des responsabilités, famille.

Camille : Jeune assistant de cérémonies (étrusque). Ce prénom répandu est relativement peu attribué aujourd'hui. Tendance : en décroissance modérée. Variantes : Camil, Camillo, Camilo, Kamillo. Caractérologie :

énergie, innovation, ambition, résolution, autorité.

Candide : D'un blanc éclatant (latin). Ce prénom est très rare. Variante : Candido. Caractérologie : résolution, efficacité, structure, sécurité, persévérance.

Carl : Fort et viril (germanique). Ce prénom est assez répandu. Il est relativement peu attribué aujourd'hui. Tendance : stable. En France, Carl est plus traditionnellement usité en Alsace. Variante occitane : Carle. Caractérologie : sagesse, intelligence, méditation, savoir, indépendance.

Carlo : Fort et viril (germanique). Ce prénom assez rare est très peu attribué aujourd'hui. Tendance : en forte croissance. Carlo est très répandu en Italie. Caractérologie : méthode, raisonnement, ténacité, fiabilité, engagement.

Carlos : Fort et viril (germanique). Ce prénom est assez répandu. Il est très peu attribué aujourd'hui. Tendance : stable. Carlos est très répandu en Espagne et au Portugal. Variantes : Carles, Carlito. Caractérologie : audace, énergie, découverte, originalité, logique.

Carmelo : Vigne divine (hébreu). Ce prénom assez rare est très peu attribué aujourd'hui. Variantes : Carmel, Carmello. Caractérologie : sécurité, persévérance, caractère, structure, logique.

Carmine : Chanson, hymne (latin). Ce prénom est très rare. Variante : Carmin. Caractérologie : altruisme, intégrité, idéalisme, détermination, réflexion.

Carol : Fort et viril (germanique). Ce prénom est très rare. Variantes : Carolus, Caryl.

C

271

Caractérologie : fiabilité, ténacité, engagement, méthode, logique.

Casimir : Assemblée, paix (slave). Ce prénom est assez répandu. Il est très peu attribué aujourd'hui. Tendance : en forte croissance. Variantes : Casimiro, Casimo, Kasimir, Kazimir. Caractérologie : ouverture d'esprit, rêve, humanité, rectitude, générosité.

Cassandre : Qui aide les hommes (grec). Ce prénom est porté par moins de 100 personnes en France. Tendance : en croissance modérée. Dans la mythologie grecque, Cassandre est une prophétesse dont les prophéties ne furent pas prises au sérieux. Ce prénom existe au masculin mais il est, dans son immense majorité, attribué aux filles. Caractérologie : communication, optimisme, pragmatisme, créativité, résolution.

Cassidy : Intelligent (irlandais). Variantes : Cassie, Kassidy. Caractérologie : force, ambition, passion, habileté, réalisation.

Cassien : Vide (latin). Ce prénom est porté par moins de 100 personnes en France. Tendance : en forte croissance. Variante : Cassius. Caractérologie : connaissances, sagacité, spiritualité, originalité, détermination.

Cécil : Aveugle (latin). Ce prénom est très rare. Variantes : Cécilien, Cécilio. Caractérologie : dynamisme, curiosité, courage, indépendance, charisme.

Cédric : Chef de bataille (anglais). Ce prénom est très répandu. Il est plutôt bien attribué aujourd'hui. Tendance : en décroissance modérée. Variantes : Céderic, Cédrique, Cédrix, Cédryc, Ceydric, Sédric. Caractérologie : paix, sagesse, conscience, bienveillance, conseil.

Cédrick : Chef de bataille (anglais). Ce prénom assez rare est très peu attribué aujourd'hui. Tendance : en décroissance modérée. Caractérologie : habileté, force, ambition, passion, management.

Cédrik : Chef de bataille (anglais). Ce prénom est rare. Caractérologie : découverte, énergie, audace, originalité, séduction.

Célestin : Qui se rapporte au ciel (latin). Ce prénom est assez répandu. Il est relativement peu attribué aujourd'hui. Tendance : en croissance modérée. Variantes : Céleste, Celestino, Colestin. Caractérologie : paix, organisation, bienveillance, résolution, conscience.

Célian : Lune (grec). Ce prénom est rare. Tendance : en forte croissance. Caractérologie : ardeur, détermination, stratégie, achèvement, vitalité.

Célien : Lune (grec). Ce prénom est très rare. Tendance : stable. Caractérologie : adaptation, communication, pratique, générosité, enthousiasme.

Célio : Aveugle (latin). Ce prénom est très rare. Tendance : en forte croissance. Caractérologie : stratégie, achèvement, ardeur, vitalité, raisonnement.

Celo : La flamme (grec). Caractérologie : force, management, ambition, passion, habileté.

Cémil : Beau (arabe). Ce prénom est très rare. Variantes : Cem, Cemal. Caractérologie : sens des responsabilités, famille, équilibre, influence, exigence.

César : Tête aux cheveux longs (latin). Ce prénom est assez répandu. Il est relativement peu attribué aujourd'hui. Tendance : stable.

Variantes : Césaire, Césare. Caractérologie : dynamisme, audace, direction, indépendance, décision.

Ceslaw : Gloire immense (slave). Ce prénom est très rare. Variantes : Ceslas, Ceszlaw. Caractérologie : rectitude, rêve, humanité, ouverture d'esprit, générosité.

Ceylan : Prénom moderne mixte qui désigne le Sri Lanka. Ce prénom est porté par moins de 100 personnes en France. Caractérologie : conseil, conscience, compassion, bienveillance, paix.

Chabane : Se rapporte au huitième mois de l'année lunaire musulmane (arabe). Ce prénom est très rare. Caractérologie : spiritualité, connaissances, sagacité, finesse, organisation.

Chad : Bataille, guerrier (celte). Ce prénom est très rare. Tendance : en forte croissance. Caractérologie : sagacité, spiritualité, connaissances, originalité, philosophie.

Chadi : Au chant mélodieux (arabe). Ce prénom est très rare. Tendance : en décroissance modérée. Caractérologie : spiritualité, originalité, connaissances, sagacité, philosophie.

Chafik : Bienveillant (arabe). Ce prénom est très rare. Tendance : stable. Caractérologie : intuition, relationnel, médiation, raisonnement, organisation.

Chahine : Le roi des rois (arabe). Ce prénom est très rare. Tendance : en forte croissance. Chahine est également un prénom arménien d'origine persane. Variantes : Chahan, Chahin. Caractérologie : pratique, communication, enthousiasme, adaptation, résolution.

Chaï : Un présent (hébreu). Ce prénom est porté par moins de 100 personnes en France. Tendance : stable. Caractérologie : pratique, enthousiasme, communication, générosité, adaptation.

Chaïm : La vie (hébreu). Ce prénom est porté par moins de 100 personnes en France. Variante : Chaym. Caractérologie : méditation, savoir, intelligence, sagesse, indépendance.

Chaker : Reconnaissant (arabe). Ce prénom est très rare. Variantes : Chakir, Chakour, Chokri, Choukri. Caractérologie : audace, direction, sensibilité, dynamisme, détermination.

Chakib : Rétribution, don (arabe). Ce prénom est rare. Tendance : en croissance modérée. Caractérologie : originalité, gestion, connaissances, sagacité, spiritualité.

Chalom : Paix (hébreu). Ce prénom est très rare. Caractérologie : sagacité, connaissances, spiritualité, philosophie, originalité.

Cham : Travailleur assidu (vietnamien). Caractérologie : savoir, intelligence, méditation, indépendance, sagesse.

Chan : Arbuste aromatique (cambodgien). Ce prénom est porté par moins de 100 personnes en France. Caractérologie : ambition, management, habileté, passion, force.

Charef : De haut rang (arabe). Ce prénom est très rare. Variantes : Charaf, Charif, Sharif. Caractérologie : découverte, audace, énergie, détermination, raisonnement.

Charlélie : Combinaison de Charles et d'Élie. Ce prénom est très rare. Tendance : stable. Variante : Charlély. Caractérologie : innovation, autorité, énergie, ambition, décision.

Charlemagne : Dans l'histoire, Charlemagne est l'héritier du royaume de Pépin le Bref. Il est roi des Francs de 768 à 814 et empereur d'Occident de 800 à 814. Ce prénom est très rare. Caractérologie : bienveillance, paix, conscience, réalisation, ressort.

Charles : Fort et viril (germanique). Ce prénom est très répandu. De plus, il figure dans le top 100 français aujourd'hui. Tendance : stable. Variantes : Charle, Charlet, Charlot. Variantes basques : Karol, Thales. Caractérologie : détermination, communication, pragmatisme, optimisme, créativité.

Charles-Antoine : Prénom composé de Charles et d'Antoine. Ce prénom est rare. Tendance : en décroissance modérée. Caractérologie : rêve, rectitude, humanité, finesse, analyse.

Charles-Édouard : Prénom composé de Charles et d'Édouard. Ce prénom assez rare est très peu attribué aujourd'hui. Tendance : stable. Caractérologie : vitalité, achèvement, stratégie, volonté, raisonnement.

Charles-Élie : Prénom composé de Charles et d'Élie. Ce prénom est très rare. Tendance : stable. Caractérologie : résolution, spiritualité, sagacité, originalité, connaissances.

Charles-Henri : Prénom composé de Charles et de Henri. Ce prénom assez rare est très peu attribué aujourd'hui. Tendance : en décroissance modérée. Caractérologie : pratique, communication, adaptation, enthousiasme, décision.

Charles-Louis : Prénom composé de Charles et de Louis. Ce prénom est très rare.

Tendance : en forte croissance. Caractérologie : connaissances, logique, sagacité, spiritualité, décision.

Charley : Fort et viril (germanique). Ce prénom est rare. Tendance : en forte décroissance. Caractérologie : sympathie, altruisme, idéalisme, intégrité, ressort.

Charlie : Fort et viril (germanique). Ce prénom est assez répandu. Il est relativement peu attribué aujourd'hui. Tendance : stable. Variante : Charli. Caractérologie : médiation, relationnel, intuition, fidélité, détermination.

Charly : Fort et viril (germanique). Ce prénom répandu est plutôt bien attribué aujourd'hui. Tendance : stable. Caractérologie : structure, sécurité, persévérance, efficacité, action.

Cheick : Le maître que l'expérience a rempli de sagesse (arabe). Ce prénom est très rare. Tendance : en forte croissance. Variantes : Cheik, Cheikh. Caractérologie : enthousiasme, pratique, communication, adaptation, finesse.

Chems : Soleil (arabe). Ce prénom est porté par moins de 100 personnes en France. Tendance : stable. Variantes : Chams, Shams. Caractérologie : optimisme, pragmatisme, communication, créativité, sociabilité.

Chems-Eddine : Prénom composé de Chems et d'Eddine. Ce prénom est très rare. Tendance : en croissance modérée. Caractérologie : habileté, force, ambition, passion, détermination.

Chérif : De haut rang (arabe). Ce prénom assez rare est très peu attribué aujourd'hui.

Tendance : stable. Variantes : Chériff, Sherif. Caractérologie : ténacité, fiabilité, engagement, méthode, logique.

Chi : Nouvelle génération (chinois). Ce prénom est porté par moins de 100 personnes en France. Caractérologie : intuition, médiation, relationnel, adaptabilité, fidélité.

Chiheb : Étoile (arabe). Ce prénom est porté par moins de 100 personnes en France. Variante : Chihab. Caractérologie : vitalité, stratégie, ardeur, achèvement, finesse.

Chiraz : Lion (arménien). Caractérologie : intuition, relationnel, médiation, fidélité, adaptabilité.

Chrétien : Messie (grec). Ce prénom est très rare. En France, Chrétien est plus traditionnellement usité en Alsace. Caractérologie : direction, indépendance, dynamisme, attention, audace.

Chris : Diminutif des prénoms assemblés avec Chris. Ce prénom assez rare est relativement peu attribué aujourd'hui. Tendance : stable. Variante : Chrys. Caractérologie : pratique, communication, enthousiasme, adaptation, générosité.

Christ : Diminutif des prénoms assemblés avec Christ. Ce prénom est très rare. Tendance : en forte croissance. Caractérologie : énergie, découverte, audace, organisation, originalité.

Christian : Messie (grec). Ce prénom est très répandu. Il est relativement peu attribué aujourd'hui. Tendance : stable. Christian est très répandu en Allemagne. Variantes : Christel, Christiaen, Christien, Christin, Kristian. Caractérologie : relationnel, décision, intuition, attention, médiation.

Christoph : Porte-Christ (grec). Ce prénom est très rare. Caractérologie : achèvement, vitalité, action, stratégie, raisonnement.

Christophe : Porte-Christ (grec). Ce prénom est très répandu. Il est relativement peu attribué aujourd'hui. Tendance : en décroissance modérée. Variantes : Christo, Christobal, Christos, Christy, Chrystophe. Caractérologie : persévérance, sécurité, finesse, analyse, structure.

Christopher : Porte-Christ (grec). Ce prénom répandu est plutôt bien attribué aujourd'hui. Tendance : en décroissance modérée. Christopher devrait figurer dans le top 10 américain en 2004. Variantes : Christofer, Chrystopher, Kristofer. Caractérologie : logique, méthode, ténacité, fiabilité, attention.

Cicéron : Homme d'État et orateur célèbre romain (106 av. J.-C). Caractérologie : fiabilité, raisonnement, ténacité, engagement, méthode.

Clair : Illustre (latin). Ce prénom est très rare. Caractérologie : méditation, sagesse, intelligence, savoir, indépendance.

Clancy : Descendant (irlandais). Caractérologie : engagement, ténacité, méthode, fiabilité, sympathie.

Clarence : Illustre (latin). Ce prénom est très rare. Tendance : en forte croissance. Variante : Clarius. Caractérologie : sagacité, connaissances, spiritualité, originalité, résolution.

Clark : Secrétaire, clerc (anglais). Ce prénom est porté par moins de 100 personnes en France. Caractérologie : humanité, rectitude, organisation, ouverture d'esprit, rêve.

Claude : Boiteux (latin). Ce prénom est très répandu. Il est peu attribué actuellement. Tendance : en décroissance modérée. Variantes : Claudie, Claudien, Claudino, Claudius, Clodius. Caractérologie : audace, direction, indépendance, dynamisme, assurance.

Claudio : Boiteux (latin). Ce prénom assez rare est très peu attribué aujourd'hui. Tendance : en croissance modérée. Caractérologie : réceptivité, sociabilité, diplomatie, raisonnement, loyauté.

Claudy : Boiteux (latin). Ce prénom est rare. Variantes occitanes : Claudi, Glaudi. Variantes basques : Kauldi, Klaudi, Klaudio. Caractérologie : pratique, communication, adaptation, réalisation, enthousiasme.

Clayton : Qui habite sur un sol d'argile (anglais). Ce prénom est très rare. Tendance : en forte croissance. Variante : Clay. Caractérologie : altruisme, idéalisme, organisation, intégrité, compassion.

Clément : Douceur, bonté (latin). Ce prénom est très répandu. De plus, il figure dans le top 50 français aujourd'hui. Voir le zoom dédié à Clément. Variante : Clémenceau. Variante corse : Clemente. Caractérologie : altruisme, idéalisme, intégrité, réflexion, dévouement.

Clémentin : Douceur, bonté (latin). Ce prénom est très rare. Tendance : stable. Caractérologie : dynamisme, indépendance, curiosité, courage, charisme.

Cléo : Gloire, célébrité (grec). Ce prénom est très rare. Tendance : en croissance modérée. Caractérologie : achèvement, leadership, vitalité, stratégie, ardeur.

Cléophas : Célébration (grec). Ce prénom est porté par moins de 100 personnes en France. Caractérologie : connaissances, sagacité, spiritualité, cœur, originalité.

Cliff : Falaise (anglais). Ce prénom est très rare. Caractérologie : réflexion, intégrité, altruisme, raisonnement, idéalisme.

Clifford : Ville proche d'une falaise (anglais). Ce prénom est très rare. Caractérologie : indépendance, audace, direction, dynamisme, logique.

Clint : Village sur une colline (anglo-saxon). Ce prénom est porté par moins de 100 personnes en France. Variante : Clinton. Caractérologie : honnêteté, structure, efficacité, persévérance, sécurité.

Clotaire : Gloire, puissance (germanique). Ce prénom assez rare est très peu attribué aujourd'hui. Tendance : stable. Variante : Clothaire. Caractérologie : réceptivité, sociabilité, diplomatie, raisonnement, détermination.

Clovis : Illustre au combat (germanique). Ce prénom est assez répandu. Il est relativement peu attribué aujourd'hui. Tendance : en croissance modérée. Caractérologie : vitalité, achèvement, ardeur, stratégie, logique.

Clyde : Qui habite près de la rivière Clyde (celte). Ce prénom est très rare. Tendance : stable. Caractérologie : persévérance, sécurité, structure, sympathie, efficacité.

Cody : Coussin (anglo-saxon). Ce prénom est très rare. Tendance : stable. Variante : Coddy. Caractérologie : réceptivité, sociabilité, loyauté, diplomatie, bonté.

CLÉMENT

Fête : 23 novembre

Étymologie : du latin *clemens* : douceur, bonté. La renommée de ce prénom est immense, en partie parce qu'il a été porté par quatorze papes. En France, Clément est particulièrement répandu au Moyen Âge, puis il se fait plus discret. Moyennement attribué au XIXᵉ siècle, il se fait presque oublier de 1930 à 1980. Heureusement, la loi qui régit les cycles de mode l'aide à revenir dans les années 1990. Aujourd'hui, il est même devenu l'un des prénoms préférés des parents. Cependant, sa courbe de croissance montre des signes d'essoufflement. Il se pourrait donc que Clément ait atteint son apogée. En attendant confirmation, ce prénom pourrait être attribué à plus de 4 500 Français en 2005. Ceci devrait lui permettre de se maintenir dans le peloton des 20 premiers prénoms de l'Hexagone.

Notons que Clémence, son équivalent féminin, a pris son envol à ses côtés en 1985 et qu'elle le suivra sans doute dans son déclin. Par ailleurs, Clément est peu usité dans les régions francophones suisse et québécoise. Il fait bien mieux en Belgique où il se rapproche des portes du top 30 wallon. À noter : Clement est un patronyme assez répandu en France. Le joueur de tennis français Arnaud Clement est sans doute le plus célèbre d'entre eux.

Clément VII est un pape italien (1478-1534). Il est particulièrement connu pour avoir autorisé le divorce de Henri VIII. Le pape excommunie le roi anglais pour avoir répudié sa femme Catherine d'Aragon. Cette action est à l'origine du schisme anglican.

Saint Clément est le patron des bateliers et des marins.

Statistique : Clément est le 82ᵉ prénom masculin le plus attribué du XXᵉ siècle en France.

C

277

Colas : Victoire du peuple (grec). Ce prénom est rare. Tendance : en forte croissance. Caractérologie : curiosité, dynamisme, courage, charisme, indépendance.

Colbert : Cou (latin). Ce prénom est très rare. Caractérologie : communication, pratique, enthousiasme, adaptation, analyse.

Colby : Ville minière (anglais). Caractérologie : pratique, communication, adaptation, enthousiasme, générosité.

Coleman : Mineur (anglais). Variantes : Cole, Colman. Caractérologie : rêve, rectitude, humanité, volonté, ouverture d'esprit.

Colin : Victoire du peuple (grec). Ce prénom est assez répandu. Il est relativement peu attribué aujourd'hui. Tendance : en forte croissance. Variante : Collin. Variante basque : Kolin. Caractérologie : habileté, ambition, force, raisonnement, passion.

Colomban : La colombe (latin). Ce prénom corse est porté par moins de 100 personnes en France. Caractérologie : organisation, optimisme, communication, pragmatisme, volonté.

Côme : Ordre, harmonie, univers (grec). Ce prénom assez rare est relativement peu attribué aujourd'hui. Tendance : en croissance modérée. Caractérologie : rêve, humanité, rectitude, ouverture d'esprit, volonté.

Cong : Intelligent (chinois). Ce prénom est porté par moins de 100 personnes en France. Caractérologie : créativité, communication, pragmatisme, sympathie, optimisme.

Conogan : Blanc, courage (breton). Caractérologie : compassion, conseil, conscience, paix, bienveillance.

Conrad : Conseiller courageux (germanique). Ce prénom est très rare. Tendance : en décroissance modérée. Variantes : Conrado, Corado. Caractérologie : dynamisme, volonté, direction, raisonnement, audace.

Constant : Constant (latin). Ce prénom est assez répandu. Il est relativement peu attribué aujourd'hui. Tendance : stable. Variante : Constans. Caractérologie : intelligence, savoir, indépendance, gestion, méditation.

Constantin : Constant (latin). Ce prénom assez rare est peu attribué actuellement. Tendance : stable. Variantes : Constantino, Costa, Costantino. Caractérologie : communication, pragmatisme, optimisme, résolution, analyse.

Consuelo : Consolation (espagnol). Ce prénom est porté par moins de 100 personnes en France. Caractérologie : audace, découverte, énergie, originalité, séduction.

Corentin : Ami (celte). Ce prénom répandu figure dans le top 50 français aujourd'hui. Tendance : stable. Variantes : Coranthin, Corantin, Corentyn. Caractérologie : achèvement, vitalité, stratégie, raisonnement, ardeur.

Cornelis : Cornu, corneille (latin). Ce prénom est porté par moins de 100 personnes en France. Variantes : Corneille, Cornelius, Cornil, Korneli. Caractérologie : détermination, dynamisme, curiosité, courage, raisonnement.

Corto : Petit (espagnol). Ce prénom est très rare. Tendance : stable. Caractérologie : force, ambition, habileté, passion, raisonnement.

Corwin : Ami intime (anglais). Ce prénom est porté par moins de 100 personnes en France. Variantes : Corwinn, Corwyn, Corwynn. Caractérologie : énergie, autorité, innovation, raisonnement, ambition.

Cory : Ravin, crevasse (irlandais). Ce prénom est porté par moins de 100 personnes en France. Tendance : en décroissance modérée. À noter : Cory est un prénom mixte dont la notoriété est tout aussi discrète au féminin. Seule son étymologie diffère pour les filles (voir Corinne). Variante : Corey. Caractérologie : savoir, méditation, logique, indépendance, intelligence.

Cosme : Ordre, harmonie, univers (grec). Ce prénom est très rare. Tendance : stable. Caractérologie : innovation, autorité, volonté, ambition, énergie.

Le palmarès des prénoms composés en 2005

Ci-dessous le top 20 des prénoms composés masculins, estimé pour l'année 2005. Le classement a été effectué par ordre décroissant d'attribution.

1. Jean-Baptiste
2. Pierre-Louis
3. Mohamed-Amine
4. Léo-Paul
5. Pierre-Antoine
6. Marc-Antoine
7. Jean-Philippe

8. Mohamed-Ali
9. Jean-François
10. Jean-Paul
11. Jean-Charles
12. Marc-Olivier
13. Louis-Marie
14. Paul-Émile

15. Jean-Pierre
16. Mohamed-Lamine
17. Pierre-Alexandre
18. Jean-Christophe
19. Jean-Gabriel
20. Abdel-Aziz

Commentaires et observations :

L'année 2005 est celle des changements. Pas moins de trois prénoms viennent d'entrer dans ce palmarès. Ils s'y sont imposés aux dépens des classiques Jean-Marie, Jean-Michel, et du plus jeune François-Xavier. Quatrième du top 20, le jeune Léo-Paul grandit toujours même si sa progression reste à confirmer. La position dominante de Jean-Baptiste est quant à elle peu menacée par Pierre-Louis. On note que les prénoms composés par Antoine sont relativement récents. Contemporains de Jean-Baptiste, ces derniers ont connu leur apogée au début des années 1990 et font bonne figure dans ce hit-parade.

Il peut paraître surprenant que Jean-Baptiste soit le seul composé qui ait sa place dans le top 200 français. Les formes composées ont décidément moins la cote aujourd'hui que dans les années 1950. Pareil constat s'applique d'ailleurs aux autres pays de la zone francophone, à l'exception notable du Québec (lire l'article page 341 pour en savoir plus).

De retour en France, on note le regain d'intérêt pour les prénoms masculins composés de Marie, phénomène remarquable lorsque l'on considère que Marie est aujourd'hui presque exclusivement féminin. Par ailleurs, nous saluons l'arrivée de trois nouveaux prénoms dans ce palmarès : Mohamed-Amine, Mohamed-Ali et Jean-Gabriel. La plus grande révélation de l'année est Mohamed-Amine. La croissance de ce dernier est telle qu'il s'est directement imposé en 3e position.

De manière plus générale, des changements sont à anticiper pour les années à venir. Il faudra en effet s'attendre à la chute de ceux qui ont longtemps été des valeurs sûres. Jean-Christophe et Jean-Pierre déclinent un peu plus chaque année. Ils pourraient quitter ce palmarès prochainement. À noter enfin la quasi-disparition des plus grands prénoms composés du XXe siècle. Ainsi, Jean-Claude et Jean-Luc ne figurent plus dans le palmarès des 20 prénoms composés français.

C

279

Court : Court de justice (anglais). Ce prénom est très rare. Variantes : Courte, Courtlin. Caractérologie : courage, dynamisme, curiosité, indépendance, analyse.

Craig : Rocher (irlandais). Ce prénom est très rare. Caractérologie : diplomatie, loyauté, réceptivité, bonté, sociabilité.

Crépin : Crépu (latin). Ce prénom est porté par moins de 100 personnes en France. Variante occitane : Crispin. Caractérologie : relationnel, intuition, médiation, fidélité, cœur.

Crescent : Croître (latin). Ce prénom est porté par moins de 100 personnes en France. Variante : Crescence. Caractérologie : paix, bienveillance, organisation, conscience, détermination.

Cristian : Messie (grec). Ce prénom est très rare. Variante : Cristiano. Variante occitane : Crestian. Caractérologie : pratique, communication, gestion, décision, enthousiasme.

Cristobal : Porte-Christ (grec). Ce prénom est très rare. Caractérologie : rêve, rectitude, humanité, gestion, logique.

Cristophe : Porte-Christ (grec). Ce prénom est très rare. Variantes : Cristofe, Cristopher, Cristovao. Caractérologie : découverte, énergie, attention, audace, logique.

Curt : Enclos (latin). Ce prénom est très rare. Caractérologie : ambition, passion, habileté, force, management.

Curtis : Enclos (latin). Ce prénom est rare. Tendance : en croissance modérée. Variante : Kurtis. Caractérologie : idéalisme, altruisme, réflexion, organisation, intégrité.

Cyprien : Qui vient de Chypre (grec). Ce prénom est assez répandu. Il est relativement peu attribué aujourd'hui. Tendance : stable. Variantes : Ciprian, Cipriano, Ciprien, Cyprian, Cypriano. Caractérologie : idéalisme, altruisme, compassion, intégrité, réflexion.

Cyr : Seigneur (grec). Ce prénom est très rare. Caractérologie : ambition, autorité, innovation, énergie, autonomie.

Cyrano : Habitant de Cyrène, ancienne ville grecque. Cyrano est également le prénom du héros romantique de Cyrano de Bergerac, d'Edmond Rostand (1897). Ce prénom est porté par moins de 100 personnes en France. Caractérologie : ténacité, fiabilité, méthode, compassion, raisonnement.

Cyrian : Seigneur (grec). Ce prénom est très rare. Tendance : en forte croissance. Caractérologie : intelligence, savoir, méditation, décision, cœur.

Cyriaque : Seigneur (grec). Ce prénom assez rare est très peu attribué aujourd'hui. Tendance : en croissance modérée. Variantes : Cyriac, Cyrius. Variante basque : Ziriako. Caractérologie : humanité, rectitude, cœur, action, rêve.

Cyriel : Seigneur (grec). Ce prénom est porté par moins de 100 personnes en France. Caractérologie : idéalisme, altruisme, réflexion, intégrité, cœur.

Cyril : Seigneur (grec). Ce prénom répandu est plutôt bien attribué aujourd'hui. Tendance : en décroissance modérée. Caractérologie : persévérance, structure, honnêteté, sécurité, efficacité.

Cyrille : Seigneur (grec). Ce prénom répandu est très peu attribué aujourd'hui. Tendance : en décroissance modérée. Variantes : Ciryl, Cyrile. Caractérologie : communication, pragmatisme, optimisme, cœur, créativité.

Cyrus : Soleil (perse). Ce prénom est très rare. Tendance : en forte croissance. Variante : Cyrius. Caractérologie : courage, dynamisme, indépendance, charisme, curiosité.

Daegan : Journée lumineuse (scandinave). Variantes : Daeg, Dag, Dagane, Dagen. Caractérologie : dynamisme, courage, curiosité, indépendance, réalisation.

Daël : Vallée (anglais). Caractérologie : ténacité, fiabilité, méthode, sens du devoir, engagement.

Dagan : Grains (hébreu). Variante : Dagane. Caractérologie : rêve, humanité, rectitude, réalisation, ouverture d'esprit.

Daï : Grand (japonais). Caractérologie : charisme, curiosité, dynamisme, courage, indépendance.

Dale : Vallée (anglais). Ce prénom est porté par moins de 100 personnes en France. Caractérologie : structure, sécurité, persévérance, honnêteté, efficacité.

Daley : Fils de l'assemblée (irlandais). Caractérologie : relationnel, réussite, médiation, cœur, intuition.

Dalil : Guide (arabe). Ce prénom est très rare. Tendance : en croissance modérée. Caractérologie : diplomatie, sociabilité, réceptivité, bonté, loyauté.

Dalmar : La mer (latin). Caractérologie : fiabilité, ténacité, sens du devoir, méthode, engagement.

Damase : Nom d'un saint qui fut élu pape à Rome en 366. Ce prénom est porté par moins de 100 personnes en France. Caractérologie : spiritualité, sagacité, connaissances, philosophie, originalité.

Damian : Dompter (grec). Ce prénom est très rare. Tendance : en croissance modérée. Variante : Damiano. Caractérologie : conseil, bienveillance, paix, décision, conscience.

Damien : Dompter (grec). Ce prénom est très répandu. De plus, il figure dans le top 50 français aujourd'hui. Tendance : stable. Variantes : Damiens, Damon. Caractérologie : autorité, innovation, ambition, énergie, décision.

Dan : Il fait justice (hébreu). Ce prénom assez rare est relativement peu attribué aujourd'hui. Tendance : stable. Variantes : Dane, Dann. Caractérologie : direction, audace, indépendance, dynamisme, assurance.

Dang : Nom de famille (vietnamien). Ce prénom est porté par moins de 100 personnes en France. Caractérologie : force, ambition, habileté, passion, réalisation.

Danick : L'étoile du matin (slave). Ce prénom est porté par moins de 100 personnes en France. Caractérologie : conscience, organisation, paix, bienveillance, détermination.

Daniel : Dieu est mon juge (hébreu). Ce prénom est très répandu. Il est plutôt bien attribué aujourd'hui. Tendance : stable. Daniel devrait figurer dans le top 10 allemand, anglais, américain et espagnol en

2004. Variantes : Danaël, Danijel, Danillo, Danilo, Danyl. Caractérologie : intégrité, idéalisme, réflexion, altruisme, résolution.

Danny : Dieu est mon juge (hébreu). Ce prénom assez rare est peu attribué actuellement. Tendance : stable. Caractérologie : persévérance, structure, sécurité, efficacité, réalisation.

Dante : Endurant (latin). Ce prénom est rare. Tendance : stable. Variante : Dantes. Caractérologie : ambition, habileté, management, force, passion.

Danton : Nom de l'homme politique français (1759-1794). Ce prénom est porté par moins de 100 personnes en France. Caractérologie : courage, curiosité, dynamisme, caractère, indépendance.

Dany : Dieu est mon juge (hébreu). Ce prénom répandu est relativement peu attribué aujourd'hui. Tendance : stable. Variante : Dani. Caractérologie : achèvement, vitalité, réussite, stratégie, ardeur.

Daoud : Aimé, chéri (hébreu). Ce prénom est très rare. Tendance : en forte croissance. Caractérologie : rêve, rectitude, générosité, humanité, ouverture d'esprit.

Daouda : Aimé, chéri (hébreu). Ce prénom est rare. Tendance : stable. Caractérologie : innovation, autorité, énergie, ambition, autonomie.

Dara : Chêne (irlandais). Ce prénom est très rare. Caractérologie : bienveillance, conscience, paix, conseil, sagesse.

Darcy : Homme au teint mat (irlandais). Variante : Darcie. Caractérologie : bienveillance, conscience, réussite, paix, conseil.

Dario : Détenteur du bien (latin). Ce prénom est rare. Tendance : en forte croissance. Caractérologie : relationnel, intuition, adaptabilité, médiation, fidélité.

Darius : Détenteur du bien (latin). Ce prénom est très rare. Tendance : en forte croissance. À noter : Darius est une forme latine du perse antique Daraya-Vahu. Caractérologie : humanité, ouverture d'esprit, rectitude, rêve, générosité.

Daron : Nom d'une province historique d'Arménie (arménien). Caractérologie : connaissances, sagacité, spiritualité, détermination, volonté.

Darren : Grand (irlandais). Ce prénom est très rare. Tendance : en croissance modérée. Variante : Daren. Caractérologie : famille, résolution, équilibre, influence, sens des responsabilités.

Daryl : Aimé (anglo-saxon). Ce prénom est très rare. Tendance : stable. Variantes : Darrel, Darryl. Caractérologie : équilibre, famille, influence, sens des responsabilités, réalisation.

Dave : Aimé, chéri (hébreu). Ce prénom est rare. Tendance : en forte décroissance. Caractérologie : dynamisme, curiosité, courage, charisme, indépendance.

David : Aimé, chéri (hébreu). Ce prénom est très répandu. De plus, il figure dans le top 100 français aujourd'hui. Tendance : stable. David devrait figurer dans le top 10 espagnol, suisse et irlandais en 2004. Variantes : Daivy, Deve. Caractérologie : engagement, ténacité, méthode, sens du devoir, fiabilité.

Davide : Aimé, chéri (hébreu). Ce prénom est rare. Tendance : stable. Davide devrait figurer dans le top 10 italien en 2004. Caractérologie : rêve, ouverture d'esprit, rectitude, décision, humanité.

Davis : Fils de David (anglais). Ce prénom est très rare. Tendance : en croissance modérée. Variantes : Davidson, Davison. Caractérologie : direction, dynamisme, audace, assurance, indépendance.

Davut : Aimé, chéri (hébreu). Ce prénom est très rare. Caractérologie : audace, énergie, originalité, gestion, découverte.

Davy : Aimé, chéri (hébreu). Ce prénom est assez répandu. Il est relativement peu attribué aujourd'hui. Tendance : stable. Caractérologie : sagacité, connaissances, spiritualité, réussite, originalité.

Dawid : Élancé, protecteur (arabe). Caractérologie : curiosité, dynamisme, courage, indépendance, résolution.

Dawson : Aimé, chéri (hébreu). Ce prénom est rare. Tendance : en forte croissance. Dowson est un nouveau prénom : il a été attribué au premier nouveau-né français en 1999. La série Dowson, apparue sur TF1 en janvier 1999 a très vraisemblablement influencé quelques parents. Variante : Dowson. Caractérologie : efficacité, persévérance, sécurité, structure, caractère.

Dean : Divin (latin). Ce prénom est très rare. Tendance : stable. Caractérologie : exigence, influence, famille, équilibre, sens des responsabilités.

Delane : Enfant de rival (irlandais). Variantes : Delaine, Delainey, Delan, Delaney, Delano, Delayno. Caractérologie : découverte, énergie, audace, séduction, originalité.

Delmar : La mer (latin). Variantes : Delmor, Delmore. Caractérologie : habileté, passion, force, détermination, ambition.

Delphin : Dauphin (latin). Ce prénom est très rare. Tendance : en forte croissance. À noter : la variante Delphe est un prénom masculin assez connu en Belgique mais rarissime en France. Variante : Dauphin. Variante basque : Delfin. Caractérologie : audace, énergie, découverte, cœur, action.

Demetre : Amoureux de la terre (grec). Ce prénom est porté par moins de 100 personnes en France. Variantes : Démétrien, Demetrios, Demetrius. Caractérologie : intelligence, savoir, sagesse, méditation, indépendance.

Denis : Fils de Dieu (grec). Ce prénom est très répandu. Il est relativement peu attribué aujourd'hui. Tendance : stable. Denis se rapporte à Dionysos, dieu du Vin dans la mythologie grecque. Il est aussi appellé Bacchus par les Romains. Caractérologie : bienveillance, paix, conseil, détermination, conscience.

Deniz : Fils de Dieu (grec). Ce prénom est rare. Tendance : stable. Caractérologie : structure, sécurité, persévérance, efficacité, honnêteté.

Denovan : Puissant gouverneur (celte). Ce prénom est très rare. Tendance : stable. Caractérologie : pratique, communication, adaptation, caractère, enthousiasme.

Denys : Fils de Dieu (grec). Ce prénom assez rare est très peu attribué aujourd'hui. Tendance : en forte croissance. Variantes : Dennis, Dennys, Deny. Caractérologie : méthode, fiabilité, engagement, ténacité, réalisation.

D

283

Derek : Gouverneur du peuple (germanique). Ce prénom est très rare. Tendance : en décroissance modérée. Variantes : Darrick, Darrik, Darryk, Dereck, Derrick. Caractérologie : savoir, intelligence, indépendance, méditation, sagesse.

Désiré : Désiré (latin). Ce prénom est assez répandu. Il est très peu attribué aujourd'hui. Tendance : stable. Variantes : Désir, Désirat. Caractérologie : conseil, paix, bienveillance, détermination, conscience.

Desmond : Homme du monde (celte). Ce prénom est porté par moins de 100 personnes en France. Caractérologie : réceptivité, diplomatie, sociabilité, caractère, loyauté.

Devin : Poète (celte). Caractérologie : idéalisme, intégrité, réflexion, dévouement, altruisme.

Devon : Bœuf (irlandais). Ce prénom est porté par moins de 100 personnes en France. Variante : Davon. Caractérologie : conscience, bienveillance, paix, conseil, volonté.

Devrig : Petit cours d'eau (gallois). Ce prénom breton est porté par moins de 100 personnes en France. Caractérologie : relationnel, médiation, intuition, fidélité, adaptabilité.

Devy : Aimé, chéri (hébreu). Ce prénom est très rare. Tendance : en croissance modérée. Variante : Dewi. Caractérologie : médiation, relationnel, intuition, fidélité, adaptabilité.

Dewitt : Blanc (germanique). Caractérologie : rectitude, rêve, humanité, ouverture d'esprit, générosité.

Dick : Puissant gouverneur (celte). Variante : Dix. Caractérologie : rectitude, ouverture d'esprit, rêve, humanité, générosité.

Didier : Désiré, attendu (latin). Ce prénom est très répandu. Il est très peu attribué aujourd'hui. Tendance : en décroissance modérée. Variante : Diadie. Caractérologie : persévérance, sécurité, structure, efficacité, honnêteté.

Diego : Désiré, attendu (latin). Ce prénom est assez répandu. Il est plutôt bien attribué aujourd'hui. Tendance : en forte croissance. Diego est très répandu en Espagne. Il est également en vogue en Italie. Variante : Diegue. Caractérologie : sécurité, structure, persévérance, volonté, efficacité.

Dieter : Gouverneur du peuple (germanique). Ce prénom est très rare. Caractérologie : spiritualité, sagacité, connaissances, originalité, philosophie.

Dietmar : Peuple célèbre (germanique). Ce prénom est porté par moins de 100 personnes en France. Caractérologie : connaissances, spiritualité, originalité, résolution, sagacité.

Dietrich : Gouverneur du peuple (germanique). Ce prénom est porté par moins de 100 personnes en France. Dans l'Hexagone, Dietrich est plus traditionnellement usité en Alsace. Variante : Diebold. Caractérologie : méthode, fiabilité, ténacité, engagement, sensibilité.

Dieudonné : Donné par Dieu (latin). Ce prénom est très rare. Tendance : en forte croissance. Caractérologie : audace, direction, dynamisme, volonté, analyse.

Les prénoms BCBG

Qu'ils soient attribués par esprit de tradition, par snobisme ou par hasard, les prénoms BCBG passionnent et font couler beaucoup d'encre. Ce sujet n'a jamais été autant discuté sur les forums de sites Internet dédiés aux prénoms. Il semblerait même que le côté péjoratif associé au label BCBG s'atténue. Or, en devenant plus cool, l'étiquette BCBG est devenue plus vague. Elle ne correspond plus tout à fait aux principes qui la définissent. Un « bon » prénom BCBG doit marquer un signe d'appartenance à un milieu social bourgeois. Pourtant, en 2005, quantité de prénoms dits BCBG se sont répandus dans l'ensemble de la société française. Thomas, Marie, Camille ou Hugo ont, par exemple, été victimes de leur succès. S'ils l'ont été pendant un temps, ces prénoms ne sont plus l'apanage des familles bourgeoises. Aujourd'hui, il est donc erroné d'attribuer à ces derniers le label BCBG.

Certains prénoms parviennent toutefois à remplir cette fonction durablement. On se rappelle des composés qui ont signé leur milieu social à la fin des années 1980 tels que Charles-Edouard, Charles-Henri, Marie-Charlotte ou Anne-Claire. D'autres, comme Hubert ou Antoine ont également eu le vent en poupe dans les milieux huppés. Il n'empêche que la mode qui a propulsé Antoine vers des sommets dès la fin des années 1990 a déchu de l'étiquette BCBG les Antoine âgés de moins de 15 ans. Ce cas n'est pas unique, ce qui augmente la difficulté des parents souhaitant (ou ne souhaitant pas) attribuer un prénom BCBG.

Alors, y a-t-il encore aujourd'hui des prénoms BCBG qui soient vraiment à la hauteur ? De toute évidence, oui. De nombreux candidats peuvent d'ailleurs aspirer à cette catégorie. Ces prénoms doivent toutefois rassembler certaines caractéristiques. Ces derniers sont en général peu communs, rares ou très rares. La plupart des prénoms BCBG sont anciens, ils ont souvent été portés par des parents ou des membres de la famille. Ils peuvent avoir un côté excentrique « chic » (au contraire des prénoms de héros de séries télévisées qui sont écartés d'office). De manière générale, les saints correspondants aux prénoms BCBG ne figurent pas sur les calendriers. Enfin, les prénoms royaux devenus inusités peuvent être considérés comme des valeurs sûres. Alors, que les amateurs de prénoms BCBG se rassurent, il y aura toujours des prénoms bon chic, bon genre… à moins que le label BCBG ne devienne lui-même trop à la mode ! En attendant, voici une sélection de prénoms réellement BCBG qui correspond aux caractéristiques énoncées ci-dessus :

Filles : Agathe, Aliénor, Bérengère, Bérénice, Blanche, Brunhilde, Capucine, Clémence, Clothilde, Colombe, Constance, Daphné, Diane, Domitille, Églantine, Éléonore, Eudoxie, Eugénie, Garance, Irénée, Isaure, Léopoldine, Mahaut, Margot, Marguerite, Pénélope, Pétronille, Priscille, Roxane, Ségolène, Sixtine, Tiphaine, Violaine.

Garçons : Ambroise, Ancelin, Anselme, Armand, Arthur, Augustin, Baudoin, Célestin, Charles-Édouard, Côme, Cyprien, Cyriaque, Edgar, Édouard, Éloi, Étienne, Eudes, Foulques, Gaspard, Gauthier, Gauvain, Geoffroy, Gonzague, Grégoire, Guillaume, Henri, Hubert, Jean, Lothaire, Louis, Tancrède, Théobald, Tibault, Virgile.

D

285

Dilan : Mer (gallois). Ce prénom est rare. Tendance : stable. Variantes : Dilane, Dilhan, Dillan. Caractérologie : méthode, fiabilité, ténacité, engagement, résolution.

Dimitri : Amoureux de la terre (grec). Ce prénom répandu est plutôt bien attribué aujourd'hui. Tendance : stable. À noter : Demetrios est très répandu en Grèce. Variantes : Dimitrios, Dimitris. Caractérologie : innovation, énergie, autorité, ambition, autonomie.

Dimitry : Amoureux de la terre (grec). Ce prénom assez rare est peu attribué actuellement. Tendance : stable. Caractérologie : habileté, force, ambition, management, passion.

Dinh : Nom de famille répandu au Viêt Nam. La famille des Dinh a également été à la tête de la dynastie du même nom (vietnamien). Ce prénom est porté par moins de 100 personnes en France. Caractérologie : achèvement, ardeur, vitalité, leadership, stratégie.

Dino : Divin (latin). Ce prénom assez rare est très peu attribué aujourd'hui. Tendance : stable. Caractérologie : équilibre, famille, influence, sens des responsabilités, volonté.

Diogène : De la famille de Dieu (grec). Ce prénom corse est porté par moins de 100 personnes en France. Caractérologie : audace, découverte, originalité, énergie, volonté.

Dionisio : Se rapporte à Dionysos, dieu du Vin dans la mythologie grecque. Ce prénom est très rare. Variantes : Dion, Dioni, Dionis. Caractérologie : résolution, sécurité, structure, volonté, persévérance.

Dixon : Fils de Dick (anglais). Caractérologie : communication, pragmatisme, créativité, caractère, optimisme.

Djamal : D'une grande beauté physique et d'esprit (arabe). Ce prénom assez rare est très peu attribué aujourd'hui. Tendance : en croissance modérée. Variante : Djamale. Caractérologie : courage, dynamisme, indépendance, curiosité, charisme.

Djamel : D'une grande beauté physique et d'esprit (arabe). Ce prénom est assez répandu. Il est peu attribué actuellement. Tendance : stable. Variantes : Djamele, Djamil. Caractérologie : altruisme, idéalisme, intégrité, réflexion, dévouement.

Djemel : D'une grande beauté physique et d'esprit (arabe). Ce prénom est rare. Variante : Djemal. Caractérologie : sécurité, structure, persévérance, efficacité, honnêteté.

Djilali : Respectable (kabyle). Ce prénom est rare. Tendance : stable. Caractérologie : adaptation, enthousiasme, générosité, pratique, communication.

Domenico : Qui appartient au seigneur (latin). Ce prénom est rare. Tendance : en forte croissance. Domenico est très répandu en Italie. Caractérologie : analyse, équilibre, famille, volonté, sens des responsabilités.

Domingo : Qui appartient au seigneur (latin). Ce prénom est rare. Variante : Domingos. Variante occitane : Domenge. Caractérologie : découverte, énergie, audace, caractère, originalité.

Dominique : Qui appartient au seigneur (latin). Ce prénom est très répandu. Il est très peu attribué aujourd'hui. Tendance : en décroissance modérée. Variantes : Dom, Dominic, Dominico, Dominick, Dominik. Variantes basques : Menaut, Mingo. Caractérologie : caractère, force, ambition, habileté, logique.

Domitien : Celui qui a soumis (latin). Variante : Domitian. Caractérologie : stratégie, ardeur, achèvement, volonté, vitalité.

Don : Puissant gouverneur (celte). Ce prénom est rare. Caractérologie : conscience, bienveillance, paix, conseil, volonté.

Donagan : La fête (arménien). Caractérologie : réalisation, réceptivité, diplomatie, sociabilité, volonté.

Donald : Puissant gouverneur (celte). Ce prénom est rare. Caractérologie : audace, originalité, découverte, énergie, caractère.

Donatien : Présent de Dieu (latin). Ce prénom assez rare est peu attribué actuellement. Tendance : stable. Variantes : Donat, Donatio. Caractérologie : énergie, autorité, innovation, détermination, volonté.

Donovan : Puissant gouverneur (celte). Ce prénom est assez répandu. Il est relativement peu attribué aujourd'hui. Tendance : stable. Variantes : Donavan, Donovane, Donovann. Caractérologie : méthode, ténacité, fiabilité, engagement, volonté.

Doran : Descendant de l'exil (irlandais). Ce prénom est porté par moins de 100 personnes en France. Tendance : en forte croissance. Caractérologie : intelligence, savoir, résolution, volonté, méditation.

Dorian : Grec (latin). Ce prénom répandu figure dans le top 50 français aujourd'hui. Tendance : stable. Variantes : Doriand, Doriann. Caractérologie : savoir, décision, caractère, intelligence, méditation.

Doris : Grec (latin). Ce prénom est très rare. Caractérologie : relationnel, médiation, intuition, fidélité, adaptabilité.

Doryan : Grec (latin). Ce prénom est rare. Tendance : en forte croissance. Variante : Doryann. Caractérologie : dynamisme, volonté, réalisation, curiosité, courage.

Douglas : Rivière bleu foncé (celte). Ce prénom est rare. Tendance : stable. Variante : Doug. Caractérologie : spiritualité, sagacité, connaissances, originalité, réussite.

Dov : Ours (hébreu). Ce prénom est très rare. Tendance : en forte croissance. Caractérologie : énergie, découverte, audace, originalité, séduction.

Dragan : Précieux (slave). Ce prénom est rare. Tendance : en forte croissance. Caractérologie : altruisme, intégrité, idéalisme, décision, réussite.

Drake : Dragon (latin). Variante : Drago. Caractérologie : communication, créativité, pragmatisme, optimisme, détermination.

Driss : Études, connaissance (arabe). Ce prénom est assez répandu. Il est relativement peu attribué aujourd'hui. Tendance : en croissance modérée. Variantes : Drice, Dris, Drisse, Dryss. Caractérologie : sens des responsabilités, équilibre, famille, influence, exigence.

Druon : Force (celte). Ce prénom est porté par moins de 100 personnes en France. Caractérologie : raisonnement, volonté, altruisme, idéalisme, intégrité.

Duane : De petite taille, brun (irlandais). Ce prénom est porté par moins de 100 personnes en France. Tendance : en décroissance modérée. Variantes : Doan, Doane. Caractérologie : rectitude, humanité, générosité, ouverture d'esprit, rêve.

D

287

Duarte : Gardien (portugais). Ce prénom est très rare. Caractérologie : conscience, bienveillance, paix, organisation, résolution.

Duc : Désir (vietnamien). Ce prénom est très rare. Caractérologie : audace, direction, indépendance, dynamisme, assurance.

Duncan : Tête brune (celte). Ce prénom est rare. Tendance : stable. Variante : Dunkan. Caractérologie : créativité, communication, optimisme, pragmatisme, sociabilité.

Dusan : Spirituel (slave). Ce prénom est porté par moins de 100 personnes en France. Caractérologie : découverte, originalité, énergie, audace, séduction.

Dusty : Se rapporte au patronyme Dustin qui signifie « pierre de Thor « (scandinave). Ce prénom est très rare. Tendance : en forte décroissance. Variante : Dustin. Caractérologie : réalisation, vitalité, stratégie, achèvement, organisation.

Dylan : Mer (gallois). Ce prénom répandu figure dans le top 50 français aujourd'hui. Tendance : en décroissance modérée. Dylan devrait figurer dans le top 10 irlandais et gallois en 2004. Variantes : Dylane, Dylann, Dyllan. Caractérologie : réceptivité, sociabilité, diplomatie, réalisation, sympathie.

Ea : Feu (irlandais). Caractérologie : sens des responsabilités, équilibre, famille, influence, exigence.

Earvin : Ami (germanique). Ce prénom est porté par moins de 100 personnes en France. Tendance : en forte décroissance. Caractérologie : paix, bienveillance, conscience, conseil, résolution.

Éberhard : Puissant ours sauvage (germanique). Ce prénom est porté par moins de 100 personnes en France. Caractérologie : sagacité, connaissances, spiritualité, décision, attention.

Éddie : Diminutif des prénoms assemblés avec Ed. Ce prénom est assez répandu. Il est très peu attribué aujourd'hui. Tendance : en décroissance modérée. Variantes : Ed, Eddi, Edi, Edie. Caractérologie : intégrité, altruisme, réflexion, idéalisme, dévouement.

Eddine : La religion (arabe). Ce prénom est très rare. Caractérologie : dynamisme, curiosité, courage, indépendance, charisme.

Eddy : Diminutif des prénoms assemblés avec Ed. Ce prénom répandu est relativement peu attribué aujourd'hui. Tendance : stable. Variante : Edy. Caractérologie : relationnel, médiation, intuition, fidélité, adaptabilité.

Eden : Paradis (hébreu). Ce prénom est très rare. Tendance : en forte croissance. Caractérologie : énergie, innovation, autonomie, ambition, autorité.

Eder : Beau (basque). Ce prénom est porté par moins de 100 personnes en France. Caractérologie : dynamisme, courage, indépendance, curiosité, charisme.

Edern : De très grande taille (gallois). Ce prénom breton est très rare. Tendance : stable. Caractérologie : direction, assurance, audace, dynamisme, indépendance.

Edgar : Lance sacrée (germanique). Ce prénom est assez répandu. Il est relativement peu attribué aujourd'hui. Tendance : en forte croissance. En France, Edgar est plus traditionnellement usité dans les Flandres.

Caractérologie : stratégie, vitalité, achèvement, détermination, réalisation.

Edgard : Lance sacrée (germanique). Ce prénom est assez répandu. Il est très peu attribué aujourd'hui. Tendance : stable. Caractérologie : réalisation, communication, pratique, enthousiasme, détermination.

Edmond : Riche protecteur (germanique). Ce prénom répandu est très peu attribué aujourd'hui. Tendance : en croissance modérée. Variantes : Edmé, Edmon, Edmondo, Edmont, Edmund. Caractérologie : autorité, innovation, énergie, volonté, ambition.

Édouard : Gardien sacré (anglais). Ce prénom répandu est plutôt bien attribué aujourd'hui. Tendance : stable. Variantes : Édard, Édouart. Caractérologie : courage, curiosité, raisonnement, volonté, dynamisme.

Édric : Prospère, puissant (anglo-saxon). Caractérologie : optimisme, communication, pragmatisme, créativité, sociabilité.

Edris : Puissant gouverneur (anglo-saxon). Ce prénom est porté par moins de 100 personnes en France. Caractérologie : dynamisme, direction, indépendance, audace, détermination.

Eduardo : Gardien sacré (anglais). Ce prénom est rare. Tendance : en forte croissance. Eduardo est répandu en Italie. Variante : Edouardo. Caractérologie : volonté, courage, dynamisme, curiosité, analyse.

Edur : Neige (basque). Caractérologie : optimisme, pragmatisme, communication, sociabilité, créativité.

Edward : Gardien sacré (anglais). Ce prénom assez rare est très peu attribué aujourd'hui. Tendance : en décroissance modérée. Variantes : Edvard, Edwart. Caractérologie : innovation, autorité, énergie, décision, ambition.

Edwin : Riche ami (anglais). Ce prénom assez rare est relativement peu attribué aujourd'hui. Tendance : stable. Variantes : Edvin, Edwyn. Caractérologie : innovation, autorité, énergie, autonomie, ambition.

Efflam : Rayonnant, brillant (breton). Ce prénom est très rare. Tendance : en forte croissance. Caractérologie : intelligence, caractère, savoir, méditation, indépendance.

Egon : Puissant (anglo-saxon). Ce prénom est très rare. Variantes : Egan, Egann. Caractérologie : indépendance, curiosité, dynamisme, courage, charisme.

Egun : Le jour (basque). Caractérologie : sympathie, sociabilité, réceptivité, loyauté, diplomatie.

Éli : Le seigneur est mon Dieu (hébreu). Ce prénom est très rare. Tendance : en forte croissance. Éli est répandu en Israël. Variantes : Éliel, Éllis, Élly, Ély, Heli, Hélie. Caractérologie : ambition, habileté, passion, force, management.

Élia : Le seigneur est mon Dieu (hébreu). Ce prénom est très rare. Tendance : stable. En France, Élia est plus traditionnellement usité en Corse. Variante : Élya. Caractérologie : idéalisme, réflexion, altruisme, détermination, intégrité.

Eliad : Dieu éternel (hébreu). Variante : Elead. Caractérologie : persévérance, structure, sécurité, efficacité, décision.

E

289

Élian : Le seigneur est mon Dieu (hébreu). Ce prénom assez rare est relativement peu attribué aujourd'hui. Tendance : en forte croissance. Caractérologie : dynamisme, curiosité, courage, indépendance, décision.

Élias : Le seigneur est mon Dieu (hébreu). Ce prénom arabe est assez répandu. Il est plutôt bien attribué aujourd'hui. Tendance : en croissance modérée. Variantes : Éliasse, Éllias. Caractérologie : énergie, autorité, ambition, détermination, innovation.

Eliaz : Le seigneur est mon Dieu (hébreu). Ce prénom breton est très rare. Tendance : en forte croissance. Variante : Eliez. Caractérologie : achèvement, vitalité, stratégie, ardeur, détermination.

Élie : Le seigneur est mon Dieu (hébreu). Ce prénom répandu est plutôt bien attribué aujourd'hui. Tendance : stable. Caractérologie : efficacité, sécurité, structure, honnêteté, persévérance.

Elies : Le seigneur est mon Dieu (hébreu). Ce prénom arabe est rare. Tendance : en forte croissance. Variante : Eliesse. Caractérologie : indépendance, courage, dynamisme, résolution, curiosité.

Eliézer : Le seigneur est mon Dieu (hébreu). Ce prénom est très rare. Caractérologie : stratégie, vitalité, ardeur, achèvement, leadership.

Elijah : Dieu est Dieu (hébreu). Ce prénom est très rare. Tendance : en forte croissance. Caractérologie : rêve, rectitude, humanité, ouverture d'esprit, détermination.

Elio : Le seigneur est mon Dieu (hébreu). Ce prénom assez rare est relativement peu attribué aujourd'hui. Tendance : en forte croissance. Caractérologie : courage, curiosité, indépendance, dynamisme, analyse.

Elior : Dieu est ma lumière (hébreu). Ce prénom est porté par moins de 100 personnes en France. Tendance : en forte croissance. Caractérologie : raisonnement, curiosité, indépendance, courage, dynamisme.

Eliot : Le seigneur est mon Dieu (hébreu). Ce prénom assez rare est plutôt bien attribué aujourd'hui. Tendance : en forte croissance. Caractérologie : indépendance, intelligence, savoir, méditation, raisonnement.

Eliott : Le seigneur est mon Dieu (hébreu). Ce prénom est assez répandu. Il est plutôt bien attribué aujourd'hui. Tendance : en forte croissance. Caractérologie : ouverture d'esprit, rectitude, humanité, rêve, analyse.

Élisée : Dieu a aidé (hébreu). Ce prénom est rare. Tendance : en forte croissance. Variantes : Eliséo, Elisio. Variante basque : Eliseo. Caractérologie : audace, direction, dynamisme, indépendance, détermination.

Elliot : Le seigneur est mon Dieu (hébreu). Ce prénom assez rare est plutôt bien attribué aujourd'hui. Tendance : en forte croissance. Caractérologie : analyse, direction, audace, dynamisme, indépendance.

Elliott : Le seigneur est mon Dieu (hébreu). Ce prénom est rare. Tendance : stable. Caractérologie : communication, enthousiasme, raisonnement, pratique, adaptation.

Elmer : Noble, fameux (anglo-saxon). Variante : Ulmer. Caractérologie : vitalité, achèvement, leadership, stratégie, ardeur.

Elmo : Amical (grec). Ce prénom est porté par moins de 100 personnes en France.

Caractérologie : rectitude, humanité, rêve, volonté, ouverture d'esprit.

Éloi : Élu (latin). Ce prénom est assez répandu. Il est relativement peu attribué aujourd'hui. Tendance : en croissance modérée. Caractérologie : découverte, énergie, audace, originalité, logique.

Eloïs : Illustre au combat (germanique). Ce prénom est porté par moins de 100 personnes en France. Tendance : en forte croissance. Caractérologie : décision, paix, bienveillance, conscience, logique.

Elouan : Lumière (celte). Ce prénom breton est assez rare. Il est plutôt bien attribué aujourd'hui. Tendance : en forte croissance. Variante : Elouen. Caractérologie : curiosité, indépendance, dynamisme, courage, charisme.

Éloy : Élu (latin). Ce prénom est très rare. Tendance : stable. Caractérologie : communication, enthousiasme, pratique, adaptation, compassion.

Elrad : Dieu commande (hébreu). Caractérologie : décision, méthode, fiabilité, ténacité, engagement.

Elric : Roi de tous (germanique). Ce prénom est très rare. Tendance : stable. Variante : Elrick. Caractérologie : intuition, relationnel, médiation, fidélité, adaptabilité.

Elton : De la vieille ville (anglais). Ce prénom porté par moins de 100 personnes en France. Tendance : en décroissance modérée. Caractérologie : communication, pratique, enthousiasme, adaptation, générosité.

Elvin : Ami de tous (germanique). Ce prénom est très rare. Tendance : en forte croissance.

Variante : Elwin. Caractérologie : ambition, management, passion, force, habileté.

Elvis : Sage (scandinave). Ce prénom assez rare est très peu attribué aujourd'hui. Tendance : stable. Variante : Elwis. Caractérologie : ténacité, méthode, fiabilité, engagement, résolution.

Élyas : Le seigneur est mon Dieu (hébreu). Ce prénom arabe est très rare. Tendance : en croissance modérée. Variante : Élyass. Caractérologie : achèvement, sympathie, stratégie, vitalité, ardeur.

Élyes : Le seigneur est mon Dieu (hébreu). Ce prénom arabe est rare. Tendance : en forte croissance. Variantes : Élyess, Élyesse. Caractérologie : pratique, communication, enthousiasme, adaptation, compassion.

Élysée : Dieu est serment (hébreu). Ce prénom est très rare. Caractérologie : ambition, passion, force, habileté, sympathie.

Elzéar : Le seigneur est mon Dieu (hébreu). Ce prénom est porté par moins de 100 personnes en France. Variante : Elzéard. Caractérologie : méthode, fiabilité, ténacité, engagement, détermination.

Emanuel : Dieu est avec nous (hébreu). Ce prénom est rare. Tendance : stable. Caractérologie : vitalité, achèvement, ardeur, stratégie, leadership.

Émeric : Puissant (germanique). Ce prénom est assez répandu. Il est relativement peu attribué aujourd'hui. Tendance : stable. Variantes : Emerik, Emery, Émeryc, Emmeric, Emmerie, Emmery. Caractérologie : stratégie, achèvement, ardeur, leadership, vitalité.

E

291

Émerick : Puissant (germanique). Ce prénom est rare. Tendance : stable. Caractérologie : audace, dynamisme, direction, assurance, indépendance.

Emerson : Fils d'Emery (vieil anglais). Ce prénom est très rare. Tendance : stable. Caractérologie : habileté, détermination, force, volonté, ambition.

Émile : Travailleur (germanique). Ce prénom répandu est plutôt bien attribué aujourd'hui. Tendance : en croissance modérée. Variantes : Emil, Emiland, Emille, Mil. Caractérologie : vitalité, achèvement, stratégie, leadership, ardeur.

Émilien : Travailleur (germanique). Ce prénom répandu est plutôt bien attribué aujourd'hui. Tendance : en croissance modérée. Variante : Emilian. Caractérologie : engagement, ténacité, méthode, sens du devoir, fiabilité.

Emilio : Travailleur (germanique). Ce prénom assez rare est relativement peu attribué aujourd'hui. Tendance : en forte croissance. Emilio est particulièrement répandu dans les pays hispanophones. Variante : Emiliano. Caractérologie : intégrité, altruisme, idéalisme, raisonnement, volonté.

Émin : Loyal, digne de confiance (arabe). Ce prénom est très rare. Tendance : en croissance modérée. Variante : Émine. Caractérologie : charisme, indépendance, dynamisme, curiosité, courage.

Emmanuel : Dieu est avec nous (hébreu). Ce prénom est très répandu. Il est plutôt bien attribué aujourd'hui. Tendance : stable. Variante basque : Imanol. Caractérologie : adaptation, générosité, enthousiasme, pratique, communication.

Emre : Frère (turc). Ce prénom assez rare est relativement peu attribué aujourd'hui. Tendance : stable. Variantes : Emra, Emrah. Caractérologie : courage, indépendance, charisme, dynamisme, curiosité.

Emrick : Maître de maison (germanique). Ce prénom est très rare. Tendance : en forte croissance. Variante : Emric. Caractérologie : indépendance, curiosité, dynamisme, courage, charisme.

Emrys : Immortel (grec). Ce prénom est porté par moins de 100 personnes en France. Tendance : en forte croissance. Variante : Emris. Caractérologie : force, habileté, ambition, détermination, réalisation.

Énée : Exceptionnel (écossais). Je félicite (grec). Ce prénom est porté par moins de 100 personnes en France. Variante : Énéa. Caractérologie : relationnel, intuition, médiation, fidélité, adaptabilité.

Eneko : À moi (basque). Eneko est également une forme basque d'Ignace : feu (latin). Ce prénom est très rare. Tendance : en forte croissance. Caractérologie : énergie, découverte, audace, séduction, originalité.

Engelbert : Peuple brillant (germanique). Ce prénom est porté par moins de 100 personnes en France. Variante : Engel. Caractérologie : spiritualité, sagacité, connaissances, originalité, compassion.

Enguerran : Ange, corbeau (germanique). Ce prénom est rare. Tendance : en décroissance modérée. Variante : Engueran. Caractérologie : fiabilité, méthode, détermination, ténacité, compassion.

Enguerrand : Ange, corbeau (germanique). Ce prénom est rare. Tendance : stable. Variante : Enguerand. Caractérologie : sympathie, vitalité, stratégie, achèvement, réalisation.

Enis : Fils de Dieu (grec). Ce prénom est très rare. Tendance : en forte croissance. Variante : Ennis. Caractérologie : intuition, relationnel, fidélité, médiation, résolution.

Enogat : Qui combat avec honneur (breton). Ce prénom est porté par moins de 100 personnes en France. Caractérologie : achèvement, vitalité, ardeur, stratégie, leadership.

Enos : Homme (hébreu). Caractérologie : passion, ambition, force, habileté, management.

Enrick : Maître de maison (germanique). Ce prénom est très rare. Tendance : stable. Variantes : Enric, Enrik. Caractérologie : famille, équilibre, influence, sens des responsabilités, exigence.

Enrico : Maître de maison (germanique). Ce prénom est rare. En dehors de la France, Enrico est particulièrement répandu en Italie. Variante : Enriko. Caractérologie : audace, indépendance, direction, dynamisme, raisonnement.

Enrique : Maître de maison (germanique). Ce prénom assez rare est peu attribué actuellement. Tendance : en forte croissance. Enrique est très répandu en Espagne. Caractérologie : habileté, ambition, force, passion, management.

Enver : Beauté, intelligence (turc). Ce prénom est porté par moins de 100 personnes en France. Caractérologie : ambition, innovation, autorité, autonomie, énergie.

Enzo : Maître de maison (germanique). Ce prénom répandu figure dans le top 50 français aujourd'hui. Voir le zoom dédié à Enzo. Variante : Enso. Caractérologie : équilibre, influence, sens des responsabilités, famille, exigence.

Éphraïm : Fructueux (hébreu). Ce prénom est très rare. Tendance : en décroissance modérée. Variante : Éphrem. Caractérologie : connaissances, spiritualité, sagacité, ressort, réalisation.

Érasme : Qui est aimé (grec). Ce prénom est porté par moins de 100 personnes en France. Caractérologie : originalité, sagacité, spiritualité, connaissances, décision.

Ercole : Très beau cadeau (italien). Ce prénom est porté par moins de 100 personnes en France. Caractérologie : persévérance, analyse, efficacité, sécurité, structure.

Erhan : Conscient (hébreu). Ce prénom est très rare. Tendance : en croissance modérée. Variantes : Eran, Erane. Caractérologie : innovation, autorité, ambition, énergie, décision.

Éric : Noble souverain (latin). Ce prénom est très répandu. Il est relativement peu attribué aujourd'hui. Tendance : stable. Caractérologie : ambition, force, passion, habileté, management.

Erich : Noble souverain (latin). Ce prénom est rare. Caractérologie : savoir, intelligence, méditation, indépendance, sagesse.

Erick : Noble souverain (latin). Ce prénom est assez répandu. Il est très peu attribué aujourd'hui. Tendance : en croissance modérée. Variante : Erico. Caractérologie : indépendance, dynamisme, audace, direction, assurance.

E

293

ENZO

Fête : 13 juillet

Étymologie : Forme italienne d'Henri, du germain *heim* : maison, et *ric* : puissant, d'où la signification « maître de maison ». Décidément, Luc Besson inspire beaucoup de parents en matière de choix de prénoms. On peut en effet lui attribuer en grande partie les succès impressionnants de Lilou et d'Enzo. Bien entendu, ce dernier est plus connu que Lilou, car il progresse en France depuis plus longtemps. Et pour cause, c'est en 1988 que le film *Le Grand Bleu* est sorti sur les écrans, et qu'Enzo, l'un des deux héros du film, s'est fait découvrir par le grand public. L'impact du film a été presque immédiat. Alors que ce prénom était attribué à moins de 20 nouveau-nés par an jusqu'en 1988, l'année du *Grand Bleu* salua la naissance de 49 petits Enzo. Depuis, cette forme italienne d'Henri ne cesse de grandir : elle devrait être attribuée à environ 7 000 enfants en France en 2005. Il faut dire qu'Enzo s'inscrit dans la vogue des prénoms italiens qui propulse Matteo vers des sommets (voir l'article dédié aux prénoms qui montent). Dans ce contexte, Enzo se maintiendra sans peine en 6e position du palmarès français.

Cette réussite a entraîné la percée de Lorenzo dont la sonorité est proche. Cette forme italienne de Laurent est très répandue en Italie. De plus, elle progresse en Wallonie et en France où plus de 800 petits Lorenzo devraient naître en 2005. Notons en revanche qu'Enzo est particulièrement peu attribué en dehors de la France ou de l'Italie. Il doit se contenter d'une notoriété discrète au Québec, en Belgique et en Suisse romande.

Personnalité célèbre : Enzo Ferrari, créateur italien de luxe automobile (1898-1988). Il est le créateur de la Ferrari, l'une des voitures les plus célèbres au monde. La Ferrari est la plus rapide et la plus chère de toutes les automobiles.
Statistique : Enzo est le 216e prénom masculin le plus attribué du XXe siècle en France.

E
294

Erik : Noble souverain (latin). Ce prénom assez rare est très peu attribué aujourd'hui. Tendance : en décroissance modérée. Erik devrait figurer dans le top 10 suédois en 2004. Caractérologie : sagacité, philosophie, connaissances, spiritualité, originalité.

Ernest : Qui mérite (germanique). Ce prénom répandu est très peu attribué aujourd'hui. Tendance : en croissance modérée. Variantes : Arnst, Erneste, Ernesto, Ernie, Erno, Ernst. Caractérologie : résolution, idéalisme, intégrité, altruisme, réflexion.

ESTEBAN

Fête : 26 décembre

Étymologie : Forme d'Étienne, du grec *stephanos* : couronné. Ce prénom est particulièrement répandu dans les pays hispanophones, notamment en Espagne. Esteban est encore rare en France, mais sa croissance discrète des années 1980 s'est affirmée ces cinq dernières années. En 2005, ce prénom devrait être attribué à plus de 1 000 nouveau-nés en France. Cette performance devrait lui faciliter son entrée dans le top 70 français. Son succès peut s'expliquer par l'engouement croissant des parents pour les sonorités venues d'ailleurs. En effet, Esteban n'est pas la première graine de star qui nous soit importée d'Espagne (Mateo, Inès ou Lola en sont de brillantes illustrations). Mais une autre hypothèse pourrait expliquer la montée surprenante d'Esteban. En effet, ce dernier n'est autre que le héros de la série du dessin animé *Les Cités d'or*. Celui-ci parut sur les écrans de télévision en 1983. Or, cette série rencontra un succès immédiat dans l'Hexagone. Il n'est donc pas étonnant qu'un an après le premier épisode, ce prénom prénommait quatre fois plus d'enfants en France.

En dehors des frontières françaises et espagnoles, l'existence d'Esteban est assez discrète. Au Québec, Esteban progresse lentement et reste très méconnu. En revanche, il se propage mieux en Belgique où il vient d'entrer dans le top 100 wallon. Pour l'anecdote, Tao et Zia (les compagnons d'Esteban dans *Les Cités d'or*) émergent progressivement en France. Affaire à suivre...

Personnalités célèbres : Estebán Echeverría, poète argentin d'origine basque (1805-1851). Esteban Bush, écrivain et musicologue français.
Statistique : Esteban est le 398e prénom masculin le plus attribué du XXe siècle en France.

E

295

Erol : Courageux (turc). Ce prénom est très rare. Tendance : en décroissance modérée. Caractérologie : énergie, découverte, originalité, audace, logique.

Eros : Amour (grec). Ce prénom est très rare. Tendance : en forte croissance. Caractérologie : pratique, communication, enthousiasme, adaptation, décision.

Ervin : Ami (germanique). Ce prénom est très rare. Tendance : stable. Caractérologie : originalité, audace, découverte, énergie, séduction.

Erwan : If (celte). Ce prénom répandu figure dans le top 100 français aujourd'hui. Tendance : stable. Variantes : Ervan, Erwoan. Caractérologie : sagacité, spiritualité, originalité, connaissances, détermination.

ETHAN

Fête : Pas de fête connue

Étymologie : forme d'Etan, de l'hébreu : fort, ferme. Du fait de sa percée toute récente, Ethan est encore relativement méconnu des Français. Il faut dire qu'entre 1900 et 1992, ce prénom biblique a été inusité en France. C'est en 1992 que ce prénom émerge, d'abord timidement avec la naissance de 11 petits Ethan, puis plus résolument les années suivantes. Ethan devrait être attribué à plus de 1 000 enfants en 2005, belle performance pour un prénom encore inconnu il y a douze ans. Sauf accident, sa croissance solide devrait aussi lui permettre de figurer dans le top 70 français avant 2006. Il est évident que la montée récente de Nathan, en France et dans bien d'autres pays, a favorisé celle d'Ethan. Bien que l'étymologie de ce dernier soit bien distincte de celle de Nathan, les sonorités de ces deux prénoms sont proches. Or, force est de constater que les terminaisons masculines en « an » ont la cote actuellement. La montée en flèche de Ryan, Kilian, et de bien d'autres prénoms irlandais ou bretons en témoigne.

En dehors de l'Hexagone, Ethan est en vogue dans de nombreuses régions francophones et anglophones. Il a bondi dans le top 5 américain et dans le top 15 anglais en 2002. Il gagne également du terrain en Irlande et vient d'entrer dans le top 20 australien. En Belgique, Ethan progresse de telle sorte qu'il pourrait figurer dans le top 50 wallon en 2005. Enfin, la croissance d'Ethan devrait propulser ce dernier dans le top 90 québécois en 2005. À noter que la forme hébraïque Etan (aussi orthographié Etân) est très peu usitée en France et à l'étranger.

Etan est un prénom porté par trois personnages de la Bible. L'un est lévite. Il chante et joue de la cymbale pendant le transfert de l'arche à Jérusalem. L'autre, fils de Mahol, est un grand sage d'Israël. Sa sagesse est si grande qu'elle est comparée à celle du roi Salomon. Enfin, le troisième Ethan est l'un des petits-fils de Judas.

Personnalité célèbre : Ethan Coen, cinéaste américain. Il a notamment produit, avec son frère Joel, les films *Fargo* et *The Barber*.

Statistique : Ethan est le 896e prénom masculin le plus attribué du XXe siècle en France.

Erwann : If (celte). Ce prénom est assez répandu. Il est plutôt bien attribué aujourd'hui. Tendance : en forte croissance. Caractérologie : communication, pragmatisme, optimisme, créativité, résolution.

Erwin : Ami (germanique). Ce prénom assez rare est très peu attribué aujourd'hui. Tendance : stable. Variante : Erwine. Caractérologie : équilibre, sens des responsabilités, famille, exigence, influence.

Esaïe : Dieu est mon salut (hébreu). Ce prénom est très rare. Tendance : stable. Caractérologie : communication, pratique, enthousiasme, détermination, adaptation.

Espérance : S'attendre à (latin). Ce prénom est porté par moins de 100 personnes en France. Caractérologie : audace, décision, découverte, énergie, cœur.

Esteban : Couronné (grec). Ce prénom est assez répandu. Il figure dans le top 100 français aujourd'hui. Voir le zoom dédié à Esteban. Variantes : Estebane, Estebann, Estefan, Estevan. Caractérologie : optimisme, communication, créativité, pragmatisme, sociabilité.

Estève : Couronné (grec). Ce prénom est très rare. Tendance : en croissance modérée. En France, Estève est plus traditionnellement usité en Occitanie. Variantes basques : Estebe, Istebe, Istebeni. Caractérologie : honnêteté, persévérance, structure, sécurité, efficacité.

Ethan : Fort, ferme (hébreu). Ce prénom est assez répandu. Il figure dans le top 100 français aujourd'hui. Voir le zoom dédié à Ethan. Variantes : Etan, Etane. Caractérologie : pratique, enthousiasme, adaptation, communication, sensibilité.

Étienne : Couronné (grec). Ce prénom répandu est plutôt bien attribué aujourd'hui. Tendance : stable. Caractérologie : humanité, rectitude, rêve, ouverture d'esprit, générosité.

Ettore : Constant, qui retient (grec). Ce prénom est très rare. En France, Ettore est plus traditionnellement usité au Pays Basque. Variante : Etore. Caractérologie : intuition, relationnel, fidélité, médiation, adaptabilité.

Eudes : Noble, fortuné (latin). Ce prénom est très rare. Tendance : stable. Variante : Eudelin. Caractérologie : idéalisme, intégrité, réflexion, altruisme, dévouement.

Eugène : Bien né (grec). Ce prénom répandu est peu attribué actuellement. Tendance : en croissance modérée. Variantes : Eugen, Eugénien, Eugenio, Eugenius. Caractérologie : pratique, cœur, communication, enthousiasme, adaptation.

Eusebio : Pieux (grec). Ce prénom est très rare. En France, Eusebio est plus traditionnellement usité au Pays Basque. Variante francisée : Eusèbe. Caractérologie : méthode, ténacité, décision, fiabilité, logique.

Eustache : Récolte abondante (grec). Ce prénom est très rare. Caractérologie : gestion, audace, direction, attention, dynamisme.

Eutrope : De tempérament calme (grec). Ce prénom est porté par moins de 100 personnes en France. Caractérologie : autorité, énergie, cœur, innovation, logique.

Evan : If (celte). Ce prénom breton est assez répandu. Il figure dans le top 50 français aujourd'hui. Voir le zoom dédié à Evan. Caractérologie : famille, équilibre, sens des responsabilités, influence, exigence.

Evann : If (celte). Voir Evan. Ce prénom est rare. Tendance : en forte croissance. Caractérologie : sociabilité, diplomatie, loyauté, réceptivité, bonté.

Evans : Jeune guerrier (irlandais). Ce prénom est très rare. Tendance : en forte croissance. Variante : Évence. Caractérologie : philosophie, connaissances, spiritualité, sagacité, originalité.

E

EVAN

Fête : 3 mai

Étymologie : l'étymologie d'Evan est souvent rapportée à celle de Yves (« if »), mais elle demeure controversée. Evan pourrait aussi se rapporter à Esus, dieu gaulois. De 1900 à 1980, ce prénom était pratiquement inconnu en France. Pendant cette période, le nombre de petits Evan enregistrés à l'état civil se compte en effet sur les doigts d'une main. Dans ce contexte, comment expliquer l'essor de ce prénom gallo-irlandais dans les années 1980, et sa percée aujourd'hui ? Le triomphe qu'Yves a connu au long des soixante-dix premières années du XXᵉ siècle y a sans doute contribué. Pendant ces années glorieuses, Yves prénommait 1 000 à 6 000 Français chaque année. Il était alors difficile à Evan, prénom dérivé peu connu, de faire connaître son existence et de se démarquer d'Yves. Le déclin entamé par ce dernier dans les années 1970 a donc facilité la découverte du premier. Aujourd'hui, la situation est inversée. En 2005, Evan devrait être attribué à près de 2 000 enfants dans l'Hexagone. À titre de comparaison, Yves ne devrait pas dépasser les 50.

D'autres éléments peuvent expliquer la percée d'Evan. Ce dernier est apparu au moment où la Tahitienne Maéva commençait son envolée. L'ascension de Maéva pourrait donc avoir favorisé Evan, choix masculin phonétiquement proche. La montée de Nathan, Ethan, Ryan et Killian est un facteur additionnel, car les terminaisons masculines en « an » sont dans l'air du temps. L'essor d'Evan peut enfin s'expliquer parce que son évolution s'inscrit, aux côtés de Maël, Mathéo ou Tristan, dans la grande vogue des prénoms d'origines celte, bretonne ou irlandaise.

Dans ce contexte, Evan devrait figurer dans le top 40 français en 2005. Il devrait faire monter dans son sillage des variantes telles que Ewan, Evann et Evana chez les filles. En dehors de l'Hexagone, Evan devrait figurer dans le top 200 des palmarès belge et québécois. Enfin, dans les régions anglophones, Evan est entré dans le top 30 irlandais mais il décline en Angleterre et aux États-Unis.

Evan Roberts est un prédicateur méthodiste gallois. Il est à l'origine du mouvement du réveil (mouvement des églises pentecôtistes) du début du XXᵉ siècle au Pays de Galles.

Statistique : Evan est le 456ᵉ prénom masculin le plus attribué du XXᵉ siècle en France.

Évariste : Agréable (grec). Ce prénom est très rare. Variante : Evaristo. Caractérologie : altruisme, idéalisme, détermination, intégrité, réflexion.

Even : Se rapporte à un nom de dieu gaulois. Voir Ewen. Ce prénom est très rare. Tendance : en forte croissance. Variante : Iwen. Caractérologie : dynamisme, direction, audace, indépendance, assurance.

Evrard : Puissant ours sauvage (germanique). Ce prénom est très rare. Tendance : stable. En France, Evrard est plus traditionnellement usité en Alsace et dans les Flandres. Variantes : Everard, Everhard. Caractérologie : audace, découverte, originalité, énergie, décision.

Ewan : If (celte). Voir Evan. Ce prénom assez rare est relativement peu attribué aujourd'hui. Tendance : en forte croissance. Variante : Ewann. Caractérologie : savoir, indépendance, méditation, intelligence, sagesse.

Ewen : Se rapporte à un nom de dieu gaulois. Ce prénom assez rare est plutôt bien attribué aujourd'hui. Tendance : en forte croissance. En France, Ewen est plus traditionnellement usité en Bretagne. Variante : Ewenn. Caractérologie : réceptivité, diplomatie, sociabilité, bonté, loyauté.

Exuperi : Surpasser (latin). En France, Exuperi est plus traditionnellement usité au Pays Basque. Caractérologie : cœur, force, habileté, logique, ambition.

Eymeric : Puissant (germanique). Ce prénom est rare. Tendance : en croissance modérée. Variantes : Eymard, Eymerick. Caractérologie : équilibre, sens des responsabilités, famille, sympathie, influence.

Eytan : Fort, ferme (hébreu). Ce prénom est très rare. Tendance : stable. Variante : Eythan. Caractérologie : intuition, relationnel, médiation, adaptabilité, fidélité.

Ezéchiel : Dieu donne la force (hébreu). Ce prénom est très rare. Tendance : stable. Caractérologie : énergie, innovation, ambition, autorité, autonomie.

Fabian : Fève (latin). Ce prénom est assez répandu. Il est peu attribué actuellement. Tendance : stable. En France, Fabian est plus traditionnellement usité en Occitanie. Variante : Fabiano. Caractérologie : famille, sens des responsabilités, équilibre, détermination, influence.

Fabien : Fève (latin). Ce prénom est très répandu. Il est plutôt bien attribué aujourd'hui. Tendance : stable. Caractérologie : direction, audace, indépendance, décision, dynamisme.

Fabio : Fève (latin). Ce prénom assez rare est relativement peu attribué aujourd'hui. Tendance : en croissance modérée. Fabio devrait figurer dans le top 10 italien en 2004. Variante : Fabricio. Caractérologie : famille, influence, équilibre, sens des responsabilités, exigence.

Fabrice : Fabricateur (latin). Ce prénom est très répandu. Il est relativement peu attribué aujourd'hui. Tendance : en décroissance modérée. Caractérologie : vitalité, stratégie, résolution, achèvement, analyse.

Fabrizio : Fabricateur (latin). Ce prénom est rare. Tendance : en forte croissance. En France, Fabrizio est plus traditionnellement usité au Pays Basque. Caractérologie : découverte, audace, originalité, séduction, énergie.

Fadi : Celui qui porte secours (arabe). Ce prénom est très rare. Tendance : en forte croissance. Variante : Fady. Caractérologie : intuition, adaptabilité, médiation, relationnel, fidélité.

Fadil : Vertueux (arabe). Ce prénom est très rare. Tendance : stable. Variantes : Fadel,

F

Fodel, Fodil, Foudil. Caractérologie : audace, découverte, originalité, énergie, raisonnement.

Faël : Heureux présage (arabe). Ce prénom est porté par moins de 100 personnes en France. Tendance : en croissance modérée. Caractérologie : sagesse, paix, bienveillance, conseil, conscience.

Fahad : Panthère, léopard (arabe). Ce prénom est très rare. Tendance : en forte croissance. Variantes : Fahd, Fahde, Fahed. Caractérologie : médiation, relationnel, adaptabilité, fidélité, intuition.

Fahim : Intelligent, qui apprend facilement (arabe). Ce prénom est très rare. Tendance : en croissance modérée. Variantes : Fahem, Fahmi. Caractérologie : ambition, autonomie, innovation, autorité, énergie.

Fanch : Libre (latin). Ce prénom breton est très rare. Tendance : en forte croissance. Caractérologie : audace, énergie, originalité, découverte, séduction.

Fantin : Enfant (latin). Ce prénom est très rare. Tendance : en forte croissance. Caractérologie : énergie, innovation, ambition, résolution, autorité.

Faouzi : Qui aura du succès (arabe). Ce prénom assez rare est très peu attribué aujourd'hui. Tendance : en croissance modérée. Variante : Faousi. Caractérologie : analyse, équilibre, influence, famille, sens des responsabilités.

Farès : Chevalier, valeureux comme un lion (arabe). Ce prénom assez rare est relativement peu attribué aujourd'hui. Tendance : en forte croissance. Variantes : Faress, Faresse. Caractérologie : efficacité, sécurité, structure, persévérance, décision.

Farid : Unique (arabe). Ce prénom répandu est très peu attribué aujourd'hui. Tendance : en décroissance modérée. Variantes : Faride, Farrid, Férid. Caractérologie : intuition, adaptabilité, relationnel, médiation, fidélité.

Faris : Chevalier, valeureux comme un lion (arabe). Ce prénom est très rare. Tendance : en croissance modérée. Caractérologie : achèvement, stratégie, ardeur, leadership, vitalité.

Farouk : Celui qui discerne le bien du mal (arabe). Ce prénom assez rare est peu attribué actuellement. Tendance : stable. Variantes : Farik, Faruk. Caractérologie : altruisme, intégrité, idéalisme, gestion, logique.

Fathi : Victorieux (arabe). Ce prénom est rare. Tendance : en croissance modérée. Variantes : Fathy, Fati, Fethy. Caractérologie : achèvement, vitalité, ardeur, stratégie, leadership.

Fatih : Victorieux (arabe). Ce prénom assez rare est peu attribué actuellement. Tendance : stable. Variantes : Fatah, Fatèh. Caractérologie : ambition, force, habileté, management, passion.

Faust : Heureux, fortuné (latin). Ce prénom est porté par moins de 100 personnes en France. Variante : Fauste. Caractérologie : structure, sécurité, organisation, persévérance, efficacité.

Faustin : Heureux, fortuné (latin). Ce prénom est rare. Tendance : en forte croissance. En France, Faustin est plus traditionnellement usité au Pays Basque. Variantes : Faustino, Fausto. Caractérologie : humanité, rectitude, rêve, détermination, raisonnement.

Fawzi : Qui aura du succès (arabe). Ce prénom est très rare. Tendance : stable. Variantes : Faïz, Fauzi. Caractérologie : intuition, relationnel, médiation, fidélité, décision.

Fayçal : Le juge (arabe). Ce prénom assez rare est peu attribué actuellement. Tendance : stable. Variantes : Faïçal, Faïsal, Faïssal, Fayçel, Faysal, Fayssal. Caractérologie : enthousiasme, pratique, communication, adaptation, générosité.

Federico : Pouvoir de la paix (germanique). Ce prénom est très rare. Tendance : en décroissance modérée. Federico est très en vogue dans les pays hispanophones et en Italie. Caractérologie : logique, médiation, relationnel, caractère, intuition.

Félicien : Heureux (latin). Ce prénom assez rare est peu attribué actuellement. Tendance : en croissance modérée. Variantes : Félice, Feliciano. Caractérologie : logique, ouverture d'esprit, rêve, humanité, rectitude.

Felipe : Qui aime les chevaux (grec). Ce prénom est rare. Tendance : en décroissance modérée. En France, Felipe est plus traditionnellement usité au Pays Basque. Variante occitane : Felip. Caractérologie : stratégie, sympathie, vitalité, achèvement, analyse.

Félix : Heureux (latin). Ce prénom répandu est plutôt bien attribué aujourd'hui. Tendance : stable. Variantes basques et bretonnes : Feliz, Filiz, Heliz. Caractérologie : intuition, relationnel, médiation, analyse, fidélité.

Ferdinand : Courageux, aventurier (germanique). Ce prénom est assez répandu. Il est peu attribué actuellement. Tendance : en croissance modérée. Variante : Ferdi. Caractérologie : communication, pragmatisme, résolution, optimisme, volonté.

Fergus : Choix (irlandais). Caractérologie : sympathie, sécurité, persévérance, structure, analyse.

Feriel : Vérité, justice (perse). Feriel est un prénom arabe mixte qui était autrefois uniquement féminin. Caractérologie : autorité, énergie, innovation, raisonnement, ambition.

Fernand : Courageux, aventurier (germanique). Ce prénom répandu est très peu attribué aujourd'hui. Tendance : stable. Caractérologie : achèvement, vitalité, volonté, stratégie, détermination.

Fernando : Courageux, aventurier (germanique). Ce prénom est assez répandu. Il est très peu attribué aujourd'hui. Tendance : en croissance modérée. Fernando est très répandu dans les pays hispanophones et au Portugal. Variante : Fernandez. Caractérologie : résolution, courage, dynamisme, volonté, curiosité.

Ferréol : De fer (latin). Ce prénom est très rare. Tendance : en croissance modérée. Variantes : Féréol, Ferrer, Ferrero, Ferruccio, Ferrucio, Feruccio, Ferucio. Caractérologie : savoir, intelligence, méditation, indépendance, logique.

Féthi : Victorieux (arabe). Ce prénom est rare. Tendance : stable. Caractérologie : enthousiasme, pratique, communication, attention, adaptation.

Fiacre : Du nom de saint Fiacre, moine irlandais qui vécut en France au VIIe siècle.

> ## Les courants de prénoms dans le vent

Une vogue anglo-américaine continue de déferler en France avec son lot de prénoms encore inconnus il y a vingt ans. Les prénoms d'origine irlandaise ou celte font monter les terminaisons en « an ». De plus, on observe l'engouement des Français pour les prénoms régionaux. Celui-ci a répandu des sonorités jusqu'alors spécifiques à la Bretagne, au Pays Basque, ou à la région Occitane (voir les encadrés sur les prénoms régionaux). Alors que les prénoms romains entraînés par Maxime ou Camille commencent à fléchir, on note un retour du rétro qui fait revivre Jules et Zoé, tandis que Mahaut et Thibaut signalent la résistance des prénoms médiévaux. Le grand succès de Sarah et l'émergence d'Adam marquent un regain d'intérêt pour les prénoms bibliques de l'ancien testament. Les tendances qui influencent la mode des prénoms peuvent être rassemblés autour de plusieurs thématiques. Voici un aperçu de ces tendances et des prénoms qui les composent. Quelques perles rares qui apparaissent tout juste en France ont été incluses.

Les anglophones :
Filles : Alison, Alyssa, Amy, Ashley, Britney, Brittany, Cindy, Courtney, Emily, Emmy, Georgia, Joey, Julia, Kimberly, Lauren, Lucy, Madeline, Madison, Maud, Maureen, Megan, Melissa, Mia, Olivia, Sally, Samantha, Sharon, Stacy, Victoria.
Garçons : Anthony, Austin, Calvin, Christopher, Cameron, Dawson, Dowson, Eliott, Ethan, Harrison, Jack, Jason, Joey, Jordan, Luke, Scott, Steven, Sullyvan, Tim, Tom, Tyler, William, Zachary.

Les celtes et les irlandais :
Filles : Alana, Allyn, Arlene, Armaëlle, Armelle, Brenda, Brianna, Ciara, Clervie, Cliona, Dara, Edna, Éloane, Erin, Erine, Falone, Fiona, Glenda, Gwendoline, Iseult, Isolde, Kacie, Kelly, Kiara, Kyla, Loane, Lou, Maëlle – et variantes –, Nara, Nola, Nuala, Olwen, Orla, Shannon, Tara, Youna.
Garçons : Aidan, Alan, Armel, Arthur, Audren, Awen, Brian, Corentin, Darren, Donovan, Douglas, Élouan, Erwan, Evan, Fergus, Gildas, Glenn, Keith, Keny, Kerian, Kevin, Killian, Kyle, Loan, Logan, Lou, Maël, Malcolm, Malo, Malory, Melvin, Neal, Nolan, Odran, Renan, Ronan, Ryan, Tanguy, Tristan, Tyron, Youen.

Les médiévaux :
Filles : Adélaïde, Adèle, Agnès, Alix, Béatrice, Beatrix, Elizabeth, Hélène, Héloïse, Irène, Isabeau, Iseult, Mahaut, Margot, Mathilde, Mélissende, Pétronille, Yolande.
Garçons : Ambroise, Amédée, Anastase, Arthur, Augustin, Aymeric, Béranger, Geoffroy, Grégoire, Guillaume, Léon, Louis, Théodore, Thibaut, Tristan.

Les courants de prénoms dans le vent *(suite)*

Les rétro :
Filles : Adèle, Aimée, Alice, Appoline, Augustine, Céleste, Célie, Églantine, Emma, Élise, Eugénie, Irène, Jeanne, Joséphine, Léontine, Léopoldine, Louise, Lucie, Madeleine, Mathilde, Ophélie, Pauline, Rose et Zoé.
Garçons : Alfred, Alphonse, Amédée, Aristide, Augustin, Barthélémy, Cyprien, Eugène, Félix, Ferdinand, Gustave, Jules, Justin, Léon, Théophile, Victor et Virgile.

Les prénoms de source biblique (Ancien Testament) :
Filles : Eden, Ève (Eva), Dana, Daria, Hannah, Ilana, Léa, Maya, Rachel, Rébecca, Salomé, Sarah, Sharon, Talia et Yaël.
Garçons : Abel, Adam, Ariel, David, Eden, Emmanuel, Ethan, Gabriel, Ilan, Isaac, Joachim, Jonas, Joseph, Liam, Moïse, Nathan, Noé, Raphaël, Samuel, Simon et Zacharie.

Fiacre est également le saint patron des jardiniers. Ce prénom est porté par moins de 100 personnes en France. Caractérologie : résolution, sens des responsabilités, famille, équilibre, analyse.

Fidel : La foi (latin). Ce prénom est très rare. Variante : Fidèle. Caractérologie : volonté, rectitude, humanité, analyse, rêve.

Filipe : Qui aime les chevaux (grec). Ce prénom assez rare est très peu attribué aujourd'hui. Tendance : stable. Variantes : Filip, Filipo. Caractérologie : pratique, sympathie, analyse, communication, enthousiasme.

Finn : Blanc, clair (celte). Caractérologie : indépendance, méditation, intelligence, sagesse, savoir.

Firmin : Fermeté, rigueur (latin). Ce prénom assez rare est peu attribué actuellement. Tendance : en forte croissance. Variante basque : Fermin. Caractérologie : paix, bienveillance, conseil, conscience, volonté.

Flavien : Couleur jaune, blond (latin). Ce prénom répandu est plutôt bien attribué aujourd'hui. Tendance : stable. Variantes : Flavian, Flavy. Caractérologie : famille, équilibre, caractère, sens des responsabilités, logique.

Flavio : Couleur jaune, blond (latin). Ce prénom est rare. Tendance : en forte croissance. Caractérologie : diplomatie, sociabilité, loyauté, analyse, réceptivité.

Fleury : Fleur (latin). Ce prénom est très rare. Variantes : Fiore, Fiorello, Fleuret, Fleuri, Fleuris. Caractérologie : conscience, bienveillance, sympathie, paix, analyse.

Flint : Ruisseau (anglo-saxon). Caractérologie : sagacité, spiritualité, connaissances, analyse, originalité.

Floran : Floraison (latin). Ce prénom est très rare. Tendance : stable. Variantes : Florancio, Florant. Caractérologie : analyse, pragmatisme, communication, optimisme, résolution.

Floréal : Floraison (latin). Ce prénom est rare. Caractérologie : conscience, paix, bienveillance, logique, décision.

Florent : Floraison (latin). Ce prénom répandu est plutôt bien attribué aujourd'hui. Tendance : en décroissance modérée. Caractérologie : altruisme, idéalisme, réflexion, intégrité, logique.

Florentin : Parc fleuri (latin). Ce prénom est assez répandu. Il est relativement peu attribué aujourd'hui. Tendance : stable. Variante : Florentino. Caractérologie : découverte, énergie, audace, analyse, originalité.

Florestan : Parc fleuri (latin). Ce prénom est très rare. Tendance : en décroissance modérée. Caractérologie : réceptivité, sociabilité, diplomatie, décision, logique.

Florian : Floraison (latin). Ce prénom est très répandu. De plus, il figure dans le top 50 français aujourd'hui. Tendance : en décroissance modérée. Variantes : Floriant, Florice, Floride, Florin, Floris, Flory, Floryan. Variante basque : Floriano. Caractérologie : détermination, pratique, raisonnement, communication, enthousiasme.

Florient : Floraison (latin). Ce prénom est très rare. Tendance : en décroissance modérée. Variante : Florien. Caractérologie : idéalisme, altruisme, intégrité, réflexion, analyse.

Florimond : Floraison (latin). Ce prénom est rare. Tendance : en croissance modérée. Variante : Florimon. Caractérologie : méditation, savoir, intelligence, caractère, logique.

Floyd : Cheveux gris (gallois). Ce prénom est porté par moins de 100 personnes en France. Caractérologie : achèvement, vitalité, ardeur, leadership, stratégie.

Foad : Généreux, qui a du cœur (arabe). Ce prénom est très rare. Caractérologie : leadership, vitalité, stratégie, achèvement, ardeur.

Fortunato : Chanceux (latin). Ce prénom est très rare. Variante : Fortuna. Caractérologie : fiabilité, analyse, ténacité, méthode, résolution.

Foster : Gardien de forêt (anglais). Caractérologie : fidélité, intuition, relationnel, médiation, décision.

Fouad : Généreux, qui a du cœur (arabe). Ce prénom est assez répandu. Il est très peu attribué aujourd'hui. Tendance : stable. Variantes : Fouaad, Fouade, Fouede, Fouhad. Caractérologie : adaptabilité, relationnel, intuition, fidélité, médiation.

Foucauld : Peuple de la forêt (germanique). Ce prénom est très rare. Tendance : en croissance modérée. Variante : Foucault. Caractérologie : intuition, médiation, adaptabilité, relationnel, fidélité.

Foued : Généreux, qui a du cœur (arabe). Ce prénom est rare. Tendance : stable. Variante : Fouhed. Caractérologie : bienveillance, conscience, caractère, paix, conseil.

Franc : Libre (latin). Ce prénom assez rare ne devrait pas être attribué à plus de 10 bébés en 2005. Caractérologie : équilibre, détermination, sens des responsabilités, famille, raisonnement.

France : Libre (latin). Ce prénom assez rare est très peu attribué aujourd'hui. Variante : Francelin. Caractérologie : sociabilité, diplomatie, réceptivité, décision, logique.

Francesco : Libre (latin). Ce prénom assez rare est très peu attribué aujourd'hui. Tendance : en croissance modérée. Francesco est très répandu en Italie. Caractérologie : enthousiasme, pratique, communication, raisonnement, détermination.

Francis : Libre (latin). Ce prénom est très répandu. Il est très peu attribué aujourd'hui. Tendance : en décroissance modérée. Variante : Francys. Caractérologie : savoir, intelligence, méditation, analyse, résolution.

Francisco : Libre (latin). Ce prénom est assez répandu. Il est très peu attribué aujourd'hui. Tendance : stable. Francisco est très répandu en Espagne. Caractérologie : détermination, spiritualité, connaissances, raisonnement, sagacité.

Francisque : Libre (latin). Ce prénom assez rare est très peu attribué aujourd'hui. Caractérologie : analyse, audace, énergie, découverte, résolution.

Franck : Libre (latin). Ce prénom est très répandu. Il est relativement peu attribué aujourd'hui. Tendance : en décroissance modérée. Caractérologie : stratégie, achèvement, détermination, vitalité, raisonnement.

Francky : Libre (latin). Ce prénom assez rare est très peu attribué aujourd'hui. Tendance : en décroissance modérée. Variantes : Francki, Franckie, Franki, Frankie. Variantes bretonnes : Soaig, Soizic.

Caractérologie : sympathie, sens des responsabilités, équilibre, famille, analyse.

François : Libre (latin). Ce prénom est très répandu. Il est plutôt bien attribué aujourd'hui. Tendance : en décroissance modérée. Caractérologie : structure, sécurité, persévérance, raisonnement, détermination.

François-Xavier : Prénom composé de François et de Xavier. Ce prénom est assez répandu. Il est très peu attribué aujourd'hui. Tendance : en décroissance modérée. Caractérologie : volonté, intuition, médiation, relationnel, analyse.

Frank : Libre (latin). Ce prénom répandu est très peu attribué aujourd'hui. Tendance : stable. Caractérologie : courage, dynamisme, curiosité, indépendance, détermination.

Franklin : Libre (latin). Ce prénom est rare. Tendance : stable. Caractérologie : persévérance, résolution, structure, sécurité, analyse.

Franky : Libre (latin). Ce prénom est rare. Tendance : en décroissance modérée. Caractérologie : créativité, optimisme, communication, pragmatisme, détermination.

Frantz : Libre (latin). Ce prénom assez rare est très peu attribué aujourd'hui. Tendance : stable. Variante : Frans. Caractérologie : structure, sécurité, sensibilité, persévérance, détermination.

Franz : Libre (latin). Ce prénom est rare. Tendance : en croissance modérée. Franz est très répandu en Allemagne. Caractérologie : médiation, fidélité, détermination, relationnel, intuition.

F

Les prénoms de rois

La vogue des prénoms rétros et médiévaux a remis au goût du jour de nombreux prénoms oubliés. On peut donc s'étonner que cette tendance ne fasse pas revenir les prénoms royaux. Or, à l'exception de Louis, ces derniers ne figurent pas dans le top 20 français. Il est intéressant de voyager dans le temps et d'observer l'ensemble des prénoms portés par les rois de France. Qui sait si Charles, Henri, François, Jean ou Philippe reviendront en scène dans les prochaines années ? Les noms de ces monarques sont classés par ordre chronologique. Ils retracent les dynasties successives des Capétiens, des Valois et des Bourbons.

Hugues Capet	Charles VII
Robert II le Pieux	Louis XI
Henri Ier	Charles VIII
Philippe Ier	Louis XII Père du peuple
Louis VI le Gros	François Ier le Roi Chevalier
Louis VII le Jeune	Henri II
Philippe II-Auguste	François II
Louis VIII le Lion	Charles IX
Louis IX le Saint	Henri III
Philippe III le Hardi	Henri IV le Vert-Galant
Philippe IV le Bel	Louis XIII le Juste
Louis X le Hutin	Louis XIV le Grand
Philippe V le Long	Louis XV le Bien-Aimé
Charles IV le Bel	Louis XVI
Philippe VI le Valois	Louis XVIII
Jean II le Bon	Charles X
Charles V le Sage	Louis-Philippe Ier
Charles VI le Bien-Aimé	

F

Fraser : Fraise (écossais). Caractérologie : ténacité, engagement, méthode, fiabilité, résolution.

Fred : Pouvoir de la paix (germanique). Ce prénom est rare. Tendance : en décroissance modérée. Variante : Frede. Caractérologie : famille, équilibre, sens des responsabilités, influence, volonté.

Freddy : Pouvoir de la paix (germanique). Ce prénom répandu est très peu attribué aujourd'hui. Tendance : en décroissance modérée. Variantes : Freddi, Freddie, Fredi, Fredj, Fredo. Caractérologie : vitalité, stratégie, ardeur, volonté, achèvement.

Frédéric : Pouvoir de la paix (germanique). Ce prénom est très répandu. Il est relativement peu attribué aujourd'hui. Tendance : en décroissance modérée. Variantes : Frederi, Frederich, Frederico, Fredric, Friedrich, Fritz. Caractérologie : dynamisme, curiosité, logique, courage, caractère.

Frederick : Pouvoir de la paix (germanique). Ce prénom est assez répandu. Il est très peu attribué aujourd'hui. Tendance : en décroissance modérée. Caractérologie : méditation, savoir, volonté, intelligence, raisonnement.

Frederik : Pouvoir de la paix (germanique). Ce prénom assez rare est très peu attribué aujourd'hui. Tendance : stable. Caractérologie : fiabilité, méthode, engagement, ténacité, caractère.

Fredy : Pouvoir de la paix (germanique). Ce prénom assez rare est très peu attribué aujourd'hui. Tendance : en forte décroissance. Caractérologie : ténacité, méthode, fiabilité, engagement, volonté.

Fridolin : Elfe, conseiller (germanique). Ce prénom est porté par moins de 100 personnes en France. Caractérologie : bienveillance, conscience, paix, logique, caractère.

Fulbert : Peuple brillant (germanique). Ce prénom est très rare. Caractérologie : enthousiasme, communication, adaptation, pratique, analyse.

Fulgence : Fulgurant (latin). Ce prénom est très rare. Variantes : Fulgencio, Fulgent. Caractérologie : direction, dynamisme, audace, cœur, indépendance.

Fulvio : Couleur jaune, blond (latin). Ce prénom est très rare. Variante : Fulvien. Caractérologie : ténacité, méthode, fiabilité, engagement, logique.

Gabin : Force (hébreu). Ce prénom est assez répandu. Il est plutôt bien attribué aujourd'hui. Tendance : en forte croissance. Caractérologie : paix, bienveillance, conscience, conseil, décision.

Gabriel : Force de Dieu (hébreu). Ce prénom répandu figure dans le top 50 français aujourd'hui. Voir le zoom dédié à Gabriel. Variantes : Gabe, Gabirel. Caractérologie : altruisme, idéalisme, détermination, compassion, intégrité.

Gaby : Force de Dieu (hébreu). Ce prénom est rare. Tendance : en croissance modérée. Caractérologie : force, ambition, habileté, passion, management.

Gad : Chanceux (hébreu). Ce prénom est très rare. Tendance : stable. Caractérologie : communication, pratique, enthousiasme, réalisation, adaptation.

Gadiel : Richesse de Dieu (hébreu). Caractérologie : intuition, relationnel, réussite, médiation, cœur.

Gaël : Étymologie possible : seigneur généreux (breton). Ce prénom répandu est plutôt bien attribué aujourd'hui. Tendance : stable. En Bretagne, ce prénom s'orthographie souvent sans tréma. Variante : Gaelig. Caractérologie : méditation, savoir, intelligence, cœur, indépendance.

Gaétan : De Gaète, ville d'Italie (latin). Ce prénom répandu figure dans le top 100 français aujourd'hui. Tendance : en décroissance modérée. Variante : Gaéthan. Caractérologie : communication, enthousiasme, pratique, générosité, adaptation.

GABRIEL

Fête : 29 septembre

Étymologie : de l'hébreu : Dieu est ma force. À la mode dans les années 1920, puis désuet dans les années 1930, Gabriel suit un parcours inégal sur l'ensemble du XXe siècle en France. Il s'est certes ressaisi ces vingt dernières années, notamment depuis 1998. Pourtant aujourd'hui, la carrière de Gabriel montre des signes d'essoufflement. Peut-on pour autant affirmer que sa débâcle est imminente ? Rien n'est moins sûr. Gabriel pourrait encore séduire bien des parents souhaitant donner à leur enfant un prénom dont la terminaison se démarque des sons « o » et « an ». Quoi qu'il en soit, on peut estimer que plus de 2 000 nouveau-nés seront prénommés ainsi en France en 2005. Ceci devrait d'ailleurs permettre à Gabriel de se maintenir dans le top 40 français. Gabriel se prête peu aux variations, mais Gaby peut être utilisé comme forme diminutive ou affective de Gabriel et Gabrielle. (Note : Gaby est aussi un prénom à part entière).

Comme bien d'autres référents bibliques, Gabriel est un prénom international dont la notoriété est immense. Pourtant, ce dernier ne figure pas dans l'élite des 50 prénoms de nombreux pays. Il a récemment quitté celui de la Suisse romande. Pire encore, Gabriel vient seulement d'entrer dans le top 100 belge wallon. Quelques exceptions sont toutefois à souligner. D'une part, Gabriel devrait se maintenir dans le top 10 québécois en 2005. D'autre part, sa croissance devrait lui permettre d'intégrer le top 30 américain. Ajoutons enfin que Gabrielle, équivalent féminin rare, grandit en France dans le sillon de Gabriel. Gabriella, autre forme féminine connue, est davantage répandue dans les pays hispanophones et anglo-saxons.

Saint Gabriel se dédie à la vie monastique au Ve siècle. Il est le patron des novices.
Dans la Bible, **l'archange Gabriel** est le messager du ciel qui apparaît au prophète Daniel pour l'aider à interpréter ses songes. Il annonce à Marie qu'elle va mettre au monde le messie. L'archange Gabriel est le patron des postiers et de bien des métiers de communication.
Jibril, l'équivalent arabe de Gabriel, est également vénéré comme l'ange porteur d'ordres et de châtiments divins.
Statistique : Gabriel est le 75e prénom masculin le plus attribué du XXe siècle en France. Jean-Gabriel est le composé de Gabriel le plus porté aujourd'hui.

Le palmarès des prénoms du Québec

Ce palmarès a été effectué par la Régie des rentes du Québec. Les prénoms sont classés par ordre décroissant d'attribution.

1. William	8. Thomas	15. Nicolas
2. Samuel	9. Anthony	16. Justin
3. Jeremy	10. Alexis	17. Nathan
4. Gabriel	11. Antoine	18. Jacob
5. Mathis	12. Alexandre	19. Mathieu
6. Olivier	13. Zachary	20. Maxime
7. Xavier	14. Félix	

Ce palmarès se démarque de celui des autres pays francophones. Seuls cinq des prénoms de ce tableau figurent aussi dans le top 20 français, wallon et suisse romand. Ces derniers sont Antoine, Alexandre, Mathis, Nicolas et Thomas. Malgré la présence de William et de Zachary, ce palmarès garde une forte identité francophone. On s'étonne malgré tout de l'absence de Théo, Matteo et Lucas, grandes stars françaises du moment. Par ailleurs, Mathis crée la surprise en s'emparant de la 5e place du podium québécois alors qu'on le croyait précurseur en France. Les autres prénoms qui progressent le plus sont Alexis, Justin et Nathan. Ce dernier est entré dans le top 20 québécois en 2003, une grande première. De son côté, Alexis revient en force en 10e position après deux années d'absence. Il prend la relève d'un Alexandre qui perd chaque année davantage de terrain. Alexandre n'est pas tout seul ; d'autres prénoms, comme Olivier, Xavier, Félix ou Nicolas, l'accompagnent dans son déclin. Notons toutefois que ces derniers ne sont pas prêts de quitter le top 20 québécois. Ce n'est pas le cas de Maxime et Mathieu qui ne devraient plus pouvoir se maintenir longtemps dans ce peloton. Les grands sortants de l'année 2003 sont Raphaël et Vincent : ils n'ont pu freiner leur chute et ne se positionnent plus qu'en 21e et 22e positions. S'il est possible que Raphaël revienne dans le top 20 en 2005, il est encore plus probable qu'Émile s'y impose. La croissance de ce dernier est en effet bien solide.

Remarque : le prénom Jérémy est orthographié avec des accents. On peut le trouver orthographié sans accent au Québec comme dans d'autres régions francophones.

Gaetano : De Gaète, ville d'Italie (latin). Ce prénom est rare. Caractérologie : altruisme, réflexion, dévouement, intégrité, idéalisme.

Gall : Valeureux, héroïque (irlandais). Caractérologie : charisme, indépendance, dynamisme, curiosité, courage.

Gamal : Chameau (arabe). Ce prénom est très rare. Caractérologie : connaissances, sagacité, réussite, spiritualité, originalité.

Gamiel : Dieu est ma récompense (hébreu). Caractérologie : relationnel, sympathie, intuition, médiation, réalisation.

Gang : Petite montagne (chinois). Caractérologie : loyauté, diplomatie, sociabilité, réceptivité, bonté.

Garabed : Celui qui apporte d'heureuses nouvelles (arménien). Ce prénom est porté par moins de 100 personnes en France. Variante : Garabet. Caractérologie : sociabilité, réussite, diplomatie, décision, réceptivité.

Garry : Lance, gouverner (germanique). Ce prénom est rare. Tendance : stable. Caractérologie : influence, famille, sens des responsabilités, exigence, équilibre.

Gary : Lance, gouverner (germanique). Ce prénom est assez répandu. Il est peu attribué actuellement. Tendance : en décroissance modérée. Caractérologie : paix, sagesse, bienveillance, conscience, conseil.

Gaspard : Gardien du trésor (hébreu). Ce prénom est assez répandu. Il est plutôt bien attribué aujourd'hui. Tendance : en croissance modérée. Variantes : Caspar, Casper, Gaspar, Jasper. Caractérologie : optimisme, communication, créativité, pragmatisme, réalisation.

Gaston : Accueillant (germanique). Ce prénom répandu est peu attribué actuellement. Tendance : stable. Caractérologie : fiabilité, engagement, méthode, ténacité, sens du devoir.

Gatien : Accueillant (germanique). Ce prénom assez rare est relativement peu attribué aujourd'hui. Tendance : stable. Caractérologie : sociabilité, réceptivité, diplomatie, résolution, loyauté.

Gaulthier : Commander, gouverner (germanique). Ce prénom est très rare. Tendance :

en croissance modérée. Variante : Gaultier. Caractérologie : médiation, intuition, relationnel, action, attention.

Gauthier : Commander, gouverner (germanique). Ce prénom répandu est plutôt bien attribué aujourd'hui. Tendance : stable. Caractérologie : stratégie, achèvement, vitalité, attention, action.

Gautier : Commander, gouverner (germanique). Ce prénom est assez répandu. Il est relativement peu attribué aujourd'hui. Tendance : stable. Caractérologie : rêve, détermination, humanité, compassion, rectitude.

Gauvain : Faucon de plaine (gallois). Ce prénom est très rare. Tendance : stable. Variantes : Gauvin, Gavin. Caractérologie : optimisme, pragmatisme, réalisation, compassion, communication.

Gaylord : Gaillard (vieux français). Ce prénom assez rare est très peu attribué aujourd'hui. Tendance : en décroissance modérée. Variante : Gaylor. Caractérologie : dynamisme, audace, réalisation, analyse, direction.

Gédéon : Qui coupe les arbres (hébreu). Ce prénom est très rare. Tendance : stable. Caractérologie : originalité, énergie, découverte, caractère, audace.

Genès : Naissance (latin). Ce prénom est porté par moins de 100 personnes en France. Variante : Genest. Caractérologie : curiosité, charisme, indépendance, dynamisme, courage.

Genseric : Puissant gouverneur (scandinave). Ce prénom est porté par moins de 100 personnes en France. Caractérologie : force, sympathie, ambition, résolution, habileté.

G

310

Geoffray : La paix de Dieu (germanique). Ce prénom assez rare est très peu attribué aujourd'hui. Tendance : en décroissance modérée. Caractérologie : relationnel, médiation, intuition, fidélité, décision.

Geoffrey : La paix de Dieu (germanique). Ce prénom répandu est relativement peu attribué aujourd'hui. Tendance : en décroissance modérée. Variante : Gottfried. Caractérologie : bienveillance, paix, conscience, sagesse, conseil.

Geoffroy : La paix de Dieu (germanique). Ce prénom est assez répandu. Il est peu attribué actuellement. Tendance : en décroissance modérée. En France, Geoffroy est plus traditionnellement usité dans les Flandres. Variante : Geoffroi. Caractérologie : connaissances, sagacité, originalité, spiritualité, philosophie.

George : Labourer le sol (grec). Ce prénom est rare. Tendance : stable. Caractérologie : optimisme, créativité, pragmatisme, communication, sociabilité.

Georges : Labourer le sol (grec). Ce prénom est très répandu. Il est relativement peu attribué aujourd'hui. Tendance : stable. Variantes : Georgie, Georgio, Georgy, Jurgen. Variante : Jorj. Variante basque : Gorka. Variante bretonne : Yun. Caractérologie : structure, sécurité, persévérance, efficacité, détermination.

Gérald : Lance, gouverner (germanique). Ce prénom répandu est très peu attribué aujourd'hui. Tendance : en décroissance modérée. Variantes : Géralde, Geraldo. Caractérologie : sociabilité, réceptivité, diplomatie, réalisation, sympathie.

Gérard : Lance puissante (germanique). Ce prénom est très répandu. Il est très peu attribué aujourd'hui. Tendance : stable. Variantes : Gérardin, Gerardo, Gerbert, Gerhard. Variante alsacienne : Guerard. Caractérologie : décision, achèvement, vitalité, stratégie, réussite.

Géraud : Lance, gouverner (germanique). Ce prénom assez rare est peu attribué actuellement. Tendance : en croissance modérée. Caractérologie : relationnel, médiation, intuition, sympathie, réalisation.

Germain : De même sang (latin). Ce prénom répandu est peu attribué actuellement. Tendance : stable. Variante : Germano. Variante basque et occitane : German. Caractérologie : sécurité, structure, réalisation, persévérance, détermination.

Germinal : Germinal correspond à la période du début du printemps du calendrier révolutionnaire, en mars/avril. Ce prénom est très rare. Caractérologie : sagacité, sympathie, connaissances, réalisation, spiritualité.

Gérôme : Nom sacré (grec). Ce prénom assez rare est très peu attribué aujourd'hui. Tendance : stable. Caractérologie : rêve, ouverture d'esprit, volonté, rectitude, humanité.

Gervais : Prêt au combat (germanique). Ce prénom assez rare est très peu attribué aujourd'hui. Caractérologie : détermination, humanité, rectitude, rêve, réalisation.

Gery : Diminutif de Gérard et de Gérald. Ce prénom assez rare est très peu attribué aujourd'hui. Variante : Gerry. Caractérologie : autorité, innovation, ambition, autonomie, énergie.

G

311

Ghaïs : Vigoureux (arabe). Ce prénom est très rare. Tendance : en forte croissance. Caractérologie : achèvement, vitalité, action, ardeur, stratégie.

Ghani : Celui qui est riche (arabe). Ce prénom est porté par moins de 100 personnes en France. Caractérologie : communication, résolution, optimisme, ressort, pragmatisme.

Gharib : Nom d'un des personnages des Mille et Une Nuits. Ce prénom est très rare. Caractérologie : intégrité, idéalisme, altruisme, action, réflexion.

Ghislain : Doux (germanique). Ce prénom répandu est peu attribué actuellement. Tendance : en décroissance modérée. Variantes : Ghyslain, Gyslain. Caractérologie : sympathie, intelligence, méditation, savoir, ressort.

Giacomo : Supplanter, substituer (hébreu). Ce prénom est très rare. Tendance : stable. Giacomo est répandu en Italie. Caractérologie : idéalisme, intégrité, altruisme, logique, réussite.

Gianni : Dieu fait grâce (hébreu). Ce prénom assez rare est relativement peu attribué aujourd'hui. Tendance : stable. Gianni est très répandu en Italie. Variantes : Gian, Giani, Gianny. Caractérologie : rêve, rectitude, ouverture d'esprit, humanité, décision.

Gideon : Qui coupe les arbres (hébreu). Caractérologie : rêve, rectitude, ouverture d'esprit, humanité, caractère.

Gil : Diminutif des prénoms assemblés avec Gil. Ce prénom est assez répandu. Il est très peu attribué aujourd'hui. Tendance : en

décroissance modérée. Caractérologie : énergie, autorité, ambition, autonomie, innovation.

Gilbert : Digne de confiance (germanique). Ce prénom est très répandu. Il est très peu attribué aujourd'hui. Tendance : en décroissance modérée. Variante : Wilbert. Caractérologie : direction, dynamisme, audace, indépendance, sympathie.

Gilberto : Digne de confiance (germanique). Ce prénom est très rare. À noter : Gilberto est très répandu dans les pays hispanophones, au Brésil et au Portugal. Caractérologie : méditation, savoir, logique, intelligence, cœur.

Gildas : Chevelure (celte). Ce prénom breton est assez répandu. Il est très peu attribué aujourd'hui. Tendance : en décroissance modérée. Variantes : Jildas, Jildaz. Variante corse : Gilda. Caractérologie : connaissances, spiritualité, originalité, réalisation, sagacité.

Gilles : Bouclier protecteur de chevaux (grec). Ce prénom est très répandu. Il est très peu attribué aujourd'hui. Tendance : en décroissance modérée. Variantes : Ghiles, Giles, Gilian, Gill, Gilles, Gillian. Variante occitane : Geli. Caractérologie : cœur, énergie, autorité, innovation, décision.

Gino : Royal (latin). Ce prénom est assez répandu. Il est relativement peu attribué aujourd'hui. Tendance : stable. Gino est très répandu en Italie. Variantes : Gine, Ginno. Caractérologie : idéalisme, altruisme, intégrité, réflexion, dévouement.

Giordano : Descendre (hébreu). Ce prénom est très rare. En France, Giordano est plus tra-

Le palmarès des prénoms de la Suisse romande

Ce palmarès a été effectué par l'Office fédéral suisse de la statistique (OFS). Les prénoms sont classés par ordre décroissant d'attribution.

1. Thomas	8. Loïc	15. Samuel
2. Luca	9. Noah	16. Adrien
3. Théo	10. Nicolas	17. Arnaud
4. Maxime	11. Julien	18. Dylan
5. Alexandre	12. Romain	19. Jérémy
6. Léo	13. Lucas	20. Simon
7. David	14. Nathan	

Ce palmarès suisse romand inclut de nombreuses stars françaises. On y retrouve en effet Thomas, Luca, Théo, Léo et même Lucas. Maxime et Nicolas sont quant à eux des classiques aussi appréciés en France qu'en Suisse francophone. Cependant, les similitudes s'arrêtent ici. D'une part, on observe l'apparition de deux prénoms précurseurs dans ce tableau : Noah et Nathan confirment leur succès en Suisse francophone bien plus tôt qu'en France où leur avènement est en cours. D'autre part, la présence de David, Loïc, Alexandre, Romain, Arnaud, Dylan et Julien est spécifique à ce palmarès suisse romand. En 2005, on peut anticiper la chute de Jérémy et de Dylan. Celle-ci devrait favoriser l'entrée d'Hugo dans le top 20. Quant à Matteo et Noé, ils se disputeront avec acharnement la 20ᵉ place. Certains prénoms, comme Thomas, Alexandre, Nicolas, Loïc ou Julien, continuent un déclin amorcé il y a trois ans. D'autres, comme Luca, Théo, Noah, Adrien ou Romain, devraient poursuivre leur croissance solide.

Remarque : le prénom Jérémy est orthographié avec des accents. On peut le trouver orthographié sans accent en Suisse romande et dans d'autres régions francophones.

G

313

ditionnellement usité au Pays Basque. Caractérologie : diplomatie, sociabilité, volonté, réceptivité, réalisation.

Giorgio : Labourer le sol (grec). Ce prénom est très rare. Tendance : en croissance modérée. En dehors de la France, Giorgio est particulièrement répandu en Italie. Caractérologie : vitalité, ardeur, leadership, achèvement, stratégie.

Giovanni : Dieu fait grâce (hébreu). Ce prénom est assez répandu. Il est relativement peu attribué aujourd'hui. Tendance : stable. Giovanni est très répandu en Italie. Variantes : Giovani, Giovanny, Giovany. Caractérologie : audace, direction, dynamisme, caractère, réussite.

Girard : Lance puissante (germanique). Ce prénom est très rare. En France, Girard est plus traditionnellement usité en Occitanie. Variante : Giraud. Caractérologie : communication, optimisme, créativité, pragmatisme, réussite.

Gireg : Ambre (celte). Ce prénom est porté par moins de 100 personnes en France. Variantes : Guéric, Guérric, Guirec, Guireg. Caractérologie : ambition, énergie, autorité, autonomie, innovation.

Giuseppe : Dieu ajoutera (hébreu). Ce prénom assez rare est très peu attribué aujourd'hui. Tendance : stable. Giuseppe est très répandu en Italie. Caractérologie : décision, habileté, force, ambition, cœur.

Glen : Vallée boisée (irlandais). Ce prénom est très rare. Tendance : stable. Caractérologie : sociabilité, réceptivité, diplomatie, loyauté, cœur.

Glenn : Vallée boisée (irlandais). Ce prénom assez rare est très peu attribué aujourd'hui. Tendance : stable. Caractérologie : cœur, méditation, intelligence, savoir, indépendance.

Godard : Divinement ferme (germanique). Caractérologie : fiabilité, ténacité, méthode, réussite, engagement.

Godefroy : La paix de Dieu (germanique). Ce prénom est rare. Tendance : en décroissance modérée. Variantes : Godefroi, Goeffrey. Caractérologie : indépendance, volonté, courage, dynamisme, curiosité.

Goliath : Exilé (hébreu). Caractérologie : rêve, humanité, rectitude, raisonnement, action.

Gonthier : Combat, armée (germanique). Ce prénom est porté par moins de 100 personnes en France. Il est plus traditionnellement usité en Alsace. Caractérologie : paix, conscience, bienveillance, sensibilité, action.

Gontran : Combat, corbeau (germanique). Ce prénom est rare. Tendance : en décroissance modérée. Variante : Gontrand. Caractérologie : achèvement, vitalité, stratégie, résolution, ardeur.

Gonzague : Nom d'une famille noble italienne du XVIᵉ siècle. Ce prénom assez rare est très peu attribué aujourd'hui. Tendance : stable. Caractérologie : conscience, paix, conseil, bienveillance, cœur.

Gonzalo : Loup (celte). Ce prénom est très rare. Variantes : Gonzalès, Gonzalve. Caractérologie : rectitude, humanité, rêve, ouverture d'esprit, cœur.

Goran : Croix sacrée (basque). Ce prénom est rare. Tendance : stable. Caractérologie : indépendance, audace, direction, dynamisme, résolution.

Gordon : Colline triangulaire (anglais). Ce prénom est très rare. Tendance : stable. Caractérologie : audace, dynamisme, direction, caractère, indépendance.

Gottlieb : Amour de Dieu (latin). Ce prénom est porté par moins de 100 personnes en France. Caractérologie : altruisme, idéalisme, intégrité, compassion, raisonnement.

Goulven : Blanc, heureux (breton). Ce prénom assez rare est très peu attribué aujourd'hui. Tendance : en forte croissance. Variante : Goulwen. Caractérologie : sens des responsabilités, équilibre, compassion, famille, volonté.

Gracien : Grâce (latin). Ce prénom est porté par moins de 100 personnes en France. Variante : Grace. Caractérologie : communication, optimisme, résolution, pragmatisme, sympathie.

Graham : Maison grise (anglo-saxon). Ce prénom est porté par moins de 100 personnes en France. Variante : Grahem. Caractérologie : pratique, communication, ressort, réalisation, enthousiasme.

Grant : Grand, généreux (anglais). Ce prénom est porté par moins de 100 personnes en France. Caractérologie : paix, bienveillance, conseil, conscience, décision.

Gratien : Grâce (latin). Ce prénom est rare. Variantes : Gratian, Graziano. Caractérologie : loyauté, sociabilité, résolution, réceptivité, diplomatie.

Greg : Veilleur, vigilant (latin). Ce prénom est rare. Tendance : stable. Variantes : Graig, Gregg. Caractérologie : direction, audace, indépendance, assurance, dynamisme.

Grégoire : Veilleur, vigilant (latin). Ce prénom répandu est plutôt bien attribué aujourd'hui. Tendance : stable. Caractérologie : communication, pragmatisme, optimisme, créativité, sociabilité.

Grégory : Veilleur, vigilant (latin). Ce prénom répandu est plutôt bien attribué aujourd'hui. Tendance : stable. Variantes : Gregor, Grégori, Grégorie, Grégorio. Caractérologie : dynamisme, courage, charisme, curiosité, indépendance.

Griffin : Qui a des cheveux rouges (celte). Variante : Griffith. Caractérologie : sens des responsabilités, équilibre, famille, influence, exigence.

Guénael : Blanc, heureux, prince (breton). Ce prénom assez rare est très peu attribué aujourd'hui. Tendance : en croissance modérée. Variante : Ganael. Caractérologie : loyauté, sympathie, sociabilité, réceptivité, diplomatie.

Guénhaël : Blanc, heureux, généreux (breton). Ce prénom est très rare. Caractérologie : autorité, énergie, ambition, compassion, innovation.

Guénolé : Blanc, heureux, valeur (breton). Ce prénom est rare. Tendance : stable. Caractérologie : savoir, indépendance, méditation, intelligence, sympathie.

Guerino : Qui protège (germanique). Ce prénom est très rare. Variantes : Guérin, Guerrino. Caractérologie : logique, ambition, force, habileté, cœur.

Guerric : Puissant protecteur (germanique). Ce prénom est très rare. Tendance : en décroissance modérée. Variante : Gueric. Caractérologie : rectitude, sympathie, ouverture d'esprit, rêve, humanité.

Guewen : Blanc, heureux (breton). Ce prénom est très rare. Tendance : stable. Caractérologie : optimisme, créativité, sympathie, communication, pragmatisme.

Gui : Forêt (germanique). Ce prénom est très rare. En France, Gui est plus traditionnellement usité en Occitanie. Caractérologie : autonomie, autorité, innovation, ambition, énergie.

Guilhem : Protecteur résolu (germanique). Ce prénom est assez répandu. Il est relativement peu attribué aujourd'hui. Tendance : stable. En France, Guilhem est plus traditionnellement usité en Occitanie.

G

315

Le palmarès des prénoms de la Wallonie

Ce palmarès a été effectué par l'Institut national de statistique de la Belgique. Les prénoms sont classés par ordre de décroissant d'attribution.

1. Thomas	8. Louis	15. Simon
2. Maxime	9. Théo	16. Arthur
3. Nicolas	10. Antoine	17. Tom
4. Hugo	11. Nathan	18. Guillaume
5. Lucas	12. Alexandre	19. Martin
6. Noah	13. Julien	20. Benjamin
7. Romain	14. Florian	

Ce palmarès wallon inclut de nombreuses stars suisses et françaises. Neuf des dix premiers prénoms de ce tableau figurent en effet dans les tops 10 français et suisse romand. Toutefois, le reste de ce palmarès présente un profil spécifique à la Wallonie. Commencons par Noah qui fait figure d'exception. En 2002, il crée la surprise en devenant le 6e prénom wallon (il était 31e l'année précédente). En s'emparant de la 11e place de ce hit-parade, Nathan s'est lui aussi distingué. Tout comme Noah, ce dernier devrait renforcer son succès en Wallonie bien plus tôt qu'en France où son avènement est en cours. La présence de Guillaume, Martin et Benjamin est également spécifique à ce palmarès. On observe en effet leur absence des tops 20 français, suisse romand ou québécois.

Plusieurs changements sont à anticiper pour 2005. Guillaume et Benjamin déclinent et devraient quitter ce hit-parade wallon. Adrien et Luca seront alors bien positionnés pour les remplacer. Hugo, Noah, Romain et Louis devraient, quant à eux, poursuivre leur ascension. En revanche, Nicolas, Antoine, Alexandre et Julien ne pourront sans doute pas enrayer un déclin inéluctable.

Variantes : Guilem, Guilhelm. Caractérologie : communication, enthousiasme, pratique, ressort, sympathie.

Guilian : Protecteur résolu (germanique). Ce prénom est très rare. Tendance : en forte croissance. Variantes : Gislain, Guilain, Guillain, Guillian, Guislain, Guylain, Guylian. Caractérologie : énergie, innovation, résolution, sympathie, autorité.

Guillaume : Protecteur résolu (germanique). Ce prénom est très répandu. De plus, il figure dans le top 50 français aujoud'hui. Tendance : en décroissance modérée. Variantes : Guilhaume, Guillemin, Guyllaume, Gwilherm. Caractérologie : relationnel, médiation, intuition, réussite, cœur.

Guillem : Protecteur résolu (germanique). Ce prénom est très rare. Tendance : stable. En France, Guillem est plus traditionnellement usité en Occitanie. Variantes : Guilherme, Guillermo. Variante basque : Gillermo. Caractérologie : originalité, sagacité, connaissances, compassion, spiritualité.

Guirec : Ambre (celte). Ce prénom est très rare. Tendance : stable. Caractérologie : idéalisme, altruisme, réflexion, sympathie, intégrité.

Guiseppe : Dieu ajoutera (hébreu). Ce prénom assez rare est très peu attribué aujourd'hui. À noter : Giuseppe est répandu en Italie. Caractérologie : habileté, ambition, force, décision, cœur.

Gunther : Combat, armée (germanique). Ce prénom est très rare. Variante : Gunter. Caractérologie : communication, pratique, action, enthousiasme, sensibilité.

Gurval : Sagesse, bravoure, valeur (breton). Caractérologie : humanité, rêve, rectitude, ouverture d'esprit, réalisation.

Gurvan : Sagesse (breton). Ce prénom assez rare est peu attribué actuellement. Tendance : stable. Variante : Gurwan. Caractérologie : réceptivité, réalisation, sociabilité, diplomatie, compassion.

Gustave : Combattant (germanique). Ce prénom répandu est relativement peu attribué aujourd'hui. Tendance : en forte croissance. Variantes : Gustav, Gustavo. Caractérologie : curiosité, dynamisme, cœur, réussite, courage.

Guy : Forêt (germanique). Ce prénom est très répandu. Il est très peu attribué aujourd'hui. Tendance : stable. En France, Guy est plus traditionnellement usité dans les Flandres. Caractérologie : achèvement, vitalité, stratégie, ardeur, leadership.

Gweltaz : Chevelure (celte). Ce prénom breton est très rare. Tendance : en décroissance modérée. Caractérologie : attention, persévérance, structure, sécurité, cœur.

Gwen : Blanc, heureux (breton). Ce prénom est très rare. Tendance : en forte croissance. Variante : Gwenn. Caractérologie : fiabilité, ténacité, engagement, méthode, sens du devoir.

Gwenaël : Blanc, heureux, prince (breton). Ce prénom est assez répandu. Il est peu attribué actuellement. Tendance : stable. Variantes : Gwanael, Gwennael. Caractérologie : sécurité, efficacité, persévérance, structure, compassion.

Gwendal : Blanc, heureux, paiement (breton). Ce prénom est assez répandu. Il est relativement peu attribué aujourd'hui. Tendance : en croissance modérée. Caractérologie : pratique, réalisation, communication, enthousiasme, compassion.

Gwenhaël : Blanc, heureux, généreux (breton). Ce prénom est très rare. Caractérologie : enthousiasme, communication, adaptation, compassion, pratique.

Gwenole : Blanc, heureux, valeur (breton). Ce prénom est rare. Tendance : stable. Variante : Gwennole. Caractérologie : rectitude, cœur, humanité, ouverture d'esprit, rêve.

Gwenvael : Combinaison de Gwenn et de Maël. Ce prénom breton est très rare. Tendance : en croissance modérée. Caractérologie : habileté, force, ambition, compassion, réalisation.

G

317

Habib : Aimé, généreux (arabe). Ce prénom assez rare est très peu attribué aujourd'hui. Tendance : stable. Caractérologie : structure, persévérance, efficacité, sécurité, honnêteté.

Hacène : Qui excelle (arabe). Ce prénom assez rare est très peu attribué aujourd'hui. Tendance : en décroissance modérée. Variante : Hacen. Caractérologie : intégrité, altruisme, réflexion, dévouement, idéalisme.

Hadi : Qui guide au droit chemin (arabe). Ce prénom est très rare. Tendance : en forte croissance. Variantes : Haddi, Hady. Caractérologie : sécurité, efficacité, honnêteté, persévérance, structure.

Hadj : Grand voyageur (arabe). Ce prénom est rare. Tendance : en décroissance modérée. Caractérologie : dynamisme, curiosité, courage, indépendance, charisme.

Hadrien : Habitant d'Adria, Italie (grec). Ce prénom est assez répandu. Il est relativement peu attribué aujourd'hui. Tendance : stable. Variante : Hadrian. Caractérologie : découverte, énergie, audace, résolution, originalité.

Hafid : Celui qui protège (arabe). Ce prénom assez rare est très peu attribué aujourd'hui. Tendance : stable. Variantes : Hafed, Hafide. Caractérologie : dynamisme, audace, direction, indépendance, assurance.

Haï : Rivière (vietnamien). Ce prénom est porté par moins de 100 personnes en France. Caractérologie : dévouement, réflexion, altruisme, idéalisme, intégrité.

Haïm : Vie (hébreu). Ce prénom est très rare. Tendance : stable. Variante : Haym.

Caractérologie : efficacité, persévérance, structure, honnêteté, sécurité.

Hakim : Qui est juste et sage (arabe). Ce prénom est assez répandu. Il est relativement peu attribué aujourd'hui. Tendance : stable. Variantes : Hachim, Hakime. Caractérologie : conseil, bienveillance, conscience, sagesse, paix.

Hal : Puissant général d'armée (scandinave). Caractérologie : créativité, communication, optimisme, sociabilité, pragmatisme.

Halil : Amitié, loyauté (turc). Ce prénom est très rare. Tendance : stable. Caractérologie : conseil, conscience, paix, bienveillance, sagesse.

Halim : Indulgent (arabe). Ce prénom assez rare est très peu attribué aujourd'hui. Tendance : stable. Variante : Halime. Caractérologie : intelligence, savoir, méditation, indépendance, sagesse.

Hamdi : Rendre grâce (arabe). Ce prénom est rare. Tendance : en décroissance modérée. Caractérologie : management, force, habileté, ambition, passion.

Hamed : Loué, comblé de louanges (arabe). Ce prénom assez rare est très peu attribué aujourd'hui. Tendance : stable. Caractérologie : structure, persévérance, sécurité, honnêteté, efficacité.

Hamid : Loué, comblé de louanges (arabe). Ce prénom est assez répandu. Il est très peu attribué aujourd'hui. Tendance : en décroissance modérée. Variantes : Hamida, Hamide, Hamidou. Caractérologie : vitalité, stratégie, achèvement, ardeur, leadership.

Hamilton : Château fort (anglais). Ce prénom est porté par moins de 100 personnes en France. Caractérologie : réceptivité, sociabilité, diplomatie, sensibilité, raisonnement.

Hamza : Puissant (arabe). Ce prénom est assez répandu. Il est plutôt bien attribué aujourd'hui. Tendance : en croissance modérée. Variantes : Amza, Hamsa. Caractérologie : méthode, fiabilité, ténacité, engagement, sens du devoir.

Hans : Dieu fait grâce (hébreu). Ce prénom assez rare est très peu attribué aujourd'hui. Tendance : en décroissance modérée. En France, Hans est plus traditionnellement usité en Alsace. Variante : Hänsel. Caractérologie : paix, bienveillance, conscience, sagesse, conseil.

Harald : Puissant général d'armée (scandinave). Ce prénom est très rare. Caractérologie : ardeur, leadership, achèvement, stratégie, vitalité.

Haris : Fils d'Henri (germanique). Ce prénom est très rare. Tendance : stable. Caractérologie : autonomie, autorité, énergie, innovation, ambition.

Harley : La prairie du lièvre (anglais). Ce prénom est porté par moins de 100 personnes en France. Tendance : stable. Caractérologie : bienveillance, paix, conscience, compassion, action.

Harold : Puissant général d'armée (scandinave). Ce prénom assez rare est très peu attribué aujourd'hui. Tendance : en décroissance modérée. Variante : Arold. Caractérologie : ténacité, raisonnement, fiabilité, méthode, engagement.

Haroun : Exalté (arabe). Ce prénom est très rare. Tendance : en forte croissance. Variantes : Arouna, Arun, Harouna, Harun. Caractérologie : courage, dynamisme, résolution, curiosité, analyse.

Harrison : Fils d'Henri (germanique). Ce prénom est très rare. Tendance : en forte croissance. Variante : Harris. Caractérologie : enthousiasme, communication, adaptation, résolution, pratique.

Harry : Maître de foyer (germanique). Ce prénom assez rare est très peu attribué aujourd'hui. Tendance : en croissance modérée. Harry devrait figurer dans le top 10 anglais en 2004. Variante : Hary. Caractérologie : intelligence, indépendance, action, savoir, méditation.

Hasan : Beau (arabe). Ce prénom assez rare est peu attribué actuellement. Tendance : en croissance modérée. Variantes : Assan, Assen, Hassane. Caractérologie : connaissances, spiritualité, philosophie, sagacité, originalité.

Hassan : Beau (arabe). Ce prénom est assez répandu. Il est peu attribué actuellement. Tendance : stable. Caractérologie : force, ambition, management, passion, habileté.

Hassen : Beau (arabe). Ce prénom assez rare est très peu attribué aujourd'hui. Tendance : en croissance modérée. Variantes : Hassein, Hassène. Caractérologie : pragmatisme, communication, créativité, optimisme, sociabilité.

Hatem : Générosité (arabe). Ce prénom est rare. Tendance : stable. Variantes : Hatim, Hatime. Caractérologie : médiation, intuition, fidélité, relationnel, sensibilité.

Hector : Constant, qui retient (grec). Ce prénom assez rare est relativement peu attribué aujourd'hui. Tendance : en forte croissance. Dans la mythologie grecque, Hector est le fils de Priam, dernier roi de Troie. Caractérologie : paix, conscience, logique, bienveillance, attention.

Hèdi : Qui guide au droit chemin (arabe). Ce prénom assez rare est peu attribué actuellement. Tendance : stable. Variantes : Heddi, Heddy, Hèdy. Caractérologie : vitalité, stratégie, ardeur, achèvement, leadership.

Heifara : Couronne de pandanus (tahitien). Caractérologie : adaptation, enthousiasme, pratique, détermination, communication.

Heimana : Couronne sacrée (tahitien). Caractérologie : paix, bienveillance, conseil, détermination, conscience.

Heinrich : Maître de maison (germanique). Ce prénom est très rare. Heinrich est très répandu en Allemagne. En France, ce prénom est plus traditionnellement usité en Alsace. Variantes : Heinrick, Heinz. Caractérologie : réceptivité, sociabilité, diplomatie, loyauté, bonté.

Helian : Éclat du soleil (grec). Ce prénom est porté par moins de 100 personnes en France. Caractérologie : structure, sécurité, persévérance, efficacité, décision.

Héliodore : Don du soleil (grec). Ce prénom est porté par moins de 100 personnes en France. Caractérologie : caractère, dynamisme, audace, direction, logique.

Hélios : Soleil (grec). Dans la mythologie grecque, Hélios est le dieu du Soleil et de la Lumière. Ce prénom est très rare. Tendance : en forte croissance. Variantes :

Hélias, Hélio. Caractérologie : découverte, énergie, audace, logique, décision.

Helmut : Protection, casque (germanique). Ce prénom est très rare. En dehors de la France, Helmut est très répandu en Allemagne. Variantes : Hellmut, Hellmuth, Helmi. Caractérologie : intelligence, savoir, méditation, indépendance, finesse.

Helori : Noble, seigneur, généreux (breton). Ce prénom est porté par moins de 100 personnes en France. Variante : Helory. Caractérologie : persévérance, structure, logique, efficacité, sécurité.

Henri : Maître de maison (germanique). Ce prénom est très répandu. Il est relativement peu attribué aujourd'hui. Tendance : stable. Variante : Henrie. Caractérologie : altruisme, idéalisme, intégrité, réflexion, dévouement.

Henrique : Maître de maison (germanique). Ce prénom est rare. Tendance : en forte croissance. Variantes : Endrick, Hendrick, Hendrik, Hendrix, Hendryk, Henrick, Henrico, Henrik, Henriko, Henryk. Caractérologie : originalité, sagacité, connaissances, philosophie, spiritualité.

Henry : Maître de maison (germanique). Ce prénom est assez répandu. Il est très peu attribué aujourd'hui. Tendance : en décroissance modérée. En France, Henry est plus traditionnellement usité dans les Flandres. Caractérologie : spiritualité, connaissances, sagacité, originalité, action.

Herald : Le porteur de nouvelles (anglais). Ce prénom est très rare. Caractérologie : créativité, communication, optimisme, pragmatisme, détermination.

Herbert : Soldat glorieux (germanique). Ce prénom assez rare ne devrait pas être attribué à plus de 10 bébés en 2005. Variantes : Hébert, Herb, Heribert. Caractérologie : méthode, fiabilité, engagement, ténacité, sensibilité.

Herbod : Audacieux (germanique). En France, Herbod est plus traditionnellement usité en Bretagne. Caractérologie : caractère, méditation, savoir, intelligence, attention.

Hercule : Gloire majestueuse (grec). Ce prénom est porté par moins de 100 personnes en France. Variante : Hercules. Caractérologie : dévouement, intégrité, altruisme, idéalisme, réflexion.

Heremoana : Amour d'océan (tahitien). Caractérologie : ambition, force, habileté, détermination, volonté.

Hermann : Soldat (germanique). Ce prénom assez rare est très peu attribué aujourd'hui. Tendance : stable. En France, Hermann est plus traditionnellement usité en Alsace. Variantes : Erman, Herman, Hermand, Hermelin. Caractérologie : détermination, audace, dynamisme, direction, indépendance.

Hermès : Dans la mythologie grecque, Hermès est le fils de Maïa et de Zeus. Il est le dieu des Voyageurs et le messager des dieux. Ce prénom est très rare. Tendance : en décroissance modérée. Variante : Ermès. Caractérologie : énergie, découverte, audace, décision, originalité.

Hervé : Fort, combattant (celte). Ce prénom est très répandu. Il est très peu attribué aujourd'hui. Tendance : en décroissance modérée. Variante : Harvey. Variantes bretonnes : Herve, Veig. Caractérologie : sécurité, persévérance, efficacité, structure, honnêteté.

Hess : Don de Dieu (hébreu). Caractérologie : sens des responsabilités, famille, équilibre, influence, exigence.

Hicham : Celui qui est généreux (arabe). Ce prénom est assez répandu. Il est relativement peu attribué aujourd'hui. Tendance : en croissance modérée. Variantes : Hichame, Hicheme, Ichaï, Icham. Caractérologie : famille, équilibre, influence, sens des responsabilités, exigence.

Hichem : Celui qui est généreux (arabe). Ce prénom assez rare est relativement peu attribué aujourd'hui. Tendance : stable. Variantes : Hicheme, Ichem. Caractérologie : audace, indépendance, dynamisme, direction, assurance.

Hilaire : Joyeux (latin). Ce prénom assez rare est très peu attribué aujourd'hui. Tendance : en croissance modérée. Caractérologie : détermination, vitalité, stratégie, ardeur, achèvement.

Hillel : Croissant de lune somptueux (arabe). Ce prénom est très rare. Tendance : stable. Variantes : Hilal, Hilel. Caractérologie : engagement, fiabilité, méthode, sens du devoir, ténacité.

Hippolyte : Dompteur de chevaux (grec). Ce prénom assez rare est relativement peu attribué aujourd'hui. Tendance : en croissance modérée. Variantes : Hipolyte, Hippolite, Hippolythe, Hypolite, Hypolyte, Hyppolite, Hyppolyte. Caractérologie : raisonnement, idéalisme, altruisme, sensibilité, intégrité.

Hoang : Rose (vietnamien). Au Viêt Nam, la rose est le symbole de l'amour. Ce prénom est très rare. Tendance : stable. Caractérologie : rêve, générosité, humanité, rectitude, ouverture d'esprit.

Hoarii : Ami du roi (tahitien). Caractérologie : sens des responsabilités, équilibre, famille, influence, exigence.

Hocine : Excellence, beauté (arabe). Ce prénom est assez répandu. Il est peu attribué actuellement. Tendance : stable. Caractérologie : idéalisme, intégrité, altruisme, raisonnement, réflexion.

Hodei : Nuage (basque). Caractérologie : énergie, découverte, audace, volonté, originalité.

Hoel : Noble, au-dessus (celte). Ce prénom breton est très rare. Tendance : stable. Caractérologie : ténacité, méthode, fiabilité, engagement, sens du devoir.

Homère : Otage, promesse, sécurité (grec). Ce prénom est porté par moins de 100 personnes en France. Caractérologie : autorité, énergie, ambition, innovation, volonté.

Hong : Royal, couleur jaune ou terre natale, parfum, beauté (vietnamien). Ce prénom est porté par moins de 100 personnes en France. Caractérologie : ambition, force, management, habileté, passion.

Honoré : Honoré (latin). Ce prénom assez rare est très peu attribué aujourd'hui. Tendance : en forte croissance. Variantes : Honorat, Honorin. Caractérologie : communication, pratique, générosité, adaptation, enthousiasme.

Horace : Voir (grec). Ce prénom est très rare. Variantes : Horacio, Horatio. Caractérologie : découverte, audace, énergie, logique, décision.

Hosni : Excellence, beauté (arabe). Ce prénom est très rare. Tendance : en croissance modérée. Variantes : Housni, Houssni. Caractérologie : réceptivité, résolution, diplomatie, loyauté, sociabilité.

Houcine : Excellence, beauté (arabe). Ce prénom est rare. Tendance : en décroissance modérée. Variante : Houssine. Caractérologie : communication, pragmatisme, créativité, optimisme, analyse.

Howard : Esprit courageux (germanique). Ce prénom est très rare. Caractérologie : paix, bienveillance, volonté, conscience, résolution.

Hubert : Esprit brillant (germanique). Ce prénom répandu est peu attribué actuellement. Tendance : stable. En France, Hubert est plus traditionnellement usité dans les Flandres. Caractérologie : diplomatie, sociabilité, loyauté, réceptivité, finesse.

Hugo : Esprit, intelligence (germanique). Ce prénom répandu figure dans le top 50 français aujourd'hui. Voir le zoom dédié à Hugo. Caractérologie : bienveillance, paix, conscience, conseil, sagesse.

Hugolin : Esprit, intelligence (germanique). Ce prénom est porté par moins de 100 personnes en France. Tendance : en forte croissance. Variante : Ugolin. Caractérologie : logique, découverte, audace, énergie, action.

Hugues : Esprit, intelligence (germanique). Ce prénom répandu est relativement peu attribué aujourd'hui. Tendance : en décrois-

HUGO

Fête : 1er avril

Étymologie : du germain *hug* : esprit, intelligence. Le succès d'Hugo est d'autant plus remarquable que ce prénom, pratiquement inconnu en France avant 1980, est arrivé au sommet du palmarès en moins de vingt ans. Il s'impose dans le top 10 français dès 1998 et s'empare de la 3e position dès l'an 2000. C'est dire à quel point son ascension a été fulgurante. Depuis 2003, Hugo montre quelques signes de fléchissement, mais il devrait tout de même se maintenir dans le top 5 français en 2005. Ce prénom est aussi un patronyme, le plus connu d'entre eux étant celui de l'écrivain français Victor Hugo. Il est difficile de déterminer si les campagnes publicitaires et l'image sexy du parfum « Hugo Boss » ont influencé la vogue de ce jeune prénom. Toujours est-il que sa notoriété a largement dépassé celle d'Hugues, grand prénom du Moyen Âge dont on aurait pu attendre la renaissance. En 2005, on peut estimer qu'Hugo sera attribué à plus de 7 000 nouveau-nés dans l'Hexagone. Ce succès favorise la carrière d'Ugo, dont la notoriété augmente chaque année. En revanche, le jeune Ugolin se fait très discret, en partie parce que cette variante a moins de quinze ans d'existence.

Hugo est dans l'air du temps dans les régions francophones. Il est notamment entré dans le top 50 des prénoms au Québec et ambitionne le top 20 de la Suisse romande. Il pourrait bien s'imposer dans le top 3 wallon dès le début 2005. Notons par ailleurs que ce prénom monte doucement en Espagne et en Angleterre.

Saint Hugues est évêque de Grenoble puis bénédictin de la Chaise-Dieu au XIIe siècle.
Hugues Capet est le fondateur de la troisième dynastie des rois de France. De nombreux comtes et ducs portèrent ce prénom en France.
Statistique : Hugo est le 141e prénom masculin le plus attribué du XXe siècle en France.

H

323

sance modérée. Variantes : Huc, Hugh. Caractérologie : idéalisme, altruisme, compassion, intégrité, réflexion.

Humbert : Esprit brillant (germanique). Ce prénom est rare. Variante : Humberto. Variante basque : Umbert. Caractérologie : influence, équilibre, famille, sens des responsabilités, sensibilité.

Huseyin : Beauté (arabe). Ce prénom est rare. Tendance : stable. Variantes : Hossein, Hussein. Caractérologie : action, sociabilité, diplomatie, compassion, réceptivité.

Huu : Huu est généralement utilisé au Viêt Nam en tant que second prénom. Il amplifie le sens du premier prénom donné (vietnamien). Ce prénom est très rare.

Caractérologie : curiosité, dynamisme, courage, charisme, indépendance.

Huy : Projection de lumière, splendide (vietnamien). Ce prénom est porté par moins de .100 personnes en France. Caractérologie : humanité, rêve, générosité, rectitude, ouverture d'esprit.

Hyacinthe : Pierre (grec). Ce prénom assez rare est très peu attribué aujourd'hui. Tendance : stable. Variantes : Hyacinte, Hyacinth. Caractérologie : enthousiasme, communication, pratique, ressort, finesse.

an : Dieu fait grâce (hébreu). Ce prénom est rare. Tendance : stable. Variante : Iain. Caractérologie : paix, conscience, résolution, bienveillance, conseil.

Ianis : Dieu fait grâce (hébreu). Ce prénom est rare. Tendance : en croissance modérée. Variante : Iannis. Caractérologie : originalité, spiritualité, sagacité, connaissances, résolution.

Iban : Dieu fait grâce (hébreu). Ce prénom est très rare. Tendance : en forte croissance. Caractérologie : achèvement, vitalité, détermination, ardeur, stratégie.

Ibrahim : Père des nations (hébreu). Ce prénom est assez répandu. Il est relativement peu attribué aujourd'hui. Tendance : stable. Caractérologie : paix, bienveillance, conscience, conseil, sagesse.

Ibrahima : Père des nations (hébreu). Ce prénom assez rare est peu attribué actuellement. Tendance : stable. Caractérologie : connaissances, spiritualité, originalité, sagacité, philosophie.

Ido : Son témoin (hébreu). Ce prénom est porté par moins de 100 personnes en France. Dans la bible, Ido est le grand-père du prophète Zacharie. Caractérologie : innovation, énergie, autorité, autonomie, ambition.

Idris : Études, connaissance (arabe). Ce prénom assez rare est relativement peu attribué aujourd'hui. Tendance : en croissance modérée. Caractérologie : dynamisme, curiosité, charisme, indépendance, courage.

Idriss : Études, connaissance (arabe). Ce prénom assez rare est relativement peu attribué aujourd'hui. Tendance : en croissance modérée. Variantes : Idrissa, Idrisse, Ydriss. Caractérologie : conseil, bienveillance, paix, conscience, sagesse.

Ignace : Feu (latin). Ce prénom assez rare est très peu attribué aujourd'hui. Variantes : Ignaci, Ignacy, Ignazio. Caractérologie : enthousiasme, pratique, communication, résolution, sympathie.

Igor : Fils, protection (germanique). Ce prénom assez rare est peu attribué actuellement. Tendance : stable. Igor est très répandu en Russie. Caractérologie : méthode, ténacité, sens du devoir, fiabilité, engagement.

Iheb : Don, présent (arabe). Ce prénom est très rare. Tendance : en forte croissance. Variante : Ihab. Caractérologie : famille, équilibre, sens des responsabilités, finesse, influence.

Ihsan : Bienveillant, humble (arabe). Ce prénom est très rare. Tendance : en forte croissance. Variante : Ihsane. Caractérologie : famille, équilibre, influence, détermination, sens des responsabilités.

Ilan : Arbre (hébreu). Ce prénom assez rare est relativement peu attribué aujourd'hui. Tendance : en croissance modérée. Variantes : Ilane, Ilhan, Ilann. Caractérologie : réflexion, altruisme, idéalisme, intégrité, décision.

Ilario : Joyeux (latin). Ce prénom basque est rare. Tendance : en forte croissance. Variante : Hilario. Variantes occitanes : Hilari, Lari. Caractérologie : ambition, autorité, innovation, énergie, analyse.

Ildebert : Brillante bataille (germanique). Ce prénom est porté par moins de 100 personnes en France. Variante : Hildebert. Caractérologie : sociabilité, pragmatisme, communication, optimisme, créativité.

Ildephonse : Courte bataille (germanique). Ce prénom est porté par moins de 100 personnes en France. Variante : Ildefonse. Caractérologie : achèvement, stratégie, vitalité, réalisation, raisonnement.

Ilian : Grand, spirituel (arabe). Le seigneur est mon Dieu (hébreu). Ce prénom assez rare est plutôt bien attribué aujourd'hui. Tendance : en forte croissance. Ce prénom est répandu dans les pays slaves. Caractérologie : idéalisme, réflexion, décision, altruisme, intégrité.

Ilias : Le seigneur est mon Dieu (hébreu). Ce prénom arabe est assez rare. Il est relativement peu attribué aujourd'hui. Tendance : en croissance modérée. Variantes : Iliass, Iliasse. Caractérologie : indépendance, courage, dynamisme, curiosité, charisme.

Ilies : Le seigneur est mon Dieu (hébreu). Ce prénom arabe est assez rare. Il est relativement peu attribué aujourd'hui. Tendance : en forte croissance. Variantes : Iliess, Iliesse. Caractérologie : réflexion, idéalisme, altruisme, décision, intégrité.

Illan : Arbre (hébreu). Jeunesse (basque). Ce prénom est très rare. Tendance : en croissance modérée. Caractérologie : décision, pratique, communication, adaptation, enthousiasme.

Ilyas : Le seigneur est mon Dieu (hébreu). Ce prénom arabe est assez rare. Il est relativement peu attribué aujourd'hui. Tendance : en croissance modérée. Variantes : Ilya, Ilyass, Ilyasse. Caractérologie : communication, enthousiasme, pratique, générosité, adaptation.

Ilyes : Le seigneur est mon Dieu (hébreu). Ce prénom arabe est assez rare. Il est plutôt bien attribué aujourd'hui. Tendance : en forte croissance. Variantes : Illies, Illyes, Ilyess, Ilyesse. Caractérologie : résolution, savoir, sympathie, méditation, intelligence.

Imad : Celui qui soutient (arabe). Ce prénom assez rare est peu attribué actuellement. Tendance : stable. Variantes : Imade, Imed. Forme composée : Imad-Eddine. Caractérologie : rectitude, générosité, humanité, rêve, ouverture d'esprit.

Imram : Hôte (arabe). Variantes : Amram, Amrem. Caractérologie : ouverture d'esprit, rêve, rectitude, humanité, générosité.

Imran : Fleurissant, épanoui (arabe). Ce prénom est très rare. Tendance : en forte croissance. Variantes : Amran, Imrane. Caractérologie : autorité, innovation, énergie, ambition, résolution.

Inaki : Feu (latin). Ce prénom est très rare. Tendance : en forte croissance. Variante :

I

Inacio. Caractérologie : habileté, ambition, passion, force, décision.

Indiana : Divin (latin). Indiana est également le nom d'un État des États-Unis. Ce prénom est porté par moins de 100 personnes en France. Caractérologie : spiritualité, connaissances, originalité, sagacité, résolution.

Indy : Divin (latin). Ce prénom est porté par moins de 100 personnes en France. Caractérologie : méditation, intelligence, savoir, indépendance, sagesse.

Innocent : Innocent (latin). Ce prénom est porté par moins de 100 personnes en France. Caractérologie : engagement, ténacité, analyse, méthode, fiabilité.

Ioan : Dieu fait grâce (hébreu). Ce prénom est porté par moins de 100 personnes en France. Tendance : stable. Variante : Ioanes. Caractérologie : créativité, pragmatisme, communication, optimisme, décision.

Ira : Vigilant (hébreu). Caractérologie : ambition, autorité, énergie, innovation, autonomie.

Irénée : Paix (grec). Ce prénom assez rare est très peu attribué aujourd'hui. Caractérologie : adaptabilité, intuition, médiation, fidélité, relationnel.

Iris : Arc-en-ciel (grec). Ce prénom est porté par moins de 100 personnes en France. Caractérologie : direction, assurance, audace, indépendance, dynamisme.

Irmin : Se rapporte à Irmin, dieu païen (germanique). Ce prénom est porté par moins de 100 personnes en France. Caractérologie : rectitude, humanité, rêve, ouverture d'esprit, générosité.

Irvin : Beau (celte). Ce prénom est très rare. Tendance : en décroissance modérée. Variantes : Irvine, Irving, Irwin. Caractérologie : altruisme, intégrité, idéalisme, dévouement, réflexion.

Isaac : Rire (hébreu). Ce prénom assez rare est relativement peu attribué aujourd'hui. Tendance : en croissance modérée. Variantes : Isa, Isaak, Isac. Caractérologie : sens des responsabilités, exigence, équilibre, influence, famille.

Isaïe : Dieu est mon salut (hébreu). Ce prénom est très rare. Tendance : en croissance modérée. Variantes : Isaï, Jesaïa. Caractérologie : intelligence, savoir, méditation, indépendance, détermination.

Isao : Mérite, exploit (japonais). Caractérologie : management, ambition, force, passion, habileté.

Isas : Celui qui mérite (japonais). Caractérologie : pragmatisme, optimisme, créativité, communication, sociabilité.

Ishak : Équivalent arabe d'Isaac : rire (hébreu). Ce prénom est très rare. Tendance : en forte croissance. Caractérologie : communication, créativité, optimisme, sociabilité, pragmatisme.

Isidore : Don d'Isis (grec). Ce prénom assez rare est très peu attribué aujourd'hui. Variantes : Isidor, Isidoro. Caractérologie : savoir, intelligence, résolution, méditation, volonté.

Islam : Salut et paix dans la soumission à Dieu (arabe). Ce prénom est très rare. Tendance : en forte croissance. Variante : Islem. Caractérologie : altruisme, idéalisme, intégrité, réflexion, dévouement.

Ismaël : Dieu a entendu (hébreu). Ce prénom arabe est assez répandu. Il est plutôt bien attribué aujourd'hui. Tendance : en croissance modérée. Caractérologie : courage, curiosité, indépendance, dynamisme, détermination.

Ismaïl : Dieu a entendu (hébreu). Ce prénom arabe est assez rare. Il est relativement peu attribué aujourd'hui. Tendance : stable. Variantes : Esmaël, Ismaïla, Ismayil. Caractérologie : humanité, rectitude, générosité, ouverture d'esprit, rêve.

Isman : Protection (hébreu). Caractérologie : réceptivité, sociabilité, loyauté, diplomatie, décision.

Ismet : Celui qui protège (arabe). Ce prénom est très rare. Tendance : stable. Caractérologie : pratique, communication, enthousiasme, adaptation, décision.

Israël : Qui débat avec Dieu (hébreu). Ce prénom est très rare. Tendance : en croissance modérée. Caractérologie : autorité, innovation, détermination, énergie, ambition.

Issam : Engagement (arabe). Ce prénom assez rare est relativement peu attribué aujourd'hui. Tendance : en croissance modérée. Variantes : Isam, Issame. Caractérologie : savoir, intelligence, indépendance, méditation, sagesse.

Ivan : Dieu fait grâce (hébreu). Ce prénom est assez répandu. Il est relativement peu attribué aujourd'hui. Tendance : stable. Ivan est très répandu dans les pays slaves. Ce prénom est aussi un des choix préférés des parents italiens. Variante : Ivann. Caractérologie : décision, audace, direction, dynamisme, indépendance.

Ivo : If (celte). Ce prénom est très rare. En France, Ivo est plus traditionnellement usité en Bretagne. Variante : Yvo. Caractérologie : dynamisme, audace, direction, indépendance, assurance.

Iwan : If (celte). Ce prénom est très rare. Tendance : en croissance modérée. En France, Iwan est plus traditionnellement usité en Bretagne. Caractérologie : diplomatie, sociabilité, réceptivité, loyauté, détermination.

Iyad : Soutien (arabe). Ce prénom est très rare. Tendance : en forte croissance. Caractérologie : pratique, communication, enthousiasme, réalisation, adaptation.

Jaber : Celui qui réconforte (arabe). Ce prénom est très rare. Tendance : stable. Variante : Jabir. Caractérologie : rêve, résolution, humanité, rectitude, ouverture d'esprit.

Jack : Supplanter, protéger (hébreu). Ce prénom est assez répandu. Il est peu attribué actuellement. Tendance : en croissance modérée. Jack devrait figurer dans le top 10 anglais et irlandais en 2004. Variantes : Jac, Jacmé, Jacq. Caractérologie : sagacité, connaissances, spiritualité, originalité, organisation.

Jacki : Supplanter, protéger (hébreu). Ce prénom assez rare est très peu attribué aujourd'hui. Caractérologie : intelligence, indépendance, savoir, méditation, organisation.

Jackie : Supplanter, protéger (hébreu). Ce prénom répandu est très peu attribué aujourd'hui. Caractérologie : communication, optimisme, pragmatisme, détermination, organisation.

Jackson : Fils de Jacques (vieil anglais). Ce prénom est très rare. Tendance : stable. Caractérologie : énergie, autorité, innovation, ambition, organisation.

Jacky : Supplanter, protéger (hébreu). Ce prénom répandu est très peu attribué aujourd'hui. Tendance : stable. Caractérologie : audace, découverte, originalité, énergie, gestion.

Jacob : Supplanter, protéger (hébreu). Ce prénom assez rare est très peu attribué aujourd'hui. Tendance : stable. Jacob devrait figurer dans le top 10 américain en 2004. Variantes : Iacob, Iacov, Jacobin. Variante basque : Jacobe. Caractérologie : structure, persévérance, sécurité, organisation, efficacité.

Jacques : Supplanter, protéger (hébreu). Ce prénom est très répandu. Il est relativement peu attribué aujourd'hui. Tendance : stable. Variantes : Jacinto, Jacque, Jacquelin, Jacquemin, Jacquot, Jaques, Jeacques. Variante bretonne : Kou. Variantes irlandaises : Seamus, Shamus. Caractérologie : efficacité, structure, persévérance, sécurité, honnêteté.

Jacquie : Supplanter, protéger (hébreu). Ce prénom est rare. Variantes : Jacqui, Jacquies, Jacquis, Jacquit. Caractérologie : communication, résolution, pratique, enthousiasme, adaptation.

Jacquy : Supplanter, protéger (hébreu). Ce prénom assez rare est très peu attribué aujourd'hui. Variante : Jaquy. Caractérologie : originalité, découverte, énergie, audace, séduction.

Jad : Présent de Dieu (arabe). Ce prénom est très rare. Tendance : en forte croissance. Caractérologie : exigence, sens des responsabilités, influence, équilibre, famille.

Jade : Désigne une pierre fine de couleur verte. Ce prénom est très rare. Tendance : en forte croissance. Caractérologie : réceptivité, diplomatie, sociabilité, bonté, loyauté.

Jaime : Supplanter, protéger (hébreu). Ce prénom est rare. Tendance : en décroissance modérée. Jaime est très répandu en Espagne et au Portugal. En France, ce prénom est plus traditionnellement usité au Pays Basque. Variantes occitanes : Jaume, Jayme. Caractérologie : loyauté, sociabilité, résolution, diplomatie, réceptivité.

Jaky : Supplanter, protéger (hébreu). Ce prénom est rare. Variantes : Jakes, Jaki, Jakie. Variante bretonne : Jak. Caractérologie : médiation, adaptabilité, intuition, fidélité, relationnel.

Jalil : Qui est grand (arabe). Ce prénom est très rare. Tendance : en croissance modérée. Variantes : Djelal, Djelali, Djeloul, Djelloul, Jalal, Jalale, Jalel, Jallal, Jelal. Caractérologie : ambition, management, force, habileté, passion.

Jamal : D'une grande beauté physique et d'esprit (arabe). Ce prénom assez rare est très peu attribué aujourd'hui. Tendance : en décroissance modérée. Variantes : Jamale, Jamil, Jémil. Caractérologie : ambition, autorité, innovation, autonomie, énergie.

Jamel : D'une grande beauté physique et d'esprit (arabe). Ce prénom est assez répandu. Il est très peu attribué aujourd'hui.

Tendance : stable. Caractérologie : énergie, audace, originalité, découverte, séduction.

James : Supplanter, protéger (hébreu). Ce prénom répandu est relativement peu attribué aujourd'hui. Tendance : stable. James devrait figurer dans le top 10 anglais et irlandais en 2004. Variantes : Jame, Jamie, Jammes. Caractérologie : optimisme, communication, créativité, pragmatisme, sociabilité.

Jameson : Fils de James (anglais). Ce prénom est porté par moins de 100 personnes en France. Caractérologie : énergie, découverte, audace, originalité, caractère.

Jamy : Supplanter, protéger (hébreu). Ce prénom est très rare. Tendance : en forte croissance. Variante : Jammy. Caractérologie : sécurité, structure, efficacité, réalisation, persévérance.

Jan : Dieu fait grâce (hébreu). Ce prénom assez rare est très peu attribué aujourd'hui. Tendance : stable. Jan devrait figurer dans le top 10 allemand en 2004. En France, ce prénom est plus traditionnellement usité en Occitanie. Caractérologie : sagesse, intelligence, savoir, méditation, indépendance.

Janick : Dieu fait grâce (hébreu). Ce prénom assez rare est très peu attribué aujourd'hui. Variantes : Janic, Janie, Janik, Janis, Janssen. Caractérologie : détermination, communication, pratique, enthousiasme, organisation.

Jannick : Dieu fait grâce (hébreu). Ce prénom est rare. Caractérologie : vitalité, achèvement, gestion, stratégie, décision.

Janvier : Correspond au mois de l'année (latin). Ce prénom est très rare. Variante :

Janus. Caractérologie : sagacité, connaissances, originalité, résolution, spiritualité.

Jany : Dieu fait grâce (hébreu). Ce prénom assez rare ne devrait pas être attribué à plus de 10 bébés en 2005. Variante : Janny. Caractérologie : découverte, audace, énergie, séduction, originalité.

Jao : Se rapporte au nom d'une divinité Inca. Jao est assez répandu en Amérique latine. Caractérologie : ambition, habileté, force, management, passion.

Jaoua : Jupiter, jeune (latin). Ce prénom breton est porté par moins de 100 personnes en France. Caractérologie : pratique, communication, enthousiasme, générosité, adaptation.

Jaouad : Celui qui est bon et généreux (arabe). Ce prénom assez rare est très peu attribué aujourd'hui. Tendance : stable. Variantes : Jaouade, Jaoued. Caractérologie : connaissances, sagacité, originalité, philosophie, spiritualité.

Jarod : Celui qui descendra (hébreu). Ce prénom est rare. Tendance : en forte croissance. Caractérologie : pragmatisme, créativité, communication, sociabilité, optimisme.

Jaroslaw : Le printemps de gloire (slave). Ce prénom est porté par moins de 100 personnes en France. Variante : Jaroslav. Caractérologie : idéalisme, intégrité, altruisme, détermination, raisonnement.

Jasmin : Fleur de jasmin (perse). Ce prénom est très rare. Tendance : en croissance modérée. Variante : Yasmin. Caractérologie : pratique, enthousiasme, communication, adaptation, résolution.

J

329

Jason : Qui guéri (grec). Ce prénom répandu est plutôt bien attribué aujourd'hui. Tendance : en décroissance modérée. Variante : Djason. Caractérologie : originalité, énergie, découverte, séduction, audace.

Jauffrey : La paix de Dieu (germanique). Ce prénom est très rare. Variantes : Auffrey, Aufrey, Jauffret, Jaufre. Caractérologie : relationnel, sympathie, analyse, intuition, médiation.

Javier : Maison neuve (basque). Ce prénom est rare. En dehors de la France, Javier est très répandu en Espagne et au Portugal. Caractérologie : réceptivité, diplomatie, sociabilité, loyauté, décision.

Jawad : Celui qui est bon et généreux (arabe). Ce prénom assez rare est relativement peu attribué aujourd'hui. Tendance : en forte croissance. Variantes : Djawad, Jawade, Jawed. Caractérologie : enthousiasme, communication, adaptation, générosité, pratique.

Jay : Victorieux (sanscrit). Ce prénom est porté par moins de 100 personnes en France. Jay est également un diminutif des prénoms anglophones commençant par le suffixe « Ja « (ex : James, Jason, etc.). Caractérologie : humanité, rêve, générosité, ouverture d'esprit, rectitude.

Jayson : Qui guéri (grec). Ce prénom est rare. Tendance : en forte croissance. Variantes : Jaison, Jeason, Jeson, Jeyson. Caractérologie : optimisme, pragmatisme, créativité, communication, sociabilité.

Jean : Dieu fait grâce (hébreu). Ce prénom est très répandu. De plus, il figure dans le top 100 français aujourd'hui. Tendance : stable.

Jean est le premier prénom du XXe siècle en France. En 2005, il est toujours porté par plus de 500 000 personnes dans l'Hexagone. Notons que dans cette catégorie masculine, seuls Pierre et Michel égalent cette performance. Variantes : Hane, Jen, Jovanny, Sion, Wanne. Caractérologie : adaptation, pratique, générosité, communication, enthousiasme.

Jean-Baptiste : Prénom composé de Jean et de Baptiste. Ce prénom répandu est plutôt bien attribué aujourd'hui. Tendance : en décroissance modérée. Caractérologie : audace, énergie, découverte, résolution, originalité.

Jean-Charles : Prénom composé de Jean et de Charles. Ce prénom répandu est peu attribué actuellement. Tendance : en décroissance modérée. Caractérologie : paix, bienveillance, conseil, conscience, décision.

Jean-Christophe : Prénom composé de Jean et de Christophe. Ce prénom répandu est très peu attribué aujourd'hui. Tendance : en décroissance modérée. Caractérologie : sagacité, spiritualité, connaissances, sensibilité, raisonnement.

Jean-Claude : Prénom composé de Jean et de Claude. Ce prénom est très répandu. Il est très peu attribué aujourd'hui. Tendance : en décroissance modérée. Caractérologie : structure, sécurité, efficacité, persévérance, honnêteté.

Jean-David : Prénom composé de Jean et de David. Ce prénom assez rare est très peu attribué aujourd'hui. Tendance : stable. Caractérologie : méditation, savoir, indépendance, intelligence, résolution.

Jean-Denis : Prénom composé de Jean et de Denis. Ce prénom assez rare est très peu attribué aujourd'hui. Tendance : stable. Caractérologie : humanité, rectitude, rêve, détermination, ouverture d'esprit.

Jean-Emmanuel : Prénom composé de Jean et d'Emmanuel. Ce prénom est rare. Tendance : en décroissance modérée. Caractérologie : équilibre, famille, influence, sens des responsabilités, exigence.

Jean-François : Prénom composé de Jean et de François. Ce prénom répandu est peu attribué actuellement. Tendance : en décroissance modérée. Caractérologie : savoir, intelligence, méditation, détermination, raisonnement.

Jean-Gabriel : Prénom composé de Jean et de Gabriel. Ce prénom assez rare est très peu attribué aujourd'hui. Tendance : stable. Caractérologie : communication, pratique, enthousiasme, sympathie, résolution.

Jean-Jacques : Prénom composé de Jean et de Jacques. Ce prénom répandu est très peu attribué aujourd'hui. Tendance : en décroissance modérée. Caractérologie : connaissances, spiritualité, sagacité, originalité, philosophie.

Jean-Joseph : Prénom composé de Jean et de Joseph. Ce prénom assez rare est très peu attribué aujourd'hui. Tendance : en décroissance modérée. Caractérologie : honnêteté, sécurité, structure, efficacité, persévérance.

Jean-Lou : Prénom composé de Jean et de Lou. Ce prénom est rare. Tendance : stable. Caractérologie : équilibre, influence, exigence, famille, sens des responsabilités.

Jean-Louis : Prénom composé de Jean et de Louis. Ce prénom répandu est très peu attribué aujourd'hui. Tendance : en décroissance modérée. Caractérologie : sagacité, connaissances, décision, spiritualité, logique.

Jean-Loup : Prénom composé de Jean et de Loup. Ce prénom est assez répandu. Il est très peu attribué aujourd'hui. Tendance : en décroissance modérée. Caractérologie : efficacité, structure, persévérance, sympathie, sécurité.

Jean-Luc : Prénom composé de Jean et de Luc. Ce prénom est très répandu. Il est très peu attribué aujourd'hui. Tendance : stable. Caractérologie : communication, pratique, enthousiasme, adaptation, générosité.

Jean-Marc : Prénom composé de Jean et de Marc. Ce prénom répandu est très peu attribué aujourd'hui. Tendance : en décroissance modérée. Caractérologie : réceptivité, sociabilité, résolution, diplomatie, loyauté.

Jean-Marie : Prénom composé de Jean et de Marie. Ce prénom répandu est très peu attribué aujourd'hui. Tendance : en décroissance modérée. Caractérologie : engagement, ténacité, méthode, fiabilité, résolution.

Jean-Matthieu : Prénom composé de Jean et de Matthieu. Ce prénom est très rare. Tendance : stable. Caractérologie : audace, détermination, dynamisme, sensibilité, direction.

Jean-Michel : Prénom composé de Jean et de Michel. Ce prénom répandu est très peu attribué aujourd'hui. Tendance : en décroissance modérée. Caractérologie : stratégie, vitalité, ardeur, décision, achèvement.

J

331

Les prénoms arabes en France

Depuis une quinzaine d'années, l'éventail des prénoms français s'est considérablement enrichi de sonorités venues d'ailleurs. Fruits de l'immigration et du désir des parents d'adopter des sons nouveaux, quantité de prénoms italiens, scandinaves, slaves ou anglo-saxons ont percé en France. L'essor des prénoms arabes s'inscrit dans cette tendance. La communauté musulmane de France en est certes un moteur important. Cependant, la percée de certains de ces prénoms s'explique aussi par le fait qu'ils sont attribués en dehors de cette communauté. Leurs sonorités séduisent en effet bien des parents de tous horizons. Il faut dire que certains de ces prénoms présentent plusieurs étymologies, ce qui leur donne une identité pluriculturelle attrayante. Il n'est pas étonnant qu'ils soient particulièrement recherchés par les couples mixtes.

Il est intéressant d'observer l'impact de la mode sur les prénoms arabes. Son influence facilite le renouvellement des prénoms arabes à la mode. De plus, elle favorise l'apparition ou la redécouverte de prénoms peu connus. Dans les années 1990, la forte croissance d'Eva et de Gabriel a, par exemple, encouragé l'éclosion de leurs équivalents arabes respectifs, Awa et Jibril. On peut aussi citer le cas exemplaire de Rayane. Inconnu il y a seulement quinze ans, ce prénom arabe perce aujourd'hui en même temps que le jeune irlandais Ryan. La vogue des prénoms à consonances irlandaise ou bretonne a indéniablement joué un rôle dans cette évolution. On peut donc imaginer que Marwan, choix phonétiquement proche de Rayane, ait lui aussi de beaux jours devant lui.

La mode influence également le sort des prénoms qui ont déjà une résonance dans l'histoire musulmane. Prenons l'exemple d'Inès. Ce prénom est dans le top 20 français. Or son équivalent arabe Ines est très en vogue dans les communautés musulmanes françaises. On le voit même s'y épanouir de plus en plus avec l'accent grave. Nul doute que l'essor d'Inès en a favorisé l'avènement. Quant à Adam, il grandit très vite et séduit de plus en plus de parents de confession musulmane qui reconnaissent en lui le premier homme.

Dans certains cas, des prénoms arabes traditionnels sont adaptés (ou réorthographiés) dans des versions inédites qui les assimilent à d'autres prénoms en vogue. Lounja, prénom arabe féminin très peu connu, se fait ainsi redécouvrir sous l'identité de Louna. Dans d'autres cas, les parents choisissent un prénom dont la prononciation est proche d'un prénom arabe connu. L'engouement dont bénéficie Yanis dans les communautés musulmanes en est un exemple frappant, Anis étant arabe et Yanis, grec.

Jeannot : Dieu fait grâce (hébreu). Ce prénom assez rare est très peu attribué aujourd'hui. Caractérologie : spiritualité, originalité, sagacité, connaissances, philosophie.

Jean-Pascal : Prénom composé de Jean et de Pascal. Ce prénom est assez répandu. Il est très peu attribué aujourd'hui. Tendance : stable. Caractérologie : indépendance, audace, direction, dynamisme, compassion.

Les prénoms arabes en France *(suite)*

Vous trouverez ci-dessous le palmarès des prénoms arabes les plus attribués aujourd'hui en France. Soulignons que ces prénoms se positionnent dans le top 250 français. Ces prénoms sont classés par ordre décroissant d'attribution :

Filles : Ines, Kenza, Lina, Assia, Anissa, Maya, Imane, Rania, Amina, Selma, Ness, Iness, Amel, Nour, Dounia, Salma, Fatoumata, Farah, Sirine, Fatima.

Garçons : Mohamed, Mehdi, Rayan, Sofiane, Bilal, Yassine, Amine, Ilian, Rayane, Nassim, Hamza, Walid, Kenzo, Yacine, Younès, Ayoub, Ilyes, Nawfel, Marwan, Ahmed.

En dehors de la France, le palmarès de la capitale belge est très intéressant. Il reflète les choix de prénoms de l'importante communauté musulmane bruxelloise. Mohamed, Adam, Ayoub et Rayan occupent les 4 premières places de ce hit-parade. Du côté des filles, Rania, Inès, Yasmine et Imane sont respectivement 2ᵉ, 3ᵉ, 5ᵉ et 7ᵉ du tableau féminin. Vous trouverez ci-dessous le palmarès des 20 premiers prénoms arabes de la capitale belge. Ces derniers ont été classés par ordre décroissant d'attribution. Ce palmarès a été effectué à partir des données de l'Institut national de statistique de la Belgique :

Filles : Rania, Inès, Yasmine, Imane, Ines, Salma, Lina, Yasmina, Aya, Yousra, Nisrine, Soumaya, Selma, Anissa, Fatima, Kenza, Nour, Asma, Assia, Chaïma.

Garçons : Mohamed, Adam, Ayoub, Rayan, Hamza, Anas, Bilal, Yassine, Ilias, Mehdi, Soufiane, Younès, Adil, Walid, Ali, Nassim, Reda, Yassin, Amine, Aymane.

Couples mixtes

Cet aperçu ne serait pas complet s'il n'incluait pas une sélection de prénoms susceptibles d'intéresser les couples mixtes. Ces derniers sont très nombreux à communiquer sur le forum de MeilleursPrenoms.com. Nous observons que certains des prénoms qu'ils plébiscitent sont nouveaux ou récents. D'autres sont en pleine mutation afin de refléter plusieurs identités culturelles (par exemple, Hedi devient Eddy ; Bassil, Basil ; Emna, Emma). D'autres encore ont plusieurs étymologies (perse, hébraïque, latine), l'origine arabe pouvant être celle qui est la moins connue. Cette situation favorise la découverte de nouveaux prénoms, qu'ils soient rares, anciens ou inventés. Dans le même temps, ce processus assure un renouvellement du patrimoine des prénoms arabes francophones.

Filles : Aïda, Alya, Ambre, Ambrine, Anissa, Asia, Awa, Baya, Daria, Delia, Donia, Elhora, Emna, Farah, Genna, Hawa, Ilyana, Ines, Jasmine, Jihane, Kenza, Leila, Lila, Lina, Louna, Maya, Mina, Nadia, Naïma, Naya, Ness, Nima, Noha, Norah, Nour, Sara, Saria, Selma, Sofia, Soraya, Syrine.

Garçons : Adam, Adel, Adil, Amal, Amine, Anis, Basil, Bilal, Driss, Eddy, Elias, Ilian, Ilias, Jad, Kaël, Kamil, Kenzo, Lounis, Marwan, Nabil, Naël, Nassim, Noam, Noé, Ounis, Rayan, Rayane, Sahel, Samy (et Sam), Sélim, Sofian, Tarik, Yanis, Younès.

Jean-Patrick : Prénom composé de Jean et de Patrick. Ce prénom assez rare est très peu attribué aujourd'hui. Tendance : en croissance modérée. Caractérologie : intégrité, décision, cœur, idéalisme, altruisme.

Jean-Paul : Prénom composé de Jean et de Paul. Ce prénom répandu est peu attribué actuellement. Tendance : stable. Caractérologie : ambition, passion, force, habileté, compassion.

Jean-Philippe : Prénom composé de Jean et de Philippe. Ce prénom répandu est peu attribué actuellement. Tendance : en décroissance modérée. Caractérologie : structure, persévérance, sécurité, sympathie, ressort.

Jean-Pierre : Prénom composé de Jean et de Pierre. Ce prénom est très répandu. Il est peu attribué actuellement. Tendance : stable. Caractérologie : relationnel, fidélité, intuition, médiation, décision.

Jean-Roch : Prénom composé de Jean et de Roch. Ce prénom est très rare. Tendance : stable. Caractérologie : logique, réceptivité, décision, diplomatie, sociabilité.

Jean-Sébastien : Prénom composé de Jean et de Sébastien. Ce prénom est assez répandu. Il est très peu attribué aujourd'hui. Tendance : en décroissance modérée. Caractérologie : méditation, savoir, intelligence, indépendance, décision.

Jean-Victor : Prénom composé de Jean et de Victor. Ce prénom est très rare. Tendance : en décroissance modérée. Caractérologie : intégrité, idéalisme, altruisme, volonté, analyse.

Jean-Yves : Prénom composé de Jean et de Yves. Ce prénom répandu est très peu attribué aujourd'hui. Tendance : en forte décroissance. Caractérologie : diplomatie, sociabilité, réceptivité, loyauté, réalisation.

Jeff : La paix de Dieu (germanique). Ce prénom assez rare est très peu attribué aujourd'hui. Tendance : stable. Variante : Jef. Caractérologie : humanité, générosité, rectitude, rêve, ouverture d'esprit.

Jefferson : Fils de Geoffroy (anglais). Ce prénom assez rare est très peu attribué aujourd'hui. Tendance : stable. Caractérologie : vitalité, achèvement, ardeur, stratégie, décision.

Jeffrey : La paix de Dieu (germanique). Ce prénom assez rare est peu attribué actuellement. Tendance : en décroissance modérée. Variante : Jeffry. Caractérologie : communication, pratique, enthousiasme, adaptation, décision.

Jehan : Dieu fait grâce (hébreu). Ce prénom est rare. Tendance : en croissance modérée. Caractérologie : intuition, relationnel, médiation, adaptabilité, fidélité.

Jeoffrey : La paix de Dieu (germanique). Ce prénom assez rare est très peu attribué aujourd'hui. Tendance : en décroissance modérée. Variante : Jeoffray. Caractérologie : humanité, rectitude, rêve, ouverture d'esprit, décision.

Jérémi : Dieu élève (hébreu). Ce prénom assez rare est très peu attribué aujourd'hui. Tendance : stable. Variantes basques : Jeremi, Jeremias. Caractérologie : résolution, sens des responsabilités, famille, influence, équilibre.

Jérémie : Dieu élève (hébreu). Ce prénom répandu est plutôt bien attribué aujourd'hui. Tendance : stable. Variantes : Gérémie, Jérémiah. Caractérologie : relationnel, médiation, intuition, résolution, fidélité.

Jérémy : Dieu élève (hébreu). Ce prénom est très répandu. De plus, il figure dans le top 100 français aujourd'hui. Tendance : en décroissance modérée. Jérémy devrait figurer dans le top 10 québécois en 2004. Variante : Gérémy. Caractérologie : structure, persévérance, détermination, sécurité, réalisation.

Jérôme : Nom sacré (grec). Ce prénom est très répandu. Il est relativement peu attribué aujourd'hui. Tendance : en décroissance modérée. Variante : Jéronimo. Variante basque : Jerolin. Caractérologie : communication, enthousiasme, volonté, pratique, résolution.

Jerry : Nom sacré (grec). Ce prénom assez rare est très peu attribué aujourd'hui. Tendance : stable. Caractérologie : fiabilité, résolution, méthode, ténacité, engagement.

Jerzy : Labourer le sol (grec). Ce prénom est très rare. Caractérologie : optimisme, communication, décision, action, pragmatisme.

Jesse : Un présent (hébreu). Ce prénom est rare. Tendance : en décroissance modérée. Jesse est en vogue en Finlande. On trouve également Jessé orthographié avec l'accent. Variante : Jess. Caractérologie : méthode, fiabilité, ténacité, sens du devoir, engagement.

Jessie : Un présent (hébreu). Ce prénom est rare. Tendance : stable. Caractérologie : sécurité, persévérance, structure, efficacité, décision.

Jessy : Un présent (hébreu). Ce prénom est assez répandu. Il est relativement peu attribué aujourd'hui. Tendance : stable. Variantes : Djessy, Jessi. Caractérologie : équilibre, sens des responsabilités, famille, influence, exigence.

Jésus : Dieu sauve (hébreu). Ce prénom assez rare est très peu attribué aujourd'hui. Tendance : en décroissance modérée. Caractérologie : loyauté, réceptivité, diplomatie, sociabilité, bonté.

Jibril : Prénom arabe qui désigne l'archange Gabriel. Ce prénom est très rare. Tendance : en forte croissance. Variantes : Gibril, Jebril. Caractérologie : bienveillance, conscience, conseil, organisation, paix.

Jillian : De la famille romaine d'Iule (latin). Ce prénom est très rare. Tendance : stable. Variante : Jilian. Caractérologie : structure, efficacité, persévérance, détermination, sécurité.

Jim : Supplanter, protéger (hébreu). Ce prénom assez rare est peu attribué actuellement. Tendance : stable. Variante : Gim. Caractérologie : dynamisme, curiosité, courage, charisme, indépendance.

Jimmy : Supplanter, protéger (hébreu). Ce prénom répandu est plutôt bien attribué aujourd'hui. Tendance : stable. Variantes : Djimmy, Gimmy, Jimi, Jimy. Caractérologie : sagacité, spiritualité, connaissances, réalisation, originalité.

Joachim : Dieu a établi (hébreu). Ce prénom est assez répandu. Il est relativement peu attribué aujourd'hui. Tendance : stable. Variantes : Akim, Joachin, Joackim,

J

335

Joakim, Joakin, Jochim, Johakim. Caractérologie : indépendance, curiosité, analyse, dynamisme, courage.

Joan : Dieu fait grâce (hébreu). Ce prénom est assez répandu. Il est peu attribué actuellement. Tendance : stable. En France, Joan est plus traditionnellement usité en Occitanie. Caractérologie : sens du devoir, engagement, méthode, ténacité, fiabilité.

Joannes : Dieu fait grâce (hébreu). Ce prénom assez rare est très peu attribué aujourd'hui. Variantes basques : Joanes, Joanko. Caractérologie : conscience, paix, conseil, sagesse, bienveillance.

Joanny : Dieu fait grâce (hébreu). Ce prénom assez rare est très peu attribué aujourd'hui. Tendance : en décroissance modérée. Variantes : Joannet, Joanni, Joannic, Joannick, Joannin, Joannis, Joany. Caractérologie : sagesse, méditation, indépendance, savoir, intelligence.

Joao : Dieu fait grâce (hébreu). Ce prénom assez rare est très peu attribué aujourd'hui. Tendance : en croissance modérée. Caractérologie : originalité, énergie, découverte, séduction, audace.

Joaquim : Dieu a établi (hébreu). Ce prénom assez rare est très peu attribué aujourd'hui. Tendance : stable. Caractérologie : dynamisme, curiosité, courage, indépendance, logique.

Joaquin : Dieu fait grâce (hébreu). Ce prénom est rare. En dehors de la France, Joaquin est particulièrement répandu en Espagne. Caractérologie : bienveillance, conscience, paix, détermination, raisonnement.

Job : Dieu a établi (hébreu). Ce prénom est porté par moins de 100 personnes en France. Caractérologie : rêve, ouverture d'esprit, humanité, générosité, rectitude.

Jocelyn : Étymologie possible : doux prince (germanique). Ce prénom est assez répandu. Il est relativement peu attribué aujourd'hui. Tendance : en décroissance modérée. Variantes : Jocelin, Joscelyn. Caractérologie : adaptation, pratique, communication, compassion, enthousiasme.

Jody : Diminutif de Joseph et de Joël. Ce prénom est très rare. Tendance : en forte décroissance. Caractérologie : altruisme, réflexion, intégrité, réalisation, idéalisme.

Joe : Diminutif des prénoms assemblés avec Jo. Ce prénom assez rare est peu attribué actuellement. Tendance : stable. Caractérologie : optimisme, communication, pragmatisme, créativité, sociabilité.

Joé : Dieu est Dieu (hébreu). Ce prénom assez rare est peu attribué actuellement. Tendance : stable. Caractérologie : optimisme, communication, pragmatisme, créativité, sociabilité.

Joël : Dieu est Dieu (hébreu). Ce prénom est très répandu. Il est peu attribué actuellement. Tendance : en décroissance modérée. Caractérologie : famille, sens des responsabilités, influence, équilibre, exigence.

Joévin : Jupiter, jeune (latin). Ce prénom est très rare. Tendance : stable. Caractérologie : pragmatisme, optimisme, décision, communication, caractère.

Joey : Dieu est Dieu (hébreu). Ce prénom assez rare est relativement peu attribué aujourd'hui. Tendance : en forte croissance.

Caractérologie : audace, dynamisme, direction, indépendance, assurance.

Joffrey : La paix de Dieu (germanique). Ce prénom est assez répandu. Il est peu attribué actuellement. Tendance : en décroissance modérée. Variantes : Joeffrey, Joffray, Joffre, Jofrey. Caractérologie : structure, persévérance, efficacité, sécurité, résolution.

Johan : Dieu fait grâce (hébreu). Ce prénom répandu est plutôt bien attribué aujourd'hui. Tendance : stable. En France, Johan est plus traditionnellement usité en Alsace. Variante : Johane. Caractérologie : pratique, enthousiasme, communication, adaptation, générosité.

Johann : Dieu fait grâce (hébreu). Ce prénom répandu est relativement peu attribué aujourd'hui. Tendance : stable. Caractérologie : force, ambition, habileté, passion, management.

Johannes : Dieu fait grâce (hébreu). Ce prénom est rare. Tendance : stable. Johannes est très répandu en Allemagne. Variantes : Johanes, Johanne, Johannis, Johanny, Johany. Caractérologie : curiosité, courage, dynamisme, charisme, indépendance.

John : Dieu fait grâce (hébreu). Ce prénom répandu est relativement peu attribué aujourd'hui. Tendance : en décroissance modérée. Caractérologie : intuition, médiation, relationnel, fidélité, adaptabilité.

Johnny : Dieu fait grâce (hébreu). Ce prénom répandu est relativement peu attribué aujourd'hui. Tendance : stable. Caractérologie : énergie, originalité, découverte, audace, séduction.

Johnson : Fils de John (anglais). Ce prénom est porté par moins de 100 personnes en France. Caractérologie : curiosité, indépendance, dynamisme, courage, charisme.

Johny : Dieu fait grâce (hébreu). Ce prénom assez rare est très peu attribué aujourd'hui. Variantes : Jhon, Jhonny, Jonnhy, Jonny, Jony. Caractérologie : idéalisme, intégrité, réflexion, altruisme, dévouement.

Jolan : Vallée aux chênes morts (indien d'Amérique du Nord). Ce prénom est rare. Tendance : en forte croissance. Caractérologie : connaissances, spiritualité, sagacité, originalité, philosophie.

Jon : Dieu fait grâce (hébreu). Ce prénom est très rare. Tendance : en croissance modérée. En France, Jon est plus traditionnellement usité au Pays Basque. Caractérologie : communication, pratique, enthousiasme, adaptation, générosité.

Jonas : Colombe (hébreu). Ce prénom est assez répandu. Il est relativement peu attribué aujourd'hui. Tendance : stable. Jonas devrait figurer dans le top 10 allemand en 2004. Variantes : Jonah, Yonas. Caractérologie : découverte, énergie, audace, séduction, originalité.

Jonatan : Dieu a donné (hébreu). Ce prénom est très rare. Tendance : en croissance modérée. Caractérologie : communication, pragmatisme, optimisme, sociabilité, créativité.

Jonathan : Dieu a donné (hébreu). Ce prénom répandu figure dans le top 100 français aujourd'hui. Tendance : en décroissance modérée. Variantes : Janathan, Johnatan, Johnathan, Jonathane, Jonathann,

J

Jonnathan. Caractérologie : intuition, médiation, fidélité, finesse, relationnel.

Joran : Labourer le sol (grec). Ce prénom est très rare. Tendance : stable. En France, Joran est plus traditionnellement usité en Bretagne. Caractérologie : structure, sécurité, efficacité, persévérance, décision.

Jordan : Descendre (hébreu). Ce prénom répandu figure dans le top 100 français aujourd'hui. Tendance : en décroissance modérée. En France, Jordan est plus traditionnellement usité en Occitanie. Variantes : Djordan, Jourdain. Caractérologie : décision, ambition, force, caractère, habileté.

Jordane : Descendre (hébreu). Ce prénom assez rare est très peu attribué aujourd'hui. Tendance : en décroissance modérée. Variantes : Jordann, Jordhan. Caractérologie : persévérance, structure, sécurité, décision, caractère.

Jordi : Labourer le sol (grec). Ce prénom assez rare est très peu attribué aujourd'hui. Tendance : stable. En France, Jordi est plus traditionnellement usité en Occitanie. Variante : Jorgi. Caractérologie : diplomatie, sociabilité, réceptivité, loyauté, bonté.

Jordy : Labourer le sol (grec). Ce prénom assez rare est peu attribué actuellement. Tendance : en décroissance modérée. Caractérologie : humanité, rectitude, rêve, ouverture d'esprit, réussite.

Jorge : Labourer le sol (grec). Ce prénom assez rare est très peu attribué aujourd'hui. Tendance : stable. Jorge est très répandu dans les pays hispanophones et au Portugal. Caractérologie : innovation, énergie, autorité, décision, ambition.

Joris : Labourer le sol (grec). Ce prénom répandu est plutôt bien attribué aujourd'hui. Tendance : stable. Variantes : Jauris, Jorick, Jorris, Jory, Jorys. Caractérologie : ambition, force, habileté, management, passion.

José : Dieu ajoutera (hébreu). Ce prénom répandu est relativement peu attribué aujourd'hui. Tendance : stable. José est très répandu en Espagne et au Portugal. Caractérologie : méthode, fiabilité, sens du devoir, ténacité, engagement.

Joseph : Dieu ajoutera (hébreu). Ce prénom est très répandu. Il est plutôt bien attribué aujourd'hui. Tendance : stable. Joseph devrait figurer dans le top 10 américain en 2004. Variantes : Josef, Joséphin, Josy. Variantes bretonnes : Job, Jobig. Caractérologie : autorité, innovation, énergie, ambition, autonomie.

Joshua : Dieu aidera (hébreu). Ce prénom est assez répandu. Il est plutôt bien attribué aujourd'hui. Tendance : en croissance modérée. Joshua devrait figurer dans le top 10 anglais et américain en 2004. Variantes : Josiah, Jossua, Josua, Josuah, Josuha. Caractérologie : sociabilité, réceptivité, loyauté, bonté, diplomatie.

Josian : Dieu ajoutera (hébreu). Ce prénom est rare. Tendance : stable. En France, Josian est plus traditionnellement usité au Pays Basque. Caractérologie : dynamisme, indépendance, curiosité, courage, résolution.

Josias : Dieu me soutient (hébreu). Ce prénom est porté par moins de 100 personnes en France. Caractérologie : autorité, innovation, autonomie, ambition, énergie.

Josse : Doux prince (germanique). À noter : l'étymologie de ce prénom est controversée. Ce prénom est très rare. Tendance : stable. En France, Josse est plus traditionnellement usité en Bretagne. Variante : Joss. Caractérologie : dynamisme, curiosité, indépendance, courage, charisme.

Josselin : Étymologie possible : doux prince (germanique). Ce prénom breton est assez répandu. Il est relativement peu attribué aujourd'hui. Tendance : en décroissance modérée. Variantes : Josselyn, Judoc. Caractérologie : analyse, structure, persévérance, résolution, sécurité.

Josserand : Se rapporte à Gauz, divinité teutonne (germanique). Ce prénom est porté par moins de 100 personnes en France. Caractérologie : équilibre, résolution, famille, sens des responsabilités, volonté.

Josué : Dieu aidera (hébreu). Ce prénom assez rare est peu attribué actuellement. Tendance : en croissance modérée. Variante : Jossué. Caractérologie : indépendance, intelligence, savoir, méditation, sagesse.

Jovan : Jupiter, jeune (latin). Ce prénom breton est très rare. Tendance : en forte croissance. Caractérologie : passion, volonté, habileté, ambition, force.

Joyce : Allégresse (latin). Ce prénom est très rare. Tendance : stable. Caractérologie : ténacité, méthode, engagement, fiabilité, compassion.

Juan : Dieu fait grâce (hébreu). Ce prénom est assez répandu. Il est relativement peu attribué aujourd'hui. Tendance : en forte croissance. Juan est très répandu en Espagne.

Caractérologie : autorité, innovation, énergie, autonomie, ambition.

Jude : Loué, félicité (hébreu). Ce prénom est très rare. Tendance : en croissance modérée. Caractérologie : ténacité, engagement, méthode, fiabilité, sens du devoir.

Judicael : Seigneur généreux (breton). Ce prénom assez rare est très peu attribué aujourd'hui. Tendance : stable. Ce prénom peut également s'orthographier Judicaël. On le trouve sous cette forme principalement en dehors de la Bretagne. Variantes : Jekel, Jezekael, Jikael, Jikel, Judikael. Caractérologie : relationnel, intuition, fidélité, médiation, résolution.

Jules : De la famille romaine d'Iule (latin). Ce prénom répandu figure dans le top 50 français aujourd'hui. Voir le zoom dédié à Jules. Caractérologie : engagement, fiabilité, méthode, ténacité, sens du devoir.

Julian : De la famille romaine d'Iule (latin). Ce prénom est assez répandu. Il est plutôt bien attribué aujourd'hui. Tendance : stable. En France, Julian est plus traditionnellement usité en Occitanie et au Pays Basque. Caractérologie : ténacité, décision, méthode, engagement, fiabilité.

Julien : De la famille romaine d'Iule (latin). Ce prénom est très répandu. De plus, il figure dans le top 50 français aujourd'hui. Tendance : stable. Julien devrait figurer dans le top 10 de la Wallonie en 2004. Voir le zoom dédié à Jules. Variantes : Julen, Juliann, Juliano, Jullian, Jullien. Caractérologie : ambition, force, passion, habileté, détermination.

J

339

JULES

Fête : 12 avril

Étymologie : Tout comme Julien, Jules tire ses origines du latin et se rapporte à la grande famille romaine d'Iule. Julien a été en vogue dans le milieu des années 1990 en France, en Wallonie et en Suisse romande. Il décline néanmoins depuis plusieurs années dans ces régions. Julien a en effet quitté les tops 10 wallon et suisse, puis le top 20 français en 2003. Il faut dire que la plupart des prénoms de source antique romaine, très en vogue il y a encore trois ans, ne sont plus un choix favori des parents.

Cette situation profite aux prénoms rétro parmi lesquels Jules fait bonne figure. On peut estimer que Jules sera attribué à plus de 3 000 enfants en France en 2005. Ce résultat sera certes inférieur de moitié à celui que ce prénom avait enregistré au début du XXᵉ siècle. Mais sa performance est un bon début, d'autant que sa courbe de croissance paraît solide. À ce rythme, Jules pourrait bien percer dans le top 20 français dès 2005.

Au-delà des frontières de l'Hexagone, Jules commence tout juste à émerger. Au Québec, le nombre de naissances de petits Jules est encore très modeste. En revanche, ce prénom progresse davantage en Belgique francophone. En effet, on peut anticiper qu'il entrera dans le top 100 wallon prochainement. Quant à la forme anglophone Julian, elle est plus usitée en Allemagne et dans les pays anglophones. À noter que Julian est en pleine croissance aux États-Unis. Il figure dans le top 80 d'un palmarès américain qui en exclut Jules.

Saint Jules est le premier pape romain du IVᵉ siècle qui porte ce nom. Il fait construire de nombreuses églises à Rome. De plus, il est le pape qui établit la primauté de Rome sur les autres églises. Jules est également le prénom qui fut choisi par Jules II, le pape successeur de Pie III en 1503.

Saint Jules est le patron des vidangeurs.

Jules César, général et homme d'État romain (101-44 av. J.-C.), est un des plus illustres des Jules.

Littérature : Jules Verne est l'auteur français de la célèbre trilogie *20 000 Lieues sous les mers, L'Île mystérieuse* et *Le Tour du monde en 80 jours*. Ces ouvrages sont parus dans les années 1870. Jules Renard, écrivain français (1864-1910). Il est particulièrement connu pour être l'auteur de *Poil de carotte*.

Statistique : Jules est le 88ᵉ prénom masculin le plus attribué du XXᵉ siècle en France.

Destin et évolution de la forme composée

La mode des prénoms composés s'est considérablement estompée dans les années 1970. Même ceux qui sont les plus attribués aujourd'hui ne parviennent pas à s'imposer dans le top 50 français. Nous sommes bien loin des années 1950. À cette époque, les 20 prénoms les plus attribués en France incluaient Jean-Pierre et Jean-Claude. Sans compter la multitude de formes composées qui les suivaient de près. Différentes, ces formes composées l'étaient. Mais presque toutes étaient formées de Jean pour les garçons, Marie ou Anne pour les filles. Aujourd'hui, Jean-Pierre, Jean-Claude, Jean-Paul, Jean-Louis et Jean-Marie sont, dans leur immense majorité, grands-parents, témoins d'une autre génération. Il en va de même pour Marie-France et Marie-Thérèse, les formes Marie-Hélène, Marie-Claire ou Anne-Marie étant plus récentes.

À la fin des années 1950, les formes composées se sont diversifiées. Pierre, Charles, Paul et Louis se sont rebellés et ont plus souvent remplacé Jean dans les combinaisons. Ces derniers, ainsi que Marie et Anne, constituent aujourd'hui la majorité des formes composés. Cependant, on pourrait aussi voir émerger de nouvelles consonances dans un futur proche. Certaines, comme Léo-Paul, Lou-Anne ou Lily-Rose, sont d'ailleurs en train de percer (pour en savoir plus, lire les encadrés dédiés aux palmarès des prénoms composés).

Quoi qu'il en soit, les 2 derniers grands prénoms composés français sont assez classiques. Il s'agit en effet de Marie-Laure et de Jean-Baptiste. En 1970, année de son apogée, Marie-Laure était le 51e prénom féminin français. Jean-Baptiste a, quant à lui, culminé dans le top 80 en 1991. Notons qu'aujourd'hui aucune forme composée ne semble en mesure d'égaler de telles performances. Par exemple, Pierre-Louis est 2e au palmarès des prénoms composés. Or, il ne figure même pas dans le top 200 des prénoms les plus attribués (dans l'Hexagone). Est-ce donc la fin des prénoms composés ? Loin s'en faut ! La forme composée a moins la cote, c'est évident, mais elle séduit toujours des parents qui souhaitent trouver un prénom peu commun ou original. D'autre part, le choix illimité des combinaisons défavorise l'émergence d'un seul prénom dominant. Plus uniques et dispersés, les prénoms composés se propagent sans bruit et éludent aisément les palmarès. Mais qu'on ne s'y trompe pas : ils ont encore de beaux jours devant eux !

À noter : en dehors des pays francophones et hispanophones, l'usage du prénom composé est quasiment nul. En revanche, dans la zone francophone, c'est au Québec qu'il est le plus plébiscité. En effet, le palmarès des 100 prénoms québécois ne compte pas moins de 7 prénoms composés. Il s'agit, par ordre décroissant d'attribution, de Marc-Antoine, Charles-Antoine, Félix-Antoine et Marc-Olivier pour les garçons. Côté filles, on retrouve des combinaisons plus variées, comme Anne-Sophie, Kelly-Ann et Sarah-Maude.

J

341

Julio : De la famille romaine d'Iule (latin). Ce prénom est rare. Tendance : stable. En France, Julio est plus traditionnellement usité au Pays Basque. Variantes : Giuliano, Giulio. Caractérologie : efficacité, persévérance, raisonnement, sécurité, structure.

Julius : De la famille romaine d'Iule (latin). Ce prénom est très rare. Tendance : stable. Caractérologie : réceptivité, loyauté, sociabilité, bonté, diplomatie.

Junien : Mois de juin (latin). Ce prénom est porté par moins de 100 personnes en France. Variante : Jun. Caractérologie : autorité, énergie, innovation, ambition, détermination.

Junior : Jeunesse (latin). Ce prénom est très rare. Tendance : en croissance modérée. Variante : Juvenal. Caractérologie : bienveillance, détermination, paix, raisonnement, conscience.

Juste : Raisonnable (latin). Ce prénom est très rare. Variante : Just. Caractérologie : communication, enthousiasme, pratique, organisation, adaptation.

Justin : Raisonnable (latin). Ce prénom est assez répandu. Il est plutôt bien attribué aujourd'hui. Tendance : en croissance modérée. Variantes : Justinien, Justino, Justo, Tin. Variante bretonne : Jestin. Caractérologie : pragmatisme, optimisme, organisation, résolution, communication.

Kacem : Juste (arabe). Ce prénom est très rare. Tendance : en croissance modérée. Variantes : Kacim, Kazim. Caractérologie : paix, bienveillance, conscience, organisation, conseil.

Kader : Riche, puissant (arabe). Ce prénom assez rare est très peu attribué aujourd'hui. Tendance : stable. Variantes : Kada, Kadda, Kadder. Caractérologie : optimisme, pragmatisme, créativité, communication, décision.

Kadir : Riche, puissant (arabe). Ce prénom est rare. Tendance : stable. Caractérologie : philosophie, connaissances, originalité, sagacité, spiritualité.

Kaelig : Seigneur généreux (breton). Ce prénom est très rare. Tendance : en forte croissance. Variante : Kael. Caractérologie : altruisme, détermination, intégrité, idéalisme, compassion.

Kaï : Mer (hawaïen). Caractérologie : adaptation, pratique, enthousiasme, communication, générosité.

Kaïs : Fierté (arabe). Ce prénom assez rare est relativement peu attribué aujourd'hui. Tendance : en forte croissance. Variante : Kaïss. Caractérologie : méthode, ténacité, fiabilité, engagement, sens du devoir.

Kalvin : Chauve (latin). Ce prénom est très rare. Tendance : en forte croissance. Caractérologie : paix, conscience, bienveillance, organisation, détermination.

Kamal : Parfait, achevé (arabe). Ce prénom assez rare est très peu attribué aujourd'hui. Tendance : en décroissance modérée. Variante : Kamale. Caractérologie : organisation, médiation, intuition, relationnel, fidélité.

Kamel : Parfait, achevé (arabe). Ce prénom répandu est peu attribué actuellement. Tendance : en décroissance modérée. Variantes : Kamil, Kemal, Kemel, Kemil.

Caractérologie : famille, sens des responsabilités, influence, équilibre, organisation.

Kan : D'un blanc éclatant (latin). Prénom breton. Caractérologie : leadership, vitalité, achèvement, ardeur, stratégie.

Kane : D'une grande expérience (japonais). Caractérologie : efficacité, persévérance, structure, sécurité, honnêteté.

Kaori : Puissant, fort (japonais). Caractérologie : idéalisme, intégrité, réflexion, altruisme, dévouement.

Karan : Ami (breton). Ce prénom est porté par moins de 100 personnes en France. Variante : Karanteg. Caractérologie : décision, idéalisme, altruisme, réflexion, intégrité.

Karel : Pur (grec). Ce prénom est très rare. Tendance : en croissance modérée. En France, Karel est plus traditionnellement usité dans les Flandres. Caractérologie : diplomatie, réceptivité, sociabilité, gestion, décision.

Karim : Bien né, généreux (arabe). Ce prénom répandu est relativement peu attribué aujourd'hui. Tendance : stable. Variantes : Carim, Karam, Karem, Karime, Karym. Caractérologie : originalité, spiritualité, connaissances, philosophie, sagacité.

Karin : Pur (grec). Ce prénom est porté par moins de 100 personnes en France. En dehors de l'Hexagone, Karin est particulièrement répandu dans les pays scandinaves. Variante : Catherin. Caractérologie : vitalité, ardeur, achèvement, décision, stratégie.

Karl : Fort et viril (germanique). Ce prénom est assez répandu. Il est relativement peu attribué aujourd'hui. Tendance : stable. Karl est répandu dans les pays scandinaves et en Allemagne. En France, ce prénom est plus traditionnellement usité dans les Flandres. Variantes : Karlo, Karlos. Caractérologie : sens des responsabilités, famille, influence, équilibre, organisation.

Kazuo : Le premier né (japonais). Caractérologie : intuition, fidélité, organisation, médiation, relationnel.

Keanu : L'air de la montagne (hawaïen). Ce prénom est porté par moins de 100 personnes en France. Tendance : en décroissance modérée. Caractérologie : savoir, indépendance, intelligence, méditation, organisation.

Kéhila : Le rassembleur (hébreu). Caractérologie : dynamisme, audace, direction, résolution, finesse.

Keith : Le vent (celte). Ce prénom est très rare. Caractérologie : vitalité, achèvement, stratégie, ardeur, finesse.

Kelan : Élancé (irlandais). Caractérologie : intelligence, savoir, méditation, indépendance, gestion.

Kelian : Contestation ou église (irlandais). Ce prénom assez rare est relativement peu attribué aujourd'hui. Tendance : en forte croissance. Variantes : Keilan, Kelyan. Caractérologie : sagacité, connaissances, gestion, spiritualité, décision.

Kelig : Seigneur généreux (breton). Ce prénom est très rare. Tendance : en forte croissance. Caractérologie : passion, force, habileté, ambition, sympathie.

K

343

Kelil : Parfait (hébreu). Caractérologie : persévérance, sécurité, structure, efficacité, honnêteté.

Kellian : Contestation ou église (irlandais). Ce prénom est rare. Tendance : en forte croissance. Caractérologie : résolution, dynamisme, direction, audace, organisation.

Kelvin : Petite rivière (celte). Ce prénom est très rare. Tendance : en forte croissance. Caractérologie : autorité, ambition, innovation, énergie, autonomie.

Kemuel : Qui aide Dieu (hébreu). Caractérologie : ténacité, engagement, fiabilité, méthode, sens du devoir.

Ken : Identique (japonais). Diminutif des prénoms assemblés avec Ken. Ce prénom est rare. Tendance : en décroissance modérée. Caractérologie : pragmatisme, optimisme, communication, créativité, sociabilité.

Kenan : Beau (celte). Ce prénom breton est rare. Tendance : en forte croissance. Caractérologie : ouverture d'esprit, humanité, rêve, rectitude, générosité.

Kendal : Rivière de la vallée (celte). Ce prénom est porté par moins de 100 personnes en France. Variante : Kendall. Caractérologie : relationnel, intuition, organisation, fidélité, médiation.

Kenji : Prénom traditionnellement donné au deuxième garçon au Japon. Ce prénom est très rare. Tendance : stable. Caractérologie : sécurité, structure, persévérance, efficacité, résolution.

Kennedy : Chef casqué (irlandais). Caractérologie : influence, sens des responsabilités, équilibre, exigence, famille.

Kenneth : Très beau (irlandais). Ce prénom est rare. Tendance : stable. Caractérologie : énergie, audace, originalité, découverte, sensibilité.

Kenny : Très beau (irlandais). Ce prénom est assez répandu. Il est relativement peu attribué aujourd'hui. Tendance : stable. Variante : Keny. Caractérologie : conscience, conseil, bienveillance, sagesse, paix.

Kent : Limite (celte). Ce prénom est porté par moins de 100 personnes en France. Caractérologie : audace, découverte, énergie, séduction, originalité.

Kentin : Cinquième (latin). Ce prénom est très rare. Tendance : en croissance modérée. Caractérologie : ambition, autonomie, innovation, autorité, énergie.

Kenzi : Trésor (arabe). Ce prénom est très rare. Tendance : en forte croissance. Variante : Kenzy. Caractérologie : diplomatie, sociabilité, attention, réceptivité, loyauté.

Kenzo : Trésor (arabe). Ce prénom assez rare est plutôt bien attribué aujourd'hui. Tendance : en forte croissance. Caractérologie : vitalité, achèvement, stratégie, ardeur, sensibilité.

Keran : Poutre de bois (arménien). Ce prénom est très rare. Tendance : en forte croissance. Caractérologie : engagement, ténacité, méthode, fiabilité, détermination.

Kerel : Rusé, courageux (flamand). Caractérologie : équilibre, famille, sens des responsabilités, exigence, influence.

Kerem : Vigne (hébreu). Ce prénom est très rare. Tendance : en forte croissance.

Trouver un prénom tri-culturel

Le tableau ci-dessous propose une sélection de prénoms francophones avec leurs équivalences dans les pays anglophones et hispanophones. Cette sélection sera utile aux parents qui souhaitent trouver un prénom dont l'orthographe ou la prononciation reste identique (ou très proche) dans de nombreuses régions du monde.

Prénom francophone	Prénom anglophone	Prénom hispanophone
Adam	Adam	Adán
Adrien	Adrian	Adrían
Alex	Alex	Alex
Alexandre	Alexander	Alejandro
Angel	Angel	Angel, Angelo
Charles	Charles	Carlos
Christian	Christian	Cristiano
Éric/Erik	Eric/Erik	Eric/Erik, Erico
Ethan	Ethan	-
Gabriel	Gabriel	Gabriel
Jason	Jason	Jasón
Jérémie, Jérémy	Jeremy	Jeremías, Jeremy
Jordan	Jordan	Jordán
Joseph	Joseph	José
Jules	Jules	Julio
Julien	Julian	Julián
Louis	Lewis, Louis	Luís
Lucas	Lucas, Luke	Luca, Lucas
Marc	Mark	Marco
Martin	Martin	Martín
Michaël	Mickael	Miguel
Nathan	Nathan	Natanael
Nicolas	Nicholas	Nicolás
Oscar	Oscar	Oscar
Paul	Paul	Pablo
Raphaël	Raphael	Rafael
Ryan	Ryan	-
Samuel	Samuel	Samuel
Simon	Simon	Simon
Thomas	Thomas	Tomás
Victor	Victor	Victor, Victoriano
William	William	Guillermo, William
Zacharie, Zachary	Zachary	Zacarías

Caractérologie : intelligence, sagesse, indépendance, savoir, méditation.

Kerwan : Sombre (irlandais). Ce prénom est très rare. Tendance : en croissance modérée. Variante : Kervin. Caractérologie : intégrité, idéalisme, altruisme, réflexion, résolution.

Keryan : Prêt au combat (celte). Ce prénom est très rare. Tendance : en forte croissance. Variantes : Kerian, Keryann, Kyrian. Caractérologie : intuition, relationnel, médiation, décision, fidélité.

Kevan : Beau garçon (irlandais). Ce prénom est très rare. Tendance : en croissance modérée. Variantes : Keven, Keyvan. Caractérologie : ambition, habileté, management, force, passion.

Kevin : Beau garçon (irlandais). Ce prénom est très répandu. De plus, il figure dans le top 50 français aujourd'hui. Tendance : en décroissance modérée. Variantes : Keevin, Keveen, Kevine, Kevy, Kewin. Caractérologie : indépendance, savoir, méditation, intelligence, sagesse.

Kevyn : Beau garçon (irlandais). Ce prénom est rare. Tendance : stable. Caractérologie : énergie, originalité, découverte, séduction, audace.

Keyne : Beauté, richesse (celte). Ce prénom est porté par moins de 100 personnes en France. Caractérologie : bienveillance, conscience, paix, conseil, sagesse.

Keziah : Arbuste dont l'écorce produit des épices (hébreu). Ce prénom est très rare. Tendance : en forte croissance. Caractérologie : équilibre, décision, famille, sens des responsabilités, attention.

Khaled : Éternel (arabe). Ce prénom assez rare est très peu attribué aujourd'hui. Tendance : en décroissance modérée. Caractérologie : gestion, dynamisme, curiosité, courage, attention.

Khalid : Éternel (arabe). Ce prénom est assez répandu. Il est très peu attribué aujourd'hui. Tendance : en décroissance modérée. Caractérologie : rectitude, humanité, rêve, ouverture d'esprit, organisation.

Khalil : Ami fidèle (arabe). Ce prénom assez rare est peu attribué actuellement. Tendance : stable. Variantes : Khallil, Khélil. Caractérologie : passion, force, ambition, habileté, organisation.

Kian : Ancien (irlandais). Aussi un prénom perse ancien. Ce prénom est porté par moins de 100 personnes en France. Caractérologie : passion, force, ambition, habileté, décision.

Kieran : Brun (irlandais). Ce prénom breton est très rare. Tendance : stable. Variantes : Keir, Keiran. Caractérologie : ténacité, résolution, méthode, fiabilité, engagement.

Kilian : Contestation ou église (irlandais). Ce prénom est assez répandu. Il figure dans le top 100 français aujourd'hui. Tendance : en forte croissance. Caractérologie : réceptivité, sociabilité, diplomatie, gestion, décision.

Killian : Contestation ou église (irlandais). Ce prénom répandu figure dans le top 50 français aujourd'hui. Tendance : en forte croissance. Variantes : Kiliann, Killiam, Killiann, Killien, Killyan, Kilyan. Caractérologie : curiosité, dynamisme, décision, gestion, courage.

Kim : Plaine royale (afrikaans). De l'or (vietnamien). Ce prénom est rare. Tendance : stable. Caractérologie : influence, famille, équilibre, sens des responsabilités, exigence.

Kirk : Celui qui passe du temps à l'église (norvégien). Caractérologie : ténacité, méthode, sens du devoir, fiabilité, engagement.

Klaus : Victoire du peuple (grec). Ce prénom est très rare. Variante : Claus. Caractérologie : direction, indépendance, audace, dynamisme, organisation.

Kleber : Bâtisseur (germanique). Ce prénom est assez répandu. Il est très peu attribué aujourd'hui. Variante : Klebert. Caractérologie : force, passion, ambition, habileté, management.

Koffi : Né un vendredi (africain). Ce prénom est porté par moins de 100 personnes en France. Caractérologie : réceptivité, loyauté, sociabilité, bonté, diplomatie.

Kolia : Voix du seigneur (hébreu). Variante : Kolya. Caractérologie : optimisme, pragmatisme, communication, organisation, raisonnement.

Konan : Intelligent, guerrier (anglo-saxon). Ce prénom est porté par moins de 100 personnes en France. À noter : Conor, une des variantes de Konan, devrait figurer dans le top 10 irlandais en 2004. En France, Konan est plus traditionnellement usité en Bretagne. Variantes : Conan, Connor, Conor. Caractérologie : direction, audace, dynamisme, assurance, indépendance.

Kong : Glorieux (chinois). Ce prénom est porté par moins de 100 personnes en France. Caractérologie : médiation, relationnel, intuition, fidélité, adaptabilité.

Konrad : Conseiller courageux (germanique). Ce prénom est très rare. Caractérologie : humanité, rêve, rectitude, détermination, volonté.

Konur : Personnage mythologique (scandinave). Caractérologie : méditation, intelligence, savoir, indépendance, logique.

Korentin : Ami (celte). Ce prénom est très rare. Tendance : stable. Variante : Korantin. Caractérologie : méditation, intelligence, savoir, indépendance, sagesse.

Koshi : Serviteur de Dieu (finnois). Caractérologie : ardeur, achèvement, vitalité, leadership, stratégie.

Kosmos : Ordre, harmonie, univers (grec). Variante : Cosmos. Caractérologie : adaptabilité, médiation, intuition, relationnel, fidélité.

Kostia : Combattant (germanique). Ce prénom est porté par moins de 100 personnes en France. En dehors de l'Hexagone, Kostia est particulièrement répandu en Finlande. Caractérologie : adaptation, pratique, enthousiasme, communication, générosité.

Kovar : Forgeron (tchèque). Caractérologie : persévérance, efficacité, structure, sécurité, honnêteté.

Kraig : Rocher (irlandais). Caractérologie : autorité, innovation, énergie, ambition, autonomie.

Kris : Messie (grec). Ce prénom est très rare. Tendance : stable. Variante : Kriss. Caractérologie : pragmatisme, optimisme, communication, créativité, sociabilité.

K

347

Kristen : Messie (grec). Ce prénom est très rare. Tendance : stable. Kristen est répandu dans les pays scandinaves. En France, ce prénom est plus traditionnellement usité en Bretagne. Caractérologie : famille, équilibre, influence, sens des responsabilités, détermination.

Kristiansem : Fils de Christian (hollandais). Caractérologie : pratique, adaptation, enthousiasme, communication, décision.

Kurt : Enclos (latin). Ce prénom est rare. Tendance : stable. Caractérologie : sagesse, indépendance, intelligence, savoir, méditation.

Kyle : Prairie (irlandais). Ce prénom est très rare. Tendance : en croissance modérée. Caractérologie : ardeur, stratégie, vitalité, achèvement, sympathie.

Kylian : Contestation ou église (irlandais). Ce prénom est assez répandu. Il figure dans le top 100 français aujourd'hui. Tendance : en forte croissance. Variantes : Kylan, Kyliann. Caractérologie : idéalisme, résolution, altruisme, intégrité, sympathie.

Kyllian : Contestation ou église (irlandais). Ce prénom assez rare est plutôt bien attribué aujourd'hui. Tendance : en forte croissance. Caractérologie : décision, pragmatisme, communication, optimisme, cœur.

Ladislas : Gouverneur puissant et renommé (slave). Ce prénom est rare. Tendance : stable. Variantes : Ladislav, Ladix. Caractérologie : découverte, audace, originalité, énergie, séduction.

Laël : Dédié à Dieu (hébreu). Caractérologie : enthousiasme, pratique, communication, adaptation, générosité.

Laelien : Lys (latin). Ce prénom est porté par moins de 100 personnes en France. Caractérologie : structure, sécurité, persévérance, efficacité, décision.

Lahbib : Intelligence, perception (arabe). Ce prénom est porté par moins de 100 personnes en France. Caractérologie : sagacité, originalité, connaissances, gestion, spiritualité.

Laïd : Origine possible : rétribution (arabe). Ce prénom est rare. Tendance : stable. Caractérologie : stratégie, ardeur, leadership, achèvement, vitalité.

Lamar : Qui vient de la mer (latin). Caractérologie : idéalisme, altruisme, intégrité, dévouement, réflexion.

Lambert : Pays, brillant (germanique). Ce prénom est rare. Tendance : en forte décroissance. En France, Lambert est plus traditionnellement usité dans les Flandres. Variantes : Lambrecht, Lanbert. Caractérologie : vitalité, achèvement, décision, stratégie, gestion.

Lancelot : Assistant (vieux français). Ce prénom est rare. Tendance : en croissance modérée. Variante : Lance. Caractérologie : gestion, dynamisme, audace, indépendance, direction.

Landry : Gouverneur (anglais). Ce prénom assez rare est peu attribué actuellement. Tendance : stable. Caractérologie : intuition, relationnel, médiation, réussite, cœur.

Larbi : Celui qui est arabe (arabe). Ce prénom assez rare est très peu attribué aujourd'hui. Tendance : stable. Caractérologie : influence, gestion, équilibre, sens des responsabilités, famille.

Larry : Couronné de Lauriers (latin). Ce prénom est rare. Tendance : stable. Caractérologie : loyauté, diplomatie, sociabilité, réceptivité, bonté.

Laszlo : Gouverneur puissant et renommé (slave). Ce prénom est très rare. Tendance : en forte croissance. Variante : Laslo. Caractérologie : ténacité, sens du devoir, méthode, fiabilité, engagement.

Latif : Sophistiqué, attentionné (arabe). Ce prénom est porté par moins de 100 personnes en France. Caractérologie : enthousiasme, pratique, logique, gestion, communication.

Laurent : Couronné de lauriers (latin). Ce prénom est très répandu. Il est relativement peu attribué aujourd'hui. Tendance : en décroissance modérée. Variantes : Lars, Laurel, Laurens, Laurentin, Laurentino, Laurentz, Laurenz, Lavr, Lawrence, Lorentz. Variante bretonne : Laorans. Caractérologie : détermination, direction, dynamisme, audace, organisation.

Laurian : Couronné de Lauriers (latin). Ce prénom est très rare. Tendance : en forte croissance. Caractérologie : ténacité, méthode, fiabilité, engagement, décision.

Lauric : Couronné de Lauriers (latin). Ce prénom est très rare. Tendance : en croissance modérée. Variantes : Laurick, Lauris. Caractérologie : direction, dynamisme, audace, indépendance, assurance.

Lazare : Dieu a secouru (hébreu). Ce prénom est rare. Tendance : en forte croissance. Variantes : Lazar, Lazaro, Lazhar. Caractérologie : réflexion, altruisme, intégrité, idéalisme, détermination.

Léandre : Homme, lion (grec). Ce prénom assez rare est relativement peu attribué aujourd'hui. Tendance : en forte croissance. Caractérologie : originalité, audace, découverte, énergie, décision.

Leandro : Homme, lion (grec). Ce prénom est très rare. Tendance : en forte croissance. En France, Leandro est plus traditionnellement usité au Pays Basque. Caractérologie : conscience, paix, bienveillance, volonté, analyse.

Lee : Clairière (anglais). Poétique (irlandais). Force, puissance, tranchant, debout (chinois). Voir Li. Ce prénom est très rare. Tendance : en décroissance modérée. Caractérologie : sens du devoir, méthode, fiabilité, engagement, ténacité.

Leeroy : Prairie du roi (anglais). Ce prénom est très rare. Tendance : stable. Caractérologie : achèvement, vitalité, stratégie, raisonnement, compassion.

Léger : Peuple, lance (germanique). Ce prénom est très rare. Caractérologie : fidélité, intuition, médiation, relationnel, cœur.

Lélio : Qui témoigne (grec). Ce prénom est très rare. Tendance : en forte croissance. Caractérologie : force, ambition, passion, habileté, analyse.

Lemuel : Consacré à Dieu (hébreu). Caractérologie : découverte, originalité, énergie, audace, séduction.

Lenaïc : Éclat du soleil (grec). Ce prénom est rare. Tendance : en croissance modérée. En France, Lenaïc est plus traditionnellement usité en Bretagne. Variantes : Lenaïck, Lenaïk. Caractérologie : vitalité, stratégie, achèvement, décision, ardeur.

L

Leni : Fort comme un lion (latin). Ce prénom est très rare. Tendance : en forte croissance. Caractérologie : ténacité, méthode, engagement, sens du devoir, fiabilité.

Lenny : Fort comme un lion (latin). Ce prénom assez rare est relativement peu attribué aujourd'hui. Tendance : en forte croissance. Caractérologie : indépendance, méditation, intelligence, savoir, compassion.

Leno : Éclat du soleil (grec). Caractérologie : autorité, innovation, autonomie, énergie, ambition.

Leny : Fort comme un lion (latin). Ce prénom est rare. Tendance : en croissance modérée. Caractérologie : diplomatie, réceptivité, sociabilité, loyauté, cœur.

Léo : Lion (latin). Ce prénom répandu figure dans le top 50 français aujourd'hui. Voir le zoom dédié à Léo. Caractérologie : curiosité, charisme, indépendance, dynamisme, courage.

Léocadie : Se rapporte au nom d'une île grecque (grec). Variante basque : Leokadio. Caractérologie : rêve, rectitude, raisonnement, volonté, humanité.

Léon : Lion (latin). Ce prénom répandu est relativement peu attribué aujourd'hui. Tendance : en croissance modérée. Léon devrait figurer dans le top 10 allemand en 2004. Variantes : Léonid, Léonidas, Léontin. Variante occitane : Leon. Caractérologie : énergie, innovation, autorité, ambition, autonomie.

Léonard : Fort comme un lion (latin). Ce prénom est assez répandu. Il est relativement peu attribué aujourd'hui. Tendance : stable.

Variantes : Leonhard, Loni, Lonni, Lony, Lonny. Caractérologie : bienveillance, paix, conscience, volonté, raisonnement.

Léonardo : Fort comme un lion (latin). Ce prénom est rare. Tendance : en croissance modérée. Leonardo est très répandu en Italie. Caractérologie : pragmatisme, optimisme, caractère, communication, logique.

Léonce : Lion (latin). Ce prénom assez rare est très peu attribué aujourd'hui. Tendance : stable. Variante : Leoncio. Caractérologie : altruisme, idéalisme, intégrité, réflexion, dévouement.

Léonel : Lion (latin). Ce prénom est très rare. Caractérologie : ouverture d'esprit, rêve, rectitude, générosité, humanité.

Léonor : Compassion (grec). Ce prénom est porté par moins de 100 personnes en France. Caractérologie : spiritualité, sagacité, originalité, analyse, connaissances.

Léo-Paul : Prénom composé de Léo et de Paul. Ce prénom est rare. Tendance : en forte croissance. Caractérologie : direction, audace, indépendance, dynamisme, cœur.

Léopold : Peuple courageux (germanique). Ce prénom est assez répandu. Il est relativement peu attribué aujourd'hui. Tendance : en croissance modérée. Variantes : Léopaul, Léopol, Leopoldo. Caractérologie : connaissances, sagacité, spiritualité, compassion, volonté.

Leroy : Le roi (vieux français). Ce prénom est porté par moins de 100 personnes en France. Tendance : en forte décroissance. Caractérologie : enthousiasme, communication, compassion, pratique, raisonnement.

LÉO

Fête : 10 novembre

Étymologie : Forme de Léon, du latin *leo* : lion. Il ne faut pas apparenter ce prénom à Léa, dont les origines sont bien distinctes. Cependant, la gloire de cette dernière a sans aucun doute joué en la faveur de Léo. Ce dernier a percé à la fin des années 1980. Son essor étant plus récent que celui de Léa, cette forme de Léon n'a sans doute pas encore atteint son apogée. En 2005, Léo devrait être attribué à environ 5 000 nouveau-nés en France, une performance supérieure à celle que l'on peut anticiper pour Alexis ou Clément. L'entrée de Léo dans le top 10 français ne devrait donc pas être longtemps différée. Cependant, nul ne sait si ce prénom poursuivra durablement une telle croissance. En effet, le déclin prochain de Léa pourrait handicaper ce dernier dans son élan. C'est peut-être le moment que choisira Léopold pour renaître. Léopold est un prénom porté par près de 6 000 Français aujourd'hui. Il se propage lentement et grandit dans l'ombre de Léo. À noter : son origine germanique ne lui permet aucun lien de parenté avec le latin Léo.

En dehors de l'Hexagone, Léo est en pleine ascension. Il devrait figurer dans le top 5 suisse romand dès 2005. D'autre part, sa forte croissance au Québec le propulsera prochainement dans le top 70. C'est chose faite en Belgique, où Léo s'est emparé de la 74ᵉ place en 2003. Par ailleurs, ce prénom monte rapidement en Angleterre. Il ne serait donc pas étonnant que ce prénom international perce dans d'autres régions anglophones. Notons enfin que Léo-Paul est la première forme composée de Léo dans l'Hexagone. Quatrième au palmarès des prénoms composés, ce dernier est en pleine croissance. Léo-Paul reste toutefois très rare puisque ce prénom est porté par moins de 400 personnes.

Personnalités célèbres : Léo Ferré, poète et musicien français (1916-1991). Il occupe une place centrale dans la chanson française des années 1950 à 1990. Leo McCarey, cinéaste américain (1898-1969).
Statistique : Léo est le 178ᵉ prénom masculin le plus attribué du XXᵉ siècle en France.

L

351

Leslie : Forteresse grise (écossais). Ce prénom est très rare. Variante : Lesly. Caractérologie : habileté, passion, ambition, décision, force.

Lévi : Qui accompagne (hébreu). Ce prénom est très rare. Tendance : en croissance modérée. Caractérologie : enthousiasme, communication, pratique, adaptation, générosité.

Levy : Qui accompagne (hébreu). Ce prénom est très rare. Tendance : en forte croissance. Caractérologie : innovation, énergie, ambition, autorité, compassion.

Li : Pour moi (hébreu). Force, puissance, tranchant, debout (chinois). Ce prénom est porté par moins de 100 personnes en France. À noter : Li ou Lee peut également être employé comme nom de famille (ex. : Bruce Lee, Jet Li). Dans ce cas, la signification de Li et Lee est « prune «. Caractérologie : communication, pragmatisme, créativité, optimisme, sociabilité.

Liam : Le peuple pour moi (hébreu). Ce prénom assez rare est plutôt bien attribué aujourd'hui. Tendance : en forte croissance. Variante : Lyam. Caractérologie : achèvement, vitalité, stratégie, ardeur, leadership.

Liborio : Liberté (portugais). Ce prénom est porté par moins de 100 personnes en France. Caractérologie : force, passion, ambition, habileté, analyse.

Lié : Se rapporte à Bacchus, dieu du Vin dans l'Antiquité (latin). Ce prénom est porté par moins de 100 personnes en France. Caractérologie : force, habileté, passion, management, ambition.

Liebert : Libéré (latin). Ce prénom est porté par moins de 100 personnes en France. Caractérologie : force, ambition, management, habileté, passion.

Liès : Seigneur Dieu (arabe). Ce prénom est très rare. Tendance : en forte croissance. Variantes : Liece, Liess, Liesse. Caractérologie : humanité, rêve, résolution, rectitude, ouverture d'esprit.

Lilian : Lys (latin). Ce prénom répandu figure dans le top 100 français aujourd'hui. Tendance : en forte croissance. Variante : Lillian. Caractérologie : résolution, communication, optimisme, pragmatisme, créativité.

Lilyan : Lys (latin). Ce prénom est très rare. Tendance : en forte croissance. Caractérologie : innovation, énergie, autorité, compassion, détermination.

Lin : Cascade (anglais). Ce prénom est porté par moins de 100 personnes en France. Caractérologie : achèvement, vitalité, stratégie, leadership, ardeur.

Lindsay : Terres de Lincoln (vieil anglais). Ce prénom est porté par moins de 100 personnes en France. Caractérologie : pratique, sympathie, communication, enthousiasme, réalisation.

Lino : Lin (grec). Ce prénom assez rare est relativement peu attribué aujourd'hui. Tendance : en forte croissance. Caractérologie : curiosité, dynamisme, courage, logique, indépendance.

Lionel : Lion (latin). Ce prénom répandu est peu attribué actuellement. Tendance : en décroissance modérée. Caractérologie : sécurité, structure, persévérance, efficacité, logique.

Lionnel : Lion (latin). Ce prénom assez rare est très peu attribué aujourd'hui. Caractérologie : réflexion, altruisme, idéalisme, logique, intégrité.

Lior : La lumière est à moi (hébreu). Ce prénom est très rare. Tendance : en croissance modérée. Caractérologie : analyse, humanité, rectitude, rêve, ouverture d'esprit.

Livio : Se rapporte aux olives (latin). Ce prénom est rare. Tendance : en forte croissance. Caractérologie : méthode, ténacité, fiabilité, raisonnement, engagement.

Lloyd : Cheveux gris (gallois). Ce prénom est très rare. Tendance : en croissance modérée. Caractérologie : découverte, audace, séduction, énergie, originalité.

LOAN

Fête : 28 août

Origine : prénom breton dérivé d'Elouan, du celte : lumière. Elouan est un prénom rare. Cependant, il progresse depuis dix ans dans l'Hexagone grâce à la percée de son dérivé Loan. La découverte de ce dernier est récente. En France, le premier garçon prénommé Loan est né en 1962. Or, cette date ne marque pas les débuts d'une carrière flamboyante. Au contraire, seulement 1 ou 2 enfants étaient prénommés Loan jusqu'au milieu des années 1970. D'où son anonymat si bien préservé jusqu'aux années 1990, période à laquelle ce prénom se manifeste au grand jour. Loan est un prénom mixte même s'il est pour l'instant essentiellement masculin (voir l'article dédié aux prénoms mixtes). Ce prénom reste assez rare en ce début de XXIe siècle mais il grandit rapidement, entraînant avec lui des variantes masculines telles que Louan ou Lohan. En 2005, Loan devrait être attribué à environ 600 Français. Si cette performance se confirme, Loan deviendra l'un des 120 prénoms les plus attribués de France. Saluons l'essor parallèle de Lou-Anne, un prénom composé féminin plus répandu que Loan. Le succès de Lou-Anne devrait participer à l'ascension de Loan et d'autres variantes féminines dont les sonorités sont proches (Louane, Loane, Loana, etc.). Notons que la progression de Loan peut s'expliquer du fait que son évolution s'inscrit, aux côtés de Mathéo, Evan ou Tristan, dans la grande vogue des prénoms d'origine celte, bretonne ou irlandaise.

Enfin, signalons que Loan vient d'entrer dans le palmarès des 200 prénoms les plus attribués en Wallonie. Il ne devrait pas percer au Québec et dans les pays anglophones pour des raisons idiomatiques. En effet, le mot *loan* signifie « prêt » en anglais.

Saint Elouan, d'origine irlandaise, mène une vie d'ermite en Bretagne au VIIe siècle. Il est honoré dans une chapelle de Saint-Guen (Côtes-d'Armor) où se trouve son tombeau.
Statistique : Loan est le 742e prénom masculin le plus attribué du XXe siècle en France. Loan au féminin est au 2 589e rang du palmarès féminin.

L

Loan : Lumière (celte). Ce prénom breton est assez rare. Il est plutôt bien attribué aujourd'hui. Voir le zoom dédié à Loan. Caractérologie : influence, équilibre, famille, sens des responsabilités, exigence.

Loann : Lumière (celte). Voir Loan. Ce prénom assez rare est relativement peu attribué aujourd'hui. Tendance : en forte croissance. Caractérologie : réceptivité, sociabilité, loyauté, diplomatie, bonté.

Loeiz : Illustre au combat (germanique). Ce prénom breton est très rare. Tendance : stable. Caractérologie : efficacité, structure, sécurité, persévérance, analyse.

Lofti : Doux, attentionné envers les autres (arabe). Variantes : Lofty, Loufti. Caractérologie : ambition, force, habileté, passion, analyse.

Logan : Prairie (irlandais). Ce prénom est assez répandu. Il est plutôt bien attribué aujourd'hui. Tendance : en forte croissance. Variantes : Logann, Loghan. Caractérologie : structure, persévérance, sécurité, sympathie, efficacité.

Lohan : Lumière (celte). Voir Loan. Ce prénom est rare. Tendance : en forte croissance. Variante : Lohann. Caractérologie : indépendance, courage, curiosité, dynamisme, charisme.

Loïc : Illustre au combat (germanique). Ce prénom répandu figure dans le top 100 français aujourd'hui. Tendance : stable. En France, ce prénom est plus traditionnellement usité en Bretagne. Variantes : Lomig, Lowik. Caractérologie : logique, optimisme, communication, pragmatisme, créativité.

Loïck : Illustre au combat (germanique). Voir Loïc. Ce prénom assez rare est relativement peu attribué aujourd'hui. Tendance : en croissance modérée. Caractérologie : énergie, découverte, audace, originalité, raisonnement.

Loïk : Illustre au combat (germanique). Voir Loïc. En Bretagne, ce dernier s'orthographie le plus souvent sans tréma. Ce prénom est rare. Tendance : en croissance modérée. Variante : Loïg. Caractérologie : fidélité, relationnel, intuition, médiation, analyse.

Loïs : Illustre au combat (germanique). Ce prénom assez rare est relativement peu attribué aujourd'hui. Tendance : en croissance modérée. En France, Loïs est plus traditionnellement usité en Occitanie. Caractérologie : innovation, autorité, analyse, ambition, énergie.

Long : Dragon (chinois). Cheveux (vietnamien). Ce prénom est porté par moins de 100 personnes en France. Caractérologie : optimisme, cœur, pragmatisme, créativité, communication.

Lorenzo : Couronné de Lauriers (latin). Ce prénom est assez répandu. Il figure dans le top 100 français aujourd'hui. Tendance : en croissance modérée. Lorenzo est en vogue en Italie. Variantes : Laurenzo, Lorent, Lorenz. Caractérologie : équilibre, famille, influence, raisonnement, sens des responsabilités.

Loric : Couronné de Lauriers (latin). Ce prénom est très rare. Tendance : en croissance modérée. Variante : Lorick. Caractérologie : créativité, optimisme, pragmatisme, communication, raisonnement.

Comment les célébrités prénomment-elles leurs enfants ?

Nous nous intéressons de plus en plus au monde du spectacle et cet intérêt se répercute sur les prénoms que nous donnons à nos enfants. Nous les appelons comme nos vedettes préférées, mais aussi, parfois, comme leurs propres bébés.

Voici quelques prénoms choisis par des People pour leur progéniture.

– Andréa, Charlotte, Pierre et Alexandra chez Caroline de Monaco

– Annie, Joe, Liam et Lily chez Kevin Costner

– Barnabé et Gabriel-Kean chez Isabelle Adjani

– Charles chez Judie Foster

– Chester, Colin, Elizabeth et Truman chez Tom Hanks

– Elisa chez Christina Reali et Francis Huster

– François chez Claire Chazal

– Gaston, Manon et Ninon chez Thierry Ardisson

– Ilona et Emma chez Estelle Lefébure

– Lily-Rose et Jack chez Vanessa Paradis et Johny Deep

– Vincent et Juliette chez Sophie Marceau

– Nelly et Johan chez Emmanuelle Béart

– Presley Walker et Kaya Jordan chez Cindy Crawford

– Oscar chez Patrick Bruel

– Aurélien chez Carla Bruni

– Inca et Ael chez Florent Pagny

– Ben chez Charlotte Gainsbourg

– Caroline chez Jean-Jacques Goldman

– Lola chez Zazie

– Noé chez Judith Godrèche et Dany Boon

Loris : Couronné de Lauriers (latin). Ce prénom est assez répandu. Il est plutôt bien attribué aujourd'hui. Tendance : en forte croissance. Variantes : Lorian, Lorin, Lorrain, Lorry, Lory, Lorys. Caractérologie : direction, dynamisme, audace, indépendance, logique.

Lorris : Couronné de Lauriers (latin). Ce prénom est rare. Tendance : en croissance modérée. Caractérologie : autorité, innovation, énergie, ambition, analyse.

Lothaire : Illustre guerrier (germanique). Ce prénom est très rare. Tendance : en décroissance modérée. Variantes : Lothar, Luther. Caractérologie : connaissances, sagacité, spiritualité, sensibilité, raisonnement.

Lou : Illustre au combat (germanique). Lumière (celte). Ce prénom est rare. Tendance : en croissance modérée. Lou figure dans le palmarès des prénoms mixtes. Pour en savoir plus, voir cet article. Caractérologie : créativité, optimisme, sociabilité, communication, pragmatisme.

Louan : Lumière (celte). Voir Loan. Ce prénom est très rare. Tendance : en forte croissance. Variante : Louen. Caractérologie : intégrité, altruisme, idéalisme, dévouement, réflexion.

Louis : Illustre au combat (germanique). Ce prénom est très répandu. De plus, il figure dans le top 50 français aujourd'hui. Voir le zoom dédié à Louis. Variante : Lewis. Caractérologie : persévérance, structure, sécurité, efficacité, raisonnement.

Louis-Alexandre : Prénom composé de Louis et d'Alexandre. Ce prénom est très rare. Tendance : stable. Caractérologie : carac-

tère, savoir, intelligence, logique, méditation.

Louis-Marie : Prénom composé de Louis et de Marie. Ce prénom assez rare est peu attribué actuellement. Tendance : stable. Caractérologie : curiosité, dynamisme, courage, caractère, logique.

Louison : Illustre au combat (germanique). Ce prénom assez rare est relativement peu attribué aujourd'hui. Tendance : en croissance modérée. Caractérologie : décision, bienveillance, paix, conscience, logique.

Louis-Victor : Prénom composé de Louis et de Victor. Ce prénom est très rare. Tendance : en forte croissance. Caractérologie : direction, dynamisme, audace, organisation, analyse.

Louka : Lumière (latin). Ce prénom est rare. Tendance : en forte croissance. Variante : Louki. Caractérologie : famille, équilibre, influence, sens des responsabilités, gestion.

Lounès : Compagnon de fortune (arabe). Ce prénom est rare. Tendance : en forte croissance. Variante : Lounis. Caractérologie : audace, découverte, énergie, originalité, séduction.

Loup : Loup (latin). Ce prénom est rare. Tendance : stable. Caractérologie : innovation, autorité, énergie, autonomie, ambition.

Loyd : Cheveux gris (gallois). Ce prénom est très rare. Tendance : en décroissance modérée. Caractérologie : médiation, fidélité, intuition, relationnel, adaptabilité.

Loys : Illustre au combat (germanique). Ce prénom est très rare. Caractérologie : vita-

LOUIS

Fête : 25 août

Étymologie : du germain *hold* : célèbre, et de *wig* : combat, d'où le sens : « illustre au combat ». Ce prénom classique a été porté par dix-huit rois de France et plusieurs saints. Encore rare au XVᵉ siècle, Louis a su grandir au fil des décennies pour atteindre son apogée au début du XXᵉ siècle. Louis culmine en France en 1902 : ce prénom est alors attribué à 21 598 enfants (contre 4 500 estimés pour 2005). Son record ne sera plus jamais égalé : l'éventail de choix de prénoms s'est élargi de telle sorte qu'aucun d'entre eux ne peut plus être attribué aussi massivement. Peu importe, puisque Louis retrouve tout son lustre aujourd'hui. Son succès est tel qu'il s'est même répandu dans l'ensemble des couches sociales de la société française. Il devrait figurer parmi les 15 premiers choix des Français en 2005. Cet engouement s'inscrit dans la vogue des prénoms rétro qui fait notamment renaître Jules.
Comme bien d'autres prénoms bibliques, Louis est un prénom international. Il se positionne souvent dans le top 40 de bien des pays anglophones et hispanophones (avec Lewis et Luís). Dans les régions francophones, Louis se porte tout aussi bien. Il progresse dans le top 10 wallon. De plus, il est aux portes du top 30 suisse romand et s'approche du peloton des 60 premiers prénoms québécois. Gageons que Louis n'a pas fini de grandir en Suisse et au Québec.

Saint Louis (Louis IX) est roi de France de 1226 à 1270. Ce souverain apprend dès son plus jeune âge la théologie et le métier de roi. Il sait parfaitement diriger son armée lorsqu'il part en croisades. Enfin c'est lui qui fait construire la Sainte Chapelle à Paris. Saint Louis est le patron des coiffeurs et des passementiers.
Louis XIV accède au trône à l'âge de 5 ans, sous la régence de sa mère Anne d'Autriche. À 23 ans, le roi Soleil commence son règne personnel. Avec Colbert, il réorganise l'armée, l'administration, les finances et le développement du commerce. Contemporain de Molière et de Lully, Louis XIV favorise le rayonnement des arts et des sciences de la France.
Louis Pasteur (1822-1895), chimiste et biologiste français, découvre le processus de pasteurisation et le vaccin contre la rage au XIXᵉ siècle.
Louis Aragon est le fondateur du mouvement surréaliste français créé au début du XXᵉ siècle.
Statistique : Louis est le 7ᵉ prénom masculin le plus attribué du XXᵉ siècle en France. Jean-Louis et Pierre-Louis sont les formes composées de Louis les plus portées aujourd'hui.

L

357

lité, achèvement, ardeur, stratégie, leadership.

Luan : Lumière (celte). Voir Loan. Ce prénom est très rare. Tendance : en forte croissance. Caractérologie : enthousiasme, pratique, communication, adaptation, générosité.

Lubin : Loup (latin). Ce prénom est rare. Tendance : en forte croissance. Caractérologie : honnêteté, sécurité, persévérance, structure, efficacité.

Luc : Lumière (latin). Ce prénom répandu est plutôt bien attribué aujourd'hui. Tendance : stable. Caractérologie : réflexion, intégrité, altruisme, idéalisme, dévouement.

Luca : Lumière (latin). Ce prénom est assez répandu. Il est plutôt bien attribué aujourd'hui. Tendance : en forte croissance. Luca devrait figurer dans le top 10 Italien en 2004. Caractérologie : dynamisme, audace, direction, indépendance, assurance.

Lucas : Lumière (latin). Ce prénom répandu figure dans le top 50 français aujourd'hui. Voir le zoom dédié à Lucas. Variantes : Louca, Loucas, Lucca. Caractérologie : réceptivité, sociabilité, diplomatie, bonté, loyauté.

Luciano : Lumière (latin). Ce prénom assez rare est peu attribué actuellement. Tendance : en forte croissance. Luciano est très répandu en Italie. Variantes : Lucian, Lucio. Variante corse : Lucius. Caractérologie : enthousiasme, communication, résolution, pratique, analyse.

Lucky : Lumière (latin). Ce prénom est très rare. Variantes : Luck, Lucka, Luckas, Lucke. Caractérologie : idéalisme, dévouement, intégrité, altruisme, réflexion.

Ludger : Nation, lance (germanique). Ce prénom est porté par moins de 100 personnes en France. Caractérologie : ténacité, méthode, fiabilité, engagement, cœur.

Ludovick : Illustre au combat (germanique). Ce prénom est très rare. Variantes : Ludo, Ludovic, Ludovik. Variante basque : Lodoviko. Caractérologie : connaissances, sagacité, spiritualité, originalité, logique.

Ludwig : Illustre au combat (germanique). Ce prénom assez rare est peu attribué actuellement. Tendance : en décroissance modérée. En France, Lidwig est plus traditionnellement usité en Alsace. Variantes : Ludwick, Ludwik. Caractérologie : ténacité, engagement, méthode, fiabilité, sympathie.

Luigi : Illustre au combat (germanique). Ce prénom est assez répandu. Il est relativement peu attribué aujourd'hui. Tendance : stable. Luigi est très répandu en Italie. En France, ce prénom est plus traditionnellement usité en Corse. Variantes : Luidgi, Luidji, Luiggi. Caractérologie : structure, persévérance, sécurité, honnêteté, efficacité.

Luis : Illustre au combat (germanique). Ce prénom est assez répandu. Il est relativement peu attribué aujourd'hui. Tendance : en croissance modérée. Luís est très répandu dans les pays hispanophones et au Portugal. Variante : Luiz. Caractérologie : méditation, intelligence, savoir, indépendance, sagesse.

Luka : Lumière (latin). Ce prénom assez rare est relativement peu attribué aujourd'hui. Tendance : en forte croissance. Caractérologie : rectitude, humanité, rêve, organisation, ouverture d'esprit.

LUCAS

Fête : 18 octobre

Étymologie : dérivé de Luc, du latin *lux* : lumière. La carrière de Lucas est étonnante. On croyait en effet que cette forme ancienne de Luc avait disparu en France. Or elle resurgit sous l'apparence d'un nouveau prénom dans les années 1980. Autant dire que l'ascension de Lucas a été fulgurante. Il ne lui en fallait pas moins pour s'imposer au sommet du palmarès français en moins de vingt ans. Lucas figure parmi les 5 prénoms les plus attribués en France depuis 1999. De plus, il vient de s'emparer de la 1re place du palmarès français. Dans ce contexte, on peut anticiper la naissance de plus de 10 000 Lucas en 2005 dans l'Hexagone. Ce succès est d'autant plus remarquable qu'il est également d'actualité à l'international.

En effet, Lucas est un prénom très en vogue en Europe et dans bien d'autres pays. On retrouve par exemple Lucas, Luca, Lukas, Luke et Louka dans le top 5 de nombreux pays européens ou francophones. Si la Belgique francophone et la Suède privilégient l'orthographe française de Lucas, les suisses francophones l'écrivent plus souvent sans le « s ». C'est aussi le cas des parents italiens qui ont fait de Luca un de leurs premiers choix. En Allemagne, en Autriche et en Lituanie, Lukas figure dans le peloton des 3 premiers prénoms. Les Québécois préfèrent quant à eux l'orthographe française d'un Lucas qui évolue vers le top 60. En Slovénie, c'est Luka qui bénéficie de l'engouement des parents. Enfin en Angleterre, en Australie et en Irlande, c'est Luke qui l'emporte. Notons qu'en France, les formes européennes de Lucas sont en pleine émergence. Elles restent néanmoins loin derrière ce dernier.

Saint Lucas, missionnaire dominicain, vécut au Japon au XVIIe siècle.
Lucas est un patronyme relativement répandu en France comme ailleurs.
Personnalité célèbre : le plus célèbre des Lucas est le cinéaste et producteur américain Georges Lucas. Ce dernier a réalisé *La Guerre des étoiles*, une trilogie qui est devenue un grand classique cinématographique.
Statistique : Lucas est le 138e prénom masculin le plus attribué du XXe siècle en France.

359

Lukas : Lumière (latin). Ce prénom assez rare est relativement peu attribué aujourd'hui. Tendance : en croissance modérée. Luca devrait figurer dans le top 10 allemand et autrichien en 2004. Caractérologie : dynamisme, audace, direction, indépendance, organisation.

Luke : Lumière (latin). Ce prénom est très rare. Tendance : stable. Luke devrait figurer dans le top 10 irlandais en 2004. Caractérologie : fiabilité, méthode, engagement, ténacité, sens du devoir.

Ly : Nom de famille répandu au Viêt Nam (vietnamien). Ce prénom est porté par moins de 100 personnes en France. Caractérologie : autonomie, ambition, autorité, énergie, innovation.

Lydéric : Puissant, glorieux (germanique). Ce prénom est très rare. Tendance : en croissance modérée. En France, Lydéric est plus traditionnellement usité dans les Flandres. Variante : Ludéric. Caractérologie : persévérance, sécurité, structure, efficacité, sympathie.

Lyès : Seigneur Dieu (arabe). Ce prénom assez rare est peu attribué actuellement. Tendance : en croissance modérée. Variante : Lyess. Caractérologie : spiritualité, connaissances, sagacité, originalité, cœur.

Lylian : Lys (latin). Ce prénom est rare. Tendance : en forte croissance. Caractérologie : direction, dynamisme, audace, résolution, sympathie.

Lyonel : Lion (latin). Ce prénom est rare. Caractérologie : médiation, relationnel, intuition, cœur, fidélité.

Lysandre : Défense de l'humanité (grec). Ce prénom est très rare. Tendance : en forte croissance. Variante : Lysander. Caractérologie : réalisation, force, ambition, habileté, compassion.

M : Ceci surprendra plus d'un lecteur. M n'est pas seulement une lettre ; c'est aussi un prénom mixte, aussi méconnu soit-il. Ce prénom est très rare. M a été enregistré sur les registres de l'état civil français pour la première fois en 1921. À noter : M et N sont les deux seules lettres de l'alphabet qui aient été utilisées en tant que prénoms en France.

Macaire : Bienheureux (grec). Caractérologie : dynamisme, curiosité, courage, indépendance, résolution.

Madani : De la ville (arabe). Ce prénom est rare. Tendance : stable. Caractérologie : équilibre, sens des responsabilités, famille, influence, résolution.

Maddox : Fils du bienfaiteur (gallois). Caractérologie : intelligence, méditation, sagesse, indépendance, savoir.

Madiane : Se rapporte à un nom de ville (arabe). Ce prénom est porté par moins de 100 personnes en France. Tendance : stable. Caractérologie : sociabilité, réceptivité, loyauté, diplomatie, résolution.

Madison : Fils de Maude (anglais). Ce prénom est porté par moins de 100 personnes en France. Ce prénom mixte est essentiellement féminin dans les pays où il est usité. Dans l'Hexagone, Madison est attribué aux filles dans 98 % des naissances. Caractérologie : communication, pratique, enthousiasme, détermination, volonté.

Madjid : Noble, glorieux (arabe). Ce prénom assez rare est très peu attribué aujourd'hui. Tendance : stable. Variantes : Madgid, Majide. Caractérologie : énergie, audace, découverte, originalité, séduction.

Maël : Chef, prince (celte). Ce prénom répandu figure dans le top 100 français aujourd'hui. Maël et tous ses prénoms dérivés peuvent s'orthographier sans accent. C'est bien entendu en Bretagne que cette orthographe est la plus répandue. Voir le zoom dédié à Maël. Variantes : Mahel, Mélaire. Caractérologie : efficacité, persévérance, structure, sécurité, honnêteté.

Maëlan : Chef, prince (celte). Ce prénom breton est très rare. Tendance : en forte croissance. Variante : Maëlien. Caractérologie : énergie, autorité, innovation, autonomie, ambition.

Maëlig : Chef, prince (celte). Ce prénom breton est très rare. Tendance : en forte croissance. Caractérologie : relationnel, intuition, réussite, médiation, cœur.

Magnus : Le grand (latin). Magnus est assez répandu dans les pays scandinaves. Caractérologie : communication, compassion, enthousiasme, réalisation, pratique.

Mahdi : Loué, félicité pour sa droiture (arabe). Ce prénom est rare. Tendance : en croissance modérée. Variantes : Madi, Mady. Caractérologie : habileté, force, passion, ambition, management.

Mahé : Don de Dieu (hébreu). Ce prénom breton est très rare. Tendance : en forte croissance. À noter : ce prénom peut également s'écrire sans accent. Variante : Mazen. Caractérologie : humanité, rectitude, rêve, générosité, ouverture d'esprit.

Maher : Celui qui excelle (arabe). Ce prénom est très rare. Tendance : en croissance modérée. Variante : Mahir. Caractérologie : ouverture d'esprit, rectitude, rêve, décision, humanité.

Mahmoud : Digne d'éloges (arabe). Ce prénom est rare. Tendance : stable. Variante : Mamoud. Caractérologie : pragmatisme, optimisme, créativité, sociabilité, communication.

Maïeul : Le mois de mai (latin). Ce prénom est porté par moins de 100 personnes en France. Caractérologie : intelligence, savoir, méditation, indépendance, détermination.

Maixent : Le plus grand (latin). Ce prénom est très rare. Tendance : en croissance modérée. Caractérologie : audace, découverte, énergie, caractère, décision.

Majid : Noble, glorieux (arabe). Ce prénom assez rare est très peu attribué aujourd'hui. Tendance : stable. Variante : Majdi. Caractérologie : indépendance, assurance, direction, audace, dynamisme.

Majoric : Grand (latin). Ce prénom est porté par moins de 100 personnes en France. Caractérologie : équilibre, sens des responsabilités, influence, famille, logique.

Malcolm : Disciple de sainte Colombe (celte). Ce prénom est rare. Tendance : en forte croissance. Caractérologie : conseil, bienveillance, sagesse, conscience, paix.

Malcom : Disciple de sainte Colombe (celte). Ce prénom est rare. Tendance : en forte croissance. Caractérologie : communication, pragmatisme, sociabilité, optimisme, créativité.

Malek : Doué, roi (arabe). Ce prénom assez rare est peu attribué actuellement. Tendance : stable. Caractérologie : sens des responsabilités, famille, équilibre, influence, organisation.

M

MAËL

Fête : 24 mai

Étymologie : du celte : chef, prince. L'évolution de ce prénom est remarquable. Jusqu'à la fin des années 1970, le nombre de naissances de Maël pouvait se compter sur les doigts d'une main. Cependant, ce dernier prend son envol dès 1980, émergeant d'abord en Bretagne, puis dans le reste de l'Hexagone. Ce prénom y grandit avec constance depuis une dizaine d'années. Sa persévérance est telle que l'on peut estimer qu'il sera attribué à plus de 1 200 garçons en 2005. Maël ambitionne d'entrer dans le top 50 des prénoms masculins français, il y parviendra sans doute prochainement. L'engouement pour Maël s'inscrit en effet dans la vogue des prénoms d'origines celte, bretonne ou irlandaise. Cette tendance accélère notamment la croissance d'autres prénoms comme Killian, Evan, Ryan, ou Loan. Rappelons ici la mixité, souvent ignorée, de Maël. Il est vrai que ce prénom est largement masculin (attribué quarante fois plus souvent à un garçon qu'à une fille). Cependant, son véritable équivalent féminin est Maëlle.

Les prénoms dérivés de Maël sont nombreux, particulièrement chez les filles. Citons quelques-uns de ces dérivés féminins, parmi les plus connus : Maëlle, Maëlla, Maëlys, Maëlie, Maëly et Maëlyne. Les dérivés masculins se font généralement plus discrets, en voici certains qui progressent : Amaël, Maëlan, Maëlig et Mel. Le prénom Maël peut être utilisé seul ou sous une forme composée. En dehors des frontières françaises, Maël est nettement moins usité en Suisse et au Québec. En revanche, il émerge en Wallonie puisqu'il vient d'entrer dans le top 160 wallon. On observe que ce prénom est inusité en dehors de la zone francophone.

Saint Maël a vécu au Ve siècle. D'origine irlandaise ou galloise, il est le neveu de Saint Patrick (le patron des Irlandais) et le frère de Rieg.

Statistiques : Maël est le 305e prénom masculin le plus attribué du XXe siècle en France. Maël est également le 2 178e prénom du palmarès féminin. À titre de comparaison, Maëlle se place au 402e rang du palmarès féminin.

362

Malick : Doué, roi (arabe). Ce prénom est rare. Tendance : en croissance modérée. Caractérologie : efficacité, structure, persévérance, sécurité, organisation.

Malik : Doué, roi (arabe). Ce prénom est assez répandu. Il est relativement peu attribué aujourd'hui. Tendance : stable. Variantes : Malike, Melek, Mélih, Mélik. Caractérologie : ambition, autorité, organisation, innovation, énergie.

Mallory : Prince sage (celte). Ce prénom est rare. Tendance : en forte croissance. Variantes : Malaury, Mallaury. Caractérologie : paix, réussite, conscience, bienveillance, logique.

Malo : Prince sage (celte). Ce prénom assez rare est plutôt bien attribué aujourd'hui. Tendance : en forte croissance. Variante : Malou. Caractérologie : curiosité, dynamisme, courage, indépendance, charisme.

Malory : Prince sage (celte). Ce prénom est très rare. Tendance : en forte croissance. Caractérologie : pratique, communication, réalisation, enthousiasme, analyse.

Malvin : Ami de l'assemblée (celte). Ce prénom est très rare. Tendance : en croissance modérée. Variante : Malween. Caractérologie : stratégie, vitalité, achèvement, ardeur, résolution.

Mamar : Celui qui construit (arabe). Ce prénom est très rare. Variante : Maamar. Caractérologie : innovation, autorité, énergie, ambition, autonomie.

Mandé : Jeune, passionné (breton). Ce prénom est porté par moins de 100 personnes en France. Caractérologie : autorité, énergie, ambition, autonomie, innovation.

Manfred : Homme de paix (germanique). Ce prénom est rare. Caractérologie : intelligence, méditation, savoir, détermination, volonté.

Manoël : Dieu est avec nous (hébreu). Ce prénom est rare. Tendance : en décroissance modérée. Variantes : Manaël, Mano, Manoé, Manolis, Manolito, Manolo. Caractérologie : paix, bienveillance, conseil, conscience, caractère.

Mansour : Victorieux (arabe). Ce prénom est rare. Tendance : stable. Variante : Manssour. Caractérologie : volonté, sociabilité, diplomatie, réceptivité, raisonnement.

Manu : Dieu est avec nous (hébreu). Ce prénom est très rare. Tendance : en forte croissance. En France, Manu est plus traditionnellement usité au Pays Basque. Caractérologie : sécurité, efficacité, structure, persévérance, honnêteté.

Manua : Chant d'oiseau à la tombée de la nuit (tahitien). Caractérologie : dynamisme, curiosité, indépendance, charisme, courage.

Manuel : Dieu est avec nous (hébreu). Ce prénom répandu est relativement peu attribué aujourd'hui. Tendance : stable. Manuel est très répandu dans les pays hispanophones. Caractérologie : pragmatisme, créativité, communication, optimisme, sociabilité.

Marc : Dédié à Mars, dieu romain de la Guerre (latin). Ce prénom est très répandu. Il est plutôt bien attribué aujourd'hui. Tendance : en décroissance modérée. Variantes : Marcande, Marck. Caractérologie : habileté, force, management, ambition, passion.

Marc-Alexandre : Prénom composé de Marc et d'Alexandre. Ce prénom est très rare. Tendance : stable. Caractérologie : intuition, médiation, relationnel, volonté, raisonnement.

Marc-Antoine : Prénom composé de Marc et d'Antoine. Ce prénom est assez répandu. Il est peu attribué actuellement. Tendance : en décroissance modérée. Caractérologie : énergie, audace, découverte, volonté, analyse.

Marceau : Dédié à Mars, dieu romain de la Guerre (latin). Ce prénom est assez répandu. Il est relativement peu attribué aujourd'hui. Tendance : stable. Caractérologie : ambition, force, passion, habileté, résolution.

Marcel : Dédié à Mars, dieu romain de la Guerre (latin). Ce prénom est très répandu. Il est très peu attribué aujourd'hui. Tendance : stable. Variantes : Marcian, Marcien, Marcio. Caractérologie : intelligence, indépendance, savoir, décision, méditation.

Marcelin : Dédié à Mars, dieu romain de la Guerre (latin). Ce prénom assez rare est très peu attribué aujourd'hui. Tendance : stable. Caractérologie : détermination, enthousiasme, communication, pratique, adaptation.

Marcellin : Dédié à Mars, dieu romain de la Guerre (latin). Ce prénom assez rare est très peu attribué aujourd'hui. Tendance : stable. Variante : Marcello. Caractérologie : sens des responsabilités, famille, influence, équilibre, résolution.

Marco : Dédié à Mars, dieu romain de la Guerre (latin). Ce prénom est assez répandu. Il est plutôt bien attribué aujourd'hui. Tendance : en forte croissance. Marco devrait figurer dans le top 10 italien en 2004. Variantes : Marcos, Marko. Caractérologie : analyse, courage, dynamisme, curiosité, indépendance.

Marc-Olivier : Prénom composé de Marc et d'Olivier. Ce prénom est rare. Tendance : en croissance modérée. Caractérologie : volonté, vitalité, achèvement, stratégie, analyse.

Marcus : Dédié à Mars, dieu romain de la Guerre (latin). Ce prénom est très rare. Tendance : en forte croissance. Caractérologie : optimisme, communication, créativité, sociabilité, pragmatisme.

Marek : Dédié à Mars, dieu romain de la Guerre (latin). Ce prénom est très rare. Tendance : en croissance modérée. Caractérologie : pragmatisme, créativité, communication, optimisme, détermination.

Marian : Celui qui élève (hébreu). Ce prénom assez rare est très peu attribué aujourd'hui. Tendance : stable. Caractérologie : réceptivité, décision, sociabilité, diplomatie, loyauté.

Mariano : Celui qui élève (hébreu). Ce prénom assez rare est très peu attribué aujourd'hui. Tendance : en décroissance modérée. Mariano est très répandu dans les pays hispanophones. Variante : Marianno. Caractérologie : détermination, force, ambition, volonté, habileté.

Marie : Celui qui élève (hébreu). Ce prénom est assez répandu. Il est très peu attribué aujourd'hui. Tendance : stable. Variantes : Mara, Mari, Mariam, Mariel. Caractérologie : résolution, audace, dynamisme, direction, indépendance.

Marien : Celui qui élève (hébreu). Ce prénom est rare. Tendance : stable. Caractérologie : famille, équilibre, sens des responsabilités, influence, décision.

Marin : De la mer (latin). Ce prénom assez rare est relativement peu attribué aujourd'hui. Tendance : en croissance modérée. Caractérologie : ambition, décision, autorité, innovation, énergie.

Mario : Celui qui élève (hébreu). Ce prénom répandu est relativement peu attribué aujourd'hui. Tendance : stable. Mario est très répandu en Espagne et en Italie. Caractérologie : diplomatie, réceptivité, loyauté, sociabilité, bonté.

Marius : La mer (latin). Ce prénom répandu est plutôt bien attribué aujourd'hui. Tendance : en forte croissance. Caractérologie : humanité, rectitude, rêve, générosité, ouverture d'esprit.

Mark : Dédié à Mars, dieu romain de la Guerre (latin). Ce prénom assez rare est très peu attribué aujourd'hui. Tendance : stable. Variante : Markus. Caractérologie : connaissances, sagacité, spiritualité, originalité, philosophie.

Marley : De la terre des lacs (vieil anglais). Ce prénom est très rare. Tendance : en forte croissance. Caractérologie : médiation, relationnel, intuition, réussite, cœur.

Marlon : Faucon (anglais). Ce prénom est rare. Tendance : stable. Variante : Marlone. Caractérologie : audace, dynamisme, caractère, direction, logique.

Marouan : Roche, quartz (arabe). Ce prénom est rare. Tendance : stable. Caractérologie : volonté, sociabilité, réceptivité, raisonnement, diplomatie.

Marouane : Roche, quartz (arabe). Ce prénom assez rare est peu attribué actuellement. Tendance : en croissance modérée. Variantes : Maroin, Maroine, Marouen. Caractérologie : spiritualité, connaissances, volonté, sagacité, raisonnement.

Martial : Dédié à Mars, dieu romain de la Guerre (latin). Ce prénom répandu est peu attribué actuellement. Tendance : stable. Variantes : Marcial, Mars, Martel, Marti, Martian, Martie, Marty. Caractérologie : intuition, organisation, médiation, relationnel, fidélité.

Martin : Dédié à Mars, dieu romain de la Guerre (latin). Ce prénom répandu figure dans le top 100 français aujourd'hui. Tendance : stable. Martin devrait figurer dans le top 10 norvégien en 2004. En France, ce prénom est plus traditionnellement usité en Occitanie et au Pays Basque. Variante : Martino. Caractérologie : pratique, adaptation, communication, détermination, enthousiasme.

Marvin : Ami de la mer (anglais). Ce prénom est assez répandu. Il est relativement peu attribué aujourd'hui. Tendance : en décroissance modérée. Variantes : Marveen, Marvine, Marving. Caractérologie : curiosité, dynamisme, courage, décision, indépendance.

Marvyn : Ami de la mer (anglais). Ce prénom est rare. Tendance : stable. Variantes : Marwen, Marwin. Caractérologie : enthousiasme, réalisation, communication, pratique, détermination.

Marwan : Roche, quartz (arabe). Ce prénom assez rare est relativement peu attribué aujourd'hui. Tendance : en forte croissance. Caractérologie : intelligence, indépendance, méditation, savoir, résolution.

Marwane : Roche, quartz (arabe). Ce prénom est rare. Tendance : en forte croissance. Caractérologie : communication, pratique, adaptation, enthousiasme, détermination.

M

365

Maryan : Celui qui élève (hébreu). Ce prénom est rare. Tendance : stable. Variante : Mary. Caractérologie : humanité, rêve, réalisation, rectitude, résolution.

Massimo : Le plus grand (latin). Ce prénom est rare. Tendance : en forte croissance. Caractérologie : management, ambition, force, habileté, passion.

Mateo : Don de Dieu (hébreu). Ce prénom est assez répandu. Il figure dans le top 50 français aujourd'hui. Tendance : en forte croissance. Caractérologie : intégrité, idéalisme, altruisme, réflexion, caractère.

Mathéo : Don de Dieu (hébreu). Ce prénom breton est répandu. Il figure dans le top 50 français aujourd'hui. Voir le zoom dédié à Mathéo. Caractérologie : ambition, force, caractère, habileté, attention.

Mathias : Don de Dieu (hébreu). Ce prénom répandu figure dans le top 100 français aujourd'hui. Tendance : en croissance modérée. Mathias devrait figurer dans le top 10 norvégien en 2004. Variante : Matias. Caractérologie : force, habileté, passion, ambition, management.

Mathieu : Don de Dieu (hébreu). Ce prénom est très répandu. De plus, il figure dans le top 50 français aujourd'hui. Tendance : stable. Variantes : Matei, Matelin, Mathelin, Mattieu, Matvei, Matvey. Variante basque : Mattin. Caractérologie : découverte, énergie, audace, décision, attention.

Mathis : Don de Dieu (hébreu). Ce prénom répandu figure dans le top 50 français aujourd'hui. Voir le zoom dédié à Mathis. Caractérologie : originalité, spiritualité, connaissances, philosophie, sagacité.

Mathurin : Maturité (latin). Ce prénom assez rare est très peu attribué aujourd'hui. Tendance : en croissance modérée. Caractérologie : curiosité, courage, décision, dynamisme, attention.

Mathys : Don de Dieu (hébreu). Ce prénom est assez répandu. Il est plutôt bien attribué aujourd'hui. Tendance : en forte croissance. Caractérologie : découverte, énergie, audace, réalisation, originalité.

Matis : Don de Dieu (hébreu). Ce prénom assez rare est relativement peu attribué aujourd'hui. Tendance : en forte croissance. Caractérologie : force, passion, ambition, habileté, management.

Matisse : Don de Dieu (hébreu). Ce prénom est rare. Tendance : en forte croissance. Variante : Matiss. Caractérologie : résolution, originalité, découverte, énergie, audace.

Matteo : Don de Dieu (hébreu). Ce prénom répandu figure dans le top 50 français aujourd'hui. Voir le zoom dédié à Matteo. Caractérologie : médiation, fidélité, relationnel, intuition, volonté.

Matthéo : Don de Dieu (hébreu). Ce prénom est rare. Tendance : en forte croissance. Caractérologie : direction, audace, dynamisme, attention, caractère.

Matthew : Don de Dieu (hébreu). Ce prénom assez rare est relativement peu attribué aujourd'hui. Tendance : en croissance modérée. Matthew devrait figurer dans le top 10 anglais et américain en 2004. Variantes : Mathew, Matt, Mattew. Caractérologie : rectitude, rêve, humanité, ouverture d'esprit, finesse.

Matthias : Don de Dieu (hébreu). Ce prénom est assez répandu. Il est plutôt bien attribué aujourd'hui. Tendance : stable. Matthias est très répandu en Allemagne. Variantes : Mattia, Mattias. Caractérologie : audace, direction, dynamisme, indépendance, assurance.

Matthieu : Don de Dieu (hébreu). Ce prénom répandu figure dans le top 100 français aujourd'hui. Tendance : stable. Variante : Mattieu. Caractérologie : résolution, savoir, finesse, méditation, intelligence.

Matthis : Don de Dieu (hébreu). Ce prénom assez rare est relativement peu attribué aujourd'hui. Tendance : en forte croissance. Variantes : Matthys, Matys. Caractérologie : rectitude, rêve, ouverture d'esprit, humanité, générosité.

Maudez : Jeune, au tempérament passionné (breton). Ce prénom est porté par moins de 100 personnes en France. Caractérologie : savoir, sagesse, méditation, indépendance, intelligence.

Maurice : Sombre, foncé (latin). Ce prénom est très répandu. Il est très peu attribué aujourd'hui. Tendance : en décroissance modérée. Variantes : Mauricio, Maurilio, Moris, Moriss. Caractérologie : intelligence, méditation, savoir, décision, indépendance.

Maurin : Celui qui élève (hébreu). Ce prénom est très rare. Tendance : en décroissance modérée. Caractérologie : efficacité, persévérance, structure, détermination, sécurité.

Mavrick : L'indépendant (américain). Ce prénom est très rare. Tendance : stable. Variante : Maverick. Caractérologie : dyna-misme, courage, curiosité, indépendance, gestion.

Max : Le plus grand (latin). Ce prénom répandu est plutôt bien attribué aujourd'hui. Tendance : en croissance modérée. Caractérologie : relationnel, intuition, adaptabilité, médiation, fidélité.

Maxandre : Combinaison de Maxime et d'Alexandre. Ce prénom est très rare. Tendance : en décroissance modérée. Caractérologie : force, ambition, résolution, habileté, volonté.

Maxence : Le plus grand (latin). Ce prénom répandu figure dans le top 50 français aujourd'hui. Tendance : en croissance modérée. Maxence figure dans le palmarès des prénoms mixtes. Pour en savoir plus, voir cet article. Variante : Maxance. Caractérologie : diplomatie, réceptivité, sociabilité, loyauté, caractère.

Maxens : Le plus grand (latin). Ce prénom est très rare. Tendance : en forte croissance. Caractérologie : persévérance, structure, volonté, sécurité, efficacité.

Maxim : Le plus grand (latin). Ce prénom est rare. Tendance : en croissance modérée. Caractérologie : paix, conscience, conseil, bienveillance, sagesse.

Maxime : Le plus grand (latin). Ce prénom est très répandu. De plus, il figure dans le top 50 français aujourd'hui. Voir le zoom dédié à Maxime. Variantes : Handi, Maïme, Maximo, Maxym, Maxyme. Caractérologie : médiation, intuition, relationnel, caractère, décision.

Maximilien : Le plus grand (latin). Ce prénom est assez répandu. Il est plutôt bien attribué

MATTEO, MATHÉO, MATHIS

Fête : 21 septembre

Étymologie : de l'hébreu *mattahïah* : don de Dieu. Qui aurait pu croire que Mathieu serait un jour devancé par ses formes dérivées ? Mathis, Matteo et Mathéo ont d'autant plus créé la surprise qu'ils étaient presque inconnus en France il y a quinze ans. Aujourd'hui, ils prennent brillamment la relève de Mathieu. On peut même parler de raz-de-marée, tant ce trio est omniprésent dans le top 20 français. Venu d'Italie, Matteo a surgi en France en 1996 et s'est propagé de manière exponentielle. Il est entré dans le top 20 français dès 2001 et pourrait s'emparer de la 3e place de ce palmarès en 2005. La forme espagnole Mateo est elle aussi connue, bien que moins attribuée dans l'Hexagone (environ 2 000 naissances par an).

Il ne manquait plus qu'une forme française, ou plutôt bretonne, pour compléter ce tableau. Elle est promptement apparue un an après l'émergence de Matteo. Vous l'avez peut-être deviné, il s'agit de Mathéo. Ce prénom présente deux grands avantages : sa sonorité est proche de Matteo, et son orthographe le rapproche du numéro deux français Théo. Les Bretons connaissent ce prénom depuis bien longtemps, mais c'est dans toute la France que Mathéo se propage aujourd'hui. Il devrait entrer pour la première fois dans le top 20 français en 2005 et se voir attribuer à près de 6 000 nouveau-nés.
Dans les régions francophones, Matteo se rapproche du top 20 de la Suisse romande et devrait évoluer dans le top 50 wallon en 2005. Quant à Mathéo, il vient d'apparaître dans le palmarès des 100 prénoms belges francophones. Ce dernier demeure très rare au Québec, que ce soit sous sa forme française ou italienne.

Cet aperçu ne peut se terminer sans évoquer Mathis. Ce dernier est certes moins visible que Matteo, mais il devance Mathéo à la 9e place du palmarès français. Il est intéressant de noter que Mathis était le prénom précurseur de ce trio : en 1998, quand Matteo fêtait ses premiers baptêmes, Mathis était déjà attribué à plus de 1 000 enfants par an. Il n'en est pas pour autant en fin de carrière. Dans l'Hexagone comme ailleurs, ce prénom a encore de beaux jours devant lui. Mathis monte notamment très vite en Belgique (dans le top 70). De plus, sa croissance est phénoménale au Québec. Si cette dernière se poursuit, Mathis deviendra le 2e prénom québécois de l'année 2005. Notons que Mathias monte lui aussi dans le sillon de Mathis. Cette forme germanique reste toutefois plus usitée en Allemagne et dans les pays scandinaves.

MATTEO, MATHÉO, MATHIS *(suite)*

Saint Matthieu est l'un des quatre évangélistes. Il quitte son travail au bureau de douane de Capharnaüm afin de suivre le Christ. Saint Matthieu est le patron des banquiers, des comptables, des douaniers et des inspecteurs des impôts.

Personnalité célèbre : Matteo de Pasti, sculpteur italien du XVe siècle.

Statistiques : Matteo est le 360e prénom masculin le plus attribué du XXe siècle en France. Mateo est au 527e rang, Mathéo au 2 110e rang et Mathis se place en 286e position de ce palmarès.

aujourd'hui. Tendance : stable. Maximilian devrait figurer dans le top 10 allemand en 2004. Caractérologie : innovation, autorité, énergie, volonté, raisonnement.

Maximin : Le plus grand (latin). Ce prénom est rare. Tendance : en décroissance modérée. Caractérologie : relationnel, intuition, volonté, médiation, détermination.

Mayer : Grand (latin). Ce prénom est porté par moins de 100 personnes en France. Caractérologie : résolution, réalisation, achèvement, stratégie, vitalité.

Mayeul : Le mois de mai (latin). Ce prénom est rare. Tendance : stable. Variante : Maïeul. Caractérologie : réussite, découverte, audace, cœur, énergie.

Médard : Fort (germanique). Ce prénom est très rare. Caractérologie : rectitude, ouverture d'esprit, rêve, humanité, détermination.

Meddy : Le guide éclairé par Dieu (arabe). Ce prénom est rare. Tendance : stable. Caractérologie : influence, équilibre, famille, sens des responsabilités, exigence.

Médéric : Puissant, fort (germanique). Ce prénom assez rare est peu attribué actuellement. Tendance : en décroissance modérée.

Variante : Médérick. Caractérologie : adaptation, pratique, enthousiasme, communication, générosité.

Medhi : Le guide éclairé par Dieu (arabe). Ce prénom est assez répandu. Il est relativement peu attribué aujourd'hui. Tendance : stable. Caractérologie : adaptation, pratique, générosité, communication, enthousiasme.

Megan : Perle (grec). Ce prénom est porté par moins de 100 personnes en France. Caractérologie : méthode, engagement, ténacité, fiabilité, réalisation.

Mehdi : Le guide éclairé par Dieu (arabe). Ce prénom répandu figure dans le top 100 français aujourd'hui. Tendance : stable. Variantes : Meddy, Medhy, Médi, Médy, Mehedi, Meidhi, Meidi, Meidy, Meihdi, Mhedi, Mheidi. Caractérologie : enthousiasme, générosité, pratique, communication, adaptation.

Mehdy : Le guide éclairé par Dieu (arabe). Ce prénom assez rare est peu attribué actuellement. Tendance : stable. Caractérologie : dynamisme, indépendance, assurance, direction, audace.

369

MAXIME

Fête : 14 avril

Étymologie : du latin *maximus* : le plus grand. Ce prénom, porté par de nombreux saints et trois empereurs romains, a été peu usité au XXe siècle. Ce n'est qu'à la fin des années 1970 qu'il a resurgi et qu'il s'est envolé de manière spectaculaire. Ceci explique qu'il soit entré dans le top 5 français dès 1992, et qu'il s'y soit maintenu pendant huit ans. Cette bonne performance n'a toutefois pas empêché son déclin, entamé il y a cinq ans. Mais ne jetons pas Maxime aux oubliettes. D'une part, il reste toujours l'un des choix préférés des parents français. D'autre part, son déclin est très lent et progressif. Dans ces conditions, ce prénom devrait être attribué à près de 6 000 nouveau-nés en 2005. Si cette bonne performance se confirme, Maxime se maintiendra dans le top 10 français.

Notons que Maxime a entraîné la vogue des prénoms de l'antiquité romaine qui sont montés dans son sillage. Ils montrent d'ailleurs, tout comme ce dernier, des signes de déclin aujourd'hui (ex. : Florian, Julien, Quentin et Romain).

En dehors de l'Hexagone, Maxime culmine dans le palmarès des régions wallonne et suisse romande. Il devrait demeurer dans le top 5 de ces régions en 2005. Ceci ne l'empêche pas de décliner au Québec (il devrait sortir du top 20 prochainement), après une longue période de gloire. Soulignons enfin la très belle performance de Maxence en France. Cette forme de Maxime est apparue discrètement dans les années 1970, mais sa montée s'est accélérée depuis le milieu des années 1980. Gageons que Maxence figurera dans le palmarès des 40 prénoms français les plus attribués en 2005.

Magnus Clemens Maximus est empereur romain de 383 à 388. Il règne sur Rome, la Gaule et l'Espagne et installe sa capitale à Trèves. Il sera vaincu par Théodose Ier.

Maxence est un empereur romain vaincu en 312 par Constantin.

Personnalités célèbres : Maxime Le Forestier, chanteur, auteur, compositeur français. Maxime Gorki, écrivain russe.

Maxime n'est pas seulement un prénom. Une maxime est une règle de conduite, un principe, et parfois un proverbe. Des pensées philosophiques peuvent aussi être définies comme des maximes. Dans son ouvrage *Maximes*, De La Rochefoucauld construit une réflexion sur la nature humaine.

Statistique : Maxime est le 60e prénom masculin le plus attribué du XXe siècle en France.

Mehmet : Loué, comblé de louanges (arabe). Ce prénom assez rare est peu attribué actuellement. Tendance : stable. Caractérologie : dynamisme, audace, sensibilité, direction, indépendance.

Meinrad : Fort, conseiller (germanique). Ce prénom est porté par moins de 100 personnes en France. Caractérologie : autorité, innovation, ambition, énergie, résolution.

Méir : Qui apporte la lumière (hébreu). Ce prénom est très rare. Tendance : en forte croissance. Caractérologie : intégrité, altruisme, idéalisme, réflexion, dévouement.

Mejdi : Noble, glorieux (arabe). Ce prénom est très rare. Tendance : stable. Caractérologie : dynamisme, courage, indépendance, curiosité, décision.

Mel : Diminutif des prénoms assemblés avec Mel. C'est aussi une forme diminutive de Maël. Ce prénom est très rare. Tendance : en croissance modérée. Caractérologie : communication, optimisme, pragmatisme, créativité, sociabilité.

Melaine : Noir, peau brune (grec). Ce prénom breton est très rare. Tendance : stable. Caractérologie : dynamisme, curiosité, courage, résolution, indépendance.

Melchior : Roi (perse). Ce prénom est très rare. Tendance : stable. Caractérologie : relationnel, médiation, intuition, caractère, logique.

Melville : Qui habite sur une mauvaise terre (vieux français). Variante : Melvil. Caractérologie : idéalisme, réflexion, altruisme, intégrité, dévouement.

Melvin : Ami de l'assemblée (celte). Ce prénom est assez répandu. Il est plutôt bien attribué aujourd'hui. Tendance : en croissance modérée. Variante : Melvine. Caractérologie : adaptation, communication, pratique, générosité, enthousiasme.

Melvyn : Ami de l'assemblée (celte). Ce prénom assez rare est relativement peu attribué aujourd'hui. Tendance : en croissance modérée. Variante : Melwin. Caractérologie : direction, audace, compassion, dynamisme, indépendance.

Menahem : Qui conforte (hébreu). Ce prénom est très rare. Tendance : en croissance modérée. Caractérologie : découverte, énergie, audace, originalité, séduction.

Mendel : Intelligence, sagesse (hébreu). Ce prénom est très rare. Tendance : stable. Caractérologie : achèvement, vitalité, ardeur, stratégie, leadership.

Mendy : Celui qui élève (hébreu). Ce prénom est très rare. Tendance : stable. Variante basque : Mendi. Caractérologie : spiritualité, connaissances, originalité, philosophie, sagacité.

Ménouar : Rayonnant, prospère (arabe). Ce prénom est très rare. Caractérologie : famille, équilibre, sens des responsabilités, volonté, raisonnement.

Meriadec : Front (breton). Ce prénom est très rare. Variante : Meriadeg. Caractérologie : fiabilité, ténacité, méthode, engagement, détermination.

Méric : Puissant (germanique). Ce prénom est très rare. Tendance : en forte décroissance. Caractérologie : communication, créativité, pragmatisme, sociabilité, optimisme.

M

371

Merlin : Faucon (anglais). Ce prénom est rare. Tendance : en forte croissance. Caractérologie : passion, force, ambition, habileté, management.

Merwan : Roche, quartz (arabe). Ce prénom est rare. Tendance : stable. Variantes : Merouan, Merouane, Merwane. Caractérologie : médiation, relationnel, intuition, fidélité, résolution.

Meryl : Celui qui élève (hébreu). Ce prénom est très rare. Tendance : en décroissance modérée. Variantes : Meril, Merry, Merryl, Mery, Meryll. Caractérologie : énergie, ambition, autorité, innovation, sympathie.

Messaoud : Porte-bonheur (arabe). Ce prénom est rare. Tendance : stable. Caractérologie : intelligence, savoir, méditation, caractère, indépendance.

Meven : Heureux, joyeux (breton). Ce prénom est très rare. Tendance : en forte croissance. Caractérologie : courage, curiosité, dynamisme, indépendance, charisme.

Michaël : Qui est comme Dieu (hébreu). Ce prénom répandu est relativement peu attribué aujourd'hui. Tendance : en décroissance modérée. Michaël devrait figurer dans le top 10 américain et irlandais en 2004. Variante : Micaël. Caractérologie : résolution, famille, sens des responsabilités, influence, équilibre.

Michel : Qui est comme Dieu (hébreu). Ce prénom est très répandu. Il est relativement peu attribué aujourd'hui. Tendance : en décroissance modérée. Michel est le 4ᵉ prénom du XXᵉ siècle en France. En 2005, il est toujours porté par plus de 500 000 personnes dans l'Hexagone. Notons que dans cette catégorie masculine, seuls Jean et Pierre égalent cette performance. Variantes : Micha, Michal, Micham, Micheal, Misha, Mitch. Caractérologie : charisme, curiosité, courage, dynamisme, indépendance.

Mickaël : Qui est comme Dieu (hébreu). Ce prénom est très répandu. Il est plutôt bien attribué aujourd'hui. Tendance : en décroissance modérée. Variantes : Mickail, Mickel, Mickey, Myckaël. Caractérologie : rêve, rectitude, organisation, humanité, détermination.

Mieczyslaw : Épée glorieuse (slave). Ce prénom est rare. Variantes : Mieceslaw, Miecislas, Miecislaw, Miecyslaw, Mieczeslaw, Mieczislaw, Mieczyslas. Caractérologie : ressort, autorité, innovation, réalisation, énergie.

Miguel : Qui est comme Dieu (hébreu). Ce prénom est assez répandu. Il est relativement peu attribué aujourd'hui. Tendance : stable. Miguel est très répandu dans les pays hispanophones et au Portugal. Variante : Migel. Variante basque : Miquel. Caractérologie : méthode, engagement, fiabilité, ténacité, compassion.

Mikaël : Qui est comme Dieu (hébreu). Ce prénom répandu est peu attribué actuellement. Tendance : en décroissance modérée. Variantes : Mika, Mikayil, Mikhaël, Miky. Caractérologie : équilibre, sens des responsabilités, organisation, famille, détermination.

Mikaïl : Qui est comme Dieu (hébreu). Ce prénom assez rare est relativement peu attribué aujourd'hui. Tendance : stable. Caractérologie : énergie, innovation, ambition, autorité, organisation.

Mike : Qui est comme Dieu (hébreu). Ce prénom est assez répandu. Il est relativement peu attribué aujourd'hui. Tendance : en décroissance modérée. Variantes : Mick, Micke, Micky, Myke. Caractérologie : bonté, sociabilité, réceptivité, diplomatie, loyauté.

Mikel : Qui est comme Dieu (hébreu). Ce prénom est très rare. Tendance : stable. En France, Mikel est plus traditionnellement usité au Pays Basque. Caractérologie : découverte, audace, énergie, originalité, séduction.

Milan : Aimé du peuple (slave). Ce prénom assez rare est relativement peu attribué aujourd'hui. Tendance : en croissance modérée. Variantes : Milane, Millan. Caractérologie : engagement, résolution, méthode, ténacité, fiabilité.

Miles : Soldat, militaire (anglais). Ce prénom est porté par moins de 100 personnes en France. Caractérologie : structure, persévérance, sécurité, efficacité, résolution.

Milko : Paix glorieuse (slave). Ce prénom est porté par moins de 100 personnes en France. Variante : Slawomir. Caractérologie : conscience, bienveillance, conseil, paix, raisonnement.

Milo : Travailleur (germanique). Ce prénom est très rare. Tendance : en forte croissance. Variante : Milou. Caractérologie : ténacité, méthode, engagement, fiabilité, analyse.

Milos : Plaisant (grec). Caractérologie : courage, logique, curiosité, indépendance, dynamisme.

Milton : Qui vivait dans un moulin (anglais). Caractérologie : diplomatie, sociabilité, réceptivité, caractère, logique.

Minh : Intelligent, perspicace (vietnamien). Ce prénom est très rare. Tendance : stable. Caractérologie : ambition, habileté, passion, force, management.

Miroslav : Gloire immense (slave). Ce prénom est très rare. Variante : Miroslaw. Caractérologie : innovation, autorité, énergie, raisonnement, ambition.

Moana : Océan (tahitien). Ce prénom est porté par moins de 100 personnes en France. Tendance : en décroissance modérée. Caractérologie : achèvement, stratégie, ardeur, vitalité, caractère.

Moché : Sauvé des eaux (hébreu). Ce prénom est très rare. Tendance : en croissance modérée. Caractérologie : habileté, ambition, volonté, force, passion.

Modeste : Timide, discret (latin). Ce prénom est très rare. Variante : Modesto. Caractérologie : humanité, rectitude, rêve, caractère, ouverture d'esprit.

Mohamed : Loué, comblé de louanges (arabe). Ce prénom répandu figure dans le top 100 français aujourd'hui. Tendance : en croissance modérée. Variantes : Mohamad, Mohamadou. Caractérologie : courage, curiosité, indépendance, dynamisme, volonté.

Mohamed-Ali : Prénom composé de Mohamed et d'Ali. Ce prénom est rare. Tendance : en forte croissance. Caractérologie : rectitude, humanité, rêve, logique, caractère.

373

Mohamed-Amine : Prénom composé de Mohamed et d'Amine. Ce prénom est rare. Tendance : en forte croissance. Variantes : Mohamed-Amin, Mohammed-Amine. Caractérologie : intuition, relationnel, médiation, décision, caractère.

Mohammed : Loué, comblé de louanges (arabe). Ce prénom est assez répandu. Il est relativement peu attribué aujourd'hui. Tendance : en croissance modérée. Variante : Mohammad. Caractérologie : volonté, intégrité, altruisme, réflexion, idéalisme.

Mohan : L'enchanteur (sanscrit). Caractérologie : équilibre, famille, volonté, sens des responsabilités, influence.

Mohand : Loué (kabyle). Ce prénom assez rare est très peu attribué aujourd'hui. Tendance : en croissance modérée. Caractérologie : volonté, audace, indépendance, dynamisme, direction.

Mohsen : Vertueux, charitable (arabe). Ce prénom est très rare. Variantes : Mohcine, Mohssin, Mohssine, Mouhcine, Mouhssine. Caractérologie : sociabilité, réceptivité, volonté, diplomatie, loyauté.

Moïse : Sauvé des eaux (hébreu). Ce prénom est assez répandu. Il est peu attribué actuellement. Tendance : stable. Variantes : Moïses, Moshé, Musa. Caractérologie : intelligence, méditation, savoir, caractère, décision.

Mokhtar : Celui qui est juste (arabe). Ce prénom est rare. Tendance : en croissance modérée. Variantes : Moctar, Moktar, Moncef, Mouctar. Caractérologie : audace, énergie, découverte, séduction, originalité.

Montgomery : De la colline (germanique). Variante : Monty. Caractérologie : autorité, innovation, ambition, énergie, caractère.

Morad : Désir (arabe). Ce prénom assez rare est très peu attribué aujourd'hui. Tendance : en décroissance modérée. Variante : Morade. Caractérologie : paix, conscience, sagesse, bienveillance, conseil.

Morgan : Né de la mer (breton). Ce prénom répandu est plutôt bien attribué aujourd'hui. Tendance : en décroissance modérée. Variantes : Moran, Morane, Morgann. Caractérologie : caractère, courage, dynamisme, réussite, curiosité.

Morvan : Mer (breton). Ce prénom est très rare. Tendance : en forte croissance. Caractérologie : diplomatie, caractère, réceptivité, sociabilité, décision.

Mouad : Protégé par Dieu (arabe). Ce prénom est très rare. Tendance : stable. Variantes : Moad, Mohad, Mouaad. Caractérologie : altruisme, réflexion, idéalisme, intégrité, dévouement.

Mouhamed : Loué, comblé de louanges (arabe). Ce prénom est très rare. Tendance : en croissance modérée. Variantes : Mouhamad, Mouhammad, Muhamed, Muhamet. Caractérologie : caractère, passion, ambition, force, habileté.

Moulay : Roi (arabe). Ce prénom est rare. Tendance : stable. Caractérologie : sens des responsabilités, famille, influence, équilibre, réalisation.

Mounir : Celui qui éclaire (arabe). Ce prénom est assez répandu. Il est peu attribué actuellement. Tendance : stable. Variantes :

Monir, Mounire. Caractérologie : rêve, humanité, rectitude, analyse, volonté.

Mourad : Désir (arabe). Ce prénom est assez répandu. Il est peu attribué actuellement. Tendance : stable. Notons que Mourad est également un prénom arménien. Variantes : Mourade, Murad. Caractérologie : rêve, rectitude, humanité, analyse, ouverture d'esprit.

Moussa : Sauvé des eaux (arabe). Ce prénom est assez répandu. Il est relativement peu attribué aujourd'hui. Tendance : stable. Caractérologie : méditation, savoir, intelligence, sagesse, indépendance.

Moustapha : Élu le meilleur (arabe). Ce prénom assez rare est peu attribué actuellement. Tendance : en forte croissance. Variantes : Mostafa, Mostapha, Mostéfa, Moustafa. Caractérologie : conscience, réalisation, organisation, bienveillance, paix.

Muhammed : Loué, comblé de louanges (arabe). Ce prénom est rare. Tendance : en croissance modérée. Variantes : Muhammad, Muhammet. Caractérologie : paix, bienveillance, conscience, sagesse, conseil.

Murphy : De la mer (irlandais). Ce prénom est porté par moins de 100 personnes en France. Caractérologie : réceptivité, sociabilité, ressort, diplomatie, loyauté.

Mustafa : Élu le meilleur (arabe). Ce prénom assez rare est peu attribué actuellement. Tendance : stable. Caractérologie : rêve, gestion, humanité, rectitude, ouverture d'esprit.

Mustapha : Élu le meilleur (arabe). Ce prénom est assez répandu. Il est très peu attribué aujourd'hui. Tendance : stable. Caractéro-

logie : idéalisme, altruisme, réalisation, organisation, intégrité.

Mylan : Aimé du peuple (slave). Ce prénom est très rare. Tendance : stable. Caractérologie : réceptivité, sociabilité, réalisation, diplomatie, compassion.

Nabil : Noble, honorable (arabe). Ce prénom répandu est relativement peu attribué aujourd'hui. Tendance : stable. Variantes : Nabel, Nabile. Caractérologie : intuition, médiation, relationnel, résolution, organisation.

Nacer : Protection, victoire (arabe). Ce prénom assez rare est très peu attribué aujourd'hui. Tendance : en décroissance modérée. Variantes : Naceur, Nassar, Nassir. Caractérologie : audace, originalité, énergie, découverte, détermination.

Nacim : Air frais (arabe). Ce prénom est rare. Tendance : stable. Caractérologie : ténacité, fiabilité, engagement, détermination, méthode.

Nadim : Compagnon qui boit (arabe). Ce prénom est très rare. Tendance : stable. Caractérologie : curiosité, dynamisme, indépendance, courage, décision.

Nadir : Précieux, rare (arabe). Ce prénom est assez répandu. Il est relativement peu attribué aujourd'hui. Tendance : en croissance modérée. Variantes : Nader, Nadhir, Nadire, Nédir. Caractérologie : audace, dynamisme, indépendance, direction, résolution.

Nadjim : Étoile (arabe). Ce prénom est très rare. Tendance : stable. Caractérologie :

famille, équilibre, sens des responsabilités, influence, décision.

Naël : Celui dont le travail est fructueux (arabe). Ce prénom est rare. Tendance : en croissance modérée. Variante : Naïl. Caractérologie : courage, curiosité, indépendance, dynamisme, charisme.

Nagui : Sauvé (arabe). Ce prénom est très rare. Tendance : en forte décroissance. Variantes : Nadji, Naguy, Naji. Caractérologie : sagacité, connaissances, résolution, spiritualité, sympathie.

Naguib : De noble naissance (arabe). Ce prénom est très rare. Variantes : Nadjib, Nagib. Caractérologie : intégrité, altruisme, résolution, idéalisme, sympathie.

Nahel : Qui a étanché sa soif (arabe). Ce prénom est très rare. Tendance : en croissance modérée. Caractérologie : ténacité, méthode, fiabilité, engagement, sens du devoir.

Nahor : Clair (hébreu). Caractérologie : diplomatie, sociabilité, décision, réceptivité, loyauté.

Naïm : Douceur, plaisir (arabe). Ce prénom assez rare est relativement peu attribué aujourd'hui. Tendance : en croissance modérée. Variantes : Nahim, Naïme. Caractérologie : indépendance, direction, audace, dynamisme, détermination.

Najib : De noble naissance (arabe). Ce prénom assez rare est très peu attribué aujourd'hui. Tendance : en décroissance modérée. Caractérologie : détermination, altruisme, idéalisme, réflexion, intégrité.

Najim : Étoile (arabe). Ce prénom est rare. Tendance : stable. Variante : Nejm. Caractérologie : fidélité, médiation, relationnel, intuition, détermination.

Nan : Petit phoque (irlandais). En France, Nan est plus traditionnellement usité en Bretagne. Caractérologie : médiation, intuition, adaptabilité, fidélité, relationnel.

Nans : Fils de Nancy (scandinave). Ce prénom assez rare est peu attribué actuellement. Tendance : stable. Caractérologie : communication, optimisme, pragmatisme, sociabilité, créativité.

Nao : Fleur de pêcher (vietnamien). Caractérologie : pragmatisme, optimisme, sociabilité, communication, créativité.

Napoléon : Nouvelle ville (grec). Ce prénom corse est très rare. Caractérologie : réceptivité, sociabilité, diplomatie, loyauté, sympathie.

Narcisse : Amour-propre (grec). Ce prénom assez rare est très peu attribué aujourd'hui. Caractérologie : savoir, intelligence, méditation, indépendance, détermination.

Nasser : Protection, victoire (arabe). Ce prénom est assez répandu. Il est peu attribué actuellement. Tendance : stable. Variante : Naser. Caractérologie : méthode, ténacité, engagement, fiabilité, décision.

Nassim : Air frais (arabe). Ce prénom est assez répandu. Il est plutôt bien attribué aujourd'hui. Tendance : en croissance modérée. Variantes : Nacime, Nasim, Nasime, Nassime. Caractérologie : créativité, communication, pragmatisme, optimisme, résolution.

Harmonie d'un prénom avec son patronyme

Il n'y a pas de règle absolue qui puisse déterminer qu'un prénom s'harmonise parfaitement avec un patronyme. Chaque prénom est unique et ne s'accorde pas de la même manière. C'est à vous de faire confiance à ce que vous ressentez lorsque vous prononcez le prénom avec votre nom de famille. Cependant, si vous avez des doutes, les terminaisons de prénoms peuvent vous donner quelques indications utiles. Il vous faut pour cela regarder les dernières lettres du prénom et écouter le son qui le termine. Si l'orthographe et/ou le son de début du patronyme est similaire à la terminaison du prénom, le mariage des deux ne sera pas très harmonieux. En appliquant cette technique au prénom Antonin, nous constatons que ce dernier s'accorde mal avec les patronymes commençant par les lettres N et I ou ceux dont les sons commencent par « Nin », ou « In ». (Antonin Nambert ou Antonin Indres, par exemple).

À noter enfin que les prénoms composés s'harmonisent bien avec des noms de famille courts (Marie-Amélie Daust, par exemple), mais qu'ils sont moins gracieux avec des patronymes longs ou eux-mêmes composés (Marie-Amélie De Paradimont, par exemple).

Natale : Jour de la naissance (latin). Ce prénom est très rare. Variantes : Natal, Natalino. Variante basque et occitane : Nadal. Caractérologie : force, ambition, habileté, gestion, passion.

Nathan : Il a donné (hébreu). Ce prénom répandu figure dans le top 50 français aujourd'hui. Voir le zoom dédié à Nathan. Variantes : Natan, Nathalan, Nathane, Nathanel, Nathel, Nathy, Nethanel. Caractérologie : structure, efficacité, sécurité, finesse, persévérance.

Nathanaël : Il a donné (hébreu). Ce prénom est assez répandu. Il est relativement peu attribué aujourd'hui. Tendance : stable. Variantes : Natanäel, Nathaël. Caractérologie : ténacité, fiabilité, finesse, méthode, organisation.

Nathaniel : Il a donné (hébreu). Ce prénom est rare. Tendance : stable. Variante : Nataniel. Caractérologie : pratique, enthousiasme, communication, détermination, sensibilité.

Navid : Bonne nouvelle (perse, arabe). Ce prénom est porté par moins de 100 personnes en France. Variante : Naveed. Caractérologie : curiosité, dynamisme, courage, indépendance, résolution.

Nayel : Méritant (arabe). Ce prénom est très rare. Tendance : en forte croissance. Caractérologie : communication, pratique, enthousiasme, adaptation, compassion.

Nazaire : Consacré (hébreu). Ce prénom est porté par moins de 100 personnes en France. Caractérologie : réceptivité, sociabilité, résolution, diplomatie, loyauté.

Nazim : Celui qui organise, met en ordre (arabe). Ce prénom est très rare. Tendance : stable. Caractérologie : idéalisme, altruisme, intégrité, réflexion, décision.

Neal : Champion (irlandais). Ce prénom est très rare. Tendance : stable. Variantes : Nigel, Nygel. Caractérologie : indépendance, courage, dynamisme, curiosité, charisme.

N

NATHAN

Fête : 24 août

Étymologie : ce prénom vient de l'hébreu et signifie : « il a donné ». Il n'a rien à voir avec Nathanaël, prénom porté par plusieurs personnages de l'ancien testament et par le disciple de Jésus. Si Nathan est dans le vent dans de nombreux pays, sa vogue est toute nouvelle en France. Peu attribué au début du XXe siècle, ce prénom avait quasiment disparu dans les années 1950. Il revient toutefois dans les années 1980 et accélère sa croissance dans les années 1990. En 1995, Nathan est pour la première fois attribué à plus de 1 000 enfants dans l'Hexagone. Mais Nathan est ambitieux, il poursuit sa progression. Il le fait si bien qu'en 2005 plus de 3 000 nouveau-nés pourraient être prénommés ainsi. Dans ce contexte, Nathan devrait pouvoir s'imposer dans le top 20 français prochainement.

En dehors de la France, ce prénom est relativement classique dans les pays anglophones. Que ce soit en Angleterre, aux États-Unis ou en Australie, Nathan est une valeur sûre qui figure souvent dans les 50 premiers rangs. Il monte d'ailleurs vers les top 20 américain et australien même s'il décline légèrement au sein du top 30 anglais. Enfin, dans la zone francophone, Nathan a le vent en poupe. Il est l'un des 10 prénoms préférés des parents wallons. De plus, il vient d'entrer dans le top 20 québécois.

À noter : il ne faut pas confondre Nathan et Ethan. Malgré une origine hébraïque commune, les significations de ces prénoms sont différentes (voir le zoom dédié à Ethan). Néanmoins, la percée mondiale d'Ethan pourrait, à terme, handicaper celle de Nathan.

Dans l'Ancien Testament, le prophète **Nathan** est aussi un conseiller très écouté du roi David. Nathan ne laisse aucune place à la flatterie dans les commentaires ou reproches qu'il dispense au roi. Il est l'auteur d'une parabole qui provoque une prise de conscience du roi. Ce dernier avait en effet commis une mauvaise action. Il s'en repent sincèrement et sera finalement pardonné par Dieu. Enfin Nathan convainc David de sacrer, de son vivant, son fils roi d'Israël. C'est ainsi qu'à l'âge de 12 ans, Salomon succède à son père au trône d'Israël.

Personnalités célèbres : Nathan Altman, illustrateur (1889-1970). Nathan Altman est notamment le premier illustrateur des *Contes du chat perché*. Nathan Söderblom, pasteur luthérien suédois (1866-1931). Il reçoit le prix Nobel de la paix en 1930.

Statistique : Nathan est le 219e prénom masculin le plus attribué du XXe siècle en France.

Néhémie : Dieu réconforte (hébreu). Ce prénom est porté par moins de 100 personnes en France. Tendance : en décroissance modérée. Variante : Néhémiah. Caractérologie : énergie, découverte, audace, séduction, originalité.

Neil : Champion (irlandais). Ce prénom est rare. Tendance : en forte croissance. Variantes : Nel, Nelio, Nello. Caractérologie : persévérance, efficacité, structure, honnêteté, sécurité.

Nelson : Fils de Neal (irlandais). Ce prénom est assez répandu. Il est relativement peu attribué aujourd'hui. Tendance : stable. Caractérologie : savoir, intelligence, méditation, indépendance, sagesse.

Némo : Nom du capitaine de 20 000 Lieues sous les mers, de Jules Vernes. Ce prénom est très rare. Tendance : en forte croissance. Caractérologie : relationnel, fidélité, intuition, volonté, médiation.

Néo : Nouveau (grec). Ce prénom assez rare est relativement peu attribué aujourd'hui. Caractérologie : savoir, intelligence, indépendance, sagesse, méditation.

Néréo : Nom d'un dieu marin dans la mythologie grecque. Caractérologie : enthousiasme, communication, pratique, adaptation, générosité.

Nériah : Dieu illumine (hébreu). Caractérologie : audace, direction, dynamisme, indépendance, décision.

Nessim : Fleur sauvage (arabe). Ce prénom est très rare. Tendance : en croissance modérée. Caractérologie : connaissances, originalité, spiritualité, sagacité, détermination.

Nestor : Voyageur, sagesse (grec). Ce prénom est rare. Tendance : en croissance modérée. Caractérologie : innovation, autorité, énergie, décision, ambition.

Neven : Ciel (breton). Ce prénom est très rare. Tendance : en croissance modérée. Caractérologie : sens des responsabilités, influence, famille, équilibre, exigence.

Ngoc : Pierre précieuse (vietnamien). Ce prénom est très rare. Caractérologie : sympathie, pratique, enthousiasme, communication, adaptation.

Nguyen : Entier, idée de l'origine (vietnamien). C'est aussi un nom de famille répandu au Viêt Nam. Ce prénom est porté par moins de 100 personnes en France. Caractérologie : découverte, audace, originalité, cœur, énergie.

Nicholas : Victoire du peuple (grec). Ce prénom est rare. Tendance : en décroissance modérée. Nicholas devrait figurer dans le top 10 américain en 2004. Caractérologie : humanité, décision, rêve, rectitude, logique.

Nicodème : Victoire du peuple (grec). Ce prénom est très rare. Tendance : en croissance modérée. Caractérologie : audace, énergie, volonté, découverte, analyse.

Nicolas : Victoire du peuple (grec). Ce prénom est très répandu. De plus, il figure dans le top 50 français aujourd'hui. Voir le zoom dédié à Nicolas. Variantes : Caelan, Nic, Nicaise, Nick, Nickolas, Nicky, Nico, Nicol, Nicolai, Nicolino, Nicolo, Nikita. Variantes bretonnes : Kola, Kolaig, Kolaz, Koldo, Nikolaz. Caractérologie : dynamisme, audace, direction, logique, décision.

N

379

NICOLAS

Fête : 6 décembre

Étymologie : du grec *nikè* : victoire, et *laus* : peuple, d'où la signification : « victoire du peuple ». Ce prénom a été porté par de nombreux saints et cinq papes. Saint Nicolas est le patron de la Grèce et de la Russie, pays dans lesquels ce prénom est répandu. En France, Nicolas a connu la gloire dans les années 1980, après avoir été délaissé pendant quarante ans (de 1920 à 1960). Il décline depuis dix ans en France, mais ce déclin est très lent et progressif. Dans ces conditions, Nicolas devrait se maintenir dans le top 20 français encore quelques années. En attendant, ce grand prénom classique séduit toujours bien des parents. On peut même estimer que Nicolas sera attribué à environ 4 000 Français en 2005.
En dehors de l'Hexagone, Nicolas est en vogue même si sa croissance s'essouffle un peu. Nicolas devrait notamment se maintenir dans le top 5 wallon et le top 10 suisse romand. En revanche, il n'a pas pu éviter sa sortie du top 10 québécois. À noter que Niklas culmine en tête des prénoms allemands et que Nicola et Nicolo sont dans l'air du temps en Italie. Enfin, Nicholas devrait se maintenir dans le palmarès des 10 premiers prénoms australiens et américains en 2005.

Saint Nicolas naît en Asie mineure au IVe siècle. Évêque de Myre, il lutte contre le paganisme et s'élève comme protecteur des enfants. Il est le célèbre patron des enfants. De plus, il est aussi le patron des brasseurs, fiancés, orfèvres, prêteurs, écoliers, clercs, prisonniers, navigateurs, voyageurs, boulangers, marchands de vin et des apiculteurs.
Nicolas Copernic est l'astronome polonais qui démontre en 1543 que la terre n'est pas le centre de l'univers et qu'elle tourne autour du soleil.
Niccolo Machiavel, philosophe et homme politique italien du XVIe siècle, est l'auteur d'une doctrine politique décrite dans *Le Prince*. C'est à lui que l'on attribue le terme « machiavélisme ».
Nicolas II est le dernier tsar de Russie. Il est exécuté par les bolcheviks en 1918.
Statistique : Nicolas est le 25e prénom masculin le plus attribué du XXe siècle en France.

Nidal : Combat (arabe). Ce prénom est très rare. Tendance : en croissance modérée. Variante : Nidhal. Caractérologie : résolution, sécurité, persévérance, structure, efficacité.

Niels : Victoire du peuple (grec). Ce prénom assez rare est relativement peu attribué aujourd'hui. Tendance : en croissance modérée. Caractérologie : découverte, énergie, originalité, résolution, audace.

Nikola : Victoire du peuple (grec). Ce prénom est rare. Tendance : en croissance modérée. Variante : Nikolas. Caractérologie : logique, force, décision, ambition, habileté.

Nil : Champion (irlandais). Ce prénom est très rare. Tendance : stable. Variantes : Niles, Nyle. Caractérologie : force, habileté, passion, ambition, management.

Nils : Victoire du peuple (grec). Ce prénom assez rare est relativement peu attribué aujourd'hui. Tendance : stable. Caractérologie : rectitude, rêve, humanité, ouverture d'esprit, détermination.

Nino : Dieu fait grâce (hébreu). Ce prénom assez rare est relativement peu attribué aujourd'hui. Tendance : en forte croissance. Caractérologie : savoir, intelligence, méditation, sagesse, indépendance.

Nixon : Fils de Nicolas (anglo-saxon). Caractérologie : fiabilité, ténacité, méthode, engagement, sens du devoir.

Noa : Reposé, apaisé (hébreu). Ce prénom est rare. Tendance : en forte croissance. Noa figure dans le palmarès des prénoms mixtes. Pour en savoir plus, voir cet article. Caractérologie : communication, enthousiasme, adaptation, pratique, générosité.

Noah : Reposé, apaisé (hébreu). Ce prénom est assez répandu. Il figure dans le top 100 français aujourd'hui. Voir le zoom dédié à Noah. Caractérologie : sociabilité, bonté, réceptivité, diplomatie, loyauté.

Noam : Sucré, bonheur (hébreu). Douceur, plaisir (arabe). Ce prénom assez rare est relativement peu attribué aujourd'hui. Tendance : en forte croissance. Noam est répandu en Israël. Caractérologie : savoir, méditation, caractère, intelligence, indépendance.

Noé : Reposé, apaisé (hébreu). Ce prénom est assez répandu. Il figure dans le top 100 français aujourd'hui. Voir le zoom dédié à Noé. Caractérologie : sagacité, spiritualité, connaissances, philosophie, originalité.

Noël : Jour de la naissance (latin). Ce prénom répandu est très peu attribué aujourd'hui. Tendance : en décroissance modérée. Variante : Noëlan. Caractérologie : innovation, autonomie, ambition, autorité, énergie.

Noham : Sucré, bonheur (hébreu). Douceur, plaisir (arabe). Ce prénom est très rare. Tendance : en croissance modérée. Caractérologie : conseil, paix, conscience, bienveillance, caractère.

Nolan : Célèbre (celte). Ce prénom assez rare est plutôt bien attribué aujourd'hui. Tendance : en forte croissance. Variantes : Nolane, Nolann, Nolhan, Nollan. Caractérologie : bonté, sociabilité, réceptivité, loyauté, diplomatie.

Nolwen : Blanc, heureux (breton). Ce prénom est très rare. Tendance : en forte croissance. Variante : Nolwenn. Caractérologie : sagacité, connaissances, spiritualité, philosophie, originalité.

Nonna : Se rapporte au nom du saint patron de Penmarc'h (breton). Ce prénom est porté par moins de 100 personnes en France. Caractérologie : structure, persévérance, efficacité, honnêteté, sécurité.

Norbert : Célèbre homme du nord (germanique). Ce prénom répandu est très peu attribué aujourd'hui. Tendance : en forte décroissance. Variantes : Nobert, Norberto.

N

NOÉ, NOAH

Fête : 10 novembre

Étymologie : de l'hébreu *noah* : reposé, apaisé. Noé n'a guère été usité avant la fin du XXe siècle en France. Ce n'est qu'en 1993 que ce prénom est, pour la première fois, attribué à plus de 100 garçons. Il n'empêche que depuis, Noé ne cesse de se propager et de battre ses propres records. Sauf accident, il figurera parmi les 80 prénoms français les plus attribués en 2005. Gageons que Noé ne s'arrêtera pas en si bon chemin. Son succès a déjà permis la redécouverte de Noah, dont la croissance est fulgurante. Celle-ci est telle que ce prénom a rattrapé Noé. On peut ainsi anticiper la naissance d'environ 1 000 Noah et Noé. Ces derniers entraînent Néo, la sonorité inversée de Noé, laquelle se rapproche du top 200 français. Noa, une variante mixte plutôt féminine, bénéficie également de cette tendance et rencontre un succès croissant en France.

Dans d'autres régions francophones, c'est Noah qui est le plus volontiers choisi par les parents. En Suisse, son ascension est époustouflante : il vient de bondir dans le top 10 suisse romand et devance Noé de 20 places. En Belgique, Noah pourrait devenir le 5e prénom du palmarès wallon en 2005, gagnant ainsi plus de 30 places en trois ans. Enfin au Canada, Noah gagne du terrain et s'envole vers le top 50 québécois. En dehors de la zone francophone, Noah s'apprête à percer en Italie et aux États-Unis. Que ce soit en France ou ailleurs, on n'a pas fini d'entendre parler de ce grand prénom international.

Dans la Bible, **Noé** est le fils de Lamek et le descendant de Caïn. Il est un des grands héros de la Bible. Parce que Noé est un homme juste et sincère, Dieu lui permet d'échapper au grand déluge destiné à noyer les hommes pervertis. Dieu ordonne à Noé de construire une arche et de s'y abriter avec sa famille et un couple de chaque espèce animale. Après avoir navigué pendant plusieurs semaines sur une mer déchaînée, la tempête se calme et l'arche échoue sur le mont Ararat, en Turquie. Noé libère alors les espèces qui peupleront la terre. L'histoire de Noé est mentionnée dans plusieurs passages du Coran. À noter : on attribue à Noé l'invention du vin.

Statistique : Noé est le 391e prénom masculin le plus attribué du XXe siècle en France. Noah se place au 1 051e rang de ce palmarès.

Caractérologie : fidélité, intuition, relationnel, médiation, adaptabilité.

Nordine : Lumière de la religion (arabe). Ce prénom est assez répandu. Il est peu attribué actuellement. Tendance : stable. Variantes : Nordin, Noreddine, Noredine, Norredine. Caractérologie : volonté, indépendance, méditation, intelligence, savoir.

Nori : Règle, loi (japonais). Ce prénom est porté par moins de 100 personnes en France. Caractérologie : diplomatie, sociabilité, loyauté, réceptivité, bonté.

Norman : Homme du nord (germanique). Ce prénom assez rare est très peu attribué aujourd'hui. Tendance : en décroissance modérée. Variante : Normann. Caractérologie : optimisme, communication, pragmatisme, résolution, volonté.

Nourdine : Lumière de la religion (arabe). Ce prénom assez rare est très peu attribué aujourd'hui. Tendance : stable. Variantes : Nori, Nory, Nour, Nourddine, Nourdin, Nouri, Noury, Nuri. Caractérologie : direction, dynamisme, audace, volonté, analyse.

Nouredine : Lumière de la religion (arabe). Ce prénom est rare. Tendance : en forte croissance. Variantes : Noureddine, Nouridine, Nourreddine, Nourredine. Caractérologie : famille, équilibre, volonté, sens des responsabilités, analyse.

Numa : Beau, agréable (arabe). Ce prénom est rare. Tendance : en croissance modérée. Numa est également le nom de l'empereur romain qui inventa un des premiers calendriers. Caractérologie : ténacité, méthode, engagement, sens du devoir, fiabilité.

Océan : Océan (grec). Ce prénom est très rare. Tendance : en forte croissance. Caractérologie : médiation, relationnel, adaptabilité, intuition, fidélité.

Octave : Huitième (latin). Ce prénom est assez répandu. Il est peu attribué actuellement. Tendance : stable. Variantes : Octavien, Octavio. Caractérologie : communication, organisation, optimisme, pragmatisme, volonté.

Odilon : Richesse (germanique). Ce prénom est très rare. Tendance : stable. Variantes : Odelin, Odil. Variante basque : Odet. Caractérologie : conscience, bienveillance, raisonnement, volonté, paix.

Odin : Dans la mythologie scandinave, Odin est le premier des dieux principaux. Il est à la fois le sage, le mage et le roi des dieux. Ce prénom est très rare. Tendance : stable. Caractérologie : sens des responsabilités, famille, volonté, influence, équilibre.

Odon : Riche, prospère (germanique). Ce prénom est très rare. Caractérologie : enthousiasme, communication, pratique, volonté, adaptation.

Odran : Pâle (irlandais). C'est aussi un prénom scandinave. Voir Odin. Ce prénom est très rare. Tendance : en décroissance modérée. Caractérologie : spiritualité, connaissances, sagacité, volonté, résolution.

Ogier : Richesse, lance (germanique). Ce prénom est porté par moins de 100 personnes en France. Il est plus traditionnellement usité dans les Flandres. Variante : Oger. Caractérologie : humanité, rêve, rectitude, ouverture d'esprit, générosité.

Oihan : Bosquet, bois (basque). Ce prénom est porté par moins de 100 personnes en France. Tendance : en forte croissance. Caractérologie : sociabilité, diplomatie, réceptivité, résolution, loyauté.

Olaf : Ancêtre (scandinave). Ce prénom est très rare. Olaf fut le nom de plusieurs rois dannois et suédois. De plus, plusieurs rois norvégiens portèrent la variante Olav, dont Olav V, le père du roi actuel Harald. Caractérologie : intelligence, savoir, indépendance, méditation, sagesse.

Oleg : Sacré (scandinave). Ce prénom est très rare. Caractérologie : pragmatisme, optimisme, cœur, communication, créativité.

Olindo : Aube (grec). Violette (latin). Ce prénom est porté par moins de 100 personnes en France. Caractérologie : volonté, sens des responsabilités, équilibre, famille, analyse.

Oliver : Se rapporte aux olives (latin). Ce prénom est rare. Tendance : stable. Caractérologie : rectitude, humanité, rêve, logique, caractère.

Olivier : Se rapporte aux olives (latin). Ce prénom est très répandu. Il est plutôt bien attribué aujourd'hui. Tendance : en décroissance modérée. Olivier devrait figurer dans le top 10 québécois en 2004. Variantes : Olive, Olliver. Caractérologie : idéalisme, altruisme, raisonnement, intégrité, volonté.

Ollivier : Se rapporte aux olives (latin). Ce prénom assez rare est très peu attribué aujourd'hui. Caractérologie : communication, caractère, logique, optimisme, pragmatisme.

Olympe : Qui vient de l'Olympe (grec). Ce prénom est porté par moins de 100 personnes en France. Caractérologie : curiosité, courage, dynamisme, sympathie, volonté.

Omar : Le plus haut (arabe). Ce prénom est assez répandu. Il est relativement peu attribué aujourd'hui. Tendance : stable. Caractérologie : sociabilité, bonté, loyauté, réceptivité, diplomatie.

Omer : Le plus haut (arabe). Ce prénom assez rare est très peu attribué aujourd'hui. Tendance : stable. Caractérologie : équilibre, famille, sens des responsabilités, caractère, influence.

Onésime : Utile (grec). Ce prénom est très rare. Variante : Onézime. Caractérologie : force, ambition, habileté, caractère, décision.

Onofrio : Paix (germanique). Ce prénom est porté par moins de 100 personnes en France. Variantes : Humphrey, Onofre. Caractérologie : diplomatie, sociabilité, loyauté, réceptivité, bonté.

Orain : Au présent (basque). Caractérologie : communication, pragmatisme, détermination, créativité, optimisme.

Oran : Couleur pâle (irlandais). Caractérologie : pratique, communication, adaptation, détermination, enthousiasme.

Orbert : Riche (germanique). Caractérologie : paix, conscience, sagesse, bienveillance, conseil.

Oreste : Montagneux (grec). Ce prénom est très rare. Caractérologie : énergie, innovation, autorité, décision, ambition.

Orian : En or (latin). Ce prénom est très rare. Tendance : en croissance modérée. Caractérologie : communication, pratique, résolution, enthousiasme, adaptation.

Oribel : En or (latin). Prénom basque. Caractérologie : indépendance, savoir, intelligence, logique, méditation.

Oriol : En or (latin). Variante : Orio. Caractérologie : famille, logique, sens des responsabilités, équilibre, influence.

Orion : Là où le soleil se lève (grec). Ce prénom est porté par moins de 100 personnes en France. Variantes : Orie, Orien. Caractérologie : ambition, habileté, management, force, passion.

Orlan : Gloire du pays (germanique). Ce prénom est porté par moins de 100 personnes en France. Tendance : en décroissance modérée. Caractérologie : paix, bienveillance, résolution, analyse, conscience.

Orlando : Gloire du pays (germanique). Ce prénom est rare. Tendance : en croissance modérée. Caractérologie : intelligence, savoir, analyse, méditation, volonté.

Orphée : Prénom révolutionnaire. Ce prénom est très rare. Ce prénom fut longtemps exclusivement masculin, mais son usage a évolué : il se trouve aujourd'hui porté et attribué à une majorité de filles. Variante : Orféo. Caractérologie : méthode, ténacité, fiabilité, engagement, ressort.

Orson : Semblable à un ours (latin). Ce prénom est porté par moins de 100 personnes en France. Variante : Ursin. Caractérologie : intégrité, réflexion, idéalisme, décision, altruisme.

Oscar : Lance divine (anglais). Ce prénom est assez répandu. Il est plutôt bien attribué aujourd'hui. Tendance : en croissance modérée. Oscar devrait figurer dans le top 10 suédois en 2004. Variante : Oskar. Caractérologie : sociabilité, réceptivité, diplomatie, loyauté, logique.

Osman : Jeune serpent (arabe). Ce prénom est rare. Tendance : stable. Variante : Osmane. Caractérologie : force, ambition, passion, volonté, habileté.

Osmond : Protégé par Dieu (anglais). Caractérologie : caractère, force, ambition, habileté, passion.

Oswald : Divin, gouverneur (anglo-saxon). Ce prénom est rare. Tendance : en décroissance modérée. Variantes : Osval, Osvald, Osvaldo, Oswaldo. Caractérologie : réceptivité, sociabilité, volonté, loyauté, diplomatie.

Otello : Riche, prospère (germanique). Ce prénom est porté par moins de 100 personnes en France. Variante : Othello. Caractérologie : sagesse, méditation, savoir, indépendance, intelligence.

Othman : Jeune serpent (arabe). Ce prénom est rare. Tendance : en croissance modérée. Variantes : Othman, Otman, Otmane, Ottman, Outman, Outmane. Caractérologie : ambition, force, volonté, habileté, sensibilité.

Othon : Riche, prospère (germanique). Ce prénom est rare. Variante occitane : Oton. Caractérologie : rectitude, humanité, rêve, attention, ouverture d'esprit.

Otto : Riche, prospère (germanique). Ce prénom est rare. En France, Otto est plus tra-

O

ditionnellement usité au Pays Basque. Caractérologie : méditation, intelligence, sagesse, savoir, indépendance.

Oualid : Nouveau-né (arabe). Ce prénom assez rare est peu attribué actuellement. Tendance : stable. Caractérologie : ambition, force, passion, analyse, habileté.

Oumar : Le plus haut (arabe). Ce prénom assez rare est peu attribué actuellement. Tendance : stable. Variante : Oumarou. Caractérologie : indépendance, curiosité, dynamisme, analyse, courage.

Ouriel : La flamme du seigneur (hébreu). Ce prénom est très rare. Tendance : en décroissance modérée. Caractérologie : force, ambition, passion, habileté, analyse.

Ousmane : Jeune serpent (arabe). Ce prénom assez rare est peu attribué actuellement. Tendance : stable. Variantes : Ousman, Usman. Caractérologie : savoir, méditation, intelligence, volonté, indépendance.

Oussama : Le lion (arabe). Ce prénom assez rare est relativement peu attribué aujourd'hui. Tendance : en forte croissance. Variantes : Ossama, Ousama, Oussema. Caractérologie : force, ambition, habileté, passion, management.

Ovide : Se rapporte à un ancien patronyme romain. Ce prénom est très rare. Variante basque : Ovidio. Caractérologie : direction, audace, volonté, dynamisme, indépendance.

Owen : Bien né (grec). Ce prénom assez rare est relativement peu attribué aujourd'hui. Tendance : en forte croissance. Caractérologie : communication, pratique, enthousiasme, adaptation, générosité.

Ozan : Santé, remède (basque). Ce prénom est très rare. Tendance : stable. Caractérologie : réceptivité, sociabilité, diplomatie, loyauté, bonté.

Pablo : Petit (latin). Ce prénom est assez répandu. Il est plutôt bien attribué aujourd'hui. Tendance : en forte croissance. Caractérologie : autorité, énergie, innovation, ambition, gestion.

Pacifique : Pacifique (latin). Ce prénom est porté par moins de 100 personnes en France. Caractérologie : famille, équilibre, sens des responsabilités, raisonnement, action.

Paco : Pacifier (latin). Ce prénom assez rare est relativement peu attribué aujourd'hui. Tendance : stable. Caractérologie : vitalité, stratégie, ardeur, achèvement, leadership.

Pacôme : Pacifier (latin). Ce prénom est rare. Tendance : en croissance modérée. Caractérologie : achèvement, stratégie, vitalité, volonté, réalisation.

Palmyr : Palmiers (hébreu). Ce prénom est porté par moins de 100 personnes en France. Variantes : Palmire, Palmyre. Caractérologie : structure, efficacité, persévérance, sécurité, réalisation.

Pamphile : L'ami de tous (grec). Ce prénom est porté par moins de 100 personnes en France. Caractérologie : ressort, habileté, force, ambition, réalisation.

Pancrace : Qui est tout puissant (grec). Ce prénom est porté par moins de 100 personnes en France. Caractérologie : intelligence, méditation, savoir, décision, cœur.

Paolo : Petit (latin). Ce prénom est assez répandu. Il est relativement peu attribué aujourd'hui. Tendance : en forte croissance. Paolo est très en vogue en Italie. Variante : Paolino. Variante bretonne : Paolig. Caractérologie : indépendance, courage, curiosité, dynamisme, charisme.

Paris : Dans l'Illiade d'Homère, Paris est le fils de Priam, le dernier roi de Troie. Ce prénom est porté par moins de 100 personnes en France. Caractérologie : rectitude, humanité, rêve, générosité, ouverture d'esprit.

Parsam : Fils des jeûnes (arménien). Caractérologie : dynamisme, curiosité, réussite, courage, indépendance.

Pascal : Passage (hébreu). Ce prénom est très répandu. Il est peu attribué actuellement. Tendance : en décroissance modérée. Variantes : Pascual, Pasqual. Variante basque et bretonne : Paskal. Caractérologie : intelligence, indépendance, méditation, savoir, sagesse.

Patric : Noble personne (latin). Ce prénom est rare. Caractérologie : ténacité, organisation, méthode, fiabilité, engagement.

Patrice : Noble personne (latin). Ce prénom est très répandu. Il est peu attribué actuellement. Tendance : stable. Variantes : Patricien, Patricio, Patrizio. Variante bretonne : Padrig. Caractérologie : altruisme, intégrité, résolution, idéalisme, sympathie.

Patrick : Noble personne (latin). Ce prénom est très répandu. Il est relativement peu attribué aujourd'hui. Tendance : en décroissance modérée. Variantes : Patrique, Patryck. Caractérologie : famille, équilibre, influence, organisation, sens des responsabilités.

Patxi : Libre (latin). Ce prénom est très rare. Tendance : stable. Caractérologie : sagacité, connaissances, spiritualité, philosophie, originalité.

Paul : Petit (latin). Ce prénom est très répandu. De plus, il figure dans le top 50 français aujourd'hui. Tendance : stable. Paul devrait figurer dans le top 10 allemand en 2004. Variante : Pavel. Caractérologie : dynamisme, curiosité, charisme, courage, indépendance.

Paul-Alexandre : Prénom composé de Paul et d'Alexandre. Ce prénom est très rare. Tendance : stable. Caractérologie : achèvement, réalisation, vitalité, stratégie, analyse.

Paul-Antoine : Prénom composé de Paul et d'Antoine. Ce prénom est rare. Tendance : en décroissance modérée. Caractérologie : réceptivité, sociabilité, diplomatie, cœur, logique.

Paul-Émile : Prénom composé de Paul et d'Émile. Ce prénom est rare. Tendance : stable. Caractérologie : structure, sécurité, réalisation, persévérance, sympathie.

Paul-Étienne : Prénom composé de Paul et d'Étienne. Ce prénom est très rare. Tendance : en forte croissance. Caractérologie : énergie, cœur, découverte, audace, décision.

Paul-Henri : Prénom composé de Paul et de Henri. Ce prénom est rare. Tendance : en décroissance modérée. Caractérologie : audace, énergie, découverte, sympathie, ressort.

P

Paulin : Petit (latin). Ce prénom assez rare est relativement peu attribué aujourd'hui. Tendance : en forte croissance. Variantes : Paulien, Paulino, Polin. Caractérologie : audace, direction, détermination, compassion, dynamisme.

Paulo : Petit (latin). Ce prénom est assez répandu. Il est très peu attribué aujourd'hui. Tendance : en croissance modérée. Caractérologie : diplomatie, sociabilité, réceptivité, loyauté, bonté.

Pavel : Petit (latin). Ce prénom est porté par moins de 100 personnes en France. En dehors de la France, Pavel est particulièrement répandu en Bulgarie. Caractérologie : sociabilité, réceptivité, diplomatie, cœur, réussite.

Pedro : Petit caillou (grec). Ce prénom est assez répandu. Il est très peu attribué aujourd'hui. Tendance : en croissance modérée. Variantes : Pedre, Peet, Peidro, Peire, Peit, Peitro, Peo. Caractérologie : fiabilité, ténacité, engagement, méthode, volonté.

Pépin : Déterminé (germanique). Ce prénom est porté par moins de 100 personnes en France. Caractérologie : équilibre, sens des responsabilités, famille, influence, exigence.

Pépito : Dieu ajoutera (hébreu). Ce prénom est très rare. Caractérologie : rectitude, rêve, humanité, ouverture d'esprit, générosité.

Perceval : Perce la vallée (vieux français). Ce prénom est très rare. Tendance : stable. Variantes : Perce, Percy. Caractérologie : innovation, autorité, réalisation, énergie, compassion.

Peregrino : Voyageur, faucon (latin). Variante : Peregrin. Caractérologie : achèvement, stratégie, ardeur, leadership, vitalité.

Pericles : Juste meneur (grec). Caractérologie : conscience, paix, bienveillance, détermination, compassion.

Peter : Petit caillou (grec). Ce prénom est assez répandu. Il est peu attribué actuellement. Tendance : stable. Variantes : Petri, Petro, Petrus. Variante corse : Petru. Caractérologie : innovation, autonomie, autorité, énergie, ambition.

Peyo : Petit caillou (grec). Ce prénom breton est très rare. Tendance : en forte croissance. Variante : Peio. Caractérologie : sagacité, spiritualité, originalité, philosophie, connaissances.

Phil : Diminutif des prénoms assemblés avec Phil. Caractérologie : ouverture d'esprit, rêve, action, rectitude, humanité.

Philadelphe : Aimer, frère (grec). Ce prénom est porté par moins de 100 personnes en France. Caractérologie : bienveillance, paix, ressort, conscience, réalisation.

Philbert : Qui aime les chevaux (grec). Ce prénom est très rare. Variante : Filbert. Caractérologie : attention, idéalisme, intégrité, altruisme, action.

Philéas : Qui aime (grec). Ce prénom est porté par moins de 100 personnes en France. Tendance : en forte croissance. Variante : Phile. Caractérologie : intelligence, action, méditation, savoir, cœur.

Philémon : Qui aime la lune (grec). Ce prénom est très rare. Tendance : en croissance modérée. Variante basque : Filemon.

Caractérologie : raisonnement, sociabilité, réceptivité, volonté, diplomatie.

Philibert : Très brillant (germanique). Ce prénom assez rare est très peu attribué aujourd'hui. Tendance : en croissance modérée. Caractérologie : action, humanité, rêve, sensibilité, rectitude.

Philip : Qui aime les chevaux (grec). Ce prénom assez rare est très peu attribué aujourd'hui. Tendance : en forte décroissance. Caractérologie : savoir, intelligence, méditation, indépendance, ressort.

Philippe : Qui aime les chevaux (grec). Ce prénom est très répandu. Il est relativement peu attribué aujourd'hui. Tendance : en décroissance modérée. Variantes : Philipe, Philipp, Philippo, Phillip. Caractérologie : énergie, innovation, autorité, compassion, action.

Philis : Rameau (grec). Caractérologie : direction, dynamisme, indépendance, audace, action.

Philogone : Aimer la génération (grec). Ce prénom est porté par moins de 100 personnes en France. Caractérologie : réceptivité, diplomatie, sociabilité, raisonnement, action.

Phong : Vent, dignité, richesse (vietnamien). Ce prénom est porté par moins de 100 personnes en France. Caractérologie : paix, conscience, bienveillance, sagesse, conseil.

Phuc : Chance, bonheur (vietnamien). Ce prénom est porté par moins de 100 personnes en France. Caractérologie : adaptation, communication, enthousiasme, pratique, générosité.

Pierre : Petit caillou (grec). Ce prénom est très répandu. De plus, il figure dans le top 50 français aujourd'hui. Tendance : stable. Pierre est le 2e prénom du XXᵉ siècle en France. En 2005, il est toujours porté par plus de 500 000 personnes dans l'Hexagone. Notons que dans cette catégorie masculine, seuls Jean et Michel égalent cette performance. Variantes : Perin, Pier, Pierce, Pierino, Piero. Caractérologie : habileté, ambition, management, passion, force.

Pierre-Adrien : Prénom composé de Pierre et d'Adrien. Ce prénom est très rare. Tendance : en décroissance modérée. Caractérologie : courage, dynamisme, curiosité, réussite, décision.

Pierre-Alexandre : Prénom composé de Pierre et d'Alexandre. Ce prénom assez rare est très peu attribué aujourd'hui. Tendance : en décroissance modérée. Caractérologie : réalisation, sociabilité, réceptivité, diplomatie, analyse.

Pierre-Alexis : Prénom composé de Pierre et d'Alexis. Ce prénom est rare. Tendance : en décroissance modérée. Caractérologie : paix, analyse, bienveillance, conscience, sympathie.

Pierre-Antoine : Prénom composé de Pierre et d'Antoine. Ce prénom est assez répandu. Il est relativement peu attribué aujourd'hui. Tendance : en décroissance modérée. Caractérologie : indépendance, dynamisme, curiosité, résolution, courage.

Pierre-Emmanuel : Prénom composé de Pierre et d'Emmanuel. Ce prénom assez rare est très peu attribué aujourd'hui. Tendance : en décroissance modérée. Caractérologie : sociabilité, réceptivité, diplomatie, compassion, réalisation.

Pierre-François : Prénom composé de Pierre et de François. Ce prénom assez rare est très peu attribué aujourd'hui. Tendance : en décroissance modérée. Caractérologie : pragmatisme, optimisme, logique, cœur, communication.

Pierre-Henri : Prénom composé de Pierre et de Henri. Ce prénom assez rare est très peu attribué aujourd'hui. Tendance : en décroissance modérée. Caractérologie : ardeur, action, achèvement, vitalité, stratégie.

Pierre-Jean : Prénom composé de Pierre et de Jean. Ce prénom assez rare est très peu attribué aujourd'hui. Tendance : en décroissance modérée. Caractérologie : réceptivité, décision, diplomatie, loyauté, sociabilité.

Pierre-Louis : Prénom composé de Pierre et de Louis. Ce prénom est assez répandu. Il est relativement peu attribué aujourd'hui. Tendance : stable. Caractérologie : enthousiasme, communication, sympathie, pratique, analyse.

Pierre-Loup : Prénom composé de Pierre et de Loup. Ce prénom est très rare. Tendance : en forte croissance. Caractérologie : intégrité, sympathie, altruisme, idéalisme, analyse.

Pierre-Luc : Prénom composé de Pierre et de Luc. Ce prénom est rare. Tendance : en décroissance modérée. Caractérologie : stratégie, vitalité, achèvement, compassion, ardeur.

Pierre-Marie : Prénom composé de Pierre et de Marie. Ce prénom est assez répandu. Il est très peu attribué aujourd'hui. Tendance : en

décroissance modérée. Caractérologie : humanité, rectitude, décision, rêve, réussite.

Pierre-Olivier : Prénom composé de Pierre et d'Olivier. Ce prénom assez rare est très peu attribué aujourd'hui. Tendance : en décroissance modérée. Caractérologie : achèvement, vitalité, stratégie, logique, caractère.

Pierre-Yves : Prénom composé de Pierre et de Yves. Ce prénom est assez répandu. Il est très peu attribué aujourd'hui. Tendance : en décroissance modérée. Caractérologie : savoir, intelligence, méditation, détermination, réalisation.

Pierric : Petit caillou (grec). Ce prénom assez rare est très peu attribué aujourd'hui. Tendance : en décroissance modérée. Caractérologie : paix, bienveillance, conseil, conscience, sympathie.

Pierrick : Petit caillou (grec). Ce prénom répandu est relativement peu attribué aujourd'hui. Tendance : en décroissance modérée. Variantes : Perick, Pieric, Pierick, Pierrik, Pierrino, Piet, Pieter. Variantes bretonnes : Perig, Pierig, Pierrig. Caractérologie : force, habileté, passion, ambition, compassion.

Pierrot : Petit caillou (grec). Ce prénom assez rare est peu attribué actuellement. Tendance : en croissance modérée. Caractérologie : réceptivité, bonté, sociabilité, loyauté, diplomatie.

Pietro : Petit caillou (grec). Ce prénom assez rare est très peu attribué aujourd'hui. Tendance : en croissance modérée. Pietro est très répandu en Italie. Caractérologie : intuition, médiation, relationnel, fidélité, adaptabilité.

Pio : Pieux (latin). Ce prénom est porté par moins de 100 personnes en France. Caractérologie : persévérance, efficacité, sécurité, structure, honnêteté.

Placide : Placide, calme (latin). Ce prénom est très rare. Caractérologie : audace, énergie, découverte, sympathie, réalisation.

Pol : Petit (latin). Ce prénom assez rare est très peu attribué aujourd'hui. Tendance : stable. En France, Pol est plus traditionnellement usité en Bretagne. Caractérologie : savoir, intelligence, méditation, indépendance, sagesse.

Polycarpe : Fruits en abondance (grec). Ce prénom est porté par moins de 100 personnes en France. Caractérologie : pragmatisme, communication, optimisme, analyse, sympathie.

Pompée : Gloire éclatante (grec). Ce prénom est porté par moins de 100 personnes en France. Caractérologie : savoir, intelligence, méditation, caractère, indépendance.

Preston : Domaine, bien du prêtre (anglais). Ce prénom est très rare. Tendance : en forte croissance. Caractérologie : vitalité, ardeur, achèvement, détermination, stratégie.

Priam : Dans la mythologie grecque, Priam est le dernier roi de Troie. Caractérologie : pragmatisme, créativité, communication, optimisme, réalisation.

Primael : Charismatique, prince (breton). Ce prénom est porté par moins de 100 personnes en France. Variante : Primel. Caractérologie : sociabilité, réceptivité, réalisation, diplomatie, sympathie.

Primo : Premier (latin). Ce prénom est très rare. Caractérologie : force, ambition, habileté, management, passion.

Prince : Supérieur (latin). Ce prénom est très rare. Tendance : stable. Caractérologie : sociabilité, réceptivité, diplomatie, sympathie, loyauté.

Priscillien : Ancien (latin). Ce prénom est porté par moins de 100 personnes en France. Caractérologie : rectitude, humanité, rêve, compassion, détermination.

Prosper : Avec bonheur (latin). Ce prénom assez rare est très peu attribué aujourd'hui. Tendance : en forte croissance. Variante : Prospert. Caractérologie : ambition, passion, force, habileté, décision.

Prudent : Prudent (latin). Ce prénom est très rare. Caractérologie : achèvement, vitalité, ardeur, stratégie, compassion.

Qaïs : Fierté (arabe). Caractérologie : direction, audace, dynamisme, indépendance, assurance.

Quang : Lumière, glorieux (vietnamien). Ce prénom est très rare. Caractérologie : bienveillance, paix, conseil, compassion, conscience.

Quentin : Cinquième (latin). Ce prénom répandu figure dans le top 50 français aujourd'hui. Voir le zoom dédié à Quentin. Variante : Quantin. Caractérologie : dynamisme, indépendance, sensibilité, direction, audace.

Quincy : Cinquième (latin). Ce prénom est porté par moins de 100 personnes en

France. Variantes : Quincey, Quinto. Caractérologie : ambition, sympathie, force, habileté, ressort.

Quoc : La nation (vietnamien). Ce prénom est très rare. Tendance : en croissance modérée. Caractérologie : relationnel, adaptabilité, intuition, médiation, fidélité.

QUENTIN

Fête : 31 octobre

Étymologie : du latin *quintus* : cinquième. Quentin est un prénom anglo-saxon du XIXe siècle. Cependant, il n'est plus guère attribué dans les pays anglophones. Par contraste, son évolution en France connaît un tout autre destin. Quasiment inconnu en France sur l'ensemble du XXe siècle, Quentin surgit dans les années 1980. Sa croissance, forte et solide, le fait grandir très vite. Il entre avec fracas dans le top 10 français dès 1994 et s'empare de la seconde place du palmarès quatre ans plus tard. Depuis 1998, année de son apogée, Quentin décline lentement. Toutefois, l'heure de sa débâcle n'a pas encore sonné. En 2005, ce prénom devrait être attribué à plus de 4 000 nouveau-nés dans l'Hexagone. Il se maintiendra sans doute dans le top 20 français jusqu'à 2006, chose qu'il n'a pas pu réaliser dans d'autres pays francophones. En effet, il ne peut enrayer son déclin en Wallonie et en Suisse romande d'où il vient de quitter les tops 20 respectifs. Pour compléter ce tableau, notons que ce prénom est rarissime au Québec.

Quentin est un des rares prénoms qui n'ait pas de diminutif ou de variante connus. Quintin est en effet la seule forme de Quentin qui soit réellement portée en France. Mais la probabilité de rencontrer un Quintin dans l'Hexagone est très faible, car ce prénom est porté par moins de 20 Français. Notons que Quentin est plus particulièrement répandu dans le Nord et dans les régions flamandes. Il n'est donc pas étonnant que Quinten se maintienne dans le top 20 belge flamand.

Saint Quintinus vit au IIIe siècle à Rome. Après s'être converti au christianisme, il part évangéliser la Gaule. La ville de Saint-Quentin, capitale de la Haute Picardie, est dénommée ainsi en hommage à son patron.
Personnalité célèbre : Quentin Tarantino, cinéaste américain. *Pulp Fiction* et *Kill Bill* sont les titres les plus connus de ses films.
Statistique : Quentin est le 104e prénom masculin le plus attribué du XXe siècle en France.

Rabah : Jardin (arabe). Ce prénom assez rare est très peu attribué aujourd'hui. Tendance : stable. Variantes : Raba, Rabbah, Rabia, Rabih. Caractérologie : enthousiasme, pratique, communication, adaptation, générosité.

Rabie : Mon maître (hébreu). Ce prénom est porté par moins de 100 personnes en France. Variante : Rabi. Caractérologie : vitalité, achèvement, stratégie, ardeur, résolution.

Rachid : Bien guidé, qui a la foi (arabe). Ce prénom répandu est très peu attribué aujourd'hui. Tendance : en décroissance modérée. Variantes : Rached, Rachide. Caractérologie : savoir, intelligence, sagesse, indépendance, méditation.

Rafaël : Dieu a guéri (hébreu). Ce prénom est assez répandu. Il est relativement peu attribué aujourd'hui. Tendance : en croissance modérée. Variantes : Raffaël, Raffaële. Caractérologie : intelligence, savoir, méditation, analyse, résolution.

Raffi : De haut rang (arabe, arménien). Ce prénom est très rare. Caractérologie : ténacité, méthode, sens du devoir, engagement, fiabilité.

Rafik : Ami, tranquillité (arabe). Ce prénom assez rare est très peu attribué aujourd'hui. Tendance : en croissance modérée. Caractérologie : intégrité, altruisme, idéalisme, réflexion, dévouement.

Rahim : Qui pardonne (arabe). Ce prénom est très rare. Tendance : en forte croissance. Caractérologie : structure, persévérance, sécurité, efficacité, honnêteté.

Raihau : Ciel de paix (tahitien). Caractérologie : méthode, sens du devoir, engagement, ténacité, fiabilité.

Raimanu : Oiseau du ciel (tahitien). Caractérologie : décision, découverte, audace, originalité, énergie.

Raimond : Qui protège avec sagesse (germanique). Ce prénom est très rare. Variantes : Raimon, Raimondo, Raimundo, Ramond. Caractérologie : diplomatie, réceptivité, décision, sociabilité, caractère.

Rainier : Conseil, décision (germanique). Ce prénom est porté par moins de 100 personnes en France. Dans l'Hexagone, Rainier est plus traditionnellement usité dans les Flandres. Variantes : Régnier, Reiner. Caractérologie : réceptivité, sociabilité, résolution, diplomatie, loyauté.

Rajiv : L'un des noms de la fleur de lotus (sanscrit). Ce prénom est porté par moins de 100 personnes en France. Caractérologie : conseil, bienveillance, sagesse, paix, conscience.

Ralph : Loup renommé (germanique). Ce prénom assez rare est très peu attribué aujourd'hui. Tendance : en croissance modérée. Variantes : Ralf, Rolph, Rolphe. Caractérologie : audace, dynamisme, direction, action, indépendance.

Rambert : Illustre conseiller (germanique). Ce prénom est porté par moins de 100 personnes en France. Caractérologie : découverte, audace, originalité, détermination, énergie.

Ramdane : Mois sacré (arabe). Ce prénom est très rare. Caractérologie : intuition, relationnel, médiation, résolution, fidélité.

R

393

Rami : Habileté (arabe). Ce prénom est rare. Tendance : en croissance modérée. Caractérologie : audace, découverte, énergie, originalité, séduction.

Ramiro : Grand juge (basque). Ce prénom est très rare. Caractérologie : sociabilité, réceptivité, diplomatie, loyauté, bonté.

Ramon : Qui protège avec sagesse (germanique). Ce prénom assez rare est très peu attribué aujourd'hui. En France, Ramon est plus traditionnellement usité en Occitanie. Caractérologie : résolution, intelligence, savoir, méditation, volonté.

Ramsès : Nom de plusieurs pharaons d'Egypte ancienne. Ce prénom est porté par moins de 100 personnes en France. Caractérologie : optimisme, pragmatisme, créativité, communication, décision.

Ramzi : Important (arabe). Ce prénom assez rare est très peu attribué aujourd'hui. Tendance : en croissance modérée. Variante : Ramzy. Caractérologie : fiabilité, ténacité, méthode, engagement, sens du devoir.

Randy : Loup renommé (germanique). Ce prénom est rare. Tendance : stable. Variantes : Randolf, Randolph. Caractérologie : habileté, décision, ambition, force, réussite.

Rani : Riche et noble (arabe). Ce prénom est très rare. Tendance : en forte croissance. Caractérologie : sens des responsabilités, équilibre, famille, décision, influence.

Rankin : Bouclier, protection (anglais). Caractérologie : fiabilité, ténacité, engagement, méthode, résolution.

Raoul : Loup renommé (germanique). Ce prénom répandu est très peu attribué aujourd'hui. Tendance : stable. Variantes : Raouf, Raoulin, Raul. Variante occitane : Raolf. Caractérologie : persévérance, structure, sécurité, logique, efficacité.

Raphaël : Dieu a guéri (hébreu). Ce prénom répandu figure dans le top 100 français aujourd'hui. Tendance : stable. Caractérologie : ressort, sympathie, intelligence, méditation, savoir.

Rayan : Forme de Ryan et Rayane. Ce prénom est assez répandu. Il figure dans le top 100 français aujourd'hui. Tendance : en forte croissance. Caractérologie : courage, dynamisme, indépendance, curiosité, résolution.

Rayane : Beau, désaltéré (arabe). Ce prénom est assez répandu. Il est plutôt bien attribué aujourd'hui. Tendance : stable. Variantes : Rayann, Rayanne, Rayen, Rayyan, Reyan. Caractérologie : innovation, énergie, autorité, ambition, détermination.

Rayhan : Beau, désaltéré (arabe). Ce prénom est très rare. Tendance : en forte croissance. Variantes : Rahyan, Raïan, Raihane. Caractérologie : persévérance, détermination, sécurité, action, structure.

Raymond : Qui protège avec sagesse (germanique). Ce prénom est très répandu. Il est très peu attribué aujourd'hui. Tendance : en décroissance modérée. Variantes : Ray, Raymon, Raymondo, Remon, Remond. Caractérologie : altruisme, idéalisme, intégrité, volonté, réalisation.

Raynald : Qui gouverne avec sagesse (germanique). Ce prénom assez rare est très peu attribué aujourd'hui. Tendance : stable.

Variante : Raynal. Caractérologie : communication, pratique, réussite, enthousiasme, cœur.

Razi : Mon secret (araméen). Caractérologie : altruisme, idéalisme, réflexion, dévouement, intégrité.

Réda : Satisfaction, plénitude (arabe). Ce prénom assez rare est relativement peu attribué aujourd'hui. Tendance : en croissance modérée. Variantes : Rédha, Rhéda. Caractérologie : audace, dynamisme, indépendance, direction, résolution.

Rédouane : Comblé (arabe). Ce prénom assez rare est relativement peu attribué aujourd'hui. Tendance : stable. Variantes : Radoin, Radoine, Radouan, Radouane, Radwan, Radwane, Rédoine, Rédouan, Redwan, Redwane, Ridouan, Ridouane, Ridvan, Ridwan, Ridwane. Caractérologie : volonté, analyse, sociabilité, diplomatie, réceptivité.

Réginald : Qui gouverne avec sagesse (germanique). Ce prénom est rare. Caractérologie : méditation, cœur, savoir, intelligence, réussite.

Régis : Royal (latin). Ce prénom répandu est peu attribué actuellement. Tendance : en décroissance modérée. Caractérologie : persévérance, structure, résolution, sécurité, efficacité.

Reinhold : Qui gouverne avec sagesse (germanique). Ce prénom est très rare. Caractérologie : persévérance, structure, sécurité, volonté, raisonnement.

Réjan : Roi (latin). Ce prénom est porté par moins de 100 personnes en France. Variante : Réjean. Caractérologie : pragma-

tisme, créativité, communication, optimisme, résolution.

Rémi : Rameur (latin). Ce prénom répandu figure dans le top 100 français aujourd'hui. Tendance : stable. Remi se rapporte aux Rèmes, nom du peuple qui habitait dans la région où se situe aujourd'hui la ville de Reims. C'est dans la basilique de cette ville que l'évêque Remi fit baptiser Clovis et ses troupes. La basilique de Reims porte d'ailleurs toujours le nom de l'évêque. Ceci explique mieux la raison pour laquelle les Rémi de France n'orthographient pas tous ce prénom avec un accent. Variante basque : Remigio. Caractérologie : ouverture d'esprit, rêve, rectitude, humanité, générosité.

Rémy : Rameur (latin). Ce prénom répandu figure dans le top 100 français aujourd'hui. Tendance : stable. Caractérologie : connaissances, sagacité, spiritualité, philosophie, originalité.

Rénald : Qui gouverne avec sagesse (germanique). Ce prénom assez rare est très peu attribué aujourd'hui. Tendance : stable. Variantes : Reinald, Rénal. Caractérologie : décision, altruisme, idéalisme, intégrité, réflexion.

Renaldo : Qui gouverne avec sagesse (germanique). Ce prénom est très rare. Variantes : Reinaldo, Reinhard, Reinold. Caractérologie : paix, bienveillance, conscience, caractère, logique.

Renan : Petit phoque (irlandais). Ce prénom breton est assez rare. Il est très peu attribué aujourd'hui. Tendance : en décroissance modérée. Variante : Reunan. Caractérologie : savoir, intelligence, méditation, indépendance, décision.

R

395

Renato : Renaître (latin). Ce prénom est rare. À noter : Renato est répandu en Italie. En France, ce prénom est plus traditionnellement usité en Corse. Variante occitane : Renat. Caractérologie : ambition, autorité, innovation, énergie, détermination.

Renaud : Qui gouverne avec sagesse (germanique). Ce prénom répandu est peu attribué actuellement. Tendance : en décroissance modérée. Variantes : Renauld, Renaut, Reno. Caractérologie : rêve, rectitude, humanité, ouverture d'esprit, résolution.

René : Renaître (latin). Ce prénom est très répandu. Il est très peu attribué aujourd'hui. Tendance : stable. Caractérologie : conscience, conseil, bienveillance, paix, sagesse.

Renzo : Couronné de Lauriers (latin). Ce prénom est très rare. Tendance : en décroissance modérée. Variante : Renso. Caractérologie : sens des responsabilités, équilibre, exigence, famille, influence.

Reuben : « C'est un fils ! « (hébreu). Ce prénom est porté par moins de 100 personnes en France. Caractérologie : loyauté, réceptivité, diplomatie, bonté, sociabilité.

Reuel : Ami de Dieu (hébreu). Caractérologie : intelligence, méditation, sagesse, savoir, indépendance.

Reymond : Qui protège avec sagesse (germanique). Ce prénom est rare. Caractérologie : sécurité, caractère, persévérance, efficacité, structure.

Reynald : Qui gouverne avec sagesse (germanique). Ce prénom est assez répandu. Il est très peu attribué aujourd'hui. Tendance : en forte décroissance. Variantes : Reynal,

Reynaldo, Reynaud, Reynold. Caractérologie : savoir, intelligence, méditation, réalisation, sympathie.

Riad : Serein, épanoui (arabe). Ce prénom assez rare est peu attribué actuellement. Tendance : stable. Variantes : Riade, Riadh, Riyadh. Caractérologie : découverte, originalité, audace, énergie, séduction.

Ricardo : Puissant gouverneur (germanique). Ce prénom assez rare est peu attribué actuellement. Tendance : en forte croissance. Ricardo est répandu en Espagne et au Portugal. Variantes : Ricard, Riccardo. Caractérologie : courage, logique, indépendance, curiosité, dynamisme.

Richard : Puissant gouverneur (germanique). Ce prénom répandu est relativement peu attribué aujourd'hui. Tendance : en décroissance modérée. Variante : Rick. Caractérologie : connaissances, originalité, sagacité, philosophie, spiritualité.

Rida : Satisfaction, plénitude (arabe). Ce prénom assez rare est peu attribué actuellement. Tendance : stable. Variante : Ridha. Caractérologie : audace, énergie, séduction, originalité, découverte.

Ridge : Crête (anglais). Ce prénom est porté par moins de 100 personnes en France. Caractérologie : spiritualité, connaissances, originalité, sagacité, philosophie.

Rigobert : Brillant, gloire (germanique). Ce prénom est porté par moins de 100 personnes en France. Caractérologie : honnêteté, sécurité, structure, persévérance, efficacité.

Rinaldo : Qui gouverne avec sagesse (germanique). Ce prénom est très rare.

Caractérologie : caractère, énergie, autorité, innovation, logique.

Rino : Renaître (latin). Ce prénom est très rare. Caractérologie : sociabilité, réceptivité, loyauté, diplomatie, bonté.

Ritchie : Puissant gouverneur (germanique). Ce prénom est très rare. Tendance : en croissance modérée. Variantes : Ricci, Rich, Richie, Richy, Rick, Ricky, Ritchi, Ritchy. Caractérologie : rectitude, rêve, humanité, sensibilité, ouverture d'esprit.

Riwan : Roi, valeur (breton). Ce prénom est très rare. Tendance : stable. Variantes : Riwal, Rywan. Caractérologie : décision, diplomatie, sociabilité, loyauté, réceptivité.

Riyad : Serein, épanoui (arabe). Ce prénom est rare. Tendance : en forte croissance. Caractérologie : réalisation, pratique, enthousiasme, communication, adaptation.

Roald : Qui gouverne avec sagesse (germanique). Caractérologie : curiosité, dynamisme, courage, logique, indépendance.

Robert : Brillant, gloire (germanique). Ce prénom est très répandu. Il est très peu attribué aujourd'hui. Tendance : stable. Variantes : Rob, Robbie, Robby, Rober, Robertino, Roby. Caractérologie : bienveillance, conscience, conseil, paix, sagesse.

Roberto : Brillant, gloire (germanique). Ce prénom assez rare est très peu attribué aujourd'hui. Tendance : stable. Roberto est répandu en Espagne, en Italie et au Portugal. Caractérologie : sociabilité, communication, optimisme, créativité, pragmatisme.

Robin : Brillant, gloire (germanique). Ce prénom répandu figure dans le top 100 français aujourd'hui. Tendance : stable. Variante : Robyn. Caractérologie : sécurité, structure, persévérance, efficacité, honnêteté.

Robinson : Fils de Robin (anglais). Ce prénom est très rare. Tendance : stable. Caractérologie : connaissances, sagacité, décision, spiritualité, originalité.

Rocco : Reposé (germanique). Ce prénom est rare. Tendance : en forte croissance. Caractérologie : ouverture d'esprit, rectitude, raisonnement, humanité, rêve.

Roch : Reposé (germanique). Ce prénom assez rare est très peu attribué aujourd'hui. Tendance : en croissance modérée. Caractérologie : vitalité, achèvement, stratégie, ardeur, raisonnement.

Rocky : Roc (anglais). Ce prénom est très rare. Caractérologie : analyse, intégrité, altruisme, idéalisme, réflexion.

Roderick : Glorieux, puissant (germanique). Ce prénom est très rare. Variantes : Rod, Roddy, Rodéric. Caractérologie : relationnel, intuition, médiation, volonté, raisonnement.

Rodney : Glorieux, puissant (germanique). Ce prénom est très rare. Tendance : en forte croissance. Caractérologie : idéalisme, altruisme, intégrité, réflexion, caractère.

Rodolphe : Loup renommé (germanique). Ce prénom répandu est peu attribué actuellement. Tendance : en décroissance modérée. Variantes : Rodolf, Rodolfo, Rodolph, Rolf. Caractérologie : optimisme, communication, pragmatisme, volonté, raisonnement.

R

Rodrigue : Glorieux, puissant (germanique). Ce prénom est assez répandu. Il est relativement peu attribué aujourd'hui. Tendance : en croissance modérée. Variantes : Rodrigo, Rodriguez. Variante basque : Ruy. Caractérologie : raisonnement, connaissances, sagacité, spiritualité, volonté.

Roger : Lance glorieuse (germanique). Ce prénom est très répandu. Il est très peu attribué aujourd'hui. Tendance : stable. Variantes : Roge, Rogelio, Rogerio, Ruggero. Variante occitane : Rotger. Caractérologie : rêve, humanité, générosité, rectitude, ouverture d'esprit.

Rohan : Roux (sanscrit). Ce prénom est très rare. Tendance : en forte croissance. Caractérologie : diplomatie, réceptivité, sociabilité, loyauté, résolution.

Roland : Gloire du pays (germanique). Ce prénom répandu est très peu attribué aujourd'hui. Tendance : en décroissance modérée. Variante basque : Roldan. Caractérologie : direction, audace, dynamisme, logique, caractère.

Rolland : Gloire du pays (germanique). Ce prénom est assez répandu. Il est très peu attribué aujourd'hui. Caractérologie : méthode, ténacité, volonté, fiabilité, analyse.

Romain : Romain (latin). Ce prénom est très répandu. De plus, il figure dans le top 50 français aujourd'hui. Tendance : en décroissance modérée. Romain devrait figurer dans le top 10 belge francophone en 2004. Caractérologie : connaissances, spiritualité, sagacité, décision, caractère.

Roman : Romain (latin). Ce prénom est assez répandu. Il est relativement peu attribué aujourd'hui. Tendance : stable. En France, Roman est plus traditionnellement usité en Occitanie. Variantes : Romane, Romann, Romano. Caractérologie : sagacité, connaissances, détermination, spiritualité, volonté.

Romaric : Célèbre, puissant (germanique). Ce prénom est assez répandu. Il est relativement peu attribué aujourd'hui. Tendance : stable. Variantes : Romarick, Romary. Caractérologie : curiosité, courage, dynamisme, indépendance, logique.

Romarin : Se rapporte au romarin (latin). Caractérologie : intelligence, savoir, méditation, décision, caractère.

Roméo : De Rome (latin). Ce prénom assez rare est relativement peu attribué aujourd'hui. Tendance : en forte croissance. Caractérologie : pratique, enthousiasme, adaptation, communication, volonté.

Romuald : Glorieux gouverneur (germanique). Ce prénom répandu est relativement peu attribué aujourd'hui. Tendance : stable. Variante : Romualdo. Caractérologie : créativité, raisonnement, pragmatisme, communication, optimisme.

Ronald : Qui gouverne avec sagesse (germanique). Ce prénom assez rare est très peu attribué aujourd'hui. Tendance : en décroissance modérée. Variantes : Ron, Ronaldo. Caractérologie : dynamisme, audace, direction, logique, caractère.

Ronan : Petit phoque (irlandais). Ce prénom breton est répandu. Il est relativement peu attribué aujourd'hui. Tendance : stable.

Caractérologie : vitalité, achèvement, stratégie, ardeur, décision.

Ronel : Chant de Dieu (hébreu). Caractérologie : autorité, énergie, innovation, ambition, raisonnement.

Ronny : Qui gouverne avec sagesse (germanique). Ce prénom est très rare. Tendance : en croissance modérée. Variantes : Ronnie, Rony. Caractérologie : originalité, énergie, audace, séduction, découverte.

Roque : Reposé (germanique). Ce prénom est porté par moins de 100 personnes en France. Caractérologie : méthode, ténacité, raisonnement, engagement, fiabilité.

Rosario : Rose (latin). Ce prénom est rare. Variantes : Rosaire, Rosalio, Roscoe, Roselin, Rosemond, Rosier, Rosin. Caractérologie : énergie, séduction, audace, découverte, originalité.

Ross : Cheval (germanique). Ce prénom est porté par moins de 100 personnes en France. Caractérologie : ambition, force, habileté, management, passion.

Rowan : Rouge (irlandais). Ce prénom est très rare. Tendance : stable. Caractérologie : achèvement, vitalité, résolution, stratégie, ardeur.

Roy : Roi (latin). Ce prénom est très rare. Tendance : stable. Variante : Rex. Caractérologie : sécurité, persévérance, efficacité, honnêteté, structure.

Ruben : « C'est un fils ! » (hébreu). Ce prénom est assez répandu. Il est relativement peu attribué aujourd'hui. Tendance : en croissance modérée. Caractérologie : équilibre, famille, sens des responsabilités, influence, exigence.

Rubens : « C'est un fils ! » (hébreu). Ce prénom est très rare. Tendance : en croissance modérée. Caractérologie : sagacité, connaissances, spiritualité, organisation, résolution.

Ruddy : Loup renommé (germanique). Ce prénom assez rare est très peu attribué aujourd'hui. Tendance : stable. Caractérologie : rectitude, générosité, humanité, ouverture d'esprit, rêve.

Rudolphe : Loup renommé (germanique). Ce prénom est rare. Variantes : Rudolf, Rudolph. Caractérologie : caractère, rectitude, humanité, logique, rêve.

Rudy : Loup renommé (germanique). Ce prénom répandu est relativement peu attribué aujourd'hui. Tendance : en décroissance modérée. Variantes : Rody, Rudi. Caractérologie : énergie, découverte, audace, séduction, originalité.

Ruel : Ami de Dieu, terre rouge (hébreu). Caractérologie : intuition, fidélité, médiation, adaptabilité, relationnel.

Rufino : Roux (latin). Ce prénom est porté par moins de 100 personnes en France. Variantes : Ruffin, Rufin, Rufus. Caractérologie : intuition, médiation, relationnel, fidélité, analyse.

Rui : Loup renommé (germanique). Ce prénom assez rare est très peu attribué aujourd'hui. Tendance : en décroissance modérée. Caractérologie : adaptation, communication, enthousiasme, pratique, générosité.

Rumwald : Gouverneur célèbre (germanique). Caractérologie : réceptivité, diplomatie, loyauté, sociabilité, résolution.

R

Rupert : Brillant, gloire (germanique). Ce prénom est porté par moins de 100 personnes en France. Caractérologie : habileté, ambition, compassion, force, passion.

Russell : Comme un renard (anglo-saxon). Ce prénom est très rare. Variantes : Russ, Russel. Caractérologie : spiritualité, résolution, sagacité, originalité, connaissances.

Ryad : Serein, épanoui (arabe). Ce prénom assez rare est relativement peu attribué aujourd'hui. Tendance : en forte croissance. Caractérologie : enthousiasme, réalisation, pratique, communication, adaptation.

Ryan : Petit roi (irlandais). Ce prénom est assez répandu. Il figure dans le top 100 français aujourd'hui. Tendance : en forte croissance. Variantes : Ryane, Ryann. Caractérologie : structure, efficacité, persévérance, sécurité, détermination.

Saad : Heureux, que le destin favorise (arabe). L'aide de Dieu (hébreu). Ce prénom est rare. Tendance : en croissance modérée. Variantes : Saadi, Saaïd, Saïdi. Caractérologie : originalité, philosophie, connaissances, spiritualité, sagacité.

Saber : Calme et patient (arabe). Ce prénom est rare. Tendance : stable. Caractérologie : rêve, humanité, rectitude, ouverture d'esprit, résolution.

Sabin : Habitant d'Italie centrale (latin). Ce prénom est très rare. Variantes : Sabien, Sabino. Caractérologie : décision, rectitude, rêve, humanité, ouverture d'esprit.

Sabri : Calme et patient (arabe). Ce prénom est assez répandu. Il est relativement peu

attribué aujourd'hui. Tendance : en croissance modérée. Variante : Sabir. Caractérologie : ténacité, fiabilité, engagement, sens du devoir, méthode.

Sacha : Défense de l'humanité (grec). Ce prénom est assez répandu. Il figure dans le top 100 français aujourd'hui. Tendance : en croissance modérée. Sacha figure dans le palmarès des prénoms mixtes. Pour en savoir plus, voir cet article. Caractérologie : découverte, énergie, séduction, audace, originalité.

Sadek : Honnête, franc (arabe). Ce prénom est très rare. Variantes : Sadak, Saddek, Sadok, Seddik, Sédik. Caractérologie : persévérance, structure, sécurité, honnêteté, efficacité.

Safi : Fidèle, droit (arabe). Pureté (camerounais). Ce prénom est très rare. Tendance : en forte croissance. Caractérologie : stratégie, achèvement, vitalité, leadership, ardeur.

Safir : Porteur du message (arabe). Ce prénom est très rare. Tendance : stable. Caractérologie : achèvement, ardeur, stratégie, vitalité, leadership.

Safouane : Pur (arabe). Ce prénom est porté par moins de 100 personnes en France. Variantes : Safwan, Safwane. Caractérologie : assurance, direction, audace, indépendance, dynamisme.

Sahel : Conciliant (arabe). Variante : Sahil. Caractérologie : idéalisme, altruisme, dévouement, intégrité, réflexion.

Saïd : Heureux, que le destin favorise (arabe). Ce prénom est assez répandu. Il est relativement peu attribué aujourd'hui. Tendance : stable. Variantes : Sadi,

Sadio, Saïdou. Caractérologie : sagesse, conscience, bienveillance, conseil, paix.

Salah : Bon, vertueux (arabe). Ce prénom est assez répandu. Il est très peu attribué aujourd'hui. Tendance : stable. Variante : Sala. Prénom composé rare mais en forte croissance : Salah-Eddine. Caractérologie : indépendance, charisme, courage, curiosité, dynamisme.

Salem : Pur, intact, en sécurité (arabe). Ce prénom assez rare est très peu attribué aujourd'hui. Tendance : en croissance modérée. Caractérologie : audace, découverte, originalité, énergie, séduction.

Salih : Intègre, équitable (arabe). Ce prénom est très rare. Tendance : stable. Variante : Saleh. Caractérologie : sécurité, structure, efficacité, honnêteté, persévérance.

Salim : Pur, intact, en sécurité (arabe). Ce prénom est assez répandu. Il est relativement peu attribué aujourd'hui. Tendance : stable. Variantes : Aslam, Salime, Salimou, Salman, Salmane, Slimen. Caractérologie : idéalisme, altruisme, intégrité, dévouement, réflexion.

Salomon : Pacifique, calme (hébreu). Ce prénom est rare. Tendance : en croissance modérée. Caractérologie : vitalité, stratégie, achèvement, ardeur, caractère.

Salvador : Sauveur (grec). Ce prénom assez rare est très peu attribué aujourd'hui. Tendance : en croissance modérée. Caractérologie : diplomatie, réceptivité, sociabilité, loyauté, raisonnement.

Salvator : Sauveur (grec). Ce prénom est rare. Caractérologie : rectitude, humanité, rêve, analyse, organisation.

Salvatore : Sauveur (grec). Ce prénom est assez répandu. Il est très peu attribué aujourd'hui. Tendance : en décroissance modérée. Salvatore est très répandu en Italie. Variante corse : Salvadore. Caractérologie : énergie, découverte, audace, volonté, analyse.

Sam : Son nom est Dieu (hébreu). Ce prénom assez rare est plutôt bien attribué aujourd'hui. Tendance : en forte croissance. Caractérologie : bienveillance, conscience, paix, conseil, sagesse.

Sami : Son nom est Dieu (hébreu). Supérieur, sublime (arabe). Ce prénom est assez répandu. Il est plutôt bien attribué aujourd'hui. Tendance : stable. Caractérologie : paix, conscience, sagesse, bienveillance, conseil.

Samih : Généreux, magnanime (arabe). Ce prénom est très rare. Tendance : stable. Caractérologie : curiosité, indépendance, courage, charisme, dynamisme.

Samir : Conversation intime pendant la nuit (arabe). Ce prénom répandu est relativement peu attribué aujourd'hui. Tendance : en décroissance modérée. Variantes : Samire, Samyr, Sémir. Caractérologie : sens des responsabilités, famille, équilibre, influence, exigence.

Sammy : Son nom est Dieu (hébreu). Ce prénom assez rare est peu attribué actuellement. Tendance : en décroissance modérée. Caractérologie : vitalité, achèvement, ardeur, stratégie, réalisation.

Sampiero : Petit caillou (grec). Ce prénom est porté par moins de 100 personnes en France. Dans l'Hexagone, Sanpiero est plus

S

401

traditionnellement usité en Corse. Caractérologie : paix, volonté, réalisation, bienveillance, conscience.

Samson : Soleil (hébreu). Ce prénom est rare. Tendance : en croissance modérée. Caractérologie : idéalisme, intégrité, réflexion, volonté, altruisme.

Samuel : Son nom est Dieu (hébreu). Ce prénom répandu figure dans le top 50 français aujourd'hui. Voir le zoom dédié à Samuel. Caractérologie : ambition, passion, force, habileté, management.

Samy : Son nom est Dieu (hébreu). Supérieur, sublime (arabe). Ce prénom est assez répandu. Il est plutôt bien attribué aujourd'hui. Tendance : stable. Caractérologie : structure, sécurité, persévérance, efficacité, réussite.

Sandro : Défense de l'humanité (grec). Ce prénom assez rare est peu attribué actuellement. Tendance : en croissance modérée. Caractérologie : vitalité, achèvement, stratégie, volonté, résolution.

Sandy : Défense de l'humanité (grec). Ce prénom assez rare est très peu attribué aujourd'hui. Tendance : en forte décroissance. Caractérologie : altruisme, réalisation, idéalisme, intégrité, réflexion.

Sanjay : Triomphant (sanscrit). Ce prénom est porté par moins de 100 personnes en France. Caractérologie : connaissances, sagacité, philosophie, originalité, spiritualité.

Santiago : Forme de Jacques ou de Diego. Ce prénom est rare. Tendance : en croissance modérée. Caractérologie : curiosité, courage, détermination, dynamisme, indépendance.

Santu : Tous les saints (latin). Prénom corse. Variante : San. Caractérologie : communication, organisation, pragmatisme, optimisme, créativité.

Saphir : Pierre précieuse bleue (hébreu). Ce prénom est très rare. Tendance : stable. Caractérologie : ambition, force, habileté, passion, ressort.

Sariel : Prince de Dieu (hébreu). Caractérologie : énergie, innovation, ambition, autorité, détermination.

Sarkis : Servir (latin). Ce prénom est très rare. Caractérologie : audace, découverte, séduction, énergie, originalité.

Sasha : Défense de l'humanité (grec). Ce prénom est rare. Tendance : en forte croissance. Variante : Sascha. Caractérologie : optimisme, créativité, pragmatisme, sociabilité, communication.

Saturnin : Saturne (latin). Ce prénom est très rare. Variante : Saturnino. Caractérologie : achèvement, stratégie, gestion, décision, vitalité.

Saul : Demandé par Dieu (hébreu). Ce prénom est très rare. Caractérologie : ardeur, achèvement, leadership, vitalité, stratégie.

Sauveur : Sauveur (grec). Ce prénom assez rare est très peu attribué aujourd'hui. Tendance : en décroissance modérée. Caractérologie : ambition, habileté, passion, détermination, force.

Saverio : Maison neuve (basque). Ce prénom est très rare. Caractérologie : décision, ambition, force, habileté, caractère.

Savinien : Habitant d'Italie centrale (latin). Ce prénom est très rare. Tendance : en décrois-

SAMUEL

Fête : 20 août

Étymologie : Samuel tire son origine d'un mot hébraïque signifiant : « Son nom est Dieu ». Il est l'un des rares prénoms qui aura connu la gloire deux fois en l'espace de vingt-trois ans. Après avoir culminé en 1979 dans l'Hexagone – avec la naissance de plus de 2 000 Samuel –, ce dernier fait une chute spectaculaire. Or, cela ne l'a pas empêché de repartir de plus belle en 1992. Samuel confirme sa renaissance aujourd'hui en progressant de manière constante. On peut même anticiper qu'il répétera prochainement sa performance de 1979. Dans ce contexte, Samuel devrait entrer sans difficultés dans le top 30 du palmarès français. Ce succès profite à d'autres déclinaisons, telles Sam et Samy. Ces diminutifs de Samuel se propagent et figurent aujourd'hui dans les 200 prénoms français les plus attribués.

Chez nos voisins francophones, Samuel trahit une tendance déclinante. Il dégringole en Wallonie où il doit se contenter d'une présence dans le top 40. Il descend également au sein du top 20 suisse romand. Enfin Samuel était en tête du hit-parade québécois en 2001 et ne l'est plus aujourd'hui. Il devrait toutefois se maintenir en 2e ou 3e de ce tableau, ce qui est un moindre mal. En dehors de la zone francophone, on le trouve assez répandu en Allemagne.

Samuel est le premier grand juge et prophète qui désigna Saül (le premier roi d'Israël), puis David à sa succession. Deux livres de la Bible portent son nom.
Samuel Beckett est l'auteur dramatique et romancier irlandais (1906-1989). Sa pièce la plus célèbre est sans aucun doute *En attendant Godot*. Il reçoit le prix Nobel de littérature en 1969.
Samuel Morse, physicien américain (1791-1872). Il est l'inventeur du code morse, système de télécommunication qui n'a été abandonné par la marine qu'en 1999 (au profit du GMDSS).
Statistique : Samuel est le 140e prénom masculin le plus attribué du XXe siècle en France.

S

sance modérée. Variantes : Savin, Savino. Caractérologie : optimisme, pragmatisme, créativité, communication, décision.

Scipion : Baguette de bois (latin). Ce prénom est porté par moins de 100 personnes en France. Caractérologie : fiabilité, méthode, analyse, sympathie, ténacité.

Scott : Ecossais (celte). Ce prénom est rare. Tendance : stable. Variante : Scotty. Caractérologie : dynamisme, curiosité, courage, indépendance, organisation.

Sean : Dieu fait grâce (hébreu). Ce prénom est rare. Tendance : en forte croissance. Sean devrait figurer dans le top 10 irlandais en

2004. Caractérologie : enthousiasme, communication, pratique, adaptation, générosité.

Searle : Armure, défenseur (celte). Caractérologie : paix, bienveillance, conseil, conscience, résolution.

Sébastian : Respecté, vénéré (grec). Ce prénom est rare. Tendance : en croissance modérée. Variante : Sebastiano. Caractérologie : rectitude, humanité, décision, ouverture d'esprit, rêve.

Sébastien : Respecté, vénéré (grec). Ce prénom est très répandu. De plus, il figure dans le top 100 français aujourd'hui. Tendance : en décroissance modérée. Caractérologie : ténacité, méthode, fiabilité, engagement, détermination.

Secondo : Second (latin). Ce prénom est porté par moins de 100 personnes en France. Variantes : Second, Segond, Segundo. Caractérologie : optimisme, communication, volonté, pragmatisme, créativité.

Segal : Trésor (hébreu). En France, Segal est plus traditionnellement usité en Bretagne. Variantes : Matmon, Siegal. Caractérologie : vitalité, achèvement, ardeur, stratégie, cœur.

Sélim : Pur, intact, en sécurité (arabe). Ce prénom est assez répandu. Il est relativement peu attribué aujourd'hui. Tendance : stable. Variante : Célim. Caractérologie : structure, persévérance, sécurité, détermination, efficacité.

Selyan : Aveugle (latin). Ce prénom est porté par moins de 100 personnes en France. Tendance : en forte croissance. Variante : Celyan. Caractérologie : persévérance, structure, sécurité, efficacité, compassion.

Sémi : Supérieur, sublime (arabe). Ce prénom est très rare. Tendance : en forte croissance. Caractérologie : innovation, autorité, énergie, ambition, décision.

Sémih : Généreux, magnanime (arabe). Ce prénom est très rare. Tendance : en forte croissance. Caractérologie : intégrité, idéalisme, altruisme, résolution, réflexion.

Sémy : Supérieur, sublime (arabe). Ce prénom est très rare. Tendance : en forte croissance. Caractérologie : force, ambition, habileté, passion, réussite.

Seng : Noble, luxe (vietnamien). Ce prénom est porté par moins de 100 personnes en France. Caractérologie : ouverture d'esprit, humanité, rêve, rectitude, générosité.

Septime : Septième (latin). Ce prénom est porté par moins de 100 personnes en France. Caractérologie : paix, décision, bienveillance, conscience, réussite.

Sérafin : Ardent (latin). Ce prénom est très rare. Variante : Serafino. Caractérologie : idéalisme, intégrité, altruisme, réflexion, décision.

Séraphin : Ardent (latin). Ce prénom assez rare est peu attribué actuellement. Tendance : en croissance modérée. Variante : Seraphino. Caractérologie : action, rectitude, humanité, rêve, décision.

Serge : Servir (latin). Ce prénom est très répandu. Il est très peu attribué aujourd'hui. Tendance : en décroissance modérée. Variantes : Sergei, Serges, Serguei. Caractérologie : idéalisme, altruisme, réflexion, décision, intégrité.

Sergio : Servir (latin). Ce prénom assez rare est très peu attribué aujourd'hui. Tendance : stable. Sergio est très répandu dans les pays hispanophones, en Italie et au Portugal. En France, ce prénom est plus traditionnellement usité en Corse. Variante : Serjio. Caractérologie : direction, audace, dynamisme, indépendance, résolution.

Servan : Qui est respectueux (breton). Ce prénom est très rare. Tendance : en croissance modérée. Caractérologie : méditation, indépendance, savoir, intelligence, détermination.

Seth : Dieu a désigné (hébreu). Caractérologie : savoir, méditation, intelligence, indépendance, finesse.

Sévan : Nom d'un lac d'Arménie (arménien). Ce prénom est très rare. Tendance : stable. Caractérologie : méditation, indépendance, savoir, sagesse, intelligence.

Seven : Sept (anglais). Ce prénom est porté par moins de 100 personnes en France. Tendance : stable. Caractérologie : relationnel, adaptabilité, médiation, intuition, fidélité.

Séverin : Grave, sérieux (latin). Ce prénom assez rare est très peu attribué aujourd'hui. Tendance : stable. Variantes : Sever, Séverian, Severino. Caractérologie : réceptivité, décision, sociabilité, loyauté, diplomatie.

Seymour : Qui vit près de la mer (anglais). Caractérologie : force, ambition, habileté, réussite, logique.

Sezny : Rayon de soleil (celte). Ce prénom est porté par moins de 100 personnes en France. Caractérologie : vitalité, stratégie, ardeur, achèvement, leadership.

Shad : Abri, remise (anglais). Ce prénom est porté par moins de 100 personnes en France. Tendance : en forte croissance. Caractérologie : charisme, courage, dynamisme, curiosité, indépendance.

Shaï : Don, présent (hébreu). Ce prénom est très rare. Tendance : en forte croissance. Caractérologie : ambition, énergie, innovation, autonomie, autorité.

Shawn : Dieu fait grâce (hébreu). Ce prénom est très rare. Tendance : en forte croissance. Variantes : Shan, Shane, Shaun, Shun. Caractérologie : relationnel, adaptabilité, intuition, fidélité, médiation.

Sheldon : Colline protégée (vieil anglais). Ce prénom est porté par moins de 100 personnes en France. Tendance : stable. Caractérologie : découverte, énergie, originalité, audace, volonté.

Sidi : Habitant de Sidon (latin). Lion (arabe). Ce prénom assez rare est très peu attribué aujourd'hui. Tendance : stable. Variantes : Sid, Sidy. Forme composée rare mais en forte croissance : Sidi-Mohamed. Caractérologie : audace, énergie, originalité, séduction, découverte.

Sidney : Habitant de Sidon (latin). Ce prénom assez rare est peu attribué actuellement. Tendance : stable. Variante : Saens. Caractérologie : persévérance, structure, sécurité, réussite, décision.

Sidoine : Habitant de Sidon (latin). Ce prénom est très rare. Tendance : en croissance modérée. Caractérologie : communication, caractère, enthousiasme, pratique, décision.

S

405

Siegfried : Victoire, paix (germanique). Ce prénom est rare. Tendance : en forte décroissance. Siegfried est très répandu en Allemagne. Variantes : Siegfrid, Siegrid, Sigfried. Caractérologie : direction, audace, caractère, dynamisme, réussite.

Sigismond : Victoire préservée (germanique). Ce prénom est très rare. Variantes : Sigmond, Sigmund. Caractérologie : caractère, dynamisme, direction, audace, réussite.

Silas : Demander (araméen). Ce prénom est très rare. Tendance : en forte croissance. Caractérologie : bienveillance, conscience, paix, conseil, sagesse.

Silvain : Forêt (latin). Ce prénom est rare. Tendance : stable. Variantes : Seva, Silvano, Silver, Silvin, Silvino. Variante bretonne : Sev. Caractérologie : dynamisme, courage, curiosité, détermination, indépendance.

Silvère : Forêt (latin). Ce prénom assez rare est très peu attribué aujourd'hui. Tendance : en forte décroissance. Caractérologie : ouverture d'esprit, rectitude, humanité, rêve, décision.

Silvio : Forêt (latin). Ce prénom assez rare est très peu attribué aujourd'hui. Tendance : stable. Variante : Silbio. Caractérologie : audace, énergie, découverte, originalité, raisonnement.

Siméon : Qui est exaucé (hébreu). Ce prénom est rare. Tendance : en forte croissance. Caractérologie : pragmatisme, communication, optimisme, détermination, volonté.

Simon : Qui est exaucé (hébreu). Ce prénom répandu figure dans le top 50 français aujourd'hui. Voir le zoom dédié à Simon.

Variantes : Shimon, Siméo, Simson, Syméon, Symon, Ximun. Caractérologie : résolution, méditation, savoir, volonté, intelligence.

Sinan : Protecteur (arabe). Ce prénom est rare. Tendance : stable. Caractérologie : pratique, communication, décision, enthousiasme, adaptation.

Sinclair : Se rapporte au nom d'un village français. Ce prénom est porté par moins de 100 personnes en France. Tendance : en croissance modérée. Caractérologie : sécurité, structure, efficacité, résolution, persévérance.

Sixte : Lisse, poli (grec). Ce prénom est très rare. Tendance : en croissance modérée. Caractérologie : audace, découverte, résolution, énergie, originalité.

Sliman : Intact, d'origine (arabe). Ce prénom est rare. Tendance : en croissance modérée. Caractérologie : dynamisme, curiosité, résolution, courage, indépendance.

Slimane : Intact, d'origine (arabe). Ce prénom assez rare est très peu attribué aujourd'hui. Tendance : stable. Variante : Slim. Caractérologie : ambition, innovation, autorité, détermination, énergie.

Sloan : Guerrier (celte). Ce prénom est très rare. Tendance : en croissance modérée. Caractérologie : spiritualité, sagacité, philosophie, connaissances, originalité.

Smaïl : Dieu a entendu (hébreu). Ce prénom arabe est assez rare. Il est très peu attribué aujourd'hui. Tendance : stable. Variante : Smaël. Caractérologie : idéalisme, altruisme, dévouement, intégrité, réflexion.

SIMON

Fête : 28 octobre

Étymologie : de hébreu *shimon* : qui est exaucé. Ce prénom biblique est très connu dans le monde entier. En effet, dans l'ancien testament, Simon est le second fils de Jacob et Léa. Il est donc surprenant qu'il ait été si peu usité en France sur l'ensemble du XXe siècle. Or le destin de ce prénom est peut-être en train de changer. Simon a émergé dans l'Hexagone dans les années 1980. Sa constance a porté ses fruits puisqu'il évolue aujourd'hui dans le top 40 du palmarès français. On peut même anticiper que ce prénom sera attribué à plus de 2 000 nouveau-nés en France en 2005. Il faudra donc suivre son évolution de près.

En dehors de l'Hexagone, Simon poursuit son ascension. Il vient d'entrer dans le top 20 de la Wallonie et de la Suisse romande. Sa situation est similaire en Allemagne et en Suède où ce prénom est en vogue. Notons également que la variante Simen devrait figurer dans le top 10 norvégien en 2003 et que son équivalent masculin Simone est à la mode en Italie. Il perd en revanche du terrain au Québec puisqu'il n'est plus l'un de ses 20 prénoms dominants. Par ailleurs, Simon est encore mal placé dans le hit-parade des pays anglophones. En attendant sa renaissance dans ces régions, rappelons que Simon peut s'écrire de cette manière dans de nombreux pays du monde... Cette particularité, bien rare aujourd'hui, pourrait séduire de nombreux parents francophones vivant à l'étranger.

Simon Bolívar, général et homme d'État sud-américain. Il est sans doute le plus célèbre des *libertadores* (libérateurs). Son combat entre 1810 et 1830 pour l'indépendance des colonies espagnoles d'Amérique lui permet notamment de libérer le Venezuela, la Colombie, l'Équateur et le Pérou.

Statistique : Simon est le 133e prénom masculin le plus attribué du XXe siècle en France.

S

407

Smaïn : Dieu a entendu (hébreu). Ce prénom arabe est assez rare. Il est très peu attribué aujourd'hui. Tendance : en décroissance modérée. Variante : Smaïne. Caractérologie : sociabilité, détermination, réceptivité, diplomatie, loyauté.

Socrate : Salut et paix (grec). Ce prénom est porté par moins de 100 personnes en France. Caractérologie : humanité, rectitude, analyse, rêve, résolution.

Sofian : Dévoué (arabe). Ce prénom est assez répandu. Il est relativement peu attribué aujourd'hui. Tendance : stable. Caractérologie : innovation, ambition, autorité, énergie, détermination.

Sofiane : Dévoué (arabe). Ce prénom répandu figure dans le top 100 français aujourd'hui. Tendance : stable. Sofiane figure dans le palmarès des prénoms mixtes. Pour en savoir plus, voir cet article. Variantes : Saufiane, Sofyan, Sofyane. Caractérologie : bienveillance, paix, conscience, conseil, résolution.

Sofien : Dévoué (arabe). Ce prénom assez rare est peu attribué actuellement. Tendance : stable. Variantes : Sofiene, Sofienne, Sofyen. Caractérologie : audace, énergie, originalité, découverte, détermination.

Sol : Soleil (latin). Caractérologie : dynamisme, audace, indépendance, assurance, direction.

Solal : Celui qui fraie un chemin (hébreu). Ce prénom est très rare. Tendance : en forte croissance. Caractérologie : courage, curiosité, dynamisme, charisme, indépendance.

Solen : Solennel (latin). Ce prénom est porté par moins de 100 personnes en France. Caractérologie : médiation, intuition, adaptabilité, fidélité, relationnel.

Soliman : Pacifique, calme (hébreu). Ce prénom est très rare. Tendance : en décroissance modérée. Variante : Solly. Caractérologie : sociabilité, réceptivité, diplomatie, analyse, volonté.

Sonny : Fils, garçon (anglais). Ce prénom assez rare est relativement peu attribué aujourd'hui. Tendance : stable. Caractérologie : bienveillance, conscience, conseil, paix, sagesse.

Sony : Fils, garçon (anglais). Ce prénom est rare. Tendance : en décroissance modérée. Variante : Soni. Caractérologie : dyna-misme, audace, assurance, direction, indépendance.

Sophian : Dévoué (arabe). Ce prénom est rare. Tendance : en décroissance modérée. Caractérologie : action, audace, dynamisme, détermination, direction.

Sophiane : Dévoué (arabe). Ce prénom est rare. Tendance : stable. Variante : Sophien. Caractérologie : action, bienveillance, paix, conscience, décision.

Sosthène : Celui dont la force est préservée (grec). Ce prénom est très rare. Tendance : en croissance modérée. Variante corse : Sostene. Caractérologie : conseil, conscience, paix, sensibilité, bienveillance.

Soufian : Dévoué (arabe). Ce prénom est rare. Tendance : stable. Caractérologie : ténacité, méthode, fiabilité, détermination, raisonnement.

Soufiane : Dévoué (arabe). Ce prénom assez rare est relativement peu attribué aujourd'hui. Tendance : stable. Variantes : Soufien, Souphiane. Caractérologie : humanité, décision, rectitude, rêve, logique.

Souhéil : Préparer, faciliter un projet (arabe). Ce prénom est très rare. Tendance : en forte croissance. Variantes : Sohaïl, Sohéil, Souhaïl, Souhayl. Caractérologie : résolution, ambition, force, analyse, habileté.

Souleymane : Sain, intact, en sécurité (arabe). Ce prénom est rare. Tendance : stable. Variantes : Soleiman, Souleiman, Souleimane, Souleyman, Souliman, Soulimane, Sulayman, Suliman. Caractérologie : ténacité, fiabilité, méthode, volonté, réalisation.

Sovan : Or (cambodgien). Variante : Sovann. Caractérologie : achèvement, vitalité, stratégie, ardeur, volonté.

Spencer : Qui distribue des provisions (anglais). Ce prénom est porté par moins de 100 personnes en France. Variante : Spence. Caractérologie : habileté, détermination, force, ambition, compassion.

Stacy : Résurrection (grec). Ce prénom est porté par moins de 100 personnes en France. Variantes : Stecy, Stessy. Caractérologie : énergie, audace, découverte, organisation, originalité.

Stan : Diminutif des prénoms assemblés avec Stan. Ce prénom est rare. Tendance : en forte croissance. Caractérologie : altruisme, réflexion, idéalisme, intégrité, dévouement.

Stanislas : Commandeur prestigieux (slave). Ce prénom répandu est relativement peu attribué aujourd'hui. Tendance : stable. Variantes : Stanis, Stanislav, Stanislawa, Stany, Stanyslas. Caractérologie : famille, décision, gestion, équilibre, sens des responsabilités.

Stanislaw : Commandeur prestigieux (slave). Ce prénom est rare. Caractérologie : direction, dynamisme, décision, audace, gestion.

Stanley : Clairière rocailleuse (anglais). Ce prénom est rare. Tendance : en croissance modérée. Caractérologie : famille, équilibre, organisation, sens des responsabilités, compassion.

Steed : Habitant d'une ferme (anglais). Ce prénom est porté par moins de 100 personnes en France. Caractérologie : ardeur, vitalité, leadership, stratégie, achèvement.

Steeve : Couronné (grec). Ce prénom est assez répandu. Il est peu attribué actuellement. Tendance : stable. Variantes : Steave, Steeves. Caractérologie : sécurité, efficacité, persévérance, structure, honnêteté.

Steeven : Couronné (grec). Ce prénom assez rare est relativement peu attribué aujourd'hui. Tendance : stable. Variante : Steevens. Caractérologie : idéalisme, dévouement, altruisme, intégrité, réflexion.

Steevy : Couronné (grec). Ce prénom est rare. Tendance : en forte croissance. Variantes : Steevie, Stevie, Stevy. Caractérologie : sens des responsabilités, famille, équilibre, influence, réussite.

Stefan : Couronné (grec). Ce prénom assez rare est peu attribué actuellement. Tendance : stable. Stefan est très répandu en Allemangne. En France, ce prénom est plus traditionnellement usité au Pays Basque. Caractérologie : intuition, fidélité, relationnel, médiation, adaptabilité.

Stellio : Étoile (latin). Ce prénom est porté par moins de 100 personnes en France. Variante : Stelio. Caractérologie : relationnel, décision, médiation, intuition, logique.

Sten : Cailloux (suédois). Ce prénom est porté par moins de 100 personnes en France. Caractérologie : efficacité, sécurité, honnêteté, persévérance, structure.

Stéphan : Couronné (grec). Ce prénom répandu est très peu attribué aujourd'hui. Tendance : stable. Caractérologie : médiation, fidélité, intuition, finesse, relationnel.

Stéphane : Couronné (grec). Ce prénom est très répandu. Il est plutôt bien attribué aujourd'hui. Tendance : en décroissance modérée. Variantes : Stéfane, Stefano, Stephani, Stéphanne. Caractérologie : savoir, indépendance, méditation, intelligence, finesse.

Stephen : Couronné (grec). Ce prénom est assez répandu. Il est peu attribué actuellement. Tendance : en décroissance modérée. Variantes : Stefen, Steffen. Caractérologie : paix, bienveillance, conscience, conseil, finesse.

Stevan : Couronné (grec). Ce prénom est rare. Tendance : en croissance modérée. Caractérologie : altruisme, idéalisme, intégrité, réflexion, dévouement.

Steve : Couronné (grec). Ce prénom répandu est relativement peu attribué aujourd'hui. Tendance : en décroissance modérée. Variantes : Steves, Stive, Stivy, Styve. Caractérologie : vitalité, achèvement, leadership, stratégie, ardeur.

Steven : Couronné (grec). Ce prénom répandu figure dans le top 100 français aujourd'hui. Tendance : en décroissance modérée. Variantes : Steveen, Stevenn, Stewen, Stiven. Caractérologie : structure, persévérance, sécurité, efficacité, honnêteté.

Stevens : Couronné (grec). Ce prénom assez rare est très peu attribué aujourd'hui. Tendance : en décroissance modérée. Caractérologie : découverte, audace, originalité, énergie, séduction.

Stevenson : Fils de Steven (anglais). Ce prénom est porté par moins de 100 personnes en France. Caractérologie : sagacité, connaissances, caractère, originalité, spiritualité.

Stig : Le grand marcheur (scandinave). Caractérologie : assurance, audace, dynamisme, direction, indépendance.

Stuart : Qui prend soin (anglais). Ce prénom est très rare. Tendance : en décroissance modérée. Variante : Stewart. Caractérologie : rectitude, humanité, rêve, ouverture d'esprit, gestion.

Styven : Couronné (grec). Ce prénom est très rare. Tendance : stable. Caractérologie : influence, équilibre, famille, sens des responsabilités, réalisation.

Suleyman : Sain, intact, en sécurité (arabe). Ce prénom est rare. Tendance : stable. Caractérologie : sociabilité, réceptivité, diplomatie, cœur, réussite.

Suliac : Soleil (breton). Variante : Suliag. Caractérologie : sociabilité, diplomatie, loyauté, réceptivité, bonté.

Sullivan : Champ retourné sur une colline (vieil anglais). Ce prénom est assez répandu. Il est relativement peu attribué aujourd'hui. Tendance : stable. Variante : Sulivan. Caractérologie : fidélité, médiation, intuition, relationnel, détermination.

Sully : Nom de ville et patronyme devenu prénom. Ce prénom est très rare. Tendance : stable. Caractérologie : achèvement, vitalité, ardeur, leadership, stratégie.

Sullyvan : Champ retourné sur une colline (vieil anglais). Ce prénom est rare. Tendance : stable. Variante : Sulyvan. Caractérologie : altruisme, idéalisme, intégrité, réalisation, sympathie.

Sulpice : Aide (latin). Ce prénom est porté par moins de 100 personnes en France.

Caractérologie : structure, persévérance, sécurité, compassion, détermination.

Sunny : Ensoleillé (anglais). Ce prénom est très rare. Tendance : en décroissance modérée. Caractérologie : compassion, créativité, optimisme, communication, pragmatisme.

Sven : Jeunesse (scandinave). Ce prénom est rare. Tendance : stable. Variantes : Svenn, Swen. Caractérologie : bienveillance, paix, sagesse, conscience, conseil.

Swan : Cygne (anglais). Ce prénom est rare. Tendance : en croissance modérée. Caractérologie : générosité, pratique, enthousiasme, communication, adaptation.

Swann : Cygne (anglais). Ce prénom assez rare est peu attribué actuellement. Tendance : stable. Caractérologie : achèvement, vitalité, stratégie, ardeur, leadership.

Sydney : Habitant de Sidon (latin). Ce prénom est très rare. Tendance : stable. Caractérologie : relationnel, intuition, fidélité, médiation, réalisation.

Sylvain : Forêt (latin). Ce prénom est très répandu. Il est plutôt bien attribué aujourd'hui. Tendance : en décroissance modérée. Caractérologie : pratique, communication, cœur, réussite, enthousiasme.

Sylvère : Forêt (latin). Ce prénom assez rare est très peu attribué aujourd'hui. Tendance : stable. Variantes : Sylve, Sylver. Caractérologie : connaissances, sagacité, cœur, réussite, spiritualité.

Sylvestre : Habitant de la forêt (latin). Ce prénom assez rare est très peu attribué aujourd'hui. Tendance : stable. Variantes : Silvester, Silvestre, Sylvester. Caractéro-

logie : énergie, autorité, innovation, réalisation, sympathie.

Sylvian : Forêt (latin). Ce prénom est rare. Tendance : stable. Variantes : Sylvano, Sylvin. Caractérologie : communication, optimisme, réalisation, pragmatisme, compassion.

Sylvio : Forêt (latin). Ce prénom est rare. Tendance : en croissance modérée. Caractérologie : enthousiasme, communication, réalisation, raisonnement, pratique.

Symmaque : Unir, combattre (grec). Caractérologie : bienveillance, conscience, paix, sympathie, réalisation.

Symphorien : Unir, porter (grec). Ce prénom est porté par moins de 100 personnes en France. Caractérologie : intelligence, savoir, méditation, réalisation, volonté.

Tadek : Père (breton). Ce prénom est porté par moins de 100 personnes en France. Variantes : Tadec, Tadeck. Caractérologie : dynamisme, curiosité, courage, indépendance, charisme.

Tadeusz : Courageux (grec). Ce prénom est rare. Variantes : Tadéo, Tadeus, Tadeuz, Thadeus, Thadeusz. Caractérologie : organisation, sens des responsabilités, équilibre, famille, finesse.

Tahar : Pureté, innocence (arabe). Ce prénom assez rare est très peu attribué aujourd'hui. Tendance : en croissance modérée. Variantes : Taher, Tahir. Caractérologie : pratique, communication, enthousiasme, adaptation, générosité.

Tal : La rosée (hébreu). Ce prénom est porté par moins de 100 personnes en France. Caractérologie : famille, équilibre, sens des responsabilités, influence, organisation.

Talal : Élégant (arabe). Ce prénom est très rare. Variante : Talel. Caractérologie : autorité, énergie, innovation, ambition, organisation.

Talha : Fleur d'acacia (arabe). Ce prénom est porté par moins de 100 personnes en France. Tendance : en croissance modérée. Caractérologie : conscience, paix, bienveillance, conseil, gestion.

Tam : Centre, cœur, esprit (vietnamien). Caractérologie : connaissances, philosophie, sagacité, spiritualité, originalité.

Tamahere : Enfant aimé (tahitien). Caractérologie : achèvement, vitalité, stratégie, résolution, finesse.

Tamarii : Enfant (tahitien). Caractérologie : vitalité, ardeur, achèvement, leadership, stratégie.

Tamer : Prospère (arabe). Ce prénom est porté par moins de 100 personnes en France. Caractérologie : pragmatisme, communication, optimisme, créativité, résolution.

Tan : Nouveau (vietnamien). Ce prénom est très rare. Caractérologie : achèvement, leadership, stratégie, vitalité, ardeur.

Tancrède : Sage conseiller (germanique). Ce prénom est très rare. Tendance : en décroissance modérée. Caractérologie : sagacité, spiritualité, organisation, détermination, connaissances.

Taner : Tanneur (anglais). Ce prénom est très rare. Caractérologie : efficacité, structure, sécurité, persévérance, résolution.

Tangi : Chien ou guerrier de feu (celte). Ce prénom est rare. Tendance : en croissance modérée. Caractérologie : sens des responsabilités, influence, équilibre, famille, résolution.

Tanguy : Chien ou guerrier de feu (celte). Ce prénom breton est répandu. Il figure dans le top 100 français aujourd'hui. Tendance : stable. Variante : Tangui. Caractérologie : savoir, intelligence, méditation, organisation, compassion.

Tao : Voie, méthode, création (chinois). Respectueux de ses parents (vietnamien). Ce prénom est très rare. Tendance : en forte croissance. Caractérologie : ouverture d'esprit, rectitude, humanité, rêve, générosité.

Tarek : Étoile du matin (arabe). Ce prénom assez rare est très peu attribué aujourd'hui. Tendance : stable. Caractérologie : innovation, autorité, énergie, résolution, ambition.

Tarik : Étoile du matin (arabe). Ce prénom est assez répandu. Il est peu attribué actuellement. Tendance : stable. Variantes : Tarak, Tarick, Tariq. Caractérologie : découverte, énergie, originalité, audace, séduction.

Tayeb : De nature calme et bienveillante (arabe). Ce prénom est rare. Tendance : en croissance modérée. Caractérologie : passion, force, habileté, ambition, management.

Taylor : Couturier (anglo-saxon). Ce prénom est très rare. Tendance : stable. Caractérologie : autorité, énergie, organisation, innovation, analyse.

Tayron : Du comté d'Eoghan (irlandais). Ce prénom est porté par moins de 100 personnes en France. Tendance : en croissance modérée. Caractérologie : pratique, communication, enthousiasme, adaptation, résolution.

Ted : Don de Dieu (grec). Ce prénom est très rare. Tendance : en croissance modérée. Caractérologie : intuition, médiation, adaptabilité, relationnel, fidélité.

Teddy : Don de Dieu (grec). Ce prénom répandu est plutôt bien attribué aujourd'hui. Tendance : stable. Variantes : Tedy, Theddy. Caractérologie : ténacité, méthode, fiabilité, engagement, sens du devoir.

Teiki : Le roi des dieux rêveurs (tahitien). Caractérologie : rectitude, rêve, humanité, générosité, ouverture d'esprit.

Télémaque : Combat, distance (grec). Dans la mythologie grecque, Télémaque est le fils d'Ulysse et de Pénélope. Ce prénom est porté par moins de 100 personnes en France. Caractérologie : rectitude, gestion, rêve, attention, humanité.

Télesphore : Qui déplace (grec). Ce prénom est porté par moins de 100 personnes en France. Caractérologie : équilibre, famille, sens des responsabilités, raisonnement, sensibilité.

Télio : Dieu (grec). Ce prénom est porté par moins de 100 personnes en France. Tendance : en décroissance modérée. Variante : Téliau. Caractérologie : intelligence, savoir, méditation, indépendance, logique.

Telmo : Résolu (grec). Ce prénom est porté par moins de 100 personnes en France. Caractérologie : médiation, relationnel, intuition, fidélité, volonté.

Tenenan : Haut (breton). Ce prénom est porté par moins de 100 personnes en France. Variante : Thenenan. Caractérologie : audace, direction, indépendance, assurance, dynamisme.

Tenshi : L'ange (japonais). Caractérologie : enthousiasme, pratique, détermination, communication, sensibilité.

Téo : Dieu (grec). Ce prénom est assez répandu. Il est plutôt bien attribué aujourd'hui. Tendance : en forte croissance. Caractérologie : efficacité, sécurité, persévérance, structure, honnêteté.

Téoman : Don de Dieu (grec). Ce prénom est très rare. Tendance : en forte croissance. Caractérologie : énergie, découverte, originalité, audace, volonté.

Terence : Tendre, gracieux (grec). Ce prénom assez rare est relativement peu attribué aujourd'hui. Tendance : stable. Variantes : Terrence, Therence. Caractérologie : indépendance, sagesse, méditation, savoir, intelligence.

Terry : Tendre, gracieux (grec). Ce prénom assez rare est relativement peu attribué aujourd'hui. Tendance : stable. Variantes : Tery, Therry, Théry. Caractérologie : séduction, énergie, découverte, originalité, audace.

Teva : Grand voyageur (tahitien). Ce prénom est rare. Tendance : stable. Caractérologie : optimisme, pragmatisme, communication, sociabilité, créativité.

Thaddée : Courageux (grec). Ce prénom est très rare. Tendance : en croissance modérée. Variantes : Thad, Thade, Thadée. Caractérologie : sensibilité, sociabilité, réceptivité, loyauté, diplomatie.

413

Thaï : Plusieurs (vietnamien). Ce prénom est porté par moins de 100 personnes en France. Caractérologie : fidélité, relationnel, adaptabilité, intuition, médiation.

Thanh : Fin, clair, couleur bleue ou muraille (idée de solidité), achevé (vietnamien). Ce prénom est très rare. Tendance : stable. Caractérologie : sens des responsabilités, équilibre, famille, influence, sensibilité.

Thao : Respectueux de ses parents (vietnamien). Ce prénom est porté par moins de 100 personnes en France. Tendance : en forte croissance. Caractérologie : vitalité, achèvement, stratégie, ardeur, leadership.

Théau : Dieu (grec). Ce prénom est rare. Tendance : en croissance modérée. Caractérologie : innovation, autorité, énergie, sensibilité, organisation.

Thècle : Gloire de Dieu (grec). Caractérologie : stratégie, vitalité, ardeur, achèvement, attention.

Théliau : Dieu (grec). Variantes : Thélau, Thélo. Caractérologie : attention, structure, persévérance, sécurité, décision.

Théo : Dieu (grec). Ce prénom répandu figure dans le top 50 français aujourd'hui. Voir le zoom dédié à Théo. Caractérologie : communication, pragmatisme, optimisme, créativité, attention.

Théobald : Peuple courageux (germanique). Ce prénom est porté par moins de 100 personnes en France. Dans l'Hexagone, Théobald est plus traditionnellement usité en Alsace. Variantes : Téobald, Théobaldo. Caractérologie : sécurité, persévérance, structure, caractère, attention.

Théodore : Don de Dieu (grec). Ce prénom est assez répandu. Il est relativement peu attribué aujourd'hui. Tendance : stable. Variantes : Fedor, Feodor, Téodor, Téodore, Téodoric, Téodorick, Téodoro, Theodor, Théodoric. Caractérologie : altruisme, volonté, intégrité, idéalisme, finesse.

Théodosio : Dieu, donner (grec). Variantes : Téodosio, Théodose. Caractérologie : relationnel, intuition, attention, médiation, caractère.

Théophane : Apparition divine (grec). Ce prénom est rare. Tendance : stable. Variante : Téophane. Caractérologie : diplomatie, réceptivité, sociabilité, attention, loyauté.

Théophile : Qui aime les Dieux (grec). Ce prénom est assez répandu. Il est relativement peu attribué aujourd'hui. Tendance : stable. Variantes : Téophile, Théofil, Théophil. Caractérologie : habileté, force, ambition, analyse, finesse.

Théotime : Honorer Dieu (grec). Ce prénom est rare. Tendance : en forte croissance. Variantes : Théotim, Théotine. Caractérologie : attention, courage, caractère, curiosité, dynamisme.

Thibaud : Peuple courageux (germanique). Ce prénom répandu est relativement peu attribué aujourd'hui. Tendance : stable. Variantes : Thibauld, Thiébaud, Thiebault, Thiébaut, Thuriau, Thybault, Tibald, Tibaud, Tibauld, Tibault, Tibo. Caractérologie : sociabilité, réceptivité, diplomatie, organisation, loyauté.

Thibault : Peuple courageux (germanique). Ce prénom répandu figure dans le top 100

THÉO

Fête : 9 novembre

Étymologie : du grec *theos* : Dieu. Théo est aujourd'hui un prénom à part entière. Cependant, il est à l'origine une forme abrégée des prénoms contenant « Théo ». Le plus connu d'entre eux est Théodore, prénom rétro du XIXe siècle, mais on peut également citer Théobald, Théodose, Théophane, Théophile ou encore Théotime.

Aujourd'hui, Théo est bien plus attribué en France que les prénoms cités ci-dessus. En 2005, on peut estimer qu'il sera inscrit plus de 10 000 fois sur les registres d'état civil. Cette performance remarquable ne sera toutefois pas suffisante pour poursuivre le règne qu'il a entamé en 2001. Théo devrait en effet céder la première place du podium français à Lucas et se contenter d'une place de second dès la fin 2004.

Vogue du rétro ou non, on observe que c'est Théodore, et non Théo, qui est le préféré des parents russes et anglophones. Cependant, Théo gagne du terrain et pourrait prochainement rattraper son aîné. En attendant, Théo se propage dans bien des régions francophones. Au Québec, ce prénom est peu connu aujourd'hui, mais il y grandit très vite. Plus près de l'Hexagone, on le retrouve en haut du palmarès des prénoms suisses romands et wallons. Notons enfin l'existence de Théau, un prénom ancien qui bénéficie de la gloire de Théo et réapparaît en France depuis les années 1990.

Saint Théodore, soldat, est martyrisé à Amassée (Turquie actuelle), au IVe siècle. Théodore est le patron des soldats.

Théodore Roosevelt est président des États-Unis de 1901 à 1909. Il reçoit le prix Nobel de la paix en 1906.

Théodore Géricault, peintre français (1791-1824).

Statistique : Théo est le 150e prénom masculin le plus attribué du XXe siècle en France. Théau est un prénom porté par plus de 600 personnes dans l'Hexagone.

T

415

français aujourd'hui. Tendance : stable. Caractérologie : pratique, communication, enthousiasme, adaptation, organisation.

Thibaut : Peuple courageux (germanique). Ce prénom répandu figure dans le top 100 français aujourd'hui. Tendance : stable. Caractérologie : intégrité, idéalisme, réflexion, gestion, altruisme.

Thiefaine : Apparition divine (grec). Ce prénom est très rare. Tendance : stable. Variante : Tiephaine. Caractérologie : énergie, sensibilité, découverte, détermination, audace.

Thien : Celui qui est juste, bon et vertueux (vietnamien). Ce prénom est porté par moins de 100 personnes en France.

Caractérologie : réceptivité, diplomatie, loyauté, sociabilité, sensibilité.

Thierry : Gouverneur du peuple (germanique). Ce prénom est très répandu. Il est relativement peu attribué aujourd'hui. Tendance : en décroissance modérée. Variantes : Thierno, Tierry. Caractérologie : sécurité, persévérance, structure, ressort, finesse.

Thiery : Gouverneur du peuple (germanique). Ce prénom est rare. Caractérologie : structure, persévérance, sécurité, ressort, finesse.

Thom : Ananas, parfumé (vietnamien). Ce prénom est très rare. Tendance : en forte croissance. Caractérologie : médiation, intuition, relationnel, fidélité, adaptabilité.

Thomas : Jumeau (araméen). Ce prénom est très répandu. De plus, il figure dans le top 50 français aujourd'hui. Voir le zoom dédié à Thomas. Variante : Thoma. Caractérologie : ténacité, méthode, fiabilité, sens du devoir, engagement.

Thomy : Jumeau (araméen). Ce prénom est très rare. Tendance : en forte croissance. Caractérologie : rectitude, humanité, rêve, générosité, ouverture d'esprit.

Thong : Intelligent (vietnamien). Ce prénom est porté par moins de 100 personnes en France. Caractérologie : indépendance, dynamisme, audace, attention, direction.

Thony : Inestimable (latin). Fleur (grec). Ce prénom est très rare. Tendance : en décroissance modérée. Caractérologie : innovation, énergie, autorité, sensibilité, ambition.

Thor : Tonnerre (norvégien). Caractérologie : connaissances, sagacité, originalité, philosophie, spiritualité.

Tibère : Autel, lieu saint (anglais). Variantes : Tiber, Tibor. Caractérologie : curiosité, courage, dynamisme, charisme, indépendance.

Tien : Féerique (vietnamien). Ce prénom est porté par moins de 100 personnes en France. Caractérologie : pratique, communication, enthousiasme, générosité, adaptation.

Tifenn : Apparition divine (grec). Ce prénom est très rare. Tendance : stable. Variante : Thiphaine. Caractérologie : courage, dynamisme, charisme, curiosité, indépendance.

Till : Puissance, combat (germanique). Ce prénom est très rare. Tendance : stable. Caractérologie : vitalité, ardeur, leadership, achèvement, stratégie.

Tim : Honorer Dieu (grec). Ce prénom assez rare est relativement peu attribué aujourd'hui. Tendance : en forte croissance. Tim devrait figurer dans le top 10 allemand en 2004. Caractérologie : paix, bienveillance, conseil, conscience, sagesse.

Timothée : Honorer Dieu (grec). Ce prénom est assez répandu. Il est plutôt bien attribué aujourd'hui. Tendance : stable. Variantes : Thimoté, Thimotée, Timmy, Timo, Timon, Timoté, Timotei, Timoteo, Timothé, Timothey, Tymothé. Caractérologie : dynamisme, curiosité, courage, attention, caractère.

Timothy : Honorer Dieu (grec). Ce prénom assez rare est relativement peu attribué aujourd'hui. Tendance : stable. Variante : Timoty. Caractérologie : réceptivité, ressort, loyauté, diplomatie, sociabilité.

THOMAS, TOM

Fête : 28 janvier, 3 juillet

Étymologie : de l'araméen *toma* : jumeau. Ce vieux prénom a été porté par de nombreux saints. Il a été peu attribué au cours du XXᵉ siècle en France, mais il a décollé à partir des années 1980. En 1996, Thomas devient le prénom numéro 1 français. Il règne en tête du palmarès pendant six ans avant de céder son trône. Aujourd'hui, Thomas doit aussi abandonner les premières places du podium à Lucas, Théo et Matteo. Son déclin entamé il y a trois ans se poursuit lentement mais inexorablement. Néanmoins, Thomas se maintient au 4ᵉ rang du palmarès français, une performance remarquable. En attendant sa future débâcle, Thomas restera encore quelques années l'un des choix préférés des parents français.

En dehors de l'Hexagone, ce prénom rencontre un succès international. Thomas s'est emparé de la première place des palmarès belge et suisse francophones. De plus, il décline au Québec mais il devrait se maintenir dans le top 20 québécois. Thomas n'est pas en reste dans les pays anglophones puisqu'il devrait garder sa place dans le top 10 anglais et australien, le top 20 norvégien et irlandais, et le top 40 américain en 2005. Notons enfin que ce prénom est le 5ᵉ choix des parents tchécoslovaques.

Le déclin amorcé par Thomas sourit à Tom, qui poursuit une ascension remarquable en France depuis 1995. En 2000, 3 590 petits Tom sont nés en France. Cependant, sa croissance est telle que ce chiffre devrait dépasser les 6 000 en 2005. Tom ambitionne la 6ᵉ place du palmarès français. Il y supplantera Thomas prochainement.

Saint Thomas, l'un des douze apôtres, vit au Iᵉʳ siècle. La Bible décrit qu'il refuse initialement de croire à la résurrection de Jésus. Mais lorsque ce dernier lui apparaît, il lui proclame sa foi. Saint Thomas est le patron des architectes et des maçons.

Saint Thomas d'Aquin vit au XIIIᵉ siècle. Auteur de la *Somme théologique*, il est reconnu comme l'un des plus grands théologiens de l'histoire chrétienne. Il est le patron des universités.

Personnalités célèbres : Thomas Hobbes, philosophe anglais (1588-1679). Thomas Jefferson, président des États-Unis (1743-1826). Thomas Paine, écrivain anglais (1737-1809). Thomas Edison, inventeur américain du phonographe et de l'électricité (1847-1931).

Statistique : Thomas est le 53ᵉ prénom masculin le plus attribué du XXᵉ siècle en France.

T
417

Timour : De grande taille (hébreu). Ce prénom est porté par moins de 100 personnes en France. Variante : Timur. Caractérologie : paix, conseil, bienveillance, conscience, analyse.

Tin : Raisonnable (latin). Caractérologie : originalité, sagacité, spiritualité, philosophie, connaissances.

Tito : Honorable (grec). Ce prénom est très rare. Variante francisée : Titien. Caractérologie : autorité, innovation, énergie, autonomie, ambition.

Titouan : Inestimable (latin). Fleur (grec). Ce prénom est assez répandu. Il figure dans le top 100 français aujourd'hui. Tendance : en forte croissance. En France, Titouan est plus traditionnellement usité en Provence. Caractérologie : direction, dynamisme, audace, raisonnement, détermination.

Titus : Je rends honneur (grec). Ce prénom est porté par moins de 100 personnes en France. Il est plus traditionnellement usité en Corse. Caractérologie : ambition, force, habileté, passion, gestion.

Tobias : Dieu est bon (hébreu). Ce prénom est très rare. Tendance : en forte croissance. Tobias est en vogue en Norvège. Variantes : Tobie, Toby. Caractérologie : sociabilité, pragmatisme, communication, créativité, optimisme.

Todd : Renard (anglais). Ce prénom est porté par moins de 100 personnes en France. Tendance : en décroissance modérée. Caractérologie : spiritualité, connaissances, originalité, philosophie, sagacité.

Tom : Jumeau (araméen). Ce prénom répandu figure dans le top 50 français aujourd'hui. Tendance : en forte croissance. Voir le zoom dédié à Thomas. Caractérologie : pragmatisme, créativité, optimisme, sociabilité, communication.

Tomas : Jumeau (araméen). Ce prénom est rare. Tendance : en forte croissance. Variantes : Toma, Tomaso, Tomi. Caractérologie : découverte, énergie, audace, originalité, séduction.

Tomislav : Jumeau (araméen). Ce prénom est très rare. En dehors de la France, Tomislav est particulièrement répandu en Pologne. Caractérologie : communication, pratique, enthousiasme, organisation, analyse.

Tommy : Jumeau (araméen). Ce prénom est assez répandu. Il est relativement peu attribué aujourd'hui. Tendance : stable. Caractérologie : originalité, audace, énergie, découverte, séduction.

Tomy : Jumeau (araméen). Ce prénom est rare. Tendance : en croissance modérée. Caractérologie : énergie, ambition, innovation, autonomie, autorité.

Tong : Obéissant (vietnamien). Ce prénom est porté par moins de 100 personnes en France. Caractérologie : réceptivité, loyauté, sociabilité, diplomatie, bonté.

Toni : Inestimable (latin). Fleur (grec). Ce prénom assez rare est peu attribué actuellement. Tendance : stable. Caractérologie : persévérance, sécurité, honnêteté, efficacité, structure.

Tony : Inestimable (latin). Fleur (grec). Ce prénom répandu figure dans le top 100 français aujourd'hui. Tendance : stable. Variantes : Tonino, Tonio, Tonny. Caractérologie : diplomatie, sociabilité, réceptivité, loyauté, bonté.

Toufik : Succès, harmonie (arabe). Ce prénom assez rare est peu attribué actuellement. Tendance : stable. Variantes : Tofik, Toufic, Toufike. Caractérologie : raisonnement, ambition, autorité, énergie, innovation.

Toussaint : « Tous les saints « (latin). Ce prénom assez rare est très peu attribué aujourd'hui. Tendance : en croissance modérée. Caractérologie : pratique, enthousiasme, communication, analyse, résolution.

Tran : Très précieux (vietnamien). Ce prénom est porté par moins de 100 personnes en France. Caractérologie : stratégie, achèvement, vitalité, ardeur, détermination.

Tremeur : Grande victoire (breton). Ce prénom est porté par moins de 100 personnes en France. Caractérologie : assurance, direction, audace, dynamisme, indépendance.

Trevis : Le passeur (vieux français). Ce prénom est très rare. Tendance : en croissance modérée. Variante : Travis. Caractérologie : pragmatisme, créativité, communication, optimisme, résolution.

Trévor : Grande victoire (breton). Ce prénom est très rare. Tendance : stable. Caractérologie : force, ambition, habileté, passion, caractère.

Tristan : Révolte, tumulte (celte). Ce prénom répandu figure dans le top 50 français aujourd'hui. Voir le zoom dédié à Tristan. Caractérologie : diplomatie, sociabilité, décision, loyauté, réceptivité.

Trong : Respecté (vietnamien). Ce prénom est porté par moins de 100 personnes en France. Caractérologie : fidélité, intuition, relationnel, médiation, adaptabilité.

Trystan : Révolte, tumulte (celte). Voir Tristan. Ce prénom est rare. Tendance : en croissance modérée. Caractérologie : altruisme, intégrité, réflexion, détermination, idéalisme.

Tu : Beau, étoile (vietnamien). Caractérologie : curiosité, dynamisme, charisme, indépendance, courage.

Tuan : Talent, savoir (vietnamien). Ce prénom est très rare. Caractérologie : organisation, intuition, relationnel, médiation, fidélité.

Tudy : Acclamé par le peule (celte). Ce prénom est porté par moins de 100 personnes en France. Caractérologie : sagacité, spiritualité, connaissances, originalité, philosophie.

Tugdual : Peuple, valeur (celte). Ce prénom breton est rare. Tendance : stable. Caractérologie : dynamisme, curiosité, courage, gestion, réussite.

Tullio : Se rapporte au patronyme italien Tullius. Ce prénom est porté par moins de 100 personnes en France. Caractérologie : stratégie, achèvement, vitalité, raisonnement, ardeur.

Txomin : Qui appartient au seigneur (latin). Ce prénom basque est très rare. Tendance : en croissance modérée. Caractérologie : dynamisme, curiosité, indépendance, caractère, courage.

Ty : Bâtisseur de maisons (anglais). Caractérologie : humanité, ouverture d'esprit, rêve, rectitude, générosité.

Tyler : Bâtisseur de maisons (anglais). Ce prénom est très rare. Tendance : en forte croissance. Caractérologie : force, ambition, passion, habileté, compassion.

T

419

TRISTAN

Fête : 12 novembre

Étymologie : Tristan est probablement d'origine celtique. Sa signification est controversée, elle évoquerait la révolte ou le tumulte. Le succès actuel de ce prénom pourrait paraître d'autant plus étonnant qu'il n'a jamais été autant attribué que ces dernières années. En 2005, on peut par exemple estimer que plus de 2 000 petits Tristan naîtront dans l'Hexagone. C'est pourtant au Moyen ge qu'on aurait pu s'attendre à l'essor de Tristan, notamment en Bretagne. Ce dernier est mentionné maintes fois dans les légendes et les récits médiévaux qui composent la « matière de Bretagne ». De plus, il est un des chevaliers de la Table Ronde et le héros de l'œuvre célèbre de littérature médiévale *Tristan et Iseult*. À titre de comparaison, Arthur (lui aussi chevalier de la Table Ronde) devient très en vogue à cette époque. Il parvient même à se propager en dehors de la Bretagne dont il est originaire. Aujourd'hui, Tristan est moins attribué qu'Arthur, mais il grandit un peu plus vite que ce dernier. Il devrait donc se maintenir au sein du top 40 français en 2005.

La réussite de Tristan n'est pas inexplicable. En effet, sa progression s'inscrit dans la vogue des prénoms d'origine celte, bretonne ou irlandaise dont Mathéo ou Maël sont les premiers représentants. Ajoutons également que la renaissance des prénoms médiévaux contribue elle aussi à son essor. Précisons ici que ce contexte favorable est spécifique à la France. En dehors de l'Hexagone, Tristan ne bénéficie pas des effets de ces courants de mode. Malgré tout, ce prénom a une certaine notoriété dans 2 régions francophones. Tristan progresse notamment au Québec : il pourrait bientôt figurer dans le top 30 québécois. Il semble en revanche décliner vers la 60ᵉ place en Wallonie.

Personnalités célèbres : Tristan Corbière, poète français (1845-1875). Tristan Maya, poète, romancier et critique littéraire français.
Statistique : Tristan est le 201ᵉ prénom masculin le plus attribué du XXᵉ siècle en France.

Tyron : Du comté d'Eoghan (irlandais). Ce prénom est très rare. Tendance : en forte croissance. Variante : Tyrone. Caractérologie : relationnel, médiation, intuition, adaptabilité, fidélité.

Tyson : Braises (vieux français). Ce prénom est très rare. Tendance : stable. Variante : Tayson. Caractérologie : adaptation, pratique, communication, générosité, enthousiasme.

Ugo : Esprit, intelligence (germanique). Ce prénom est assez répandu. Il est plutôt bien attribué aujourd'hui. Tendance : en forte croissance. Caractérologie : spiritualité, connaissances, sagacité, originalité, philosophie.

Ulderick : Puissance (germanique). Caractérologie : réceptivité, diplomatie, sociabilité, loyauté, bonté.

Ulrich : Puissance (germanique). Ce prénom assez rare est peu attribué actuellement. Tendance : en croissance modérée. Variantes : Ulric, Ulrick, Ulrik, Ulrike, Ulrique. Caractérologie : ambition, force, management, habileté, passion.

Ulysse : Courroucé (latin). Ce prénom est assez répandu. Il est relativement peu attribué aujourd'hui. Tendance : en croissance modérée. Ulysse est le héro d'Homère dans l'Illiade et l'Odysée. Variante : Ulisse. Caractérologie : fidélité, relationnel, intuition, médiation, cœur.

Umberto : Esprit brillant (germanique). Ce prénom est rare. En dehors de la France, Umberto est particulièrement répandu en Italie. Caractérologie : sécurité, persévérance, structure, volonté, raisonnement.

Umea : Enfant (basque). Caractérologie : ténacité, méthode, engagement, sens du devoir, fiabilité.

Urbain : De la ville (latin). Ce prénom assez rare est très peu attribué aujourd'hui. Tendance : stable. Variante : Urban. Caractérologie : organisation, résolution, médiation, relationnel, intuition.

Uriel : Dieu est ma lumière (hébreu). Ce prénom est très rare. Variantes : Uriah, Urias.

Caractérologie : médiation, intuition, fidélité, relationnel, adaptabilité.

Vaclav : Gloire immense (tchèque). Ce prénom est porté par moins de 100 personnes en France. Caractérologie : méditation, savoir, intelligence, sagesse, indépendance.

Vadim : Règne glorieux (slave). Ce prénom est rare. Tendance : en forte croissance. Caractérologie : structure, sécurité, persévérance, efficacité, honnêteté.

Vahé : Le meilleur (prénom arménien d'origine iranienne). Ce prénom est porté par moins de 100 personnes en France. Caractérologie : intégrité, altruisme, idéalisme, réflexion, dévouement.

Valentin : Robuste, puissant (germanique). Ce prénom répandu figure dans le top 50 français aujourd'hui. Tendance : stable. Variante : Valentino. Variante basque : Balentin. Caractérologie : méditation, savoir, organisation, intelligence, résolution.

Valère : Courageux (latin). Ce prénom assez rare est très peu attribué aujourd'hui. Tendance : stable. Caractérologie : rêve, humanité, ouverture d'esprit, rectitude, décision.

Valérian : Courageux (latin). Ce prénom assez rare est très peu attribué aujourd'hui. Tendance : en décroissance modérée. Caractérologie : direction, indépendance, audace, dynamisme, résolution.

Valérien : Courageux (latin). Ce prénom est très rare. Caractérologie : courage, curiosité, détermination, indépendance, dynamisme.

Valéry : Courageux (latin). Ce prénom est assez répandu. Il est très peu attribué aujourd'hui. Tendance : en décroissance modérée. Variantes : Valéri, Valeriano. Variantes basques : Balere, Baleri. Caractérologie : intuition, relationnel, sympathie, médiation, réalisation.

Valmont : Protection du gouverneur (germanique). Ce prénom est porté par moins de 100 personnes en France. Variantes : Valmon, Valmond. Caractérologie : gestion, connaissances, spiritualité, caractère, sagacité.

Valter : Commander, gouverner (germanique). Ce prénom est très rare. Caractérologie : bienveillance, paix, organisation, détermination, conscience.

Van : Bourg (arménien). Van est également répandu au Viêt Nam. Il est traditionnellement attribué comme deuxième prénom afin d'indiquer le sexe (masculin) de l'individu. Ce prénom est très rare. Tendance : stable. Caractérologie : innovation, énergie, ambition, autorité, autonomie.

Vania : Papillon (grec). Dieu fait grâce (hébreu). Ce prénom est porté par moins de 100 personnes en France. Caractérologie : médiation, relationnel, intuition, fidélité, résolution.

Vartan : Qui offre des roses (arménien). Ce prénom est porté par moins de 100 personnes en France. Caractérologie : persévérance, structure, résolution, sécurité, efficacité.

Vassili : Roi (grec). Ce prénom est très rare. Tendance : stable. Variantes : Vasili, Vassilis, Vassily, Wassily. Caractérologie : ambition, autorité, innovation, énergie, autonomie.

Veli : Frère (finnois). Ce prénom est très rare. Tendance : stable. Caractérologie : enthousiasme, pratique, communication, adaptation, générosité.

Venceslas : Gloire immense (slave). Ce prénom est très rare. Tendance : stable. Caractérologie : direction, indépendance, audace, dynamisme, assurance.

Véran : Vrai (latin). Foi (slave). Ce prénom est porté par moins de 100 personnes en France. Variante : Verano. Caractérologie : sens des responsabilités, équilibre, famille, détermination, influence.

Viance : Action de vaincre (latin). Caractérologie : humanité, rêve, ouverture d'esprit, résolution, rectitude.

Vianney : Se rapporte à Jean-Marie Vianney, curé d'Ars, qui a été canonisé au XXᵉ siècle. Ce prénom est assez répandu. Il est peu attribué actuellement. Tendance : stable. Caractérologie : idéalisme, intégrité, altruisme, réussite, décision.

Vicente : Qui triomphe (latin). Ce prénom est rare. Tendance : en forte croissance. Variante : Vicenzo. Caractérologie : influence, équilibre, famille, sens des responsabilités, exigence.

Victor : Victorieux (latin). Ce prénom répandu figure dans le top 50 français aujourd'hui. Tendance : stable. Variantes : Bittor, Vic, Vicky, Victoric, Victorice, Viktor, Vitor. Caractérologie : famille, équilibre, influence, sens des responsabilités, raisonnement.

Victor-Emmanuel : Prénom composé de Victor et d'Emmanuel. Ce prénom est très rare. Tendance : en forte croissance. Caractérologie : idéalisme, caractère, altruisme, intégrité, logique.

Victorien : Victorieux (latin). Ce prénom est assez répandu. Il est relativement peu attribué aujourd'hui. Tendance : en décroissance modérée. Variantes : Victorin, Victorino, Victorio, Vittorio. Caractérologie : spiritualité, volonté, sagacité, connaissances, analyse.

Vidal : Vie (latin). Ce prénom est porté par moins de 100 personnes en France. Caractérologie : communication, optimisme, sociabilité, créativité, pragmatisme.

Viet : Le vietnamien (vietnamien). Ce prénom est très rare. Caractérologie : réceptivité, diplomatie, sociabilité, loyauté, bonté.

Vijay : Victoire (sanscrit). Ce prénom est porté par moins de 100 personnes en France. Caractérologie : réalisation, fiabilité, méthode, ténacité, engagement.

Vincent : Qui triomphe (latin). Ce prénom est très répandu. De plus, il figure dans le top 100 français aujourd'hui. Tendance : en décroissance modérée. Variantes : Vince, Vincente, Vinny, Viny. Caractérologie : équilibre, influence, famille, exigence, sens des responsabilités.

Vincenzo : Qui triomphe (latin). Ce prénom assez rare est peu attribué actuellement. Tendance : en croissance modérée. Vincenzo est très répandu en Italie. Caractérologie : rêve, rectitude, humanité, logique, caractère.

Vinh : Glorieux, honorable (vietnamien). Ce prénom est porté par moins de 100 personnes en France. Caractérologie : stratégie, leadership, vitalité, achèvement, ardeur.

Virgil : Qui porte une canne (latin). Ce prénom assez rare est peu attribué actuellement. Tendance : stable. Caractérologie : curiosité, courage, dynamisme, indépendance, charisme.

Virgile : Qui porte une canne (latin). Ce prénom est assez répandu. Il est relativement peu attribué aujourd'hui. Tendance : stable. Caractérologie : indépendance, direction, audace, cœur, dynamisme.

Vital : Vie (latin). Ce prénom assez rare est très peu attribué aujourd'hui. Tendance : stable. En France, Vital est plus traditionnellement usité en Occitanie. Caractérologie : dynamisme, audace, indépendance, direction, gestion.

Vito : Victorieux (latin). Ce prénom est rare. Tendance : en croissance modérée. Caractérologie : pratique, enthousiasme, communication, générosité, adaptation.

Vivian : Vivant (latin). Ce prénom assez rare est très peu attribué aujourd'hui. Tendance : stable. En France, Vivian est plus traditionnellement usité en Occitanie. Caractérologie : dynamisme, curiosité, courage, résolution, indépendance.

Vivien : Vivant (latin). Ce prénom est assez répandu. Il est relativement peu attribué aujourd'hui. Tendance : stable. Caractérologie : intégrité, idéalisme, altruisme, dévouement, réflexion.

Vladan : Combinaison des premières syllabes de Vladimir et de Lénine. Vladimir Ilitch

V

423

Oulianov Lénine est en effet le nom complet du célèbre homme d'État russe (1870-1924). Ce prénom est porté par moins de 100 personnes en France. Caractérologie : rectitude, humanité, rêve, ouverture d'esprit, générosité.

Vladimir : Règne glorieux (slave). Ce prénom assez rare est très peu attribué aujourd'hui. Tendance : stable. Vladimir est très répandu en Russie. Caractérologie : sagacité, spiritualité, connaissances, philosophie, originalité.

Volny : Peuple, esprit (germanique). Ce prénom est porté par moins de 100 personnes en France. Caractérologie : volonté, spiritualité, compassion, sagacité, connaissances.

Voltaire : Prénom révolutionnaire et pseudonyme de l'écrivain et philosophe français François-Marie Arouet (1694-1778). Ce prénom est très rare. Caractérologie : pratique, enthousiasme, volonté, communication, analyse.

Waclaw : Gloire immense (tchèque). Ce prénom est très rare. Caractérologie : altruisme, idéalisme, intégrité, dévouement, réflexion.

Waël : Celui qui cherche refuge dans la spiritualité (arabe). Ce prénom est rare. Tendance : en croissance modérée. Variantes : Wahil, Waïl. Caractérologie : courage, curiosité, indépendance, dynamisme, charisme.

Wahib : Charitable (arabe). Ce prénom est très rare. Tendance : en forte croissance.

Variantes : Ouahib, Waheb. Caractérologie : spiritualité, connaissances, détermination, sagacité, sensibilité.

Wahid : Unique (arabe). Ce prénom est rare. Tendance : stable. Variantes : Ouahid, Ouaïd. Caractérologie : intégrité, idéalisme, réflexion, altruisme, décision.

Walbert : Mur consolidé (germanique). Caractérologie : rectitude, organisation, rêve, humanité, détermination.

Waldemar : Illustre commandeur (scandinave). Ce prénom est très rare. Variante : Valdemar. Caractérologie : dynamisme, indépendance, curiosité, courage, détermination.

Waldo : Celui qui a arraché sa victoire (scandinave). Caractérologie : innovation, ambition, autorité, énergie, volonté.

Walid : Nouveau-né (arabe). Ce prénom est assez répandu. Il est plutôt bien attribué aujourd'hui. Tendance : en croissance modérée. Variantes : Walide, Wallid. Caractérologie : structure, persévérance, efficacité, sécurité, détermination.

Wallace : Du pays de Galles (anglo-saxon). Ce prénom est porté par moins de 100 personnes en France. Tendance : en forte croissance. Caractérologie : pragmatisme, optimisme, sociabilité, communication, créativité.

Walter : Commander, gouverner (germanique). Ce prénom est assez répandu. Il est très peu attribué aujourd'hui. Tendance : stable. Walter est très répandu en Allemagne. En France, ce prénom est plus traditionnellement usité en Alsace et dans les Flandres. Variante : Walther. Caractérologie : connaissances, sagacité, organisation, spiritualité, résolution.

Waly : Du pays de Galles (anglo-saxon). Ce prénom est très rare. Tendance : en forte croissance. Variantes : Wali, Wally. Caractérologie : méditation, indépendance, cœur, savoir, intelligence.

Wandrille : Nom de saint dont l'étymologie est inconnue. Ce prénom est très rare. Tendance : en forte croissance. Caractérologie : stratégie, résolution, achèvement, ardeur, vitalité.

Warren : Qui protège les jardins (germanique). Ce prénom assez rare est relativement peu attribué aujourd'hui. Tendance : stable. Variante : Waren. Caractérologie : sagacité, connaissances, spiritualité, originalité, décision.

Wassil : Maturation spirituelle (arabe). Ce prénom est très rare. Tendance : en forte croissance. Variante : Wacil. Caractérologie : intuition, relationnel, médiation, fidélité, détermination.

Wassim : Beau, gracieux (arabe). Ce prénom assez rare est relativement peu attribué aujourd'hui. Tendance : en forte croissance. Variantes : Wacim, Wasim, Wassime. Caractérologie : communication, pragmatisme, créativité, optimisme, décision.

Wayne : Qui construit des wagons (anglais). Ce prénom est très rare. Tendance : en croissance modérée. Caractérologie : originalité, énergie, audace, séduction, découverte.

Wenceslas : Gloire immense (slave). Ce prénom est très rare. Tendance : en décroissance modérée. Variante : Wenzel.

Caractérologie : sociabilité, diplomatie, loyauté, bonté, réceptivité.

Wendel : Marcheur (germanique). Ce prénom est porté par moins de 100 personnes en France. Variante : Wendelin. Caractérologie : idéalisme, intégrité, altruisme, réflexion, dévouement.

Wendy : Branche fine (germanique). Ce prénom est très rare. Caractérologie : ardeur, vitalité, achèvement, stratégie, leadership.

Werner : Armée protectrice (germanique). Ce prénom est rare. Tendance : en décroissance modérée. Werner est très répandu en Allemagne. Variante : Wernert. Caractérologie : médiation, relationnel, fidélité, adaptabilité, intuition.

Wesley : Prairie de l'ouest (anglais). Ce prénom assez rare est relativement peu attribué aujourd'hui. Tendance : en croissance modérée. Caractérologie : ambition, habileté, cœur, force, passion.

Wilfrid : Déterminé à amener la paix (germanique). Ce prénom est assez répandu. Il est très peu attribué aujourd'hui. Tendance : en décroissance modérée. Variantes : Vilfrid, Wielfried, Wilf, Wilfred. Caractérologie : intégrité, altruisme, volonté, idéalisme, raisonnement.

Wilfried : Déterminé à amener la paix (germanique). Ce prénom répandu est relativement peu attribué aujourd'hui. Tendance : en décroissance modérée. Caractérologie : dynamisme, courage, raisonnement, curiosité, volonté.

Wilhem : Protecteur résolu (germanique). Ce prénom est très rare. Tendance : stable. Variantes : Wilhelm, Willelm, Willem,

425

Willen. Caractérologie : savoir, intelligence, méditation, indépendance, sagesse.

William : Protecteur résolu (germanique). Ce prénom répandu figure dans le top 100 français aujourd'hui. Tendance : stable. William devrait figurer dans le top 10 québécois et suédois en 2004. Variantes : Vili, Viliam, Wiliam, Will, Willis, Willyam, Wylliam. Caractérologie : savoir, méditation, intelligence, indépendance, décision.

Williams : Protecteur résolu (germanique). Ce prénom assez rare est très peu attribué aujourd'hui. Tendance : en décroissance modérée. Caractérologie : force, ambition, passion, résolution, habileté.

Willy : Protecteur résolu (germanique). Ce prénom répandu est peu attribué actuellement. Tendance : en décroissance modérée. Variantes : Willi, Willie. Caractérologie : rectitude, humanité, rêve, ouverture d'esprit, sympathie.

Wilmer : Volonté, renommée (germanique). Caractérologie : stratégie, achèvement, vitalité, leadership, ardeur.

Wilson : Fils de William (anglais). Ce prénom est rare. Tendance : stable. Variante : Williamson. Caractérologie : diplomatie, raisonnement, détermination, sociabilité, réceptivité.

Winfried : Ami de la paix (germanique). Ce prénom est porté par moins de 100 personnes en France. Variante : Winfrid. Caractérologie : sagacité, connaissances, spiritualité, volonté, originalité.

Winston : Pierre de joie (anglais). Ce prénom est porté par moins de 100 personnes en France. Caractérologie : sens des responsa-bilités, famille, équilibre, influence, décision.

Winter : Hiver (anglais). Ce prénom est porté par moins de 100 personnes en France. Caractérologie : ambition, force, management, passion, habileté.

Wissam : Honoré de médailles (arabe). Ce prénom est rare. Tendance : en croissance modérée. Variantes : Ouisam, Ouissam, Wisam. Caractérologie : pratique, communication, enthousiasme, détermination, adaptation.

Wissem : Honoré de médailles (arabe). Ce prénom est rare. Tendance : stable. Variantes : Ouisem, Ouissem, Wisem. Caractérologie : sagacité, spiritualité, connaissances, originalité, décision.

Wit : Vie (polonais). Blanc (hollandais). Caractérologie : connaissances, spiritualité, philosophie, sagacité, originalité.

Wladimir : Règne glorieux (slave). Ce prénom est rare. Tendance : en décroissance modérée. Variantes : Waldi, Waldimir. Caractérologie : passion, force, habileté, résolution, ambition.

Wladislaw : Gouverneur puissant et renommé (slave). Ce prénom est rare. Variantes : Vladislas, Vladislav, Vladislaw, Wadislas, Wadislav, Wadyslas, Wadyslaw, Wladislas, Wladislav, Wladyslaw. Caractérologie : énergie, originalité, découverte, audace, décision.

Wolf : Loup (germanique). Ce prénom est très rare. En France, Wolf est plus traditionnellement usité en Alsace. Variantes : Wolff, Wulf. Caractérologie : médiation, fidélité, relationnel, adaptabilité, intuition.

Wolfgang : Loup qui avance (germanique). Ce prénom est rare. Tendance : en décroissance modérée. Variante : Wolfang. Caractérologie : persévérance, sécurité, structure, efficacité, cœur.

Woody : Règne glorieux (slave). Ce prénom est porté par moins de 100 personnes en France. Caractérologie : audace, direction, indépendance, dynamisme, volonté.

Wulfran : Loup, corbeau (germanique). Ce prénom est très rare. Variante : Wulfram. Caractérologie : curiosité, dynamisme, courage, résolution, analyse.

Xabi : Maison neuve (basque). Ce prénom est très rare. Tendance : stable. Caractérologie : idéalisme, intégrité, altruisme, réflexion, dévouement.

Xan : Dieu fait grâce (hébreu). Ce prénom basque est très rare. Tendance : en forte croissance. Caractérologie : pragmatisme, optimisme, créativité, sociabilité, communication.

Xavier : Maison neuve (basque). Ce prénom répandu est plutôt bien attribué aujourd'hui. Tendance : en décroissance modérée. Xavier devrait figurer dans le top 10 québécois en 2004. Variantes : Jabier, Xabier, Xaver, Xidi. Caractérologie : connaissances, sagacité, spiritualité, détermination, volonté.

Xuan : Printemps, jeunesse (vietnamien). Ce prénom est porté par moins de 100 personnes en France. Caractérologie : famille, équilibre, sens des responsabilités, influence, exigence.

Yaacov : Supplanter, protéger (hébreu). Ce prénom est très rare. Tendance : en forte croissance. Caractérologie : méthode, engagement, fiabilité, réussite, ténacité.

Yacin : Se rapporte aux premières lettres de la XXXVIe sourate du Coran (arabe). Ce prénom est rare. Tendance : en décroissance modérée. Caractérologie : sagacité, connaissances, décision, spiritualité, cœur.

Yacine : Se rapporte aux premières lettres de la XXXVIe sourate du Coran (arabe). Ce prénom est assez répandu. Il est plutôt bien attribué aujourd'hui. Tendance : stable. Caractérologie : communication, enthousiasme, pratique, résolution, sympathie.

Yaël : Chèvre sauvage (hébreu). Yael est également une forme bretonne et basque de Joël. Ce prénom assez rare est relativement peu attribué aujourd'hui. Tendance : en forte croissance. Caractérologie : connaissances, spiritualité, sagacité, originalité, compassion.

Yahya : Il vivra (arabe). Ce prénom est rare. Tendance : en croissance modérée. Variantes : Yahaya, Yahia. Caractérologie : sens des responsabilités, influence, équilibre, famille, exigence.

Yamine : Fleur de jasmin (arabe). Ce prénom est rare. Tendance : stable. Variante : Yamin. Caractérologie : persévérance, décision, structure, sécurité, réussite.

Yan : Dieu fait grâce (hébreu). Ce prénom est assez répandu. Il est relativement peu attribué aujourd'hui. Tendance : stable. En France, Yana est plus traditionnellement usité au Pays Basque. Caractérologie : sécu-

Y

427

rité, persévérance, efficacité, structure, honnêteté.

Yanick : Dieu fait grâce (hébreu). Ce prénom assez rare est très peu attribué aujourd'hui. Tendance : stable. Variantes : Yani, Yanic, Yanik, Yaniv, Yanni. Caractérologie : humanité, rectitude, sympathie, rêve, résolution.

Yanis : Dieu fait grâce (hébreu). Ce prénom répandu figure dans le top 50 français aujourd'hui. Voir le zoom dédié à Yanis. Variantes : Yanice, Yaniss, Yanisse, Yannice. Caractérologie : découverte, audace, énergie, résolution, originalité.

Yann : Dieu fait grâce (hébreu). Ce prénom répandu figure dans le top 100 français aujourd'hui. Tendance : stable. Caractérologie : humanité, rectitude, ouverture d'esprit, générosité, rêve.

Yannick : Dieu fait grâce (hébreu). Ce prénom répandu est relativement peu attribué aujourd'hui. Tendance : stable. Variantes : Yannic, Yannig, Yannik. Caractérologie : curiosité, dynamisme, courage, sympathie, résolution.

Yannis : Dieu fait grâce (hébreu). Ce prénom est assez répandu. Il est plutôt bien attribué aujourd'hui. Tendance : en forte croissance. Caractérologie : direction, dynamisme, indépendance, audace, détermination.

Yasin : Se rapporte aux premières lettres de la XXXVIᵉ sourate du Coran (arabe). Ce prénom assez rare est relativement peu attribué aujourd'hui. Tendance : en croissance modérée. Variante : Yasine. Caractérologie : énergie, détermination, découverte, audace, originalité.

Yasser : Riche (arabe). Ce prénom est rare. Tendance : en forte croissance. Variante : Yacer. Caractérologie : bienveillance, conscience, conseil, paix, détermination.

Yassin : Se rapporte aux premières lettres de la XXXVIᵉ sourate du Coran (arabe). Ce prénom assez rare est relativement peu attribué aujourd'hui. Tendance : stable. Caractérologie : bienveillance, paix, conseil, conscience, décision.

Yassine : Se rapporte aux premières lettres de la XXXVIᵉ sourate du Coran (arabe). Ce prénom est assez répandu. Il est plutôt bien attribué aujourd'hui. Tendance : en croissance modérée. Caractérologie : sociabilité, diplomatie, réceptivité, décision, loyauté.

Yassir : Riche (arabe). Ce prénom est très rare. Tendance : en croissance modérée. Caractérologie : autonomie, autorité, innovation, énergie, ambition.

Yasuo : Tranquille (japonais). Caractérologie : ouverture d'esprit, rêve, humanité, rectitude, générosité.

Yazid : Le meilleur (arabe). Ce prénom assez rare est peu attribué actuellement. Tendance : en forte croissance. Variante : Yazide. Caractérologie : intuition, ressort, médiation, relationnel, réalisation.

Yehiel : Que le seigneur vive (hébreu). Ce prénom est porté par moins de 100 personnes en France. Caractérologie : audace, direction, dynamisme, action, compassion.

Yéhouda : Remercier (hébreu). Ce prénom est porté par moins de 100 personnes en France. Caractérologie : savoir, intelligence, volonté, méditation, réalisation.

Yen : Paix, hirondelle (vietnamien). Caractérologie : achèvement, vitalité, ardeur, stratégie, leadership.

Yeram : Bande d'oiseaux (arménien). Caractérologie : habileté, force, détermination, réalisation, ambition.

Yeraz : Rêve (arménien). Caractérologie : communication, décision, pragmatisme, optimisme, action.

Ylan : Arbre (hébreu). Ce prénom est très rare. Tendance : en croissance modérée. Variante : Ylann. Caractérologie : connaissances, spiritualité, sagacité, originalité, compassion.

YANIS

Fête : 24 juin

Étymologie : forme grecque de Jean, de l'hébreu *iohanan* : Dieu fait grâce. Yanis est très peu attribué dans l'Hexagone sur l'ensemble du XXe siècle. C'est donc avec la plus grande discrétion que Yanis grandit dans les années 1980. L'année 1988 salue la naissance de 72 petits Yanis, un record pour le XXe siècle. Qui aurait pu prédire que ce record serait ensuite battu chacun des années suivantes ? Sa croissance est telle que l'on peut estimer que ce prénom sera attribué à près de 3 000 nouveau-nés en France en 2005. Il devrait ainsi devenir l'un des 30 prénoms préférés des Français. Notons qu'en dehors de la France ou de la Grèce dont il est originaire, Yanis est de notoriété très discrète. Il est absent du palmarès de la Belgique, de la Suisse ou du Canada francophones. En revanche, Yanis vient tout juste d'entrer dans le top 100 de la capitale belge. Est-ce un signe avant-coureur de sa future conquête de Bruxelles ? Quoi qu'il en soit, une telle avancée devrait favoriser son émergence en Wallonie.

En attendant, son succès en France est remarquable. Après avoir adopté avec succès des prénoms irlandais (Kevin), anglophones (Jordan), espagnols (Mateo) ou italiens (Enzo, Matteo), il semble que les parents français apprécient ce nouveau candidat grec. Yanis est donc bien placé pour poursuivre sa percée dans l'Hexagone. Sa croissance relance plusieurs variantes et en introduit quelques-unes jusqu'alors inconnues : Yannis (quatre fois moins attribué que Yanis), puis, loin derrière, Ianis, Iannis, Yanice, Yaniss et Yanisse. À noter que d'autres prénoms aux sonorités proches bénéficient du succès de Yanis. Le prénom arabe Anis en est un bon exemple. Ce dernier est certes encore très rare, mais sa progression rapide bénéficie sans doute de l'essor de Yanis.

Statistique : Yanis est le 282e prénom masculin le plus attribué du XXe siècle en France.

Y

Ylies : Le seigneur est mon Dieu (hébreu). Ce prénom arabe est très rare. Tendance : en croissance modérée. Variante : Yliess. Caractérologie : savoir, méditation, intelligence, sympathie, résolution.

Yoan : Dieu fait grâce (hébreu). Ce prénom répandu est plutôt bien attribué aujourd'hui. Tendance : stable. En France, Yoan est plus traditionnellement usité en Bretagne et au Pays Basque. Caractérologie : autorité, ambition, autonomie, énergie, innovation.

Yoann : Dieu fait grâce (hébreu). Ce prénom répandu est plutôt bien attribué aujourd'hui. Tendance : stable. En France, Yoann est plus traditionnellement usité en Bretagne et au Pays Basque. Variantes : Yoane, Yoanne. Caractérologie : paix, bienveillance, conscience, sagesse, conseil.

Yoav : Dieu du père (hébreu). Ce prénom est porté par moins de 100 personnes en France. Tendance : en croissance modérée. Caractérologie : humanité, ouverture d'esprit, rêve, réalisation, rectitude.

Yoël : Dieu est Dieu (hébreu). Ce prénom est très rare. Tendance : stable. Caractérologie : pragmatisme, communication, créativité, optimisme, sympathie.

Yohan : Dieu fait grâce (hébreu). Ce prénom répandu est plutôt bien attribué aujourd'hui. Tendance : stable. En France, Yohan est plus traditionnellement usité au Pays Basque. Caractérologie : rectitude, ouverture d'esprit, générosité, rêve, humanité.

Yohann : Dieu fait grâce (hébreu). Ce prénom répandu est relativement peu attribué aujourd'hui. Tendance : stable. Variantes :

Yohanan, Yohane, Yohanne. Caractérologie : dynamisme, courage, indépendance, curiosité, charisme.

Yolan : Aube (grec). Violette (latin). Ce prénom est très rare. Tendance : en forte croissance. Variante : Yoland. Caractérologie : méthode, ténacité, engagement, sympathie, fiabilité.

Yon : Colombe (hébreu). Ce prénom est très rare. Tendance : stable. Caractérologie : humanité, rectitude, rêve, ouverture d'esprit, générosité.

Yonathan : Dieu a donné (hébreu). Ce prénom est très rare. Tendance : en forte croissance. Caractérologie : finesse, vitalité, achèvement, stratégie, ardeur.

Yoni : Colombe (hébreu). Ce prénom assez rare est peu attribué actuellement. Tendance : en forte croissance. Variantes : Yonni, Yony. Variante basque : Yona. Caractérologie : rectitude, humanité, rêve, générosité, ouverture d'esprit.

Yoram : Nom sacré (grec). Ce prénom est très rare. Tendance : stable. Caractérologie : rectitude, rêve, ouverture d'esprit, humanité, réalisation.

Yoran : Dieu est exalté (hébreu). Ce prénom est très rare. Tendance : stable. Caractérologie : dynamisme, audace, direction, décision, indépendance.

Yorick : Labourer le sol (grec). Ce prénom est rare. Tendance : en croissance modérée. En France, Yorick est plus traditionnellement usité au Pays Basque. Variante : Yorrick. Caractérologie : idéalisme, altruisme, analyse, intégrité, réflexion.

Youcef : Dieu ajoutera (hébreu). Voir également Youssef. Ce prénom est assez répandu. Il est relativement peu attribué aujourd'hui. Tendance : stable. En France, Youcef est plus traditionnellement usité au Pays Basque. Caractérologie : optimisme, créativité, cœur, pragmatisme, communication.

Youenn : If (celte). Ce prénom est rare. Tendance : en forte croissance. En France, Youenn est plus traditionnellement usité en Bretagne. Variantes : Youen, Youn. Caractérologie : méthode, cœur, ténacité, engagement, fiabilité.

Younès : Proche de Dieu (arabe). Ce prénom est assez répandu. Il est plutôt bien attribué aujourd'hui. Tendance : en croissance modérée. Caractérologie : idéalisme, cœur, réflexion, intégrité, altruisme.

Youness : Proche de Dieu (arabe). Ce prénom assez rare est relativement peu attribué aujourd'hui. Tendance : en croissance modérée. Variantes : Younesse, Younous, Youns, Younsse. Caractérologie : autorité, innovation, énergie, compassion, ambition.

Youri : Labourer le sol (grec). Ce prénom assez rare est très peu attribué aujourd'hui. Tendance : en décroissance modérée. Notons que la variante Yuri est très répandue en Russie. Variantes : Iouri, Youry, Yuri. Caractérologie : méditation, intelligence, raisonnement, savoir, indépendance.

Yousri : Qui a bon caractère (arabe). Ce prénom est très rare. Tendance : stable. Variante : Yosri. Caractérologie : vitalité, achèvement, stratégie, ardeur, logique.

Youssef : Équivalent arabe de Joseph : Dieu ajoutera (hébreu). Ce prénom est assez répandu. Il est relativement peu attribué aujourd'hui. Tendance : stable. Variantes : Yossef, Yousef, Youssaf. Caractérologie : sociabilité, réceptivité, diplomatie, loyauté, compassion.

Youssouf : Équivalent arabe de Joseph : Dieu ajoutera (hébreu). Ce prénom est rare. Tendance : en croissance modérée. Caractérologie : conscience, bienveillance, conseil, paix, sagesse.

Yunus : Proche de Dieu (arabe). Ce prénom est très rare. Tendance : stable. Forme composée rare mais en forte croissance : Yunus-Emre. Caractérologie : innovation, ambition, énergie, cœur, autorité.

Yusuf : Dieu ajoutera (hébreu). Ce prénom assez rare est relativement peu attribué aujourd'hui. Tendance : en forte croissance. Caractérologie : relationnel, intuition, fidélité, adaptabilité, médiation.

Yvain : If (celte). Ce prénom est très rare. Tendance : stable. Caractérologie : force, ambition, réussite, habileté, décision.

Yvan : Dieu fait grâce (hébreu). Ce prénom répandu est relativement peu attribué aujourd'hui. Tendance : stable. Variante : Yovan. Caractérologie : vitalité, achèvement, ardeur, stratégie, réussite.

Yvann : Dieu fait grâce (hébreu). Ce prénom est rare. Tendance : stable. Caractérologie : structure, efficacité, persévérance, sécurité, réalisation.

Yves : If (celte). Ce prénom breton est très répandu. Il est peu attribué actuellement. Tendance : en décroissance modérée.

Y

431

Variantes : Ioen, Iv, Ivelin, Wanig, Yvelin. Caractérologie : force, ambition, passion, réussite, habileté.

Yves-Marie : Prénom composé de Yves et de Marie. Ce prénom assez rare est très peu attribué aujourd'hui. Tendance : en décroissance modérée. Caractérologie : rectitude, humanité, rêve, résolution, réalisation.

Yvon : If (celte). Ce prénom breton est répandu. Il est très peu attribué aujourd'hui. Tendance : stable. Variantes : Ivon, Ivonig. Caractérologie : persévérance, structure, efficacité, sécurité, caractère.

Yvonnick : If (celte). Ce prénom assez rare est très peu attribué aujourd'hui. Variantes : Yvonic, Yvonick, Yvonnic. Caractérologie : dynamisme, courage, caractère, logique, curiosité.

Zacharia : Dieu se souvient (hébreu). Ce prénom est très rare. Tendance : en forte croissance. En France, Zacharia est plus traditionnellement usité au Pays Basque. Variantes : Sakaria, Zaccharia, Zacharias, Zackaria. Caractérologie : structure, persévérance, efficacité, sécurité, honnêteté.

Zacharie : Dieu se souvient (hébreu). Ce prénom assez rare est relativement peu attribué aujourd'hui. Tendance : en croissance modérée. Variantes : Zaccharie, Zachari, Zakarie. Caractérologie : stratégie, vitalité, ardeur, achèvement, détermination.

Zachary : Dieu se souvient (hébreu). Ce prénom est rare. Tendance : en forte croissance. Variantes : Zacchary, Zackary. Caractérologie : direction, audace, dynamisme, indépendance, action.

Zadig : Passage (hébreu). Caractérologie : ressort, diplomatie, sociabilité, réceptivité, réalisation.

Zahir : Rayonnant (arabe). Ce prénom est très rare. Variantes : Zaher, Zaïr. Caractérologie : achèvement, vitalité, ardeur, leadership, stratégie.

Zaïd : L'ascète (arabe). Ce prénom est très rare. Tendance : en croissance modérée. Caractérologie : méthode, ténacité, engagement, fiabilité, sens du devoir.

Zakaria : Dieu se souvient (hébreu). Ce prénom est assez répandu. Il est relativement peu attribué aujourd'hui. Tendance : en croissance modérée. Variantes : Zakari, Zakariya, Zakarya. Caractérologie : ténacité, méthode, fiabilité, sens du devoir, engagement.

Zakary : Dieu se souvient (hébreu). Ce prénom est très rare. Tendance : en forte croissance. Caractérologie : énergie, innovation, ambition, autorité, action.

Zaki : Intelligent, pur (arabe). Ce prénom est très rare. Tendance : en croissance modérée. Variante : Zéki. Caractérologie : réceptivité, sociabilité, loyauté, diplomatie, bonté.

Zébulon : Exalté (hébreu). Caractérologie : découverte, audace, énergie, originalité, attention.

Zénobe : Vie de Zeus (grec). Ce prénom est porté par moins de 100 personnes en France. Caractérologie : ténacité, fiabilité, méthode, engagement, finesse.

Zenon : Hospitalier (grec). Ce prénom est très rare. Variante : Zeno. Caractérologie : sociabilité, bonté, réceptivité, diplomatie, loyauté.

Zéphir : Vent doux (grec). Ce prénom est très rare. Dans la mythologie grecque, Zéphyr était la personnification divine des Vents. Variante : Zéphyr. Caractérologie : audace, indépendance, dynamisme, ressort, direction.

Zéphirin : Vent doux (grec). Ce prénom est très rare. Variante : Zéphyrin. Caractérologie : paix, conscience, conseil, bienveillance, action.

Ziad : Croissance (arabe). Ce prénom est très rare. Tendance : en forte croissance. Variantes : Ziyad, Ziyed, Zyad, Zyed. Caractérologie : ténacité, fiabilité, méthode, engagement, sens du devoir.

Zidane : Patronyme du célèbre footballeur français Zinedine Zidane. Il est évident que la popularité de cette personnalité devrait influencer la croissance de ce prénom. En France, Zidane a été enregistré à l'état civil pour la première fois en 1948. Ce prénom est très rare. Tendance : stable. Caractérologie : courage, dynamisme, curiosité, indépendance, détermination.

Zied : Croissance (arabe). Ce prénom est très rare. Tendance : en croissance modérée. Caractérologie : habileté, ambition, passion, force, management.

Zinedine : L'emblème de la religion (arabe). Ce prénom est rare. Tendance : stable. Variantes : Zine, Zineddine. Forme composée : Zine-Eddine. Caractérologie : curiosité, dynamisme, indépendance, courage, charisme.

Zlatko : Doré (tchèque). Ce prénom est porté par moins de 100 personnes en France. Caractérologie : structure, persévérance, sécurité, efficacité, gestion.

Zoel : Vie (grec). Ce prénom basque est porté par moins de 100 personnes en France. Caractérologie : méthode, ténacité, sens du devoir, fiabilité, engagement.

Zohéir : Rayonnant (arabe). Ce prénom est très rare. Variantes : Zohaïr, Zoher, Zohir, Zouhaïr, Zouheïr. Caractérologie : idéalisme, altruisme, réflexion, dévouement, intégrité.

Zoran : Fleur, blancheur lumineuse (arabe). Ce prénom est très rare. Tendance : stable. Caractérologie : diplomatie, loyauté, réceptivité, détermination, sociabilité.

1300 prénoms en fête

Les prénoms ci-dessous sont classés par ordre alphabétique et sont accompagnés de leurs jours de fête. Cette sélection inclut des prénoms répandus et d'autres qui le sont moins, mais dont la croissance est prometteuse. Tous les prénoms cités dans les encadrés thématiques de cet ouvrage (prénoms régionaux, prénoms dans le vent, palmarès des prénoms francophones…) ou figurent dans ce répertoire.

A

Aaron m.	1er juillet
Abel m.	5 août
Abélard m.	5 août
Abraham m.	20 décembre
Achille m.	12 mai
Adam m.	16 mai
Adélaïde f.	16 décembre
Adèle f.	24 décembre
Adeline f.	20 octobre
Adrian m.	8 septembre
Adriana f.	8 septembre
Adrien m.	8 septembre
Adrienne f.	8 septembre
Agathe f.	5 février
Aglaé f.	14 mai
Agnès f.	21 janvier
Aidan m.	23 août
Aimé m.	13 septembre
Aimée f.	20 février
Alain m.	9 septembre
Alan m.	9 septembre ou 27 nov.
Alaric m.	29 septembre
Alban m.	22 juin
Albane f.	22 juin
Albanie f.	22 juin
Albert m.	15 novembre
Albin m.	1er mars
Aldo m.	17 septembre
Aldric m.	7 janvier
Alex m.	22 avril
Alexa f.	17 février
Alexandra f.	20 mars
Alexandre m.	22 avril
Alexandrine f.	2 avril
Alexane f.	17 février
Alexia f.	17 février

Alexis m.	17 février
Alexy m.	17 février
Alfred m.	15 août
Alice f.	16 décembre
Alicia f.	16 décembre
Aliénor f.	25 juin
Aline f.	20 octobre
Alison f.	16 décembre
Alix f.	9 janvier
Alix m.	9 janvier
Alizée f.	16 décembre
Aloïs m.	25 août
Alphonse m.	1er août
Alyssa f.	16 décembre
Amadéo m.	30 mars
Amanda f.	9 juillet
Amandine f.	9 juillet
Amaury m.	9 août
Amaya f.	13 septembre
Ambre f.	7 décembre
Ambroise m.	7 décembre
Amédée m.	30 mars
Amélia f.	19 septembre
Amélie f.	19 septembre
Ana f.	26 juillet
Anaëlle f.	26 juillet
Anaïs f.	26 juillet
Anastasia f.	10 mars ou 15 avril
Anastasie f.	10 mars ou 15 avril
Anatole m.	3 février
André m.	30 novembre
Andrea m.	30 novembre
Andréa f.	9 juillet
Andrée f.	9 juillet
Ange m.	5 mai
Angel m.	27 janvier
Angéla f.	27 janvier

Angèle f.	27 janvier
Angelina f.	27 janvier
Angeline f.	27 janvier
Angélique f.	27 janvier
Angelo m.	27 janvier
Anita f.	26 juillet
Anna f.	26 juillet
Annabella f.	26 juillet
Annabelle f.	26 juillet
Annaïg f.	26 juillet
Anne f.	26 juillet
Anselme m.	21 avril
Anthéa f.	5 octobre
Anthime m.	27 avril
Anthony m.	13 juin
Antoine m.	13 juin
Antoinette f.	27 octobre
Antonia f.	28 février
Antonin m.	5 mai
Antonio m.	13 juin
Antony m.	13 juin
Apolline f.	9 février
Ariane f.	18 septembre
Arielle f.	1er octobre
Armand m.	23 décembre
Armande f.	23 décembre
Armel m.	16 août
Armelle f.	16 août
Arnaud m.	10 février
Arno m.	10 février
Arthur m.	15 novembre
Astrée f.	27 novembre
Astrid f.	27 novembre
Aubin m.	1er mars
Aude f.	18 novembre
Audran m.	7 février
Audrey f.	23 juin
Auguste m.	7 octobre
Augustin m.	28 août

435

Augustine f.	28 août	Briac m.	18 décembre	Charles m.	2 mars ou
Aure f.	4 octobre	Brian m.	18 décembre		4 novembre
Auregane f.	15 janvier	Brice m.	13 novembre	Charley m.	2 mars ou
Aurel m.	20 juillet	Brieuc m.	1er mai		4 novembre
Aurèle m.	20 juillet	Brigitte f.	23 juillet	Charlie f.	2 mars ou
Aurélia f.	15 octobre	Bruna f.	6 octobre		4 novembre
Aurélie f.	15 octobre	Brunelle f.	6 octobre	Charlie m.	2 mars ou
Aurélien m.	16 juin	Bruno m.	6 octobre		4 novembre
Auriane f.	4 octobre	Bryan m.	18 décembre	Charline f.	17 juillet
Aurore f.	4 octobre			Charlotte f.	17 juillet
Austin m.	28 août			Charly m.	2 mars ou
Auxane f.	3 septembre	**C**			4 novembre
Axel m.	21 mars			Charlyne f.	17 juillet
Axelle f.	21 mars	Calista f.	14 octobre	Chiara f.	11 août
Aymeric m.	4 novembre	Calixte f.	14 octobre	Chloé f.	5 octobre
		Camélia f.	14 juillet ou		(date
B			5 octobre		controversée)
		Cameron m.	14 juillet	Chris m.	21 août
Balthazar m.	6 janvier	Camille f.	14 juillet	Christelle f.	24 juillet
Baptiste m.	24 juin	Camille m.	14 juillet	Christian m.	12 novembre
Barbara f.	4 décembre	Candice f.	3 octobre	Christiane f.	24 juillet
Barnabé m.	11 juin	Candy f.	3 octobre	Christina f.	24 juillet
Barthélémy m.	24 août	Capucine f.	5 octobre	Christine f.	24 juillet
Basile m.	2 janvier	Carine f.	24 mars ou	Christophe m.	21 août
Bastien m.	20 janvier		7 novembre	Christopher m.	21 août
Baudouin m.	17 octobre	Carl m.	2 mars ou	Chrystal f.	24 juillet
Béatrice f.	13 février		4 novembre	Chrystel f.	24 juillet
Beatrix f.	29 juillet	Carla f.	17 juillet	Cindy f.	9 juin
Bénédicte f.	16 mars	Carole f.	17 juillet	Claire f.	11 août
Benjamin m.	31 mars	Caroline f.	17 juillet	Clara f.	11 août
Benoît m.	11 juillet	Casimir m.	4 mars	Clarisse f.	12 août
Béranger m.	26 mai	Cassandre f.	Pas de fête	Claude f.	15 février
Bérangère f.	26 mai		connue	Claude m.	15 février
Bérenger m.	26 mai	Catherine f.	24 mars ou	Claudette f.	15 février
Bérengère f.	26 mai		25 novembre	Claudia f.	15 février
Bérénice f.	4 février ou	Cathy f.	24 mars ou	Claudie f.	15 février
	4 octobre		25 novembre	Claudine f.	15 février
Bernadette f.	18 février	Cécile f.	22 novembre	Cléa f.	13 juillet
Bernard m.	20 août	Cécilia f.	22 novembre	Clélia f.	13 juillet
Berthe f.	4 juillet	Cédric m.	7 janvier	Clémence f.	21 mars
Bertille f.	6 novembre	Céleste f.	19 mai	Clément m.	23 novembre
Bertrand m.	6 septembre	Célestin m.	19 mai	Clémentine f.	23 novembre
Bianca f.	3 octobre	Célestine f.	19 mai	Cléo m.	19 octobre
Bilal m.	Pas de fête	Célia f.	22 novembre	Clio f.	4 juin
	connue	Célian m.	21 octobre	Clothilde f.	4 juin
Blaise m.	3 février	Célie f.	22 novembre	Clotilde f.	4 juin
Blanche f.	3 octobre	Céline f.	21 octobre	Clovis m.	25 août
Blandine f.	2 juin	César m.	15 avril	Colette f.	6 mars
Boris m.	2 mai	Chaïma f.	Pas de fête	Colin m.	6 décembre
Brenda f.	16 mai		connue	Coline f.	6 décembre
Brendan m.	16 mai	Chantal f.	12 décembre	Colleen f.	6 décembre
		Charlène f.	17 juillet		

Colombe f.	31 décembre	Dominique m.	8 août	Éloi m.	1er décembre
Colombine f.	31 décembre	Domitien m.	7 mai	Éloïse f.	15 mars
Colyne f.	6 décembre	Domitille f.	7 mai	Elouan m.	28 août
Côme m.	26 septembre	Donald m.	15 juillet	Elsa f.	17 novembre
Conrad m.	26 novembre	Donatien m.	24 mai	Émeline f.	27 octobre
Constance f.	23 septembre	Donatienne f.	24 mai	Émelyne f.	27 octobre
Constant m.	23 septembre	Donovan m.	15 juillet	Émerence f.	23 janvier
Constantin m.	21 mai	Dora f.	11 février	Émeric m.	4 novembre
Coralie f.	18 mai	Doria f.	25 octobre	Émie f.	19 septembre
Coraline f.	18 mai	Dorian m.	25 octobre	Émile m.	22 mai
Corentin m.	12 décembre	Doriane f.	25 octobre	Émilia f.	19 septembre
Corentine f.	12 décembre	Dorine f.	11 février	Émilie f.	19 septembre
Corinne f.	18 mai	Doris f.	25 octobre	Émilien m.	12 novembre
Cynthia f.	9 juin	Dorothée f.	6 février	Émily f.	19 septembre
Cyprien m.	16 septembre	Doryan m.	25 octobre	Emma f.	19 avril
Cyriaque m.	8 août	Dustin m.	21 juin	Emmanuel m.	25 décembre
Cyrielle f.	18 mars	Dylan m./f.	Pas de fête	Emmanuelle f.	25 décembre
Cyril m.	18 mars		connue	Emmeline f.	27 octobre
Cyrille m.	18 mars			Emmy f.	19 septembre
		E		Emy f.	19 septembre
D				Enguerrand m.	25 octobre
		Eddy m.	5 janvier	Enora f.	14 octobre
Daisy f.	5 octobre	Edgar m.	8 juillet	Enza f.	13 juillet
Damien m.	26 septembre	Édith f.	16 septembre	Enzo m.	13 juillet
Dan m.	11 décembre	Edmond m.	20 novembre	Éric m.	18 mai
Dana f.	11 décembre	Edmonde f.	20 novembre	Erik m.	18 mai
Daniel m.	11 décembre	Édouard m.	5 janvier	Erika f.	18 mai
Danièle f.	11 décembre	Edwige f.	16 octobre	Ernest m.	7 novembre
Danielle f.	11 décembre	Edwin m.	12 octobre	Ernestine f.	7 novembre
Danny m.	11 décembre	Églantine f.	5 octobre	Erwan m.	19 mai
Dany m.	11 décembre	Éléa f.	Pas de fête	Erwann m.	19 mai
Daphné f.	5 octobre		connue	Erwin m.	25 avril
Daphnée f.	5 octobre	Elena f.	18 août	Esteban m.	26 décembre
Dauphine f.	26 novembre	Eléonore f.	25 juin	Estée f.	1er juillet
Dave m.	29 décembre	Élia f.	20 juillet	Estelle f.	11 mai
David m.	29 décembre	Élian m.	20 juillet	Esther f.	1er juillet
Davy m.	20 septembre	Éliane f.	20 juillet	Ethan m.	Pas de fête
Debbie f.	21 septembre	Élias m.	20 juillet		connue
Débora f.	21 septembre	Élie m.	20 juillet	Étienne m.	26 décembre
Déborah f.	21 septembre	Élina f.	20 juillet	Eudelin m.	19 novembre
Delphine f.	26 novembre	Éline f.	18 août	Eudes m.	19 novembre
Denis m.	9 octobre	Eliot m.	20 juillet	Eudoxie f.	1er mars
Denise f.	15 mai	Eliott m.	20 juillet	Eugène m.	13 juillet
Diana f.	9 juin	Élisa f.	17 novembre	Eugénie f.	7 février
Diane f.	9 juin	Élisabeth f.	17 novembre	Eulalie f.	12 février ou
Didier m.	23 mai	Élise f.	17 novembre		10 décembre
Diego m.	23 mai	Élisée f.	14 juin	Eva f.	6 septembre
Dimitri m.	26 octobre	Ella f.	1er février	Evaëlle f.	13 mai ou
Dimitry m.	26 octobre	Elliot m.	20 juillet		6 septembre
Dolorès f.	15 septembre	Elliott m.	20 juillet	Evan m.	3 mai
Dominique f.	8 août	Élodie f.	22 octobre	Ève f.	6 septembre

Éveline f.	6 septembre	Franck m.	24 janvier ou	Gladys f.	29 mars
Évelyne f.	6 septembre		4 octobre	Glenn m.	11 septembre
Even m.	3 mai	François m.	24 janvier ou	Gontran m.	28 mars
Evrard m.	14 août		4 octobre	Goulven m.	1er juillet
Ewen m.	3 mai	Françoise f.	9 mars	Grace f.	21 août
		Freddy m.	18 juillet	Grégoire m.	3 septembre
F		Frédéric m.	18 juillet	Grégory m.	3 septembre
		Frederick m.	18 juillet	Guénaelle f.	3 novembre
Fabian m.	20 janvier	Frédérique f.	18 juillet	Guibert m.	7 juin
Fabien m.	20 janvier			Guilaine f.	10 octobre
Fabienne f.	20 janvier	**G**		Guilhem m.	28 mai
Fabio m.	20 janvier			Guillaume m.	10 janvier
Fabiola f.	27 décembre	Gabin m.	19 février	Guillemette f.	10 janvier
Fabrice m.	22 août	Gabriel m.	29 septembre	Gurvan m.	3 mai
Fanny f.	9 mars	Gabriella f.	29 septembre	Gustave m.	7 octobre
Fanta f.	5 novembre	Gabrielle f.	29 septembre	Guy m.	12 juin
Fantin m.	30 août	Gaël m.	17 décembre	Gwen f.	21 février
Fantine f.	30 août	Gaëlle f.	17 décembre	Gwenaël m.	3 novembre
Fany f.	9 mars	Gaétan m.	7 août	Gwenaëlle f.	3 novembre
Faustine f.	15 janvier	Gaétane f.	7 août	Gwendal m.	18 janvier
Félicia f.	10 mai	Garance f.	5 octobre	Gwendoline f.	14 octobre
Félicie f.	10 mai	Gary m.	5 décembre	Gwenn f.	21 février
Félicien m.	9 juin	Gaspard m.	28 décembre	Gwladys f.	29 mars
Félicienne f.	10 mai	Gaston m.	6 février		
Félicité f.	7 mars	Gatien m.	18 décembre	**H**	
Félix m.	12 février	Gauthier m.	9 avril		
Ferdinand m.	30 mai	Gautier m.	9 avril	Habib m.	27 mars
Fernand m.	27 juin	Geneviève f.	3 janvier	Hadrien m.	8 septembre
Fernande f.	27 juin	Geoffrey m.	8 novembre	Hanna f.	26 juillet
Firmin m.	11 octobre	Geoffroy m.	8 novembre	Harold m.	1er novembre
Flavie f.	12 mai	Georges m.	23 avril	Harry m.	13 juillet
Fleur f.	5 octobre	Georgette f.	15 février	Heidi f.	16 octobre
Flora f.	24 novembre	Georgie f.	15 février	Helena f.	18 août
Flore f.	5 octobre	Gérald m.	5 décembre	Hélène f.	18 août
Florence f.	1er décembre	Géraldine f.	5 décembre	Héloïse f.	15 mars
Florent m.	4 juillet	Gérard m.	3 octobre	Henri m.	13 juillet
Florentin m.	24 octobre	Germain m.	28 mai	Henriette f.	13 juillet
Florentine f.	24 octobre	Germaine f.	15 juin	Henry m.	13 juillet
Florestan m.	5 octobre	Ghislain m.	10 octobre	Herbert m.	20 mars
Florian m.	4 mai	Ghislaine f.	10 octobre	Hermance f.	25 septembre
Floriane f.	4 mai	Gianny m.	24 juin	Hermine f.	9 juillet
Florie f.	5 octobre	Gilbert m.	7 juin	Hervé m.	17 juin
Florine f.	1er mai	Gilberte f.	11 août	Hilarie f.	13 janvier
France f.	9 mars	Gildas m.	29 janvier	Hilary f.	13 janvier
Francesca f.	9 mars	Gilles m.	1er septembre	Hilda f.	17 novembre
Francesco m.	24 janvier ou	Gina f.	3 janvier	Hildegarde f.	17 septembre
	4 octobre	Ginger f.	7 janvier	Hippolyte m.	13 août
Francine f.	9 mars	Gino m.	16 juin	Honoré m.	16 mai
Francis m.	24 janvier ou	Giovanni m.	24 juin	Honorine f.	27 février
	4 octobre	Gisèle f.	7 mai	Hortense f.	11 janvier ou
		Giulia f.	8 avril		5 octobre

Howard m.	16 mai
Hubert m.	3 novembre
Hugo m.	1er avril
Hugues m.	1er avril
Huguette f.	1er avril
Humbert m.	25 mars
Hyacinthe m.	17 août

I

Ida f.	13 avril
Igor m.	5 juin
Illoa f.	18 août
Ilona f.	18 août
Inès f.	10 septembre
Ingrid f.	2 septembre
Ioan m.	24 juin
Iphigénie f.	9 juillet
Irène f.	5 avril
Iris f.	4 septembre
Irma f.	24 décembre
Isaac m.	20 décembre
Isabelle f.	22 février
Isaline f.	22 février
Isaure f.	4 octobre
Iseult f.	22 février
Isidore m.	4 avril
Ivan m.	24 juin
Ivana f.	30 mai

J

Jack m.	3 mai ou 25 juillet
Jackie f.	8 février
Jacky m.	3 mai ou 25 juillet
Jacob m.	20 décembre
Jacqueline f.	8 février
Jacques m.	3 mai ou 25 juillet
Jade m./f.	Pas de fête connue
James m.	3 mai ou 25 juillet
Jan m.	24 juin
Jane f.	30 mai
Janice f.	30 mai
Janine f.	30 mai
Jasmine f.	5 octobre
Jason m.	12 juillet

Jean m.	24 juin
J.-Baptiste m.	24 juin
Jeanne f.	30 mai
Jeff m.	8 novembre
Jefferson m.	8 novembre
Jeffrey m.	8 novembre
Jenna f.	30 mai
Jennifer f.	3 janvier
Jenny f.	3 janvier
Jérémie m.	1er mai
Jérémy m.	1er mai
Jérôme m.	30 septembre
Jerry m.	30 septembre
Jessica f.	4 novembre
Jessie f.	4 novembre
Jessy f.	4 novembre
Jessy m.	4 novembre
Jim m.	3 mai ou 25 juillet
Jimmy m.	3 mai ou 25 juillet
Joachim m.	26 juillet
Joan m.	24 juin
Joanna f.	30 mai
Joanne f.	30 mai
Jocelyn m.	13 décembre
Jocelyne f.	13 décembre
Jodie f.	5 mai
Joël m.	13 juillet
Joëlle f.	13 juillet
Joey m.	13 juillet
Joffrey m.	8 novembre
Johann m.	24 juin
Johanna f.	30 mai
Johanne f.	30 mai
John m.	24 juin
Johnny m.	24 juin
Jonas m.	21 septembre
Jonathan m.	1er mars
Jordan m.	13 février
Jordane f.	13 février
Jordane m.	13 février
Jordi m.	23 avril
Jordy m.	23 avril
Joris m.	23 avril
José m.	19 mars
Josée f.	19 mars
Joseph m.	19 mars
Joséphine f.	19 mars
Josette f.	19 mars
Joshua m.	1er septembre

Josiane f.	19 mars
Josselin m.	13 décembre
Josseline f.	13 décembre
Josué m.	1er septembre
Joyce f.	19 mars
Judicael m.	17 décembre
Judith f.	5 mai
Jules m.	12 avril
Julia f.	8 avril
Julian m.	2 août
Juliana f.	8 avril
Juliane f.	8 avril
Julie f.	8 avril
Julien m.	2 août
Juliette f.	30 juillet
Juline f.	8 avril
Juste m.	14 octobre
Justin m.	1er juin
Justine f.	12 mars

K

Kaïa f.	24 mars ou 25 novembre
Karelle f.	24 mars ou 7 novembre
Karen f.	24 mars ou 7 novembre
Karine f.	24 mars ou 7 novembre
Karl m.	2 mars ou 4 novembre
Katell f.	24 mars ou 25 novembre
Kathia f.	24 mars ou 25 novembre
Kathleen f.	24 mars ou 25 novembre
Kathy f.	24 mars ou 25 novembre
Katia f.	24 mars ou 25 novembre
Katy f.	24 mars ou 25 novembre
Kelian m.	8 juillet
Kelly f.	8 juillet
Kenny m.	11 octobre
Kenza m./f.	Pas de fête connue
Ketty f.	24 mars ou 25 novembre

439

Kevin m.	3 juin
Kiara f.	11 août
Kilian m.	8 juillet
Killian m.	8 juillet
Klervi f.	3 octobre
Kristel f.	24 juillet
Kylian m.	8 juillet
Kyllian m.	8 juillet

L

Ladislas m.	27 juin
Laeticia f.	18 août
Laetitia f.	18 août
Lalie f.	12 février ou
	10 décembre
Lana f.	18 août
Landry m.	10 juin
Lara f.	26 mars ou
	1er décembre
Larissa f.	26 mars
Laura f.	10 août
Laurane f.	10 août
Laure f.	10 août
Laureen f.	10 août
Laureline f.	10 août
Lauren f.	10 août
Laurena f.	10 août
Laurence f.	10 août
Laurène f.	10 août
Laurent m.	10 août
Laurette f.	10 août
Lauriane f.	10 août
Laurie f.	10 août
Laurine f.	10 août
Laury f.	10 août
Lauryn f.	10 août
Lauryne f.	10 août
Lazare m.	23 février
Léa f.	22 mars
Léana f.	10 novembre
Léandre m.	27 février
Léane f.	10 novembre
Lena f.	18 août
Lenaïc m.	18 août
Lenaïg f.	18 août
Léo m.	10 novembre
Léocadie m.	9 décembre
Léon m.	10 novembre
Léonard m.	6 novembre
Léonie f.	10 novembre

Léonore f.	25 juin
Léontine f.	10 novembre
Léopold m.	15 novembre
Léopoldine f.	15 novembre
Lexane f.	17 février
Lia f.	27 juillet
Liam m.	10 janvier
Liane f.	27 juillet
Lila f.	27 juillet
Lili f.	27 juillet
Lilian m.	27 juillet
Liliane f.	27 juillet
Lilou f.	Pas de fête
	connue
Lily f.	27 juillet
Lina f.	27 janvier
Linda f.	28 août
Line f.	27 janvier
Lio f.	27 juillet
Lionel m.	10 novembre
Lisa f.	17 novembre
Lise f.	17 novembre
Lison f.	17 novembre
Livia f.	5 mars
Loan f.	28 août
Loan m.	28 août
Loana f.	28 août
Loane f.	28 août
Loïc m.	25 août
Loïck m.	25 août
Loïs m.	25 août
Loïse f.	15 mars
Lola f.	15 septembre
Lolita f.	15 septembre
Lorène f.	10 août
Lorenzo m.	10 août
Lorette f.	10 août
Loriane f.	10 août
Lorine f.	10 août
Loris m.	10 août
Lorraine f.	10 août
Lou f.	15 mars
Lou m.	25 août
Louis m.	25 août
Louisa f.	15 mars
Louise f.	15 mars
Louison m.	25 août
Louison f.	15 mars
Louka m.	18 octobre
Loup m.	29 juillet
Luc m.	18 octobre

Luca m.	18 octobre
Lucas m.	18 octobre
Luce f.	13 décembre
Lucia f.	13 décembre
Lucie f.	13 décembre
Lucien m.	8 janvier
Lucienne f.	8 janvier ou
	13 décembre
Lucile f.	13 décembre
Lucille f.	13 décembre
Lucy f.	13 décembre
Ludivine f.	14 avril
Ludovic m.	25 août
Ludwig m.	25 août
Luigi m.	25 août
Luis m.	25 août
Luka m.	18 octobre
Lydia f.	3 août
Lydie f.	3 août
Lynda f.	28 août
Lysiane f.	17 novembre

M

Maddy f.	22 juillet
Madeleine f.	22 juillet
Madeline f.	22 juillet
Madison f.	14 mars
Maé f.	24 mai
Maël m.	24 mai
Maëliss f.	24 mai
Maëlle f.	24 mai
Maëlwenn f.	24 mai
Maëlys f.	24 mai
Maeva f.	30 octobre
Magali f.	16 novembre
Magalie f.	16 novembre
Magdalena f.	22 juillet
Maguy f.	16 novembre
Mahaut f.	14 mars
Maï f.	15 août
Maïa f.	15 août
Maïana f.	26 juillet ou
	15 août
Maïlys f.	15 août
Maïna f.	15 août
Maïté f.	15 août
Maïwenn f.	15 août
Malaury f.	15 novembre
Malcolm m.	9 juin
Mallaury f.	15 novembre

Malo m.	15 novembre	Maryne f.	20 juillet	Mélodie f.	1er octobre
Malorie f.	15 novembre	Maryse f.	15 août	Mélody f.	1er octobre
Malory f.	15 novembre	Matéa f.	21 septembre	Mercedes f.	24 septembre
Malory m.	15 novembre	Mateo m.	21 septembre	Meriem f.	15 août
Malvina f.	5 octobre	Mathéo m.	21 septembre	Meryem f.	15 août
Mandy f.	23 décembre	Mathias m.	14 mai	Meryl f.	15 août
Manel f.	25 décembre	Mathieu m.	21 septembre	Mia f.	15 août
Manoël m.	25 décembre	Mathilda f.	14 mars	Michaël m.	29 septembre
Manon f.	15 août	Mathilde f.	14 mars	Michaëlle f.	29 septembre
Manuel m.	25 décembre	Mathis m.	14 mai ou	Michel m.	29 septembre
Manuela m.	25 décembre		21 septembre	Michèle f.	29 septembre
Manuella f.	25 décembre	Mathurin m.	14 mars	Micheline f.	19 juin
Marc m.	25 avril	Matisse m.	14 mai ou	Michelle f.	29 septembre
Marceau m.	16 janvier		21 septembre	Mickaël m.	29 septembre
Marcel m.	16 janvier	Matteo m.	21 septembre	Miguel m.	29 septembre
Marcelin m.	6 avril	Matthew m.	21 septembre	Mikaël m.	29 septembre
Marceline f.	17 juillet	Matthias m.	14 mai	Mike m.	29 septembre
Marcelle f.	31 janvier	Matthieu m.	21 septembre	Mila f.	16 septembre
Marco m.	25 avril	Matthis m.	14 mai ou	Miléna f.	15 août ou
Mareva f.	15 août ou		21 septembre		18 août
	6 septembre	Maud f.	14 mars	Milène f.	15 août ou
Margaux f.	16 novembre	Maude f.	14 mars		18 août
Margot f.	16 novembre	Maurane f.	15 août	Mina f.	10 janvier
Marguerite f.	16 novembre	Maureen f.	15 août	Mireille f.	15 août
Maria f.	15 août	Maurice m.	22 septembre	Moïra f.	15 août
Mariam f.	15 août	Maurine f.	15 août	Moïse m.	4 septembre
Mariane f.	26 mai	Max m.	14 avril	Mona f.	27 août
Marianne f.	26 mai	Maxence m.	20 novembre	Monica f.	27 août
Marie f.	15 août		ou 26 juin	Monique f.	27 août
Marielle f.	15 août	Maxime m.	14 avril	Morane f.	16 mai
Marilou f.	15 mars ou	Maximilien m.	14 août	Morgan f.	8 octobre
	15 août	Maximin m.	29 mai	Morgan m.	8 octobre
Marilyn f.	15 août	May f.	16 novembre	Morgane f.	8 octobre
Marilyne f.	15 août		ou 15 août	Muriel f.	15 août
Marin m.	3 mars	Mayeul m.	11 mai	Murielle f.	15 août
Marina f.	20 juillet	Maylis f.	15 août	Mylène f.	15 août ou
Marine f.	20 juillet	Médard m.	8 juin		18 août
Marion f.	15 août	Médéric m.	29 août	Myriam f.	15 août
Marius m.	19 janvier	Megan f.	16 novembre	Myrtille f.	5 octobre
Marjolaine f.	16 novembre	Mégane f.	16 novembre		
Marjorie f.	16 novembre	Mélaine f.	6 janvier	**N**	
Marlène f.	22 juillet	Mélanie f.	26 janvier ou		
Martha f.	29 juillet		31 décembre	Nadège f.	18 septembre
Marthe f.	29 juillet	Mélany f.	26 janvier ou	Nadia f.	18 septembre
Martial m.	30 juin		31 décembre	Nadine f.	18 février ou
Martin m.	11 novembre	Melchior m.	6 janvier		18 septembre
Martina f.	30 janvier	Mélina f.	21 septembre	Nancy f.	26 juillet
Martine f.	30 janvier	Mélinda f.	21 septembre	Naomi f.	21 août
Mary f.	15 août	Méline f.	21 septembre	Naomie f.	21 août
Maryam f.	15 août	Mélisande f.	21 septembre	Narcisse m.	29 octobre
Maryline f.	15 août	Mélisandre f.	21 septembre	Nastasia f.	27 juillet
		Mélissa f.	21 septembre	Natacha f.	27 juillet

441

Nathalie f.	27 juillet
Nathan m.	24 août
Nathanaël m.	24 août
Nathanaëlle f.	24 août
Nelly f.	18 août ou
	26 octobre
Nelson m.	3 février
Nestor m.	26 février
Nicolas m.	6 décembre
Nicole f.	6 décembre
Niels m.	6 décembre
Nikita f.	6 décembre
Nils m.	6 décembre
Nina f.	26 juillet ou
	16 septembre
Ninon f.	15 décembre
Noah m.	10 novembre
Noan f.	21 janvier
Noé m.	10 novembre
Noël m.	25 décembre
Noélie f.	25 décembre
Noéline f.	25 décembre
Noëlle f.	25 décembre
Noëllie f.	25 décembre
Noémie f.	21 août
Nolwen f.	6 juillet
Nolwenn f.	6 juillet
Nora f.	25 juin
Norbert m.	6 juin

O

Océane f.	2 novembre
Octave m.	20 novembre
Octavie f.	20 novembre
Odette f.	20 avril
Odile f.	14 décembre
Olga f.	11 juillet
Olivia f.	5 mars
Olivier m.	12 juillet
Olympe f.	17 décembre
Ombeline f.	21 août
Ophélie f.	18 juin
Orane f.	4 octobre
Oriane f.	4 octobre
Orlane f.	13 mai
Ornella f.	18 août
Oscar m.	3 février
Othon m.	2 janvier
Otto m.	2 janvier

P

Pablo m.	29 juin
Pacôme m.	9 mai
Paola f.	26 janvier ou
	12 mars
Paolo m.	29 juin
Pascal m.	17 mai
Pascale f.	17 mai
Pascaline f.	17 mai
Patrice m.	17 mars
Patricia f.	17 mars
Patrick m.	17 mars
Paul m.	29 juin
Paula f.	26 janvier
Paule f.	26 janvier
Paulette f.	26 janvier
Paulin m.	11 janvier
Pauline f.	26 janvier
Peggy f.	16 novembre
Pénélope f.	18 août
Perle f.	16 novembre
Perrine f.	31 mai ou
	29 juin
Peter m.	29 juin
Pétronille f.	31 mai
Philémon m.	22 novembre
Philibert m.	3 mai
Philippe m.	3 mai
Philippine f.	3 mai
Philomène f.	10 août
Pierre m.	29 juin
Pierrick m.	29 juin
Placide m.	5 octobre
Pol m.	12 mars
Prescilia f.	16 janvier
Prescillia f.	16 janvier
Prisca f.	18 janvier
Priscilla f.	16 janvier
Priscillia f.	16 janvier
Prosper m.	25 juin
Prudence f.	6 avril ou
	6 mai

Q

Quentin m.	31 octobre
Quitterie f.	22 mai

R

Rachel f.	15 janvier
Rachelle f.	15 janvier
Rafaël m.	29 septembre
Ralph m.	7 juillet
Ramon m.	7 janvier
Randy m.	21 juin
Raoul m.	7 juillet
Raphaël m.	29 septembre
Raphaëlle f.	23 février
Raquel f.	15 janvier
Raymond m.	7 janvier
Raymonde f.	7 janvier
Rébecca f.	23 mars
Régine f.	7 septembre
Régis m.	16 juin
Réjane f.	7 septembre
Rémi m.	15 janvier
Rémy m.	15 janvier
Renan m.	1er juin
Renato m.	19 octobre
Renaud m.	17 septembre
Renaude f.	17 septembre
René m.	19 octobre
Renée f.	19 octobre
Reynald m.	17 septembre
Rhoda f.	23 août
Richard m.	3 avril
Rita f.	22 mai
Robert m.	30 avril
Roberte f.	30 avril
Roberto m.	30 avril
Robin m.	30 avril
Roch m.	16 août
Rodolphe m.	21 juin
Rodrigue m.	13 mars
Roger m.	30 décembre
Roland m.	15 septembre
Rolande f.	13 mai
Romain m.	28 février
Roman m.	28 février
Romane f.	28 février
Romaric m.	10 décembre
Romée f.	25 février
Roméo m.	25 février
Romuald m.	19 juin
Romy f.	25 février
Ronan m.	1er juin
Rosa f.	23 août
Rosalie f.	4 septembre

Rosane f.	23 août
Rose f.	23 août
Roseline f.	17 janvier
Roselyne f.	17 janvier
Rosie f.	23 août
Rosine f.	11 mars
Rozen f.	30 août
Ruben m.	22 août
Rudy m.	21 juin
Ruth f.	3 juillet
Ryan m.	8 mars

S

Sabine f.	29 août
Sabrina f.	29 août
Sacha f.	20 mars
Sacha m.	22 avril
Safia f.	25 mai
Sahra f.	9 octobre
Sally f.	9 octobre
Salomé f.	22 octobre
Salomée f.	22 octobre
Salomon m.	25 juin
Sam m.	20 août
Samantha f.	20 août
Sammy m.	20 août
Samson m.	28 juillet
Samuel m.	20 août
Samuelle f.	20 août
Samy m.	20 août
Sandie f.	20 mars
Sandra f.	20 mars
Sandrine f.	2 avril
Sandy f.	20 mars
Sara f.	9 octobre
Sarah f.	9 octobre
Saturnin m.	29 novembre
Scott m.	28 juillet
Sean m.	24 juin
Sébastien m.	20 janvier
Segal m.	18 octobre
Ségolène f.	24 juillet
Séléna f.	25 septembre
Selma f.	21 avril
Séraphin m.	12 octobre
Séraphine f.	9 septembre
Serge m.	7 octobre
Servane f.	1er juillet
Séverin m.	27 novembre
Séverine f.	27 novembre

Shania f.	30 mai
Sibel f.	9 octobre
Sibylle f.	9 octobre
Sidonie f.	21 août
Siméon m.	18 février
Simon m.	28 octobre
Simone f.	19 février
Sixtine f.	3 avril
Sofia f.	25 mai
Soizic f.	9 mars ou 5 novembre
Solange f.	10 mai
Solena f.	25 septembre
Solène f.	25 septembre
Solenn f.	25 septembre
Solenne f.	25 septembre
Soline f.	17 octobre
Sonia f.	25 mai
Sophia f.	25 mai
Sophie f.	25 mai
Stacie f.	10 mars ou 15 avril
Stacy f.	10 mars ou 15 avril
Stanislas m.	11 avril
Stecy f.	10 mars ou 15 avril
Steeve m.	26 décembre
Steeven m.	26 décembre
Stefan m.	26 décembre
Stella f.	11 mai
Stéphane m.	26 décembre
Stéphanie f.	2 janvier ou 26 décembre
Stephen m.	26 décembre
Sterenn f.	21 octobre
Stessy f.	10 mars ou 15 avril
Steve m.	26 décembre
Steven m.	26 décembre
Suzanne f.	11 août
Suzie f.	11 août
Suzy f.	11 août
Sven m.	26 février
Svetlana f.	20 mars
Sybille f.	9 octobre
Sydney f.	21 août
Sydney m.	21 août
Sylvain m.	4 mai
Sylvaine f.	4 mai
Sylvestre m.	31 décembre

Sylvette f.	4 mai
Sylvia f.	5 novembre
Sylviane f.	5 novembre
Sylvie f.	5 novembre

T

Talia f.	27 juillet
Tamara f.	1er mai
Tanguy m.	19 novembre
Tania f.	12 janvier
Tatiana f.	12 janvier
Téa f.	11 février
Teddy m.	9 novembre
Téo m.	9 novembre
Terence m.	21 juin
Terry m.	21 juin
Tess f.	1er ou 15 octobre
Tessa f.	1er ou 15 octobre
Thadée f.	28 octobre
Thaïs f.	8 octobre
Théa f.	11 février
Théana f.	11 février
Thelma f.	21 avril
Théo m.	9 novembre
Théodora m.	11 février
Théodore m.	9 novembre
Théophile m.	13 octobre
Théotime m.	16 mai
Thérésa f.	1er ou 15 octobre
Thérèse f.	1er ou 15 octobre
Thibaud m.	8 juillet
Thibaut m.	8 juillet
Thierry m.	1er juillet
Thomas m.	28 janvier ou 3 juillet
Tifany f.	6 janvier
Tifenn f.	6 janvier
Tiffanie f.	6 janvier
Tiffany f.	6 janvier
Tim m.	26 janvier
Timéa f.	26 janvier
Timothé m.	26 janvier
Timothée m.	26 janvier
Timothy m.	26 janvier
Tina f.	24 juillet ou 28 août

443

Tiphaine f.	6 janvier	Vincente f.	4 juin	Yolène f.	11 juin
Tiphanie f.	6 janvier	Violaine f.	5 octobre	Youcef m.	19 mars
Tiphany f.	6 janvier	Violette f.	5 octobre	Youri m.	23 avril
Titouan m.	13 juin	Virgil m.	5 mars	Youssef m.	19 mars
Tom m.	28 janvier ou	Virgile m.	5 mars	Ysabel f.	22 février
	3 juillet	Virginie f.	7 janvier	Ysaline f.	22 février
Tommy m.	28 janvier ou	Vital m.	28 avril	Yvain m.	19 mai
	3 juillet	Viviane f.	2 décembre	Yvan m.	24 juin
Tony m.	13 juin	Vivien m.	10 mars	Yves m.	19 mai
Tracy f.	1er octobre ou	Vladimir m.	15 juillet	Yvette f.	13 janvier
	15 octobre			Yvon m.	19 mai
Tristan m.	12 novembre	**W**		Yvonne f.	19 mai
Trixie f.	13 février				
Trystan m.	12 novembre	Walter m.	9 avril	**Z**	
Typhaine f.	6 janvier	Wanda f.	17 avril		
Tyrone m.	1er octobre	Wandrille f.	22 juillet	Zacharie m.	5 novembre
		Wassily m.	2 janvier	Zachary m.	5 novembre
U		Wendy f.	17 avril	Zakaria m.	5 novembre
		Werner m.	19 avril	Zélia f.	17 octobre
Ugo m.	1er avril	Wilfrid m.	12 octobre	Zélie f.	17 octobre
Ulrich m.	10 juillet	Wilfried m.	12 octobre	Zéphir m.	26 août
Urbain m.	19 décembre	Wilhem m.	10 janvier	Zéphirin m.	26 août
Uriel m.	1er octobre	William m.	10 janvier	Zoé f.	2 mai
Urielle f.	1er octobre	Willy m.	10 janvier		
Ursula f.	29 mai ou	Winnie f.	5 janvier		
	21 octobre	Winona f.	5 janvier		
Ursule f.	29 mai ou	Wladimir m.	15 juillet		
	21 octobre				
		X			
V					
		Xavier m.	3 décembre		
Vadim m.	15 juillet	Xavière f.	3 décembre		
Valentin m.	14 février				
Valentine f.	25 juillet	**Y**			
Valère m.	1er avril				
Valérian m.	1er avril	Yaël f.	13 juillet		
Valériane m.	1er avril	Yaël m.	13 juillet		
Valérie f.	28 avril	Yaëlle f.	13 juillet		
Valéry m.	1er avril	Yan m.	24 juin		
Vanessa f.	4 février	Yanis m.	24 juin		
Venceslas m.	28 septembre	Yann m.	24 juin		
Véra f.	18 septembre	Yannick m.	24 juin		
Vérane f.	11 novembre	Yannis m.	24 juin		
Véronique f.	4 février	Ylona f.	18 août		
Vicky f.	15 novembre	Yoan m.	24 juin		
Victoire f.	15 novembre	Yoanie f.	30 mai		
Victor m.	21 juillet	Yoann m.	24 juin		
Victoria f.	15 novembre	Yohan m.	24 juin		
Victorien m.	23 mars	Yohann m.	24 juin		
Victorine f.	23 mars	Yolaine f.	11 juin		
Vincent m.	22 janvier ou	Yolande f.	11 juin		
	27 septembre				

Sondage : Comment les parents choisissent-ils les prénoms de leurs enfants ?

Vous connaissez le sexe de votre bébé, mais au troisième trimestre de votre grossesse, vous hésitez encore sur le prénom à lui attribuer. Il faut dire que vous êtes exigeant(e) : ce prénom doit avoir une belle sonorité, il doit s'accorder avec votre patronyme et se conformer à bien d'autres conditions. Cette situation est-elle courante ? Comment les autres parents choisissent-ils les prénoms de leurs enfants ? C'est dans l'objectif de répondre à ces questions qu'un sondage a été mis en ligne sur le site MeilleursPrenoms.com du 7 janvier au 15 mai 2004.

Le questionnaire à remplir s'adressait aux parents et aux futurs parents. Au total, 3 050 personnes (dont 2 646 femmes) y ont répondu. La plupart des personnes interrogées (2 019 d'entre elles) habitaient en France, les autres résidaient en Belgique, au Canada ou en Suisse. Un peu plus de deux tiers des personnes sondées attendaient un enfant au moment où elles ont rempli le questionnaire.

Les résultats ci-dessous sont basés sur les réponses des parents et futurs parents habitant en France. Cependant, ces résultats sont très représentatifs de ceux qui ont été recueillis pour les parents francophones. En effet, la plupart des réponses de ces deux groupes de parents sont identiques ou se suivent dans une limite de variation de 2 % (les résultats qui sont en dehors de cette limite ont été précisés). Ceci est une des surprises de ce sondage, ce n'est pas la seule. Un autre élément peut en effet paraître surprenant : les hommes ont répondu à ce questionnaire de la même manière que les femmes. Par exemple, la sonorité du prénom est le premier critère de choix des parents, qu'ils soient papas ou mamans. Enfin, on constate que la connaissance du sexe de l'enfant à naître ne modifie en rien la façon dont les futurs parents choisissent leurs prénoms.

La première question de ce sondage était la suivante :
1) *Quels ont été ou sont selon vous les éléments ayant le plus d'importance dans la détermination du prénom de votre enfant ?*

Les choix de réponses qui étaient proposés aux parents étaient (dans l'ordre de leur apparence) :

– Belle sonorité
– Connotation sociale du prénom
– Étymologie (origine et sens) d'un prénom
– Originalité (prénom peu commun)
– Caractère religieux
– Prénom inspiré par une personnalité célèbre
– Accord entre le prénom et le nom de famille
– Prénom donné par un autre membre de la famille
– Influence de la mode

La personne interrogée pouvait quantifier le degré d'importance qu'elle attachait à chacun de ces critères. Les degrés d'importance proposés étaient les suivants : « indispensable », « très important », « important », « assez important », « peu important », et « aucune importance ».

Voici l'analyse des réponses enregistrées :

L'élément jugé le plus important est la *sonorité* du prénom. 37 % des sondés trouvent qu'une belle sonorité est indispensable, et 52 % jugent cet élément important ou très important. *L'accord entre le prénom et le patronyme* vient au deuxième rang des priorités. Cette harmonie est indispensable pour 29 % des sondés, elle est importante ou très importante dans 44 % des réponses. Vient ensuite l'*originalité* d'un prénom. Elle est jugée indispensable par 16 % des sondés, 49 % la jugeant importante ou très importante. La *connotation sociale* du prénom n'est pas considérée comme un élément indispensable pour l'ensemble des sondés. Elle n'a même aucune importance pour 20 % des personnes interrogées. Toutefois, un tiers d'entre elles estiment qu'elle est importante ou très importante. Les résultats recueillis concernant l'*importance de l'étymologie* sont quant à eux très proches de ceux de la catégorie précédente. Cependant, un plus grand pourcentage de parents

(19 %) estime que l'étymologie d'un prénom n'a aucun poids dans le processus de choix d'un prénom. C'est l'*influence de la mode* qui vient en 6ᵉ position. Seuls 14 % des parents estiment que cette influence est importante ou prépondérante. Parce qu'elle contredit la réalité des faits, cette réponse est intéressante : elle prouve en effet que qu'une majorité de parents n'ont pas conscience d'avoir été influencés par les cycles de mode des prénoms.

Le poids des traditions s'effrite en France et dans le reste de la zone francophone : 54 % des sondés n'ont pas du tout tenu compte de la coutume de donner un prénom porté par un autre membre de la famille. Leur position est d'ailleurs pratiquement identique, que l'enfant à naître soit de sexe masculin ou féminin : 5 % des parents estiment qu'il est indispensable d'attribuer à leur futur garçon un prénom porté dans la famille contre 4 % lorsqu'il s'agit d'une fille. L'importance du caractère religieux arrive en avant-dernière position (62 % des réponses indiquent que ce dernier n'a aucune importance). Enfin 71 % des personnes sondées estiment que leurs choix de prénoms n'ont pas été inspirés par des prénoms de personnalités célèbres.

2) Pour ou contre parler de ses idées de prénoms à ses proches ?

57 % des parents habitant en France répondent qu'ils sont en faveur de ce procédé. Notons que ce résultat s'élève à 66 % pour les parents de la zone francophone.

3) Le choix du prénom de votre enfant est ou a-t-il été une source de conflit ?

Oui : 22 %
Non : 78 %

Si oui... ces conflits sont-ils survenus :		
Choix	Réponses positives	Réponses négatives
Dans votre couple seulement	51 %	49 %
Avec vos proches seulement (dans le cas où vous aviez partagé vos idées de prénoms avec eux)	29 %	71 %
Dans votre couple et vos proches à la fois	20 %	80 %

Dans le cas où le prénom n'est ou n'a pas été source de conflit :		
Choix	Réponses positives	Réponses négatives
En aviez-vous parlé à vos proches (famille) ?	54 %	46 %
En aviez-vous parlé à vos amis ?	52 %	48 %

Le fait de partager ses idées de prénom n'est donc pas forcément synonyme de problèmes : plus de la moitié des parents qui l'ont fait indiquent que ces confidences n'ont pas engendré de conflits. Notons que dans les pays francophones, ce cas de figure est encore plus répandu.
Ci-dessous les réponses de ces parents francophones :

Choix	Réponses positives	Réponses négatives
En aviez-vous parlé à vos proches (famille) ?	61 %	39 %
En aviez-vous parlé à vos amis ?	58 %	42 %

4) À quel moment choisit-on un prénom… ?

Ceci vous surprendra peut-être : près d'un tiers des parents affirment avoir choisi le prénom de leur enfant avant la grossesse. Cependant, les futurs parents qui peinent à trouver le prénom de leur enfant peuvent être rassurés : la majorité d'entre eux ne font leurs choix que dans les 2e et 3e trimestres de grossesse ! Voyons en détail les réponses données à cette question.

Vous avez choisi le prénom que vous avez donné à votre enfant :	
Choix :	Réponses :
Avant la grossesse	26 %
Pendant le 1er trimestre de grossesse	17 %
Pendant le 2e trimestre de grossesse	27 %
Pendant le 3e trimestre de grossesse	27 %
Le jour de la naissance ou juste après celle-ci	3 %

Remarque : seuls 3 % des parents habitant en France affirment avoir choisi le prénom de leur enfant une fois que ce dernier était né. Notons que ce pourcentage est plus important dans les trois pays de la zone francophone. En effet, 10 % des parents francophones sondés répondent qu'ils ont effectué leur choix de prénom le jour, ou juste après la naissance de leur enfant.

5) Vous avez choisi un prénom peu répandu pour votre enfant. Vous avez découvert ce prénom pour la toute première fois :

Choix :	Réponses :
Dans un magazine	4 %
Dans un livre ou une encyclopédie sur les prénoms	14 %
Sur un site Internet	16 %
Ce prénom est porté par une personnalité ou un personnage) célèbre (cinéma, télévision, littérature, politique, etc.	12 %
Vous estimez l'avoir inventé	5 %
Des amis ou connaissances ont donné ce prénom à leur enfant	5 %
Vous ne vous rappelez plus de la façon dont vous avez découvert ce prénom	11 %
Vous avez entendu ce prénom dans un lieu public (ex : un parent a appelé un enfant ainsi)	33 %
Autre	0 %

Les sources d'inspiration de prénoms sont donc très variées. Mais c'est dans les espaces publics qu'une majorité de parents trouve la bonne inspiration !

6) Garçon ou fille ?

Qui n'a pas voulu connaître à l'avance le sexe de son enfant ? La plupart des parents le souhaite, mais leur curiosité fléchit nettement à partir de la 3e grossesse.

Question	Réponses positives	Réponses négatives
Pour votre 1er enfant, avez-vous souhaité connaître le sexe du bébé avant sa naissance ?	75,5 %	24,5 %
Même question (si applicable) pour le 2e enfant	74 %	26 %
Même question (si applicable) pour le 3e enfant	64 %	36 %
Même question (si applicable) pour le 4e enfant	56 %	44 %

Note : Les parents belges, canadiens et suisses ne répondent différemment qu'à la première question. En voici les chiffres détaillés :

Pour votre 1er enfant, avez-vous souhaité connaître le sexe du bébé avant sa naissance ?	68 %	32 %

7) Lorsque vous avez choisi le prénom de votre enfant, avez-vous expressément évité les prénoms qui peuvent être :

Choix :	Réponses positives	Réponses négatives
Difficiles à prononcer en français	67 %	33 %
Difficiles à prononcer dans toute autre langue que le français	25 %	75 %
Raccourcis par l'usage de diminutifs	34 %	66 %

Les réponses des parents des trois pays de la zone francophone se démarquent plus particulièrement sur le deuxième point. Voici les réponses que ces 1 031 parents ont donné :

Choix :	Réponses positives	Réponses négatives
Difficiles à prononcer en français	68 %	32 %
Difficiles à prononcer dans toute autre langue que le français	34 %	66 %
Raccourcis par l'usage de diminutifs	37 %	63 %

Remarque : ces résultats, différents de ceux enregistrés pour la France, s'expliquent parce que d'autres langues sont parlées en Belgique, au Canada et en Suisse. Davantage de parents ont donc intérêt à ce que le prénom qu'ils choisissent soit facilement prononçable dans les régions non francophones de leur pays.

Index des zooms prénoms

Index des encadrés

Achevé d'imprimer par Corlet, Imprimeur, S.A. - 14110 Condé-sur-Noireau
N° d'Imprimeur : 81950 - Dépôt légal : janvier 2005 - *Imprimé en France*